Secondes noces

Carrie Adams

Secondes noces

Traduit de l'anglais
par Sabine Boulongne

ÉDITIONS FRANCE LOISIRS

Titre original anglais : THE STEPMOTHER
Première publication : Headline Review, Londres, 2007

Édition du Club France Loisirs,
avec l'autorisation des Éditions Calmann-Lévy

Éditions France Loisirs,
123, boulevard de Grenelle, Paris
www.franceloisirs.com

1

Crunchy Nut

Les rires fusaient de toutes parts, et pour une fois, je ne pouvais même pas faire semblant de me joindre à l'hilarité générale. J'avais envie de prendre une de mes filles sur mes genoux et de la serrer très fort contre moi, mais j'avais appris à me dominer. À huit ans, ma benjamine elle-même s'estimait trop grande pour de telles manifestations publiques d'affection. Lorsque nous étions seules à la maison, pas de problème, seulement ce n'était pas dans ces moments-là que j'avais besoin de sa protection. Une main se posa sur mon épaule. Je scotchai automatiquement un sourire sur mes lèvres en me retournant.

« Merci mille fois pour tout ce que vous avez fait, dit la femme qui baissait son regard sur moi.

— Je suis contente d'avoir pu vous aider, répondis-je.

— Tout le monde s'accorde à dire que vous avez été fabuleuse. »

Un sourire radieux illumina le visage de ma benjamine. Si sa maîtresse disait que j'étais fabuleuse, c'est que je devais être capable de faire quelque chose de bien.

« J'attendais ce moment avec impatience », ajouta mon imposante interlocutrice en prenant la place voisine de la mienne. Je me crispai. Ma cadette, âgée de neuf ans, assise près de moi, de l'autre côté, n'avait pas remarqué la présence de la directrice de son école pour la bonne raison qu'elle était occupée à tendre le cou pour explorer du regard le fond de la salle. Depuis que nous étions assises, elle surveillait l'entrée. Je fis pivoter ses épaules en douceur, face à la scène.

« Il va venir, dis-je en jetant un rapide coup d'œil au siège vide. Ne t'inquiète pas.

— Je ne m'inquiète pas », me répondit-elle en se détournant illico.

Les lumières faiblirent et un murmure exalté s'éleva parmi les parents, les frères et sœurs et les autres avant de se dissiper peu à peu. Deux paires d'yeux noisette anxieux cherchèrent mon regard dans la pénombre de la salle.

« Il va venir, répétai-je en prenant les mains de mes filles, et à l'instant où la première note jaillit du piano, il apparut.

— Papa ! » soufflèrent-elles en bondissant sur leurs sièges.

Jimmy se glissa le long de l'allée étroite en déployant un charme tel que personne ne parut s'en offusquer, à part moi. Il s'arrêta même en chemin pour déposer un baiser sur la joue d'une bonne amie à nous et serrer la main de plusieurs papas.

« Assieds-toi », articulai-je.

Il se pencha pour m'embrasser et embrasser les filles.

« Désolé, chuchota-t-il. La réunion a duré plus longtemps que prévu. »

Je posai un doigt sur mes lèvres en désignant l'estrade. Les épais rideaux de velours vert s'écartaient pour révéler les rues sordides de Hell's Kitchen à New York, où des fillettes déguisées en garçons marquaient les fameux territoires des Jets et des Sharks, à grand renfort de sifflements, de claquements de langue et de crachats.

Puis l'agressivité s'évapora et ma fille aînée fit son apparition. Elle regarda vers nous comme à travers un miroir invisible, examinant son reflet avec autant d'intensité que l'assistance l'examinait elle-même. Mon imagination me jouait-elle des tours ou avais-je bel et bien entendu des cris étouffés monter de la salle ? Elle était d'une beauté phénoménale. Plus mûre et plus maîtresse d'elle-même qu'on est supposé l'être à quatorze ans – était-il possible que nous ayons un enfant de quatorze ans ? Mon regard était rivé sur Amber qui évoluait sur la scène avec une aisance parfaite tandis que mon cerveau sautait machinalement à sa prochaine réplique avant même qu'elle eût fini de proférer la précédente. J'étais impressionnée, fascinée, et tout aussi terrifiée. Quant à Amber, à en juger d'après la fixité du bas de sa robe, elle était solide comme un roc.

Elle était tellement belle. L'ai-je déjà dit ? Ses cheveux auburn étaient relevés par un ruban blanc, et sa robe stricte et proprette de bonne catholique n'entamait en rien la grâce de son long corps svelte. Elle avait une peau de la couleur du lait, mais lorsqu'elle ouvrait la bouche pour chanter, on oubliait le collège londonien pour jeunes filles pour se retrouver dans l'univers d'une Portoricaine à la veille de son premier bal.

Jimmy se pencha devant notre cadette et plongea son regard dans le mien. Il me serra la main à la briser, mais notre fille récupéra alors son père en posant résolument sa main sur ses genoux à elle. Je baissai les yeux sur les miens, le temps que la chaleur quitte lentement ma peau et que mes doigts recouvrent leur froideur perpétuelle.

Pendant l'entracte, Jimmy et moi eûmes droit à un déluge de compliments de la part de nos collègues parents, certains sincères, d'autres mi-figue mi-raisin, d'autres carrément grinçants. Comment se fait-il que je ne me souvienne toujours que de ceux-là ?

« Vous devez être si fiers. Quand Talullah a décroché sa bourse, j'ai fait en sorte qu'elle garde les pieds sur terre en l'obligeant à faire son lit tous les jours. Ça a fonctionné à merveille. Vous devriez en faire autant avec Amber pour que ça ne lui monte pas à la tête.

— Elle fait déjà son lit tous les jours, répondis-je, perplexe.

— Oh ! » s'exclama la femme, tout aussi déconcertée.

Nous restâmes bêtement plantées là jusqu'à ce qu'un nouvel « éloge » fende l'air comme un missile.

« Elle est merveilleuse, n'est-ce pas ? Vous allez avoir du pain sur la planche pour l'astreindre à garder les pieds sur terre, lança une dame aux manières empesées que j'avais tenté d'éviter en vain. Ce n'était pas une mince affaire de choisir une fille de troisième. Elle est tout à fait remarquable, c'était le bon choix, incontestablement, mais je crois que certaines mamans d'élèves de seconde ne sont pas très contentes. »

J'ouvris la bouche pour répondre, mais Jimmy fut plus rapide. « Merci pour vos tuyaux, mesdames. Nous serons sur nos gardes désormais. » Elles rirent sottement. Jimmy me saisit le coude. « Allons au bar, dit-il.

— Si j'étais toi, je m'assurerais qu'on ne nous empoisonne pas.

— Pourquoi moi ? demanda-t-il.

— Tu préfères te charger de coudre les étiquettes ?

— On en trouve qui se collent d'un coup de fer de nos jours, non ?

— Oui, mais sauras-tu répondre à cette question : qu'est-ce qu'un fer ? »

Ses rides se creusèrent sous l'effet d'une concentration feinte.

« Tu as gagné. C'est moi qui bois en premier. »

Nous fûmes la cible d'autres commentaires « salutaires » tandis que nous nous frayions un passage à travers la foule, mais fort heureusement, comme je cumulais un total renversant de dix-huit années de scolarité pour mes filles dans cet établissement, je savais qui étaient mes amis et où les trouver. Derrière le bar. Mes *amies*, devrais-je dire, puisque les femmes dominent ma vie.

Je laissai Jimmy en l'agréable compagnie d'un certain nombre d'entre elles, m'approchai de la table à tréteaux recouverte d'un drap et pris une poignée de chips.

« Bonjour, Carmen », lançai-je à l'une de mes codétenues maternelles préférées.

Elle était en train de verser une mixture à base de picrate dans des gobelets en plastique. Elle articula : « La vache, Bea, elle est géniale ! »

C'était un compliment sincère pour le coup, je le savais.

« Une maman m'a dit que personne n'aimait les bêcheuses. »

Carmen en resta bouche bée. Elle glissa le bras sous la table et me tendit une bouteille d'un vin blanc correct.

« Tu vas avoir besoin de ça, dans ce cas. »

Je me servis une bonne rasade et lui rendis la bouteille.

« Elle s'est empressée d'ajouter qu'Amber n'était évidemment pas comme ça.

— En hurlant intérieurement : Pas *encore* !

— Je ne te le fais pas dire !

— Les eaux sont infestées de requins.

— De l'espèce qui m'apprécie tout particulièrement.

— Tu as cousu huit cents chouchous à la main pour l'école, ma douce. Comment veux-tu qu'on t'apprécie ? »

Je levai mon gobelet à sa santé.

« Écoute, Lulu a eu une étoile à son contrôle de lecture, alors ça valait le coup de se bousiller les doigts.

— Pourquoi crois-tu que je tiens le bar ? »

Nous échangeâmes des sourires de conspiratrices.

« Profites-en, ajouta-t-elle. C'est du sancerre.

— Je te pardonne ta langue de vipère, alors. »

Carmen vida un sachet géant de chips dans le bol posé devant moi en me décochant un clin d'œil, puis elle s'élança à l'autre bout du bar pour ouvrir plusieurs berlingots de jus d'orange longue conservation.

Je m'emparai d'une poignée de chips supplémentaires tout en étudiant le terrain. Le vin bon marché et le spectacle réussi opéraient leur magie sur la foule. Tout le monde avait payé sa place et en voulait pour son argent. Les rires ondulaient dans l'air, pareils à des vaguelettes sur une mare sous la pluie. Plantée au bout du bar, j'observais l'assistance. De temps à autre, je voyais mes deux cadettes foncer entre les adultes, suivies d'une bande d'enfants toujours plus nombreuse. Le statut de star d'Amber rejaillissait sur ses sœurs. Méfiez-vous, pensai-je, sentant ce nœud d'anxiété que mes filles font naître en moi. La popularité a parfois la vie courte.

On me prit par les épaules. Jimmy me dominait comme d'habitude de vingt bons centimètres. Il me sourit et écarta son bras avant de boire à la hâte une gorgée dans mon gobelet.

« Il est étonnamment bon pour ce genre de raout, fit-il avant d'en engloutir une autre.

— C'est Carmen qui sert au bar. »

Le front plissé, il essaya de se rappeler qui c'était.

« La maman de Sarah ?

— De Daniella et de Sophia.

— Ah oui ! Bien sûr. »

Daniella et Sophia ne lui disaient rien du tout, mais il bluffait à la perfection. Soudain, un sourire jusqu'aux oreilles éclaira son visage.

« Elle se débrouille comme un chef, non ? Enfin, on a toujours su qu'elle avait une belle voix, mais chanter et jouer la comédie – Seigneur, je suis monstrueusement fier ! Je m'efforce d'être modeste, mais ce n'est même pas la peine. Quand les gens viennent me dire qu'elle est fabuleuse, je souris comme un nigaud en abondant dans leur sens.

— On ne voudra jamais de toi dans l'équipe de surveillance des récréations. »

Il rit de ma petite plaisanterie, et je lui en fus reconnaissante. Trop souvent quand je dis ce genre de choses, mon interlocuteur se met à me cuisiner sur l'incidence de ladite équipe sur les chances qu'a sa fille de devenir leader du monde libre. Ou d'en épouser un.

« Tu as encore des mauvaises pensées, je pense, dit Jimmy.

— Pas du tout.

— Bien sûr que si.

— Comment le sais-tu ? lançai-je d'un ton plein de défi, bien qu'il eût raison, le bougre.

— Je te connais. »

Il m'observa avec une intensité dont je ne savais plus quoi faire, aussi m'emparai-je d'une autre poignée de chips pour dissimuler mon malaise.

« Bon, d'accord. C'est vrai, je passe trop de temps dans ce bâtiment. Je fais partie des murs et, bien que je haïsse mes ravisseurs, je redoute de m'en éloigner.

— Eh bien, cesse de te porter volontaire pour fabriquer les décors, organiser la kermesse, repeindre l'école et te charger de l'entraînement de *netball*. D'autant plus que j'ai du mal à comprendre ce qui peut pousser les gens à s'exercer à sauter sur une jambe. »

Je lui flanquai un coup de coude dans les côtes.

« Tu préférerais peut-être que tes filles fassent du rugby ?

— Absolument.

— N'importe quoi !

— Je t'assure. C'est un sport génial.

— Et tu irais assister aux matches tous les dimanches après-midi. »

Il hésita une fraction de seconde.

« C'est bien ce que je pensais.

— Tu as raison. J'aurais horreur de voir une de nos filles plaquée à terre dans une mêlée », avoua-t-il en frissonnant.

Le silence s'épaissit entre nous. Je tendis le bras pour reprendre des chips, mais le plat était vide. Jimmy fit mine de passer la foule en revue à la recherche de visages familiers. Je savais pertinemment que nous pensions la même chose. Que ce serait différent si nous avions eu un garçon. Tout serait différent si nous avions eu un garçon. Où étaient ces commentaires « salutaires » quand on avait besoin d'eux ?

« Tu as débité le texte intégralement », reprit Jimmy avec un sourire que je savais forcé.

C'est le problème quand on a passé le plus clair de sa vie avec quelqu'un. On le connaît bien. Trop bien parfois, à mon avis. Mais je ne pris pas ombrage de sa remarque. Nous étions là pour profiter de la soirée.

« Tu crois ?

— Pendant toute la première partie, tu as articulé les répliques en silence – pas seulement celles d'Amber, celles de tout le monde. »

Il se payait ma tête maintenant.

« Oh, mon Dieu ! gémis-je.

— Avec l'intonation et l'expression *ad hoc*, qui plus est.

— Pourquoi ne pas me l'avoir dit ?

— Tu étais tellement mignonne. Ne t'inquiète pas. Si tu fais mine de te lever et de lui souffler, je te ligote et je te bâillonne sur-le-champ. »

Après quoi il se ficha allégrement de moi en évoquant toutes les autres fois où j'aurais mérité un tel traitement jusqu'à ce que j'éclate de rire à mon tour, malgré moi. C'est le problème avec Jimmy. Il m'a toujours fait rire. Sauf quand il m'a fait pleurer.

La sonnerie retentit et tout le monde regagna sa place en bon ordre. Comment se fait-il que, dès que l'on met les pieds dans une école, on se comporte de nouveau comme des collégiens, même si ça fait un quart de siècle qu'on n'a pas revêtu l'uniforme ? J'enfilai les couloirs de l'école de mes filles consumée par des pensées irrationnelles à propos de popularité et de vilaines coiffures. En dehors de ces lieux, j'avais la sensation d'être compétente, capable, efficace, équilibrée. Dès que j'avais franchi le portail, je me sentais petite, grosse, insignifiante. Non que je revive la terrible époque de ma scolarité, pour la bonne raison que j'adorais l'école. Je revivais plutôt… mon avenir, sans les perspectives qui vont avec. Et ça me fiche une trouille de tous les diables.

Je repris ma place en secouant la tête. Cette soirée était celle d'Amber. Pas la mienne. Ce n'était pas le moment d'entretenir des pensées moroses. Mon potentiel était peut-être limité ces temps-ci, mais mes filles en avaient à revendre et c'était suffisant. Il fallait qu'il en soit ainsi.

Le deuxième acte fut encore meilleur que le premier. L'interprétation d'Amber semblait prendre de l'essor au fil de l'intrigue. Sous mes yeux ahuris, ma petite fille passa de la naïveté à la féminité pour évoluer vers le professionnalisme à mesure qu'elle enchaînait les rengaines. Toutes les autres jouaient avec une gravité qui me rappela à quel point il était aisé de les sous-estimer. Amber sanglota, agenouillée près du corps ensanglanté de son cher Tony – une fille charpentée du nom de Sammy –, puis elle se redressa et chanta comme si son cœur se brisait tandis que les Jets et les Sharks emportaient ensemble le corps inerte de Tony hors de la salle. Jimmy et moi pleurâmes tous les deux. Mais séparément. Sans nous tenir par la main.

Il y eut un tonnerre d'applaudissements à la fin. Tout le monde se leva. J'applaudis à tout rompre en pleurant et en riant simultanément quand la troupe vint saluer. Les élèves présentes dans le public se mirent à taper des pieds et, mue par un excédent d'énergie, je les imitai, ce qui me fit rire et pleurer de plus belle parce que j'avais oublié comme cela pouvait être amusant de taper des pieds.

Amber tenait Sammy par la main et souriait. Tout le monde avait remarquablement bien joué, mais notre fille aînée avait volé la vedette. Je ne vois pas pourquoi cela m'aurait surprise. Il en avait toujours été ainsi.

Jimmy nous serra dans ses bras, ses filles et moi, et je ravalai mes vilaines pensées.

Carmen finit par me retrouver et me tendit un gobelet en plastique blanc assorti d'un nouveau clin d'œil appuyé. En buvant une gorgée, je fus étonnée de sentir de minuscules bulles éclater sur mes lèvres.

« Tu es une vraie merveille », dis-je en pointant mon doigt vers elle alors qu'elle levait son propre gobelet pour porter un toast.

Soudain, un déluge d'applaudissements s'éleva dans la foule, et les gens s'écartèrent pour laisser Amber et Sammy passer en paradant tels des membres de la famille royale. Attention, mes chéries, pensai-je, attention. J'explorai la pièce des yeux, tel un agent secret à la recherche des feux de l'ennemi subversif qui se terrait forcément, là, quelque part.

Jimmy me pressa la main et se pencha vers moi pour me parler dans le cou à voix basse.

« Laisse-la profiter de cette soirée. Nous rectifierons le tir demain… »

Puis il fit une chose qu'il ne fait plus très souvent. Il me déposa un baiser sur le sommet du crâne. Tandis que mes cheveux se remettaient en place sur ma tête, je ne pensais qu'à une chose : *Moi, Jimmy. Ce sera moi qui rectifierai le tir. Moi toute seule.*

Amber nous aperçut et lâcha la main de celle qui partageait la vedette avec elle. En souriant à chaque compliment – « magnifique », « fabuleux », « époustouflant » –, en pressant toutes les mains qui se tendaient, elle flotta jusqu'à nous.

Jimmy la souleva, la jeta dans les airs, la rattrapa. Tous les regards étaient braqués sur eux – ceux des femmes sur Jimmy, ceux des hommes, j'ai honte de le dire, sur Amber. Plus personne ne me regarde comme ça désormais.

Pour finir, Amber me vit. Elle me sourit et déposa un baiser humide sur ma joue.

« J'ai réussi ! s'écria-t-elle d'une voix perçante.

— Tu as fait plus que ça, ma chérie. Tu étais extraordinaire. Je suis si fière de toi.

— Merci, maman », répondit-elle en jetant des coups d'œil autour d'elle en quête du prochain compliment. Il ne se fit pas attendre. Les yeux écarquillés, elle m'envoya un baiser en signe d'adieu et se laissa entraîner par une amie dont le père la saisit par la taille – légèrement en dessous de la taille, à vrai dire.

À chaque éloge, je l'imaginais se gonflant comme une montgolfière. Au lieu de la regarder avec bonheur s'envoler toujours plus haut, je m'aperçus que je me cramponnais à des cordes d'ancrage imaginaires destinées à lui maintenir les pieds sur terre. « Exceptionnel », « phénoménal », « génial ». Génial ? Un excès d'air chauffé et dilaté était dangereux. Explosif. J'avais les jointures toutes blanches. J'étirai les doigts, m'attendant à moitié à découvrir des brûlures provoquées par le frottement des cordes en travers de mes paumes.

Je me réfugiai dans ma zone de sécurité. Auprès des femmes au bar. Avec lesquelles je serais amie quelles que soient nos années de naissance. Ne vous méprenez pas, j'apprécie beaucoup la plupart des femmes que je croise dans cette école – l'équivalent de trois classes de trente mamans –, mais il y a une grande différence entre apprécier et avoir une sensibilité commune.

Angie me flanqua une tape sur le dos.

« Qu'est-ce que vous avez à vous bidonner comme ça ? demandai-je.

— Arrête. Ça fait trop mal », répondit-elle. Elle avait une fille à l'école et trois garçons dans un autre établissement.

« De quoi riez-vous ?

— C'est à propos de la journée pour la protection des animaux la semaine dernière. » Elle fit la grimace. « J'avais complètement oublié. Ma pauvre Ella était la seule à ne pas être en uniforme. Elle était folle de rage quand elle s'est rendu compte qu'elle n'était pas un animal en voie de disparition.

— Quoique. Les filles de la Regent's Gate School sont une espèce assez rare, dis-je, surtout celles qui ne parlent pas le russe. »

Carmen avait abandonné son poste derrière le bar. Elle me donna un petit coup de coude.

« Fais gaffe, dit-elle en tirant sur mon pull. Tu vas te faire mal voir.

— Ne sois pas ridicule, lança Angie.

— Rendez-vous compte qu'en plus de conduire mes enfants à l'école le lendemain de la fin des cours je les y ai emmenés un jour trop tôt pour la rentrée, dit

Theresa qui était médecin et avait son propre cabinet. Mon psy dirait qu'inconsciemment je redoute de rester seule avec ma progéniture. Et il n'aurait pas tort. »

Tout le monde s'esclaffa.

Je me creusai les méninges à la recherche d'une histoire révélatrice de ma propre impuissance. En vain. Vous voulez que je vous dise ? J'en étais gênée. Angie et Theresa travaillaient à plein-temps, comme moi autrefois. Carmen continuait, elle, à mi-temps. Parfois tout marchait comme sur des roulettes, mais pas toujours. Je n'avais rien d'autre à faire pour ma part que de m'occuper de mes filles, si bien qu'elles allaient tous les jours sans exception à l'école avec leurs affaires de danse propres et repassées, leurs devoirs faits et un en-cas sain et fraîchement préparé dans leur cartable.

« Tu as un psy ? m'enquis-je, avide de changer de sujet.

— C'est un fantasme, tout comme les cours de Pilate, le régime, les grasses matinées. Il est plutôt sexy, il pose sa main sur mon front fiévreux et il me dit que je m'en sors très bien.

— C'est vrai que tu t'en sors très bien, soulignai-je.

— Je sais, me répondit Theresa en haussant les épaules, mais ça ferait du bien de se l'entendre dire de temps en temps.

— Je lève mon verre à cette idée », lança Carmen, et toutes brandirent leurs gobelets en plastique.

Carmen afficha tout à coup un sourire des plus sexy. Une seconde plus tard, je sentis des mains se poser sur mes épaules. Je sais que Jimmy est l'un des *daddys* préférés de ces dames grâce à sa crinière presque intacte, à son sens de l'humour et à un talent sans nom pour parler aux femmes. Si je devais l'affronter dans un concours de popularité, il l'emporterait haut la main. Cela fait belle lurette que je m'y suis faite.

« On y va ?

— Tu as récupéré les filles, m'étonnai-je.

— Non. »

J'imagine que seules mes camarades perçurent le petit soupir que je laissai échapper tandis que je répertoriais en silence les agacements que les « non » de Jimmy avaient provoqués. Pour l'homme, les sous-entendus féminins sont l'équivalent du sifflet pour chien aux oreilles de tout être humain : ils ne les discernent pas. « Je vais aller les chercher », dis-je. Ce serait donc moi la méchante. Des années plus tôt, j'aurais envoyé Jimmy, mais je savais par expérience qu'il reviendrait bredouille. Il était proprement incapable d'imposer sa volonté à sa fille aînée, pour la bonne raison qu'elle le menait par le bout du nez. Je le laissai en compagnie de mes copines et me lançai à la recherche de ma star de fille.

Amber trônait au milieu de sa cour, mais je voyais bien qu'elle était fatiguée. À bout de forces, même ; ce n'était pas sans danger, je le savais. Ce type d'euphorie coûte cher. Je me tins un peu à l'écart, le temps d'élaborer une stratégie. Finalement, il me vint une idée qui avait une chance de faire mouche.

« Amber, ma chérie, papa propose de passer prendre des plats à emporter chez Nando en rentrant.

— Nando ! Miam, je crève de faim ! s'exclama son amie Emily.

— Tu as de la chance ! Nous, on n'a jamais le droit d'y aller, ajouta une autre fille que je ne connaissais pas.

— Qu'est-ce que je donnerais pas pour une assiette de frites, là tout de suite ! » renchérit une troisième.

Je souris. L'appétit féroce de la préadolescente me ravit. Je le savoure, à dire vrai. J'ai des amies qui ont des filles plus âgées et je sais que, d'ici peu, le régime Special K s'insinuera dans la conscience de mon enfant.

« Désolée, les filles, dit Amber en se levant. Faut que j'y aille.

— Vous revenez demain soir ? me demanda Emily.

— Je serai là tous les soirs. Demain nous venons avec les grands-mères et les tantes.

— Tous aux abris ! » clama Amber d'un ton dramatique.

Nous y voilà, pensai-je en lui prenant gentiment le bras.

Je réussis à cueillir les deux autres au passage. Ce fut Jimmy que j'eus le plus de mal à arracher à l'assistance. Quand Maddy l'éloigna de son auditoire béat, il laissa derrière lui un fer à cheval de femmes déconfites. Amber et Jimmy se ressemblent plus que je ne l'avais jamais imaginé. Des charmeurs ! Cela rend leur compagnie agréable, mais le problème avec les charmeurs, c'est qu'il leur faut un public. En permanence.

Je m'installai au volant, Jimmy à côté de moi, les filles derrière. Il faisait frisquet ce soir-là, je mis le chauffage. L'hiver refusait obstinément de céder la place au printemps. Je savais que les gens attendaient avec impatience d'avancer leur montre d'une heure et de retrouver la belle saison, mais les soirées fraîches et prématurées convenaient à mon existence. C'était plus facile d'être ermite dans l'obscurité. J'avais pris soin de chuchoter mon plan à l'oreille de Jimmy, et après lui avoir glissé trente livres parce qu'il avait dépensé le reste de l'argent liquide qu'il avait sur lui pour venir à l'école en taxi, je nous conduisis au fast-food.

« Tu veux quelque chose ? me demanda-t-il en se penchant vers la portière.

— Non merci. Je n'ai pas faim. »

Un peu plus tard, j'ouvris la porte de notre petite maison de Kentish Town, et les filles s'élancèrent pour se disputer le seau de cholestérol posé au milieu de la table en pin de la cuisine. Jimmy rallia le réfrigérateur, en sortit une bière, trouva une bouteille de vin ouverte et m'en servit une généreuse rasade. Puis, assis tous les cinq, nous entreprîmes de disséquer le spectacle, comme nous l'avions déjà fait dans la voiture, tandis que les filles trempaient leurs frites dans un assortiment de sauces visqueuses. Jimmy avait commandé trop de choses, comme d'habitude, et au bout de dix minutes de gloutonnerie, les filles s'écartèrent de la table en gémissant.

« Au lit, tout le monde », dis-je.

Personne ne protesta pour une fois. Amber elle-même se leva sans rechigner.

« Il faut que je me repose pour demain. Ça t'ennuie si je n'aide pas à débarrasser ? »

Futé… J'étais prête à jeter le reste des barquettes au contenu figé et les plateaux en plastique avec, si cela pouvait les inciter à aller se coucher sans faire d'histoires.

« Allez-y. Je m'occupe de ranger tout ça.

— Je suis trop fatiguée pour monter l'escalier », geignit Maddy, sachant d'avance comment son père réagirait. Il la prit docilement dans ses bras, mais alors Lulu supplia qu'on la porte elle aussi. Jimmy n'était plus si jeune – il allait devoir les porter chacune à son tour. J'avais l'impression que, hier encore, il arrivait à les monter toutes les trois ensemble.

« Papa te portera au lit demain », dis-je, sentant la tempête venir.

Jimmy me jeta un rapide coup d'œil. Je dus faire un effort pour empêcher ma mâchoire de se crisper. Je savais ce que ce regard voulait dire : il ne serait pas là le lendemain pour les mettre au lit. Il serait de nouveau « occupé ». Je l'implorai des yeux de ne rien dire. Elles étaient trop fatiguées, et la nouvelle de son absence le lendemain ne manquerait pas de provoquer une crise. Pour finir, je pris Lulu dans mes bras et la portai dans la chambre qu'elle partageait avec Maddy, puis je redescendis flanquer les restes à la poubelle. Enfin, ranger tout au moins. J'ai du mal à jeter. C'est un tel gaspillage.

« Maman, tu peux m'apporter du papier toilette ? » hurla Lulu.

J'avalai une frite froide avant de marmonner : « J'arrive. »

J'entendais Amber chanter dans la salle de bains tout en ôtant à contrecœur son maquillage de star. Je fus soulagée de la voir en émerger le visage nu, engloutie dans un pyjama Snoopy. Je la pris dans mes bras.

« Je suis tellement fière de toi, Amber. Tu t'es investie à fond dans ce spectacle et ça a porté ses fruits. Tu ne te rendais même pas compte toi-même à quel point tu serais bonne, si ?

— Dès que les éclairages se sont allumés, maman, j'ai oublié qui j'étais et je suis devenue *elle*. Comme si j'avais franchi le miroir. C'est seulement quand je vous ai vus que je me suis rappelé qui j'étais. C'était bizarre.

— Tu étais vraiment Maria. Même moi j'oubliais que c'était toi par moments, dis-je en lui caressant les cheveux. En attendant, je suis contente de récupérer ma jolie Amber, même si tu as été fabuleuse.

— Je suis crevée », dit-elle en se mettant au lit, après quoi elle attrapa une boucle de cheveux qu'elle enroula autour de son doigt et pressa contre sa joue. Ses cheveux lui servaient de doudou depuis que les premières touffes avaient apparu derrière une de ses oreilles. Tellement plus commode que le lapin de Lulu que je craignais de perdre depuis une décennie. J'avais évité cette erreur la troisième fois. Maddy avait une mousseline en guise de doudou, et j'avais pris l'habitude de les acheter par sacs entiers.

« J't'aime, maman.

— Moi aussi, je t'aime, ma merveilleuse fille. Je viendrai t'embrasser quand j'aurai bordé tes sœurs. »

Elle agita ses doigts bagués de cheveux à mon adresse. C'étaient ces gestes-là, et non sa voix divine, qui faisaient que j'aimais ma fille.

Jimmy s'assit par terre en tailleur entre les lits jumeaux et lut une histoire dans un livre qu'il avait pris sur l'étagère. Qu'elle soit enfantine et que les filles ne la trouvent pas vraiment à leur goût, peu importait. Peu importait qu'elles soient à moitié endormies. Tout ouïe, les yeux rivés sur leur père, elles buvaient ses paroles. Mon cœur se serra et je battis en retraite dans le couloir. Une fois le fatras d'habits ramassé, le bouchon de la pâte dentifrice revissé, la chasse tirée, les uniformes propres sortis pour le lendemain, le contenu des trois sacs d'école vérifié, la lessive étendue, les récipients Nando vides jetés et la table du petit déjeuner préparée, la maison était devenue silencieuse. Je remontai embrasser mes filles endormies, puis je rejoignis Jimmy à la cuisine. Il ouvrit le paquet de corn flakes Crunchy Nut posé sur la table et en prit une poignée. Quelques flocons débordèrent ; d'autres tombèrent de sa main lorsqu'il les jeta dans sa bouche.

« Je suis désolé pour demain, dit-il en mâchonnant. Je finirai tard. » Je regardai fixement les céréales éparpillées sur la table que je venais de nettoyer. « Il a fallu que je jongle avec certaines obligations pour venir au spectacle. Du coup, elles ont été repoussées à demain. » Il remit le paquet de céréales à sa place, mais sans replier la poche intérieure en plastique ni les rabats.

« Ce n'est pas grave, dis-je, me retenant de le faire à sa place, sachant qu'il y verrait de l'agressivité.

— Elle a été fabuleuse, non ? » reprit-il.

J'arrachai mon regard de ces fichues céréales en me forçant à repenser au spectacle et retrouvai le sourire.

« Oui, fabuleuse.

— J'espère qu'ils vont filmer la représentation. Lucy vient demain, non ? Elle a une de ces caméras numériques. Si je lui demandais de l'apporter ? »

J'avais déjà appelé sa merveilleusement excentrique de sœur pour le lui suggérer.

« C'est prévu.

— Parfait. C'est le genre de chose que nous devons conserver pour les vingt ans d'Amber.

— Ou son mariage », répondis-je.

Nos regards se croisèrent.

« Bon, dit Jimmy en se levant. Je ferais mieux d'y aller. »

Je jetai un coup d'œil à ma montre.

« Seigneur, dis-je en feignant un bâillement, je n'ai pas vu le temps passer.

— Bea, je suis désolé de ne pas pouvoir aller chercher Lulu et Maddy demain.

— Ce n'est pas grave. Je trouverai une solution. Elles auront peut-être envie de retourner voir le spectacle.

— J'aimerais bien, moi.

— Vraiment ? Veux-tu que je te prenne un autre billet ? Vendredi. C'est le dernier soir.

— Vendredi, vendredi. Oui, je suis libre vendredi. Je pourrais emmener les filles après, pour qu'elles dorment à la maison. Histoire de compenser pour demain soir, et tu auras ta soirée libre.

— Euh…

— Réfléchis, dis-moi ce que tu en penses. Je ne prévoirai rien. »

Moi non plus, puisque ça n'arriverait pas.

« D'accord, merci. »

Il me serra dans ses bras à la hâte.

« Bonne nuit, Bea.

— Bonne nuit. »

J'entendis la porte d'entrée se refermer. À l'instant où le loquet se remit en place, ma colonne vertébrale se relâcha et je me pliai en deux sur la table de la cuisine, exténuée. Le vide se fit dans mon esprit. Lorsque je rouvris les yeux, le coq de Kellogg's emplissait mon champ de vision. Je tendis la main vers le paquet, le soulevai et passai en revue les séduisantes informations nutritionnelles. « Fortifiant, mon cul ! lançai-je au volatile. Si c'était le cas, je devrais avoir la force de dix bonshommes à ce stade. » Comme si l'esprit de ce fichu coq m'avait possédée, je versai une petite colline de céréales dans le bol de Lulu. En inclinant ma chaise en arrière, je pouvais ouvrir le réfrigérateur, sortir le lait, en prendre et le remettre en place si vite que c'était comme s'il ne s'était rien passé.

Je me rendis au salon et allumai la télévision. Les pieds sur la table basse, j'enfournai des poignées de bonheur enrobé de miel croquant. Hé, on a tous besoin de passion dans l'existence ! Puis je posai le bol vide sur ma poitrine et fixai l'écran d'un œil las.

Tu devrais aller te coucher, me dis-je en attrapant la télécommande pour zapper un peu. J'avais arrêté de payer pour le câble par souci – récent – de parcimonie, et je ne le regrettais pas. Les enfants pouvaient facilement télécharger les dernières séries américaines, et sachant que je faisais beaucoup de « baby-sitting », mes amis et ma famille me prêtaient généreusement leurs coffrets. Quoi qu'il en soit, il y avait toujours *Les Experts* sur la Cinq à cette heure-ci.

Effectivement, Grissom était bien au rendez-vous, la tête dans un bocal de cafards sur fond d'images léchées, pour apaiser ma cervelle en pleine ébullition.

Cinq minutes, me dis-je, *et puis au lit.*

Je me réveillai en sursaut et regardai fixement les chiffres verts lumineux du lecteur de DVD : 12:56. Je m'extirpai péniblement du trou entre les coussins du canapé et me frottai les yeux. Je passai ma langue sèche sur mes lèvres desséchées et sus, aussi clairement que s'il s'était agi de mon vieux grand-père, que je ronflais la bouche ouverte depuis un bout de temps.

En me levant, je marchai sur un truc dur et j'entendis le cliquetis d'un couvert se heurtant à de la porcelaine. J'avais renversé mon bol de céréales. Pour une fois, je me félicitai d'avoir la fâcheuse habitude de boire le lait à la fin, jusqu'à la dernière goutte.

Après avoir poussé le bol sous le canapé du bout du pied, j'éteignis la lampe et me forçai à monter me coucher. Je déposai mes habits sur le petit fauteuil dans le coin de ma chambre, dans le sens inverse où je les renfilerais dans un laps de temps effroyablement court.

Moins de trois minutes plus tard, j'étais au lit, lumières éteintes, précairement proche de sombrer dans le sommeil sans franchir tout à fait le précipice. Pourquoi est-ce que je grelottais comme ça ?

Je me roulai en boule pour essayer de me réchauffer, mais ne réussis qu'à m'entourer d'un océan de froid. Les draps étaient décidément trop glacials pour que j'étende les jambes et j'étais dans une position trop inconfortable pour rester ligotée comme un poulet. À propos de poulet, je repensai à mon ennemi juré, le coq Kellog's, du coup à mon ventre, ce qui m'incita à changer de position, poussée par un dégoût tel que je me mis sur mon séant et rallumai. Je pris le roman posé sur mon lit et je me mis à lire. Je lus, lus, lus jusqu'à ce que les mots se mettent à danser devant mes yeux, à l'aube.

2

Pas franchement un modèle !

Une fois les représentations finies, Amber sombra dans le blues de la postproduction. Je compatis, dans un premier temps – difficile de se passer d'un public adorateur –, mais si j'entendais encore, ne serait-ce qu'une seule fois, « *Somewhere* », j'étais prête à lui faire avaler sa partition. « *One hand, one heart...* » me donnait envie de prendre les armes, même si j'étais à peu près certaine que ce n'était pas du tout l'objectif de Bernstein ou de Sondheim. Ajoutez à cette disgrâce artistique le penchant naturel de l'adolescent à s'apitoyer sur son sort, et pour une fois, le vendredi suivant, j'étais contente de la voir franchir le portail de l'école avec son sac pour aller passer le week-end chez son père. Malheureusement, le lot incluait ses sœurs, ce qui voulait dire que je les perdais elles aussi.

Ce vendredi-là, pourtant, c'était différent. Ce vendredi-là, je sortais. À la faveur de Dieu sait quel miracle, Faith, qui est l'épouse du frère cadet de Jimmy, Luke, était restée une de mes amies proches. Jimmy a une famille immense et variée, et je m'étais perdue dans la foule, si bien qu'ils avaient omis de me prier de partir. Je me demandais si c'était la raison pour laquelle Jimmy et moi étions restés amis aussi. Même lorsqu'on a les meilleures intentions et qu'on se sépare à l'amiable, le divorce est une vacherie. Quels que soient les nœuds dans lesquels deux individus se sont retrouvés empêtrés, le démêlage est toujours pire. Nous avons eu des moments difficiles, bien sûr – n'est-ce pas le cas de tous les couples, divorcés ou non ? –, mais compte tenu des circonstances, je dirais que la séparation s'était plutôt bien passée. Et la plupart du temps, j'étais relativement heureuse. Enfin, heureuse peut-être pas, mais occupée, certainement. Les deux choses n'allaient-elles pas de pair ? Comme Dory le chante dans *Le Monde de Nemo* : « Nagez, nagez, continuez à nager… »

En apercevant Faith à travers la vitrine en verre dépoli du bar, je tiraillai nerveusement sur ma veste. Comme elle poussait la porte, j'enfouis le sachet de cacahuètes vide dans ma demi-pinte éclusée et repoussai le tout loin de moi.

Elle leva les bras avec enthousiasme en guise de salut.

« Vendredi ! » s'exclama-t-elle.

Je désignai la bouteille de vin et les deux verres.

« Comment se fait-il qu'elle soit encore pleine ? demanda-t-elle en m'étreignant. Sers-nous vite. »

L'espace d'une seconde, je pris appui contre son épaule, mais le contact physique n'est pas une chose qui fait défaut à Faith, entre son mari qui l'adore, son marsupial de fils et ses quinze collègues au bureau. Son espace personnel n'a strictement rien de personnel.

Elle se laissa tomber sur le tabouret voisin du mien.

« Alors, Bea, comment vas-tu ?

— Je vais bien », répondis-je. Si elle avait noté que ma voix était montée d'un ou deux décibels, elle n'en laissa rien paraître. « Vraiment bien.

— Je suis désolée de t'avoir fait faux bond la semaine dernière. Un foutu dîner d'affaires.

— Je comprends, dis-je. J'avais un ouvrage de crochet que j'avais terriblement envie de finir.

— Arrête. Tu devrais t'inscrire à un cours ou quelque chose le mercredi.

— Je le ferais volontiers si je pouvais compter sur Jimmy. Mais un mercredi sur trois, quelque chose l'oblige à se décommander.

— Tu lui facilites trop les choses, souligna Faith.

— C'est mon jour de sortie. On ne va pas parler de Jimmy.

— Désolée. Amber est-elle revenue sur terre ?

— Non. On va encore l'aduler et l'adorer tout le week-end.

— Je croyais qu'on devait éviter de parler de Jimmy.

— Tu as raison. Donne-moi un gage.

— Si on buvait un truc un peu plus fort ?

— Merde alors ! Sur un estomac vide ?

— Y a pas mieux ! Allons ! C'est vendredi. J'ai les nerfs en pelote et, pour être honnête, je n'ai pas le

34

courage d'attendre de m'être tapé une demi-bouteille de vin pour me remettre d'aplomb.

— De la tequila ? » suggérai-je.

Faith ricana comme une collégienne.

« Super idée, répliqua-t-elle avant d'appeler le serveur à tue-tête.

— Hé, c'est moi qui ai écopé d'un gage ! protestai-je.

— T'ai-je dit que j'avais vu Jimmy l'autre jour en compagnie d'une jeune demoiselle ?

— Ha ha. » Le serveur parvint à nous atteindre. « Deux tequilas, s'il vous plaît. Une double pour elle. »

Je suçai la tranche de citron, qui fit pratiquement craquer l'émail de mes dents.

« Aah ! susurra Faith en fermant les yeux. Ça va déjà mieux.

— La semaine a été rude ?

— Disons que le vendredi est toujours plus agréable que le lundi.

— Pas pour moi.

— Qu'est-ce que je donnerais pour avoir quelques jours de libres ! Il y a tellement de choses que je n'ai jamais le temps de faire.

— Tu surestimes ma vie, Faith, comme d'habitude. J'ai juste le temps de faire ce que je dois faire. Et tu sais quoi ? La liste ne cesse de s'allonger.

— Arrête d'y ajouter des choses, dans ce cas.

— Je ne peux pas. C'est plus fort que moi. Il m'arrive d'en rajouter rien que pour pouvoir les rayer. À propos de liste, j'en ai une splendide pour toi ! » Je me penchai pour extirper une chemise plastifiée de mon sac. « De bouffe », précisai-je.

Faith remua sur son siège, tout excitée.

« Je retire tout ce que j'ai dit. Dame liste, reine des listes, mère des listes. Qu'as-tu prévu de bon ? »

Luke, mon ex-beau-frère, allait avoir quarante ans dans quelques semaines. Faith avait franchi cette étape quelques années auparavant avec un déjeuner qui avait duré douze heures, couronné par un gâteau où trônait une citation de Mae West : « Je ne suis pas une femme modèle. Un modèle n'est qu'une imitation de la chose authentique. » Ça avait été magique, mais cette fois-ci, Faith voulait danser. La facture allait être salée, aussi avais-je proposé de me charger des hors-d'œuvre. Je poussai mon dossier dans sa direction.

« Du roast-beef, dans des mini-Yorkshire puddings ? »

Je hochai la tête.

« Accompagné d'une mousse au raifort.

— Luke en raffole ! »

Nouveau hochement de tête.

« Un pâté de maquereau fumé ?

— Sur du pain de seigle, ajoutai-je. Coupé en forme de petites étoiles.

— Oh, mon Dieu ! Bea, c'est incroyable… Es-tu sûre de vouloir faire tout ça ?

— Rien ne saurait me rendre plus heureuse que de produire une centaine de profiteroles à la langouste.

— C'est trop !

— Tu as raison. Je prendrai du surimi à la place. »

Faith protesta de plus belle. Je l'interrompis.

« Tu sais que j'adore faire ça. De toute façon, c'est mon cadeau pour Luke. Le temps, c'est bon marché. Et du temps, j'en ai à revendre !

— Il n'en croira pas ses yeux quand il verra tout ça. »

Affichant un air enjoué, je repris possession de ma liste et la serrai contre moi.

« C'est mon fichier maître. J'ai une copie pour toi.

— Ça va être super sympa. L'orchestre est phénoménal. As-tu l'intention de venir accompagnée ? Tu peux, tu sais. »

Je secouai la tête.

« Et ce rendez-vous que tu avais l'autre jour ?

— Ne m'en parle pas, je t'en conjure. »

Angie m'avait imposé un rendez-vous arrangé avec un copain de son frère, DI-VOR-CÉ depuis un an. Théoriquement, c'était jouable. Quarante-six ans, architecte, père de deux filles, cuisinier et jardinier chevronné. C'était de bon augure, à mon avis. Tout bien considéré, la séparation s'était faite à l'amiable, m'avait-on précisé. C'était le *tout bien considéré* qui aurait dû me mettre la puce à l'oreille. Mais vu la précarité de ma propre situation, je me devais de lui accorder le bénéfice du doute. Peut-être que j'en bénéficierais un jour à mon tour. J'aurais dû tourner les talons à l'instant où j'avais vu le gaillard totalement coincé. Quand il avait commandé une salade verte avec la vinaigrette à côté, j'aurais dû prendre mes jambes à mon cou. Je m'étais conduite de mon mieux toute la journée, mais on ne peut pas se contenir indéfiniment. Même moi !

37

« C'était un cinglé d'anorexique, expliquai-je à Faith en remplissant nos verres. Il n'a rien voulu manger et surveillait toutes les bouchées que j'engloutissais. Agaçant au possible ! Il mourait de faim manifestement, alors je lui ai proposé de partager, ce qui lui a fourni le prétexte qu'il attendait pour se lancer dans un laïus sur l'arrêt cardiaque, première cause de mortalité. J'ai fait une plaisanterie à la noix en soulignant que ça coûtait moins cher qu'un divorce, et on en est restés là. Alors, non, M. *Vinaigrette à côté* ne sera pas mon cavalier aux quarante ans de Luke. Je viendrai avec les filles. Elles sont tout excitées. Maman va les emmener faire les magasins.

— C'est gentil de sa part, dit Faith sur un ton qui laissait supposer qu'elle pensait exactement le contraire.

— Je bous d'impatience à cette perspective, dis-je.

— N'y va pas. Laisse-la seule avec les filles. »

Cela laissait présager une suite de catastrophes si effroyables que j'en frissonnai.

« Elles auront des allures de tsarines en revenant, dis-je avant de boire une autre gorgée.

— Ta mère m'a toujours fait l'effet d'une relique, je ne sais pas pourquoi. »

Ma mère était *née* vieille, sans la sagesse qui accompagne d'ordinaire l'ancienneté. Elle se prétendait « classique », et j'avais beau essayer de me convaincre qu'elle n'était pas mauvaise, elle avait fait de ce qualificatif un vilain mot. Je l'aimais, bien sûr. Mais je l'appréciais rarement. Je suis à peu près sûre que ce sentiment était réciproque.

« Je n'ai jamais compris comment tu avais réussi à être aussi normale, remarqua Faith.

— Ne te fie pas aux apparences », rétorquai-je tout en m'octroyant le droit de savourer le compliment.

Elle éclata de rire.

« Je t'ai dit que Maddy et Lulu m'ont demandé si elles pouvaient s'occuper de Charlie le soir de la fête ? Comme j'ai la ferme intention d'être ivre à huit heures du soir, j'ai accepté. Je crois bien qu'elles l'adopteraient si elles le pouvaient. »

Incroyable comme un sentiment agréable peut être fugitif !

« Quand Jimmy les amène à la maison pour jouer, je les entends dans le jardin faire comme si c'était leur frère, poursuivit-elle. C'est adorable. Charlie les appelle ses sœurs quand il parle d'elles, à savoir tout le temps. » Faith me regarda écluser mon verre. « Je sais ce que tu penses, mais tu n'as plus à t'inquiéter pour moi. Je suis parfaitement satisfaite de mon sort. Je t'assure, Bea, un seul enfant me va très bien. »

Je ne pouvais plus la regarder. Elle n'avait pas la moindre idée de ce que je pensais. Je fis un signe au barman pour commander un paquet de chips de luxe, l'ouvris sans ménagement et en pris une poignée.

« Alors, reprit Faith en m'en chipant une, ce type, il te reprochait tes goûts alimentaires ?

— Il avait du gel antiseptique dans la poche, Faith ! Ça n'avait rien à voir avec moi ! »

Elle hocha la tête en s'abstenant de tout autre commentaire sur mon incapacité à décrocher un rancard potable. Avant, je parlais à tout le monde de mes futurs rendez-vous. Désormais, je garde ce genre d'informations pour moi. Trop de visages optimistes à décevoir quand je fais chou blanc. À savoir, à tous les coups. Je ne voyais pas du tout où je cafouillais. C'est un mensonge. Je savais précisément ce que je faisais de travers. Je parlais trop de mes enfants. De mes enfants et de Jimmy. J'en revenais toujours à Jimmy.

« Dis-moi, dans quoi va-t-on servir tous ces plats ? demanda Faith.

— J'ai gardé les plateaux jetables du pique-nique de l'école. L'un des avantages de m'être chargée de l'organisation, c'est que j'ai pu chaparder un équipement fort utile pour un traiteur.

— Génial !

— Je ferai en sorte que ce soit assez copieux pour que Honor n'ait plus qu'à préparer le plat principal. »

Un sourire espiègle effleura les lèvres de Faith.

« Tant que ce n'est pas elle, le plat principal ! »

Mon ex-belle-mère, Honor, consacrait une part de plus en plus importante de son temps au naturisme. Le désir de se mettre à poil lui était venu tard dans la vie. Son époux, Peter, avait essayé lui aussi, mais il n'avait pas apprécié que « ses parties » se balancent dans le vent et il était revenu dans le monde des gens habillés de pied en cap, où il était resté. Il avait la pêche pour se distraire, après tout, ce qui pour certains était bien plus pénible qu'une occasionnelle partie de boules dénudées. Et ils avaient passé l'âge de jouer au volley-ball. Après avoir jeté un coup d'œil à la concurrence, pour en arriver à la conclusion que le besoin de se désaper complètement n'avait rien à voir avec le sexe, il avait accepté de soutenir son épouse dans sa dernière folie en date. « C'est plus intéressant que le point de croix », déclarait-il à tous ceux qui osaient manifester leur désapprobation. Peter et Honor étaient mariés depuis près de cinquante ans. Il était tombé amoureux de sa beauté, elle de la promesse qu'il lui avait faite de la sortir des maisons préfabriquées de Leeds et d'une existence puritaine.

« C'est la chance qui nous a permis de tenir le coup aussi longtemps, m'avait-elle dit quand je l'avais interrogée sur le succès de leur mariage. En toute honnêteté, même avec les meilleures intentions du monde, ça aurait pu se faire ou ne pas se faire. »

Je doute que la chance ait quoi que ce soit à voir là-dedans. Unis par leur engagement vis-à-vis de leur famille, ils étaient aussi farouchement indépendants de nature. Lorsqu'ils discutaient de leurs projets, j'avais le sentiment qu'ils se consultaient mutuellement par politesse, certainement pas pour obtenir l'assentiment de l'autre.

Je soupçonne Peter d'être le vrai romantique dans ce couple. La veille de mon mariage avec son fils aîné, il avait dit : « Ce qu'il y a avec le mariage, c'est qu'il rend les bonnes choses deux fois plus agréables, et les mauvaises deux fois pires. » Comme une imbécile, je l'ai cru. Je les ai crus tous les deux.

Je ne sais pas pourquoi je m'étais prêtée au jeu, et j'avais soigneusement évité d'en parler à Faith, mais le lendemain soir, je me rendis à une soirée de célibataires de plus de quarante ans. Peut-on imaginer quoi que ce soit de plus déprimant ? Qu'est-ce qui m'a pris ? Le cinglé d'anorexique n'était-il pas un châtiment suffisant pour au moins un an ? Mon problème était que sous des chairs surabondantes se cachait une femme essentiellement optimiste. Peut-être enfouie plus profondément que je ne l'aurais souhaité, mais elle n'en est pas moins là. De temps à autre, elle remonte à la surface et se met à accepter impunément des invitations. Ces moments coïncident avec une légère perte de poids, faut-il le préciser. Mais les kilos reviennent et tout ce dont j'ai envie alors, c'est de plonger, plonger, plonger. Que ce coq aille se faire voir, ainsi que tous ceux qui font partie du package !

J'aurais annulé, seulement ce n'était pas possible. Mon amie Cathy avait perdu son mari, d'un cancer. Elle n'avait que faire d'un rendez-vous galant. Elle voulait juste sortir un soir en feignant de ne pas être veuve, sans avoir à parler de décompte de globules blancs. Son mari avait mis longtemps à mourir. Elle en avait par-dessus la tête de la maladie. De la mort. L'infidélité, les époux homos, la maltraitance, les bons vieux morpions étaient un soulagement en comparaison. C'est pour cela qu'il fallait que j'y aille. Si rire signifiait rire de moi, j'étais disposée à le faire, parce que Cathy avait besoin de rire. J'avais promis de ne pas gâcher sa soirée. Mais ça, c'était avant que je me plante devant la penderie de ma chambre pour essayer de dégoter autre chose qu'un jogging et des fausses bottes Ugg. Mon quotidien vestimentaire.

« Bon, Bea, dis-je à ma garde-robe. Tu peux le faire. La situation n'est pas si catastrophique. »

Je déplaçai quelques cintres. Il y avait des robes que je n'avais pas portées depuis la naissance de Lulu. J'avais toujours pensé redevenir un jour la femme mince que j'étais jadis. Sans miroir, j'arrivais à me convaincre que j'étais toujours là. Il n'y avait pas de glaces chez moi, à part des petites au-dessus du lavabo dans la salle de bains et dans les toilettes du bas. Amber en a bien une à l'intérieur de sa penderie, mais elle est recouverte de photos de Zac Efron, si bien que, même quand je l'ouvre pour ranger des habits propres, je suis sauvée de moi-même par la Patafix.

Ce soir-là, j'étais déterminée à faire un effort. L'idiote éternellement optimiste au fond de moi s'était laissée aller à imaginer, miracle parmi les miracles, qu'il y aurait un type convenable à ce rassemblement des laissés-pour-compte de plus de quarante piges. J'y allais bien, moi ! Mon amie aussi. Nous étions des filles bien. Avais-je vraiment tort d'espérer ?

J'enfilai une jupe noire que je réussis à monter à mi-cuisse avant de l'envoyer valdinguer à coups de pied. Au cours de mes longues années post-partum, j'avais développé un système d'avertissement précoce assez efficace contre les vêtements que je n'arriverais pas à fermer. J'ôtai quelques jupes de leur cintre et les brandis, puis je repérai un pantalon noir dont j'avais oublié l'existence. Je m'en emparai et le passai aussitôt. Il m'allait. Je retrouvai mon enthousiasme. Des bottes à talons, un joli chemisier, légèrement échancré, le superbe collier que Jimmy m'avait offert pour notre dixième anniversaire de mariage, et le tour était joué.

Je tendis le bras derrière moi pour voir quel était ce pantalon qui avait joué à cache-cache avec moi pendant tout ce temps. Je déchiffrai l'étiquette. « Mimi Maternity. » Je me redressai brusquement et me figeai. C'était impossible. J'avais donné tous mes habits de maternité à Faith quand elle attendait Charlie. J'avais dû mal lire. Je me forçai à écarter de nouveau la ceinture. « Mimi Maternity New York. » Je me laissai tomber sur le lit. Si seulement ces pantalons pouvaient parler !

Jimmy était parti à New York à l'époque où j'étais enceinte d'Amber. Universal voulait faire de lui le producteur exécutif d'un spectacle qu'il avait mis sur pied. Il avait décroché le pactole, et il était revenu avec tout un tas d'habits de grossesse fabuleux, bien que je sois pratiquement à terme.

J'enlevai le fichu pantalon de grossesse et l'expédiai à l'autre bout de la pièce. Il nous avait porté la poisse. L'affaire était tombée à l'eau. Ça arrive. Mais peu nous importait. Nous avions une ravissante petite fille. Notre bonheur était garanti. D'autres propositions se présenteraient. J'avais un bon job. Nous étions jeunes. La seule chose qui comptait, c'était notre petite famille. Ce que j'ai pu être naïve, nom de Dieu !

Je renfilai mon jean tout en sachant pertinemment qu'il était grand temps de le mettre à la machine, qu'il tenait pratiquement debout tout seul. Mais il m'allait et je me sentais à l'aise dedans. Surtout avec ma longue veste noire et mes bottes à talons invalidants qui me hissaient à un mètre soixante-cinq ! Ha ha ! Des gouttes dans les yeux, de l'anticernes pour dissimuler le plus gros des ravages provoqués par le futal Mimi Maternity. Le maquillage ferait le reste.

Quand la sonnette retentit, j'étais prête. Autant que je pouvais l'être. Messieurs les célibataires de plus de quarante ans, me voilà…

« Tu es superbe, me dit Cathy quand je lui ouvris la porte.

— Toi aussi », lui répondis-je.

Nous mentions toutes les deux.

Nous avions décidé de ne pas prendre de voiture, et je suivis Cathy jusqu'au taxi. La « soirée » avait lieu dans la salle privée d'un bar de la portion la moins chic de Camden High Street. J'étais un paquet de nerfs en arrivant. Il y avait trois fois plus de femmes que d'hommes, naturellement, mais je fus ravie de constater qu'un grand nombre d'entre elles me souriaient avec des airs semi-conspirateurs. Hé, je me ferais peut-être une amie au moins !

« Sus au bar ! lança Cathy.

— Sans hésiter. »

Les organisateurs de cette soirée avaient l'intention de s'en mettre plein les poches, ça ne faisait aucun doute. Nous avions déjà dû payer pour adhérer à cette illustre clique. Ensuite, il avait fallu raquer pour la soirée, et finalement, ils avaient fait grimper les prix des consommations. Je jetai un coup d'œil à Cathy par-dessus la liste des cocktails.

« Te laisserais-tu tenter par un *Jetez-vous à l'eau* à base de gin pour la modique somme de douze livres cinquante ?

— C'est une blague, n'est-ce pas ? me répondit-elle en essayant de me prendre le menu. Je m'y cramponnai en feignant de l'étudier de nouveau.

— Ou un très rafraîchissant *Élu de mon cœur*. Un mélange fruité de jus et de rhum blanc servi avec un zeste de faux espoir.

— Bea !

— Non, attends, j'ai trouvé ! Un méga *Voudriez-vous me sauter, s'il vous plaît. Je n'attends que ça !* (Je relevai les yeux.) Celui-là est servi avec une cerise. »

Cathy gloussait toujours quand elle commanda du vin. Blanc pour moi. Rouge pour elle. Des bouteilles. Pourquoi faire les choses à moitié ?

Pendant un moment, nous nous bornâmes à regarder autour de nous tandis que les participantes plus aguerries évoluaient dans la pièce en tendant leur carte de visite à tous les hommes avant que la concurrence n'ait le temps de jouer son va-tout.

Cela ne m'intimidait pas trop dans la mesure où j'étais avec Cathy. C'était plutôt drôle en fait – dans le style de Mr. Bean, ce qui, à la réflexion, n'a rien d'hilarant. Nous restâmes près du comptoir à nous raconter nos vies. Cela prit tellement de temps que, au bout du compte, des hommes se faufilèrent jusqu'à nous. Un type relativement convenable fonça en droite ligne sur Cathy, aussi m'excusai-je pour me rendre aux toilettes histoire de la laisser respirer. À mon retour, elle s'était lancée dans un récit exalté à propos de son méchant ex-mari qui avait engrossé la baby-sitter. J'étais la seule à savoir qu'elle jouait la comédie. Une petite improvisation.

46

Pour oublier le deuil. J'échangeai quelques mots avec la jeune serveuse polonaise derrière le bar. Il n'y avait que quelques mois qu'elle était en Angleterre et elle trouvait la vie difficile. Sa famille lui manquait. La mienne aussi me manquait. Qui se ressemble s'assemble. Et puis il se produisit quelque chose d'étrange.

Un homme assez jeune, la quarantaine peut-être, voire moins, approcha et s'adossa au bar à côté de moi. Il s'appelait Robert, m'informa-t-il. Je le trouvais un peu trop bien pour ce genre de réunion et me demandai s'il avait menti à propos de son âge pour avoir accès à un lieu où il n'y avait qu'à se baisser pour ramasser. Je me jurai intérieurement de ne pas lui manifester ma gratitude pour l'attention qu'il me portait. Je serais aimable, mais ça n'était pas la même chose. Il me posa des questions sur moi. Auxquelles je répondis.

« J'ai quarante-deux ans, trois filles et je suis divorcée depuis deux ans. »

Si j'étais un produit sur le marché, mon étiquette dirait : « Sans chichis. »

« Vous travaillez ? »

Je sentis la honte m'empourprer les joues.

« Non. Enfin, je m'occupe de mes enfants.

— Ça doit être dur, dit-il gentiment. Toute seule.

— Il m'arrive de penser que c'est plus facile, répondis-je honnêtement. Sur le plan de l'éducation. On fait comme on veut. Autonomie totale. Hormis un week-end sur deux et le mercredi. » Sauf les mercredis où il y a un contretemps.

« Qui prend ces décisions-là ? Comment se fait-il que ce soit un week-end sur deux et le mercredi ? La garde devrait être partagée équitablement, à mon avis.

— Pourquoi ? Les rôles des parents ne sont pas égaux de toute façon. »

Il recula d'un pas et leva les mains en un geste de capitulation feinte.

« Désolée, dis-je. Je ne voulais pas être agressive.

— Pas de problème. Vous avez raison, j'en suis sûr. »

J'étais nulle à ce petit jeu. Je passai au crible ma cervelle ramollie en quête d'une entrée en matière joyeuse. Un nouveau point de départ. Mais rien ne me vint.

« Quel âge ont vos enfants ? demanda-t-il.

— Quatorze, neuf et huit.

— Ouille », fit-il en se tortillant comme s'il avait été piqué par une vive.

Qu'avais-je encore fait ?

« Deux grossesses en moins de deux ans. Quel courage ! »

Je pensais qu'il disait ça gentiment, mais j'aurais juré qu'il avait jeté un coup d'œil à mon ventre. Je m'agitai sur mon siège.

« Alors elles sont à l'école maintenant ?

— Merde ! lançai-je en me tapant le front. Je savais bien que j'avais oublié d'aller chercher quelque chose. »

Il rit exagérément fort. Lequel de nous deux regrettait le plus d'avoir entamé cette conversation, je n'aurais pas su le dire.

« Vous avez un peu de temps pour vous alors.

— Pas vraiment, répliquai-je, avide de mettre un terme à cet échange guindé et stérile.

— Mais vous pouvez vous arranger pour trouver une heure de temps en temps, non ? Si vous êtes honnête avec vous-même. »

Je fronçai les sourcils, perplexe. Qu'allait-il me proposer, pour l'amour du ciel ? Que j'annule tous mes rendez-vous à l'heure du petit déjeuner – tu parles ! –, pour tirer un coup vite fait avec lui ?

« Bon, dit-il en me désignant du doigt. Vous devriez être facile.

— Pardon ?

— Calmez-vous. »

Il se pencha sur le badge toujours épinglé sur le revers de ma veste qui ne cachait manifestement pas tout. Puis il plongea la main dans sa poche et en sortit une carte. Qu'il me tendit.

« Bea, dit-il, je m'appelle Robert Duke. Je suis coach. Faites appel à moi et vous ne serez plus jamais obligée de venir à ces soirées sordides. »

J'ouvris la bouche pour protester, mais j'étais tellement abasourdie que je ne trouvai pas les mots.

« Écoutez, je sais que je vous ai choquée, mais, Bea, plus que quiconque dans cette pièce, vous en avez besoin. Vous vous souvenez de la femme ravissante que vous étiez avant que les grossesses, l'allaitement, l'épuisement vous rétament ? Elle existe encore. Sous toute cette merde. » Il me secoua légèrement. Je sentis mes chairs flasques s'ébranler sans pouvoir résister. « Je comprends que ce soit dur, terrifiant même, mais vous pouvez changer. Je vous aiderai tout au long de ce parcours difficile. Mais ça vaudra le coup, nom de

Dieu ! Pensez-y. D'ici l'été, vous pourrez remettre un Bikini. » J'en étais réduite à le dévisager. Ma résistance, ma voix, ma colonne vertébrale… volatilisées ! Qui était ce mec – l'homme qui chuchotait à l'oreille des divorcées ? « Je sais que vous avez vécu un enfer, Bea, mais je peux vous aider. J'en suis convaincu. Vous êtes une belle plante en piteux état. »

J'ouvris de nouveau la bouche, mais rien ne sortit.

Il me toucha l'épaule alors, si doucement que je faillis basculer de mon tabouret.

« Ne serait-ce pas fabuleux d'être une mauvaise plante dans un état super ? »

Sur ce, il me pressa l'épaule et disparut. Le « charme », si l'on peut dire, se rompit. Un sanglot étrange me monta à la gorge lorsque je me redécouvris dans ce bar miteux devant une bouteille de mauvais vin quasi vide à une soirée d'une tristesse à vous briser l'âme, réservée aux vestiges de mon espèce. Je regardai fixement la carte de visite. « Salopard ! » sifflai-je. Ça faisait du bien. « Fils de pute, connard, petit merdeux ! » J'engloutis le reste de mon vin avant de déchirer la carte et de partir en courant.

Ce qui suivit à la maison fut ni plus ni moins immonde. Le plus triste, c'est que ce n'était pas la première fois que ça arrivait. Pire, j'avais juré sur la tête de mes enfants endormis que ça ne se produirait plus jamais et pourtant, j'étais là à me bâfrer sans parvenir à m'arrêter. Je commençai bien évidemment par ces foutus corn flakes Crunchy Nut, sans me donner la peine de prendre un bol. Quatre Wagon Wheels rassis rangés dans le placard depuis Noël firent descendre les céréales. Mes filles n'aiment pas les Wagon Wheels. Elles ont raison. C'est dégueulasse. Ça ne m'a pas empêchée de tout becqueter.

Robert Duke. Je postillonnai des bouts de guimauve et de biscuit en régurgitant son nom. « Je vais te montrer ce que c'est qu'une mauvaise plante ! » Ensuite je m'attaquai au fromage. Du cheddar. La variété bon marché, cireuse, d'une fermeté suspecte. Je mordis dans la tranche et serrai les dents et les mâchoires jusqu'à ce que ma langue colle au palais, après quoi je fis descendre avec un berlingot de jus de pomme. Je m'épargnai quelques calories en en renversant pas mal.

J'avais à moitié englouti un blanc de poulet, cuit au moins, quand je sentis monter la première vague de sucs gastriques. J'eus un haut-le-cœur, ravalai la bile, mais en faisant couler de la mayonnaise provenant d'un flacon mou directement dans ma bouche, je réussis à avaler l'autre moitié. Ballonnée, patraque, furieuse, je me mis à arpenter la cuisine en haletant, ouvrant les placards à la volée en quête d'autres choses, quelques crackers, une poignée de noix, des raisins secs, et puis les esprits m'abandonnèrent aussi vite qu'ils m'avaient possédée et je me retrouvai brusquement démunie, vidée. Privée d'énergie, je veux dire, de *qi*, de pouvoir, de mon être. J'avais atrocement mal au ventre.

Je m'affalai par terre et déboutonnai mon jean pour laisser mon abdomen gonflé se déverser sur le linoléum froid. On aurait dit que mon estomac allait se déchirer. J'avais envie de m'ouvrir les tripes et de tout sortir. Je me mis à griffer ma veste, mon chemisier, mon immonde soutien-gorge surchargé, mais j'avais beau pincer avec vigueur mes horribles chairs roses débordantes, elles refusaient de m'y laisser accéder.

Après ce qui me parut toute une nuit, je me mis péniblement à quatre pattes, exténuée. Je m'immobilisai, les yeux rivés sur mon corps qui pendait, le haïssant avec une force dont je ne savais pas quoi faire. Pour finir, je rampai dans le couloir jusqu'aux toilettes. Je levai le couvercle et m'enfonçai les doigts dans la gorge assez loin pour sentir mon larynx. J'eus un haut-le-cœur sec, serré, douloureux. Mais rien ne sortit. Pas la moindre Crunchy Nut. C'est toujours comme ça, bordel de merde !

À six heures le lendemain soir, la maison était nickel. Les placards regorgeaient de victuailles. La salle de bains étincelait. Ça sentait le frais. Les lits étaient faits. Quand j'entendis la clé d'Amber dans la serrure, je quittai d'un bond mon poste de surveillance à la cuisine, ouvris un placard en grand et me mis en devoir de ranger des boîtes de conserve parfaitement en ordre.

« Maman ! On est rentrées ! »

Je jetai un coup d'œil derrière la porte du placard. « Salut, tout le monde, j'arrive ! » Après un ultime regard aux boîtes de haricots blancs à la tomate, au nombre de dix, je refermai le placard pour retrouver la place qui est la mienne dans le monde. Je me rendis dans l'entrée et ramenai les sacs, les maillots mouillés, les manteaux, les chapeaux, les écharpes, les uniformes d'école à laver et mes filles éreintées à la cuisine.

Comme un automate, je triai le tout en faisant des tas. Jimmy nous avait suivies et me regarda faire, adossé au mur. Je fourrai les uniformes dans la machine à laver.

« Je meurs de faim », dit Amber.

Je jetai à Jimmy un regard faussement entendu.

« Désolé, dit-il. Je n'ai pas vu le temps passer. On est allés à la piscine. »

Je me retins de l'embrasser. Je dus faire appel à des trésors de volonté pour réprimer un sourire et feindre une désapprobation blasée. Je réglai la machine sur lavage rapide avant de me redresser. Mon cœur bondissait de joie dans sa cage bien enrobée.

« Asseyez-vous, tous autant que vous êtes. Que diriez-vous d'une omelette au jambon et au fromage avec des haricots en garniture ? »

J'eus droit à une approbation unanime de la part des filles.

« Mmh, ça fait envie, fit Jimmy.

— Eh bien, tu n'as qu'à t'asseoir toi aussi, dis-je. Ça ne prendra que dix minutes. »

Cinq suffisaient en fait.

Nous nous installâmes autour de la table comme une famille normale. Les filles me donnèrent un coup de main même si elles étaient fatiguées. Ce n'était pas grand-chose, un couteau, une fourchette, une assiette, quelques verres, mais elles m'aidèrent toutes les trois. J'en conclus qu'elles étaient peut-être contentes d'être rentrées à la maison. Jimmy donnait dans les gestes d'envergure, les parcs aquatiques, les foires, les magasins de jouets, les pizzas, les soirées tardives devant la télé, la télé, encore un peu de télé… Parfois les petits gestes comptent davantage. Je m'assis et les regardai manger, me contentant pour ma part d'un peu d'eau chaude additionnée de citron. Je jetai involontairement un coup d'œil au sol de la cuisine et entrevis mon être boursouflé et pantelant vautré là. Plus jamais. Cette fois-ci, j'étais sérieuse.

J'avais dû pousser un gros soupir parce que Jimmy leva les yeux sur moi.

« Ça va ?

— Je me disais juste que c'était agréable.

— C'est vrai, hein ? »

Je soutins son regard et il se passa un truc bizarre. Mon estomac chavira. Je détournai les yeux. Ça devait être la faim. J'avais mangé un œuf dur au petit déjeuner, une petite salade de poulet à midi, et j'étais déterminée à ne pas toucher au dîner des filles. Je mangerais un peu de soupe aux légumes quand elles seraient couchées. J'allais changer, pas à cause de Robert Duke ni des rendez-vous antiseptiques, ni même des tentatives avortées de Faith pour me parler de mon poids. J'allais le faire pour moi ! *Le moment est venu*, dit le morse, et quel morse j'étais devenue !

« Tu as bonne mine, Bea, dit Jimmy.

— J'ai fait un peu d'exercice pour la première fois depuis dix ans. Ça a failli me tuer.

— Ça m'étonnerait ! Tu ne te poses jamais.

— Je ne suis pas sûre que la vaisselle compte !

— Sûrement que si, avec toute cette bande, répondit-il en passant ses mains dans son épaisse tignasse. Le week-end, j'utilise parfois des assiettes en carton. Ça simplifie drôlement les choses.

— C'est du gaspillage », protesta Maddy. J'allais le dire.

« C'est pour cette raison que Maddy les lave. Elle les met à sécher sur la corde à linge installée par ses soins dans le jardin et elle en fait des masques de monstre. »

J'envoyai un baiser à ma benjamine.

« Je suis très fière de toi », articulai-je. Elle sourit et se remit à parler avec ses sœurs des poiriers qu'elles avaient faits sous l'eau. Pareils à deux rochers, Jimmy et moi nous laissions encercler par leur babillage comme de l'eau tourbillonnante, agitée de remous, se repliant sur elle-même. Nous échangeâmes un sourire. Même si je savais ce qui allait se passer ensuite, je me sentais… satisfaite ? Une sensation que je reconnaissais à peine.

Tandis que les filles raclaient le fond de leurs yaourts, le scénario que j'avais prévu eut lieu. L'aveu de dernière minute qu'il restait des devoirs à faire, Jimmy protestant que les filles avaient juré qu'elles n'en avaient pas, et la certitude absolue que je serais debout encore deux heures à colorier une carte du Canada, à dessiner un arbre généalogique, à coller des feuilles dans un carnet, à me soumettre à la torture parentale que le système éducatif avait concoctée pour les ambitieux par procuration, quelle qu'elle soit. Cela m'ennuyait-il ? Pas le moins du monde. J'étais contente de le faire.

En redescendant après avoir bordé les filles, Jimmy me regarda étaler le contenu de leurs cartables sur la table.

« Désolé, Bea.

— J'aime bien le coloriage, dis-je. Je trouve ça thérapeutique.

— Heureusement. Ça fait des années que tu t'y colles.

— Fais gaffe, ou c'est toi qui vas colorier le système solaire. »

Il jeta un coup d'œil à sa montre.

« Il est si tard que ça ? »

Je continuai à répertorier ce que j'avais à faire tout en désignant la porte.

« Je plaisantais, dit-il. Allez, je vais te donner un coup de main. L'astronomie était une des rares matières où je touchais ma bille. »

Je n'en revenais pas. Il ouvrit la porte du réfrigérateur.

« Un verre de vin ? Ça ne nous prendra même pas une demi-heure si on s'y met tous les deux. »

Il sortit une bouteille et la brandit en m'interrogeant du regard. L'alcool ne faisait pas vraiment partie de mon régime, mais j'acquiesçai d'un signe de tête.

Cela faisait un peu plus de quatre ans que nous étions séparés, Jimmy et moi. Depuis quatre années, je vivais seule, depuis deux ans j'étais officiellement divorcée, et pourtant il était là, dans ma cuisine de parent isolé, dans ma maison préfabriquée de parent isolé, parfaitement à son aise apparemment. Nous nous mîmes au travail, assis l'un en face de l'autre. Nous parlâmes surtout des filles, un peu de son travail. J'évoquai la journée sportive qui approchait et le potager que j'avais commencé dans le jardin. C'était le genre de dimanche soir que nous aurions passé si nous étions toujours ensemble. Ce qui pouvait vouloir dire deux choses. J'avais tout à fait bien compris la situation. Ou alors pas du tout, du tout.

3

Qu'est-ce que c'est que cette bête ?

Trois jours plus tard, j'avais rendez-vous avec un groupe de mamans après avoir déposé les filles à l'école. C'était l'une de ces rares matinées de février où des nuages pâles soulèvent le lourd couvercle londonien, et où l'on se souvient que le ciel au-dessus de nos têtes peut être immensément bleu. Il y avait de la clarté dans l'air, et ça faisait du bien. Mais peut-être était-ce moi qui commençais à voir les choses plus clairement. Quoi qu'il en soit, j'étais plus optimiste sur mon avenir que je ne l'avais été depuis des lustres. Nous étions censées organiser le gala de natation, mais je pense pouvoir affirmer sans me tromper que nous nous réjouissions surtout de passer un bon moment ensemble à bavarder. Nous avions décidé de nous retrouver chez Carmen. C'était elle qui habitait le plus près de l'école. Elle nous proposait toujours un incroyable assortiment de mini-croissants, nature, au chocolat, à la pâte d'amandes – mes préférés. Elle avait une machine à café grand luxe qui faisait de la vraie mousse. J'adorais aller chez elle. Détentrice de la planche à pince, j'étais fin prête à dresser encore une de ces fameuses listes qui faisaient que ma vie valait la peine d'être vécue.

« Un *latte*, ma chérie ? demanda Carmen.

— Je le prendrai noir, en fait. Merci. »

Carmen ne fit aucun commentaire, mais je suis à peu près sûre de l'avoir vue échanger un regard avec Lee, notre reine du fitness à domicile, originaire des États-Unis, et qui donne l'impression de s'être fait greffer son short de cycliste. Cela dit, j'étais peut-être un peu parano. La faim me fait cet effet-là, et elle ne m'avait pas quittée depuis dimanche. En attendant, je m'en sortais tellement bien que ça me donnait du peps.

Je bus à petites gorgées mon café noir brûlant que je sentis tourbillonner dans mon estomac vide. Je faisais un régime liquide. Soupes Slim. Café. Eau. Avec de temps à autre un verre de V8 quand mes sucs gastriques passaient du stade agité à force 10 et nécessitaient d'être apaisés.

« Quelqu'un a-t-il fait quelque chose de sympa ce week-end ? » demanda Carmen en tendant une ultime tasse de café customisé avant de s'asseoir.

Comme personne n'avait rien de particulièrement intéressant à raconter en dehors des sempiternelles corvées de taxi et de restauration au service des progénitures respectives, je résolus de leur parler de Robert Duke. À la manière Bea. J'étoffai mon récit à grand renfort d'hommes déplumés à la ceinture de pantalon haut perchée et de femmes aux talents de chasseresses dignes d'un grand requin blanc et me décrivis assise au bar, solitaire et misérable, lorsque Superman en personne s'était approché de moi. J'essaie de rendre drôles mes histoires de rendez-vous tragiques, même si c'est rarement ce que je ressens sur le moment. J'éprouve une étrange satisfaction à voir des femmes que j'aime s'en retourner avec le sentiment que leur propre monotonie – je voulais dire, monogamie – n'est peut-être pas si terrible que ça au fond. J'aspire à épargner aux autres les erreurs que j'ai commises.

« Au bout de cinq minutes environ, le beau blond a carrément posé sa main sur ma cuisse. Il s'est penché vers moi et là je me suis dit : "Hé, ça y est, enfin, je suis bonne pour passer à la casserole", quand il m'a glissé sa carte en susurrant : "Vous êtes une belle plante en piteux état. Ne serait-ce pas fabuleux d'être une mauvaise plante en super forme ?" En fait, c'était un coach en quête de clientes. »

Mes amies affichèrent des mines de circonstance.

« Salopard ! lança Carmen.

— Ma pauvre ! renchérit Holly, ma camarade inactive, mère de trois enfants.

— Jolie formule, tout de même, souligna Lee.

— Comment as-tu réagi ?

— Je lui ai dit de me faire cinquante pompes pour me montrer de quoi il était capable. Je voulais savoir à quoi j'aurais droit pour trente livres de l'heure.

— Et alors ?

— Il n'a pas pu aller au-delà de vingt-sept, enchaînai-je en haussant les épaules. Alors je lui ai dit : "Chéri, je crève peut-être d'envie de m'offrir une remise en forme, mais je ne pense pas que tu aies les compétences nécessaires pour ce job." La minute d'après, il avait la main sur les bourrelets d'une autre femme à qui il expliquait qu'il pouvait les soumettre à rude épreuve !

— Tu aurais dû le dénoncer », s'exclama Lee, qui n'a toujours pas compris le sens de l'humour britannique, bien que ça fasse des années qu'elle habite à Londres.

Tout le monde s'esclaffa de plus belle.

Puis Carmen demanda :

« Est-ce la raison pour laquelle tu bois ton café noir ? »

Je poussai un profond soupir.

« Il a réussi à me faire aller dare-dare chez McDo. Non, c'est que ma mère ne va pas tarder à débarquer en ville.

— Oh non ! s'écrièrent mes amies, compatissantes.

— Oh si ! » dis-je en hochant tristement la tête.

L'un des rares avantages de mon divorce, c'est que, à cause de sérieuses restrictions financières, j'avais emménagé dans une minuscule maison en mitoyenneté à Kentish Town. Le trajet jusqu'à l'école n'était pas trop terrible, mais le mieux dans tout ça, c'est que ma mère ne pouvait plus loger chez nous. J'aurais dormi sur le canapé – j'y passais souvent la nuit accidentellement de toute façon –, mais, incapable de s'abaisser à notre niveau, elle préférait descendre au Sloane Club. Je frissonne rien que d'y penser. Mon univers est tellement différent de cet endroit que, les rares fois où je m'y rends, je n'en reviens pas qu'un lieu pareil – des gens pareils – existe encore. Nous perdons apparemment

40 000 espèces par an – 120 par jour. S'il est un candidat idéal pour l'extinction, c'est à coup sûr le membre du Sloane Club, avec ses cheveux permanentés, ses perles de culture géantes, sa voix tonitruante et ses tweeds épais. Ma mère adore ! Elle et moi, c'est le jour et la nuit. Je me demande si c'est parce qu'elle a la peau claire que j'ai le teint mat. J'aurais bien voulu poser la question à mon père, mais il est mort avant que je me rende compte que je n'avais pas toutes les réponses. Il me manque maintenant, plus que jamais depuis que je suis seule. Une présence masculine me fait cruellement défaut. J'aimerais pouvoir lui demander si Jimmy était un mauvais homme, ou juste un homme. S'il a jamais été tenté d'aller voir ailleurs. S'il lui arrivait parfois de regarder la forme de sa femme endormie allongée à côté de lui dans son lit en la haïssant avec une force qui lui faisait peur. Je voudrais lui demander si mon frère et moi avons compté dans sa vie. Si ça valait le coup de se sacrifier.

Ma mère ne s'est jamais remariée, malheureusement. Elle aime trop son indépendance. J'ai failli ne pas divorcer, redoutant d'avoir à affronter l'inévitable « Je te l'avais dit ». Elle n'a jamais aimé Jimmy. Il ne venait pas d'une « bonne lignée ». Qu'est-ce que ça veut dire ? Son père Peter a commencé sa vie en grimpant sur des poteaux télégraphiques, pour finir directeur régional chez British Telecom. N'est-ce pas le genre de sang fort que l'on voudrait incorporer dans la soupe familiale ? N'est-ce pas une bonne base de départ ? Ma mère n'a pas bossé un seul jour de sa vie.

Pendant que j'attendais les filles dans la voiture devant le portail de l'école, en avance une fois de plus, je portai le bout de mes doigts à mon front en sentant les carreaux de ma maison de verre se fissurer. Il fallait que je me remette à travailler. Dieu merci, cet instant d'introspection fut rapidement interrompu par quatre poings tambourinant à ma vitre.

« Maman ! » Maddy était toujours tellement contente de me voir que toute velléité d'activité professionnelle s'envola. Elles s'entassèrent dans la voiture.

« J'ai fait ça en cours de cuisine, annonça Lulu en me tendant un tas de tortillons de pâte dans une boulette d'essuie-tout.

— Whoa ! m'exclamai-je. Qu'est-ce que c'est ?

— Des petits choux au fromage pour la fête. Comme ça, tu n'auras rien à faire. »

Lulu est un amour. Elle pense toujours aux autres. Elle a beaucoup plus de traits de caractère propres aux aînés qu'Amber. Amber s'apparente davantage à une benjamine. Quant à Maddy, eh bien, elle est juste adorable.

« Magnifique. Merci. Luke sera enchanté. »

Je leur distribuai des sandwichs de pain pita à l'houmous, des bâtonnets de carottes et des berlingots de jus de fruits. Il fallait toujours qu'on attende Amber. Les horaires de cours étaient échelonnés de manière à éviter de bloquer la circulation dans ce coin du nord de Londres, mais elle se débrouillait en plus pour être systématiquement la dernière. Cette fille flânait dans la vie à son propre rythme.

Ce jour-là, toutefois, elle me surprit en sortant la première, au pas de course. Étonnant comme la promesse de l'argent de mamy peut aider une jeune personne obnubilée par les fringues à se concentrer. Les excursions chez Harrods étaient pratiquement la routine chez certaines de ses camarades de classe, mais pas pour elle. Elle bouillait d'impatience. Nous nous mîmes joyeusement en route toutes les quatre, et je m'autorisai à bannir de mon esprit la terreur qui m'avait hantée toute la journée.

Ma mère est une femme mince, sculpturale. J'ignore d'où me vient mon côté rabougri. Encore un cadeau de papa, je suppose. Je crois qu'elle se pose la question elle-même. Je l'ai souvent surprise à me regarder avec une expression que, enfant, je ne comprenais pas. Je comprends maintenant. Je m'aperçois qu'il m'arrive de poser le même genre de regard sur Amber. Comment se fait-il qu'une créature pareille soit sortie de mes entrailles ? À quatorze ans, elle est déjà plus grande que moi. Ses jambes sont plus longues que les miennes. Ses cheveux sont d'un roux sombre, profond, qui me rappelle la palette de Rossetti. L'idée que j'ai pu l'engendrer me sidère. C'est à peu près comme ça que maman me regarde, mais pas tout à fait. En observant ma progéniture, je m'émerveille le plus souvent du miracle du patrimoine héréditaire. Ma mère s'en méfie. Je ne lui rends pas justice. Quoi que je fasse. Si bien que j'ai arrêté d'essayer depuis longtemps.

« Mère ! », m'écriai-je. Mère ! Qui appelle encore sa mère ainsi de nos jours, à part des Hollywoodiennes sur le retour qui vivent encore avec la leur ? Nous nous embrassâmes maladroitement.

« Bonjour, Belinda. » Elle m'examina de la tête aux pieds.

J'aurais voulu lui parler de mon régime, de mes marches dans le parc pendant que les filles sont à l'école, lui dire que j'avais déjà perdu un kilo, mais son expression me réduisit au silence. Le son de mon nom sur ses lèvres évoqua l'image d'un cookie géant aux pépites de chocolat. J'en aurais volontiers bouffé un tout de suite.

« Bonjour, les filles. Êtes-vous prêtes à faire une razzia dans les magasins ? »

Elles firent des bonds sur place, manifestant ainsi leur excitation et leur gratitude. Disons deux cookies géants, et un sablé au caramel pour faire bonne mesure !

« Je pensais emmener Amber au rayon adultes d'abord. Nous vous retrouverons au rayon enfants après un petit repérage pour voir ce que vous aurez pu trouver. Ma bonne amie Sally a réservé une grande cabine qui nous attend au quatrième étage. Si vous dénichez quelque chose qui vous plaît, envoyez-le-lui. Toute employée *décente* saura qui elle est. »

Elle tapa dans ses mains, nous nous rangeâmes en file indienne. Je fermai la marche. Je suis sûre que mes enfants ne comprennent pas très bien ma réticence, mais elles ne connaissent pas le code. Je savais ce que ma mère entendait par « décente » : blanche. Il fallait que je prenne du recul physiquement, sinon je devenais dangereuse.

Maddy et Lulu s'amusèrent comme des petites folles et je me forçai à me concentrer sur ça. Je n'avais pas les moyens de leur offrir ce bonheur-là. Jimmy non plus, même s'il essayait. Il n'avait pas arrêté d'essayer. C'était presque pire. S'il avait renoncé à son rêve et s'était dégoté un travail, nous n'en serions peut-être pas arrivés là. Avec des si, on pourrait mettre Paris… sous la chantilly ! Arrête, Bea ! J'en étais au cinquième jour et je m'en sortais bien. Ni chantilly, ni cookie aux pépites de chocolat, ni milk-shake ne franchiraient mes lèvres – j'avais fait trop fort jusqu'ici.

Maddy me tendit une autre création froufroutante. Je la mis sur mon bras avec les autres et nous montâmes au quatrième étage retrouver les autres. L'une des étiquettes tomba en chemin. En la ramassant, je fis la grimace. Je nourrissais ma famille une semaine entière avec la moitié de cette somme. Je soupçonnais que, si ma mère se défaisait de ce fric engrangé depuis si longtemps, ce n'était pas tant pour le quarantième anniversaire de mon ex-beau-frère, où il était hors de question qu'elle se pointe, que parce qu'elle allait avoir soixante-dix ans cette année et qu'elle avait l'intention de nous emmener à une soirée de gala à l'opéra. Les robes feraient l'affaire pour l'un et l'autre événement. En attendant, elle jubilait à l'idée que mes enfants se présenteraient chez cette ex-belle-famille terriblement *ordinaire* dans des tenues qui seyaient à des jeunes filles, dans son esprit. Velours, rubans, tulle et jupons, avec un fin collier de perles de culture pour parachever le tout.

Tout au long de leurs essayages, mes filles firent ce que je n'avais jamais fait. Elles poussèrent de petits cris de joie devant chaque parure, toutes plus froufroutantes les unes que les autres. Elles virevoltèrent, bondirent, esquissèrent des pas de danse, au grand ravissement de Sally et de ma mère, et l'espace d'un instant, je me réjouis que, à la différence de moi à leur âge, elles ne soient pas en train de tirailler nerveusement sur l'ourlet ou le corsage, mal à l'aise, debout les pieds en dedans, attendant avec impatience qu'on les déshabille.

« C'est le tour d'Amber à présent », dit ma mère. Elle écarta le rideau et me montra…

J'en restai bouche bée. Un doux satin bleu nuit collait à la peau d'albâtre de ma fille et se répandait sur le sol. J'eus un flash-back rapide d'un joyeux voyage en famille au pays de Galles lorsque mon aînée avait l'âge de Maddy, peut-être un peu moins. Nous avions déniché une mare, avec une cascade. Sans la moindre inhibition, Amber s'était plantée nue sous la chute d'eau en prétendant être une sirène. À présent, avec ses bras posés sur sa tête, la robe produisait le même effet, quoique l'eau tombant à flots eût moins révélé son corps que le satin. Je déglutis avec peine. Elle pivota sur elle-même sous les applaudissements de ses sœurs, ses cheveux se déployant dans les airs avant de lui retomber autour du cou telle une étole. Le dos était presque entièrement décolleté.

« Oh, mon Dieu ! s'exclama Sally.

— Éblouissant », renchérit ma mère.

Hors de question, pensai-je.

Amber ne pouvait détacher son regard de son reflet. Je savais pertinemment ce qu'elle pensait. J'ai toujours su ce que mon aînée pensait, même lorsque, à l'instar d'un télépathe, j'aurais préféré bloquer le son. *West Side Story*, c'était une chose, mais ça – cette Amber qui n'avait besoin ni de scène ni de costume, c'était détonant ! Nous nous dévisageâmes dans la glace. Elle me connaissait elle aussi. Ce fut la raison pour laquelle elle détourna le regard et sourit à ma mère, des étincelles dans les yeux.

Je me détendis. Jamais ma mère n'accepterait qu'elle porte une tenue pareille ! Mais à l'instant où nous aurions finalement pu faire front ensemble, elle me fit faux bond une fois de plus.

« C'est absolument parfait, dit-elle. Tu es splendide. Il nous faudra une étole, bien sûr. »

Quoi ? Non !

Amber l'étreignit.

« Oh, mamy, merci beaucoup. »

J'avais envie de protester : « Eh, je n'ai pas dit : "Jamais, jamais." J'ai dit : "Pas encore." Attends encore un peu, ça arrivera quand ça arrivera. Plus tu commences tôt, plus vite ça se terminera, et le reste de ta vie te paraîtra interminable. » Il fallait que je réfléchisse vite. « C'est ravissant, chérie, mais fais-nous au moins le plaisir d'en essayer encore quelques-unes. Comme dans la scène de *Pretty Woman*. » Je me mis à fredonner les premières mesures. C'était l'une de ses chansons préférées.

« Nous avons d'autres robes très jolies, dit Sally. Voyons ce que nous pouvons trouver. »

Les robes allaient et venaient. Amber se pavanait dans la cabine tel un paon juché sur les chaussures à petits talons que Sally lui avait fournies. On aurait dit une jeune Kate Moss avec sa culotte de petite fille et son soutien-gorge en coton blanc. Tout en jambes et en moues.

« Et maman ? demanda Sally en faisant passer une nouvelle robe par-dessus la tête de sa grande sœur. Que va-t-elle mettre pour le bal ? »

J'agitai les mains pour me défendre, sentant une onde de chaleur me monter aux joues.

« On ne s'occupe pas de moi aujourd'hui, mais de vous.

— Il faut bien que tu aies une tenue correcte », intervint ma mère. Elle redoutait que mon ex-belle-famille ne pense qu'ils s'étaient débarrassés d'une marchandise de mauvaise qualité, même si c'est ce qu'elle pensait elle-même.

« Je trouverai bien quelque chose, répondis-je. Hé, Amber, que dirais-tu de réessayer cette robe en velours rouge ? La noire est moins intéressante.

— Votre maman a raison, dit Sally. C'est la rouge que je préfère moi aussi. Elle fait ressortir le côté flamboyant de vos cheveux.

— Allons, Belinda, laisse-moi t'acheter quelque chose aussi. Ça me ferait plaisir.

— Ce n'est pas la peine, mère. Tu en fais bien assez.

— Ne sois pas ridicule. Sally, voyez ce que vous pouvez trouver pour ma fille.

— Oui, madame. »

La vendeuse disparut derrière l'épais rideau beige qui séparait la cabine du salon d'essayage.

« Franchement, maman, il commence à se faire tard. Il est grand temps que les filles aillent souper.

— Tu ne peux pas perpétuellement te cacher derrière tes enfants, ma chérie. Tu as besoin de trouver quelque chose à te mettre sur le dos, nous sommes dans un magasin de confection, Sally est la meilleure et si elle ne parvient pas à te dénicher une tenue, personne n'y arrivera. Fin de la discussion. »

Je me mordis la lèvre et savourai le goût du sang.

« Allez, maman, on a un pique-nique dans la voiture, dit Lulu. On va bien s'amuser. Elle va te faire ressembler à une princesse toi aussi. »

Je lui souris, reconnaissante que mes enfants au moins ne voient pas ce que je ne pouvais plus nier moi-même. Leur mère s'était laissée aller. Sally était peut-être la meilleure, mais même la meilleure n'y suffirait pas.

« Avez-vous choisi toutes les trois ? » demandai-je.

Maddy et Lulu se cramponnèrent à leurs robes comme à des canots de sauvetage. Amber avait la rouge sur le dos, mais dévorait la bleue des yeux. Pas la bleue, s'il vous plaît, pas la bleue ! Soudain, Sally réapparut de derrière le rideau, portant quatre robes de longueurs, couleurs et tissus différents. Ma poitrine se serra.

« Si on emmenait vos robes au comptoir pour les faire emballer, histoire de laisser un peu d'espace à votre maman ? suggéra la vendeuse.

— Tu veux bien faire un défilé, maman ? demanda Maddy. On s'assoira sur le canapé et on te donnera des notes jusqu'à dix. »

Mon cœur manqua un battement. Je savais qu'elle parlait des robes, mais ce n'était pas l'impression que ça donnait. J'imaginais trois frimousses graves brandissant des écriteaux. Grosse. Plus grosse. La plus grosse.

« Une fois qu'on aura tout emballé, dit Sally.

— Laquelle prends-tu, Amber ? » demanda ma mère comme si elle s'adressait à une égale et non à une gamine de quatorze ans, impressionnable, malléable et facilement meurtrie.

Amber se tourna vers Sally.

« Eh bien, la bleue vous va à ravir, ça ne fait aucun doute. » Mon cœur sombra en voyant le sourire radieux d'Amber. « Mais je pense que vous devriez choisir la rouge et je vais vous dire pourquoi. Avec la robe bleue, vous ne pourrez pas porter de sous-vêtements. Ça ne pose pas de problème ici. Il fait chaud et vous ne bougez pas. Mais quand vous danserez, quand vous ferez des bonds sur place ? » Amber ne comprenait pas ce que Sally insinuait, aussi cette dernière baissa son regard sur sa poitrine.

Amber rougit. La pensée d'une attention inopportune sur ses atouts féminins pas encore féminins la mettait mal à l'aise. Ce n'était pas une mauvaise chose en la circonstance. Adieu, vanité ! Pour aujourd'hui. Elle choisit la rouge.

En les voyant s'éloigner à la queue leu leu, je faillis les suivre, mais Sally se retourna, m'arrêta au passage et tira le rideau sous mon nez. Je devais affronter mes

70

démons toute seule. Je m'étais appliquée à éviter mon reflet dans la glace. Difficile en l'occurrence, puisqu'il y en avait sur trois murs, réglés à l'angle voulu aux coins pour vous donner une vue parfaite en *son surround*. Mais cela faisait cinq jours que je me tenais à carreau. Je me sentais mille fois mieux, peut-être serais-je surprise en bien.

Pleine de courage, j'ôtai mon caleçon noir miteux et mon col roulé. Je jetai mon tee-shirt M & S sur le tas et fixai obstinément la moquette beige. Puis je pris une inspiration profonde et relevai la tête pour voir la nouvelle moi. Je compris aussitôt que c'était une erreur. J'arrachai une robe à son cintre pour la glisser à la hâte devant moi, mais il était trop tard. Je m'étais vue sous la forme d'une armée en rangs serrés, prête au combat. J'étais surpassée en nombre à raison d'une infinité contre un. J'étais cernée !

Je brandis la robe en signe de capitulation et la laissai tomber à terre. Qu'est-ce que c'était que cette bête ? Cette grosse vache triste, laide à pleurer, qui me rendait mon regard ? Ces cinq jours n'avaient strictement rien changé. Cinquante n'y changeraient rien non plus. Je ne pensais même pas que cinq cents… Je retombai brutalement du sommet factice sur lequel j'avais grimpé au moment où le premier sursaut de panique me frappa tel un brisant, me coupant littéralement le souffle. Je laissai échapper de petits halètements *staccato*. J'ignorais quelle force invisible m'avait percutée avec une telle vigueur et regardai autour de moi, épouvantée, explorant la cabine à la recherche de mon assaillant. Il s'avéra que c'était moi. Me mettant au défi de regarder mon reflet dans le miroir d'angle, je vis, avec chaque poche de graisse creusée, à quel point mon postérieur s'était affaissé sur l'arrière de mes cuisses. *Qui es-tu ? Qu'est-ce que tu fais là ?* Et toc ! Je perdis à nouveau le souffle. Terrifiée, je pinçai violemment mes chairs avachies jusqu'à ce que la douleur me force à inspirer de nouveau. Je m'agrippai au mur. Quelque chose de bizarre était en train de faire éruption en moi, mais je n'arrivais toujours pas à détourner le regard. Un sac de peau tachetée pendait au-dessus de ma culotte et creusait un sourire grotesque au-dessus de chaque hanche enfouie. Je lui administrai une pichenette. Puis je sortis le ventre encore plus en me penchant en avant et je lui flanquai une nouvelle chiquenaude. « Du blanc de baleine », fut l'idée qui me vint à l'esprit. Comment avais-je pu vivre avec moi-même tout en m'évitant si longtemps ?

Je me fis face de nouveau, et je vis la panique d'un être en train de se noyer me regardant, les yeux écarquillés. Je ne pouvais plus respirer. Mon cœur battait à tout rompre. Je n'avais plus d'air. L'oxygène m'avait quittée. Respire, grosse vache ! Mais je n'y arrivais pas plus que je ne pouvais voler. Mon cœur hurlait. Ma poitrine était nouée comme un vieil arbre tortueux. Respire ! hurlai-je à moi-même. Mon reflet secoua la tête en me voyant articuler ce mot. Je ne peux pas respirer. RESPIRE ! Pathétique. Je m'époumonai de l'intérieur. RESPIRE. *Pourquoi ?* Je n'y arrive pas. Mon visage se décomposa, mon corps grotesque se plia en deux, j'ouvris la bouche plus grand que je n'en avais l'intention et sentis la peau se déchirer aux commissures. Et je hurlai tandis que les larmes m'inondaient les joues, je hurlai, hurlai, hurlai. Mais aucun son ne sortit.

« Maman ! » C'était Maddy.

Je me redressai en entendant de petits pas sur la moquette et le bruissement de son uniforme. Non, non, non, non…

« Laquelle as-tu mise ? Tu es prête ? »

Comme si quelqu'un m'avait fait un trou dans le plexus solaire, mes poumons s'emplirent de nouveau. Je retins mon souffle, terrifiée à l'idée que cet air s'en aille encore.

« Maman ?

— J'arrive, croassai-je en essuyant furieusement mes larmes. J'en ai pour une minute.

— D'accord. »

Je reculai en titubant et en slip, soutien-gorge et chaussettes grises, je me laissai glisser le long du miroir mural en m'enveloppant dans un bout du rideau. Je posai la tête sur mes genoux. Je n'arrivais pas à tarir mes larmes. Elles n'arrêtaient pas de tomber toutes seules. Que se passait-il ? La panique n'avait fait que relâcher un peu son emprise. Elle me resserrait le cœur, sporadiquement, juste pour me faire savoir que je n'étais pas seule. Impossible de me relever. Je rassemblai les robes et m'y cramponnai, comme si c'était un des doudous de Maddy. Rassurée par la douceur de la doublure en satin contre ma joue.

« Allez, montre-toi. »

C'était ma mère. En entendant le son de sa voix, je flanquai ma jambe en travers de l'entrée de la cabine et ancrai le rideau au mur. Je n'étais pas prête à laisser entrer qui que ce soit, ni à partir. Ma mère avait dû flairer quelque chose parce qu'elle se planta de l'autre côté du rideau.

« Tu as trouvé quelque chose qui te plaît ? demanda-t-elle d'un ton hésitant.

— Pourrais-tu me rendre un service, mère…

— Tu es sûre que ça va, ma chérie ? »

Continue à respirer, me dis-je, sentant mon menton trembloter. Respire.

« J'ai… besoin de quelques minutes.

— Bon, d'accord. On t'attend.

— Non, répondis-je d'un ton plus catégorique que je ne l'aurais voulu. Pourrais-tu les emmener manger quelque chose ? Je crois qu'il y a un snack dans le centre, non ? Un café ?

— Je vais les emmener au restaurant à l'étage du dessus, à côté de l'endroit où je me fais coiffer.

— Merci, dis-je en fermant les yeux.

— Combien de temps te faut-il ?

— Je n'en sais rien. »

J'avais de nouveau le souffle court.

« Belinda ? »

Je sentis mon visage se plisser tandis que je luttais contre les larmes.

« S'il te plaît, laisse-moi t'acheter quelque chose de joli. »

Des souvenirs de préparation à l'accouchement profondément enfouis me revenant en mémoire, je trouvai une tache sur la tringle de rideau où fixer mon attention et me mis à haleter par petits coups. Je vis le rideau bouger.

« Pour l'amour du ciel, maman, laisse-moi tranquille une minute.

— Franchement, Belinda, ce n'est pas une façon de me parler. Je viens de dépenser une fortune pour tes enfants. Et ne m'appelle pas maman ! »

Je me recroquevillai un peu plus en laissant les larmes couler. Ça n'était pas censé se passer comme ça. Qui était cette grosse affalée par terre en pleurs ? Comment était-ce arrivé ? Où étais-je passée ? Qui étais-je devenue ? Jadis, il y a très longtemps, dans un pays très, très lointain, j'étais canon…

J'étais vive, petite, *mince*, en pleine forme. J'avais des cheveux noirs, des yeux bleus étrangement clairs. J'étais jolie. Pas une pin-up. Dans ma prime jeunesse, seuls les garçons éclectiques aimaient les petites brunes, sans formes, mais à la fin de mes études universitaires, j'étais devenue quelqu'un. J'avais une certaine force, une énergie qui attirait les autres, et j'avais appris à changer la perception que les autres avaient de moi : non plus bizarre, insolite, mais unique, spécial. J'étais tellement déterminée à ne pas être la femme incapable qu'était ma mère que je me lançai à corps perdu dans tout. Les langues, la cuisine, le sport, la fête – je pouvais sortir toute la nuit et me lever à temps pour les cours du matin. J'étais l'infatigable Bea Frazier. J'avais de bons résultats, les gens me disaient que je pourrais faire n'importe quoi de ma vie, et je les croyais. Je ne doutais pas une seconde que je serais journaliste, puis rédactrice en chef, qu'un jour, peut-être, je dirigerais un journal. Les mots imprimés, une vision subjective face à une autre, la vie reconstituée sur la page… Telles étaient les choses qui me consumaient.

Je décrochai un poste commercial dans l'édition. Cela peut paraître barbant, mais dans les grisantes années 80, c'était loin d'être le cas. Je suis consciente que l'Angleterre de Thatcher fut honnie par beaucoup, mais lorsque des traders tatoués avec davantage de plomb dans la cervelle que n'importe quel type sorti d'une école privée (et j'en ai rencontré des tas à la City) cassaient la baraque, je jubilais de voir l'enduit de jointement s'effriter sur ces barrières sociales quasi imprenables qui m'avaient toujours tenue prisonnière. Et non pas protégée, comme le pensait ma mère. Si je ne le faisais pas pour l'argent, je ne tardai pas à me rendre compte que ce dernier facilitait les choses. Les projets de Jimmy étaient perpétuellement en développement, et il fallait bien que quelqu'un paie le loyer. Puis les traites. Puis les baby-sitters.

J'entendis bouger derrière mon rideau protecteur. Et me crispai.

« Maman ? » C'était Amber.

Je laissai échapper un sanglot silencieux.

« J'arrive, ma chérie.

— Tu es sûre que ça va ? Mamy dit que tu as piqué une crise. »

Je serrai les dents et les poings pour m'obliger à me ressaisir.

« J'ai eu un peu chaud, c'est tout, dis-je en me relevant. Je vais me rhabiller et je vous rejoins.

— Est-ce que tu t'es évanouie ?

— Non, mon cœur.

— Camilla n'a rien mangé pendant cinq jours et elle est tombée dans les pommes. Xanthe l'avait traitée de grosse, alors que ce n'est même pas vrai. C'était tellement stupide de sa part. »

J'aurais dû tendre les bras, attraper ma fille et la serrer dans mes bras, mais je ne l'ai pas fait. J'étais trop occupée à me concentrer sur ma respiration.

« J'ai dit à mamy que tu détestais faire du shopping. Que c'était pour ça que tu n'y allais jamais avec les autres mamans. Elle m'a répondu que je disais des bêtises. »

Les autres mères faisaient leurs courses chez Prada, mais ce n'était pas la raison pour laquelle je ne me joignais pas à elles. Si je n'y allais pas, c'était parce que je n'étais pas conviée.

« Je suis désolée, Amber, je sors dans une minute.

— Tu es sûre que tu ne veux pas que je t'aide ?

— Je préférerais que tu protèges tes sœurs de ta grand-mère, dis-je en m'efforçant de prendre un ton léger.

— D'accord », répondit-elle, mais elle n'avait pas l'air convaincue.

Je rassemblai toutes mes forces en vue de sortir de la cabine. Je passai mon tee-shirt sans problème, mais quand je me penchai pour enfiler mon pantalon, mon sang afflua vers mes pieds. Je me tins au mur, les yeux rivés sur mon reflet sans trop savoir qui me rendait mon regard. Je ne pouvais pas retourner là-dehors. Impossible. Quelques secondes plus tard, je m'écroulai de nouveau en serrant le rideau contre moi. C'est le problème avec les gens infatigables. Ça n'existe pas. Quelque part, à un moment donné, il faut payer.

J'avais juré de ne jamais accepter de subsides de la part de ma mère, sachant que les intérêts seraient écrasants. Les choses changent cependant quand on a des enfants. Leurs besoins passent avant l'orgueil. Lorsque ma mère avait proposé de couvrir les frais de scolarité d'Amber, que nous n'avions pas les moyens de payer, j'avais accepté. En dépit de mes interminables ruminations, je ne pouvais pas me permettre de disséquer et de pétrir dans tous les sens mon envie de décliner, ni de l'envoyer promener. Cela aurait été injuste. N'est-ce pas ce qu'être parent veut dire ? Faire au mieux pour sa progéniture ? Même si ce n'est pas forcément ce qui nous convient le mieux ?

J'avais pensé que je travaillerais toute ma vie. Que Jimmy finirait par gagner un peu plus à la fin. Je pensais que les quelques milliers de livres à débourser par trimestre n'étaient pas hors de portée, que la dette n'était pas si catastrophique. Mais ce que l'on fait pour un enfant, il faut le faire pour les autres. Je suppose que ma mère l'a emporté au final. Je suis totalement dépendante d'elle désormais. Quel genre de job faudrait-il que je décroche pour arriver à couvrir les trente-trois mille livres de frais de scolarité annuels et avoir encore assez pour nourrir, vêtir et abriter mes enfants ? Certainement pas un pour lequel j'étais qualifiée !

« Bea ? »

Je relevai la tête.

« Bea ? »

C'était une plaisanterie ou quoi ? Depuis combien de temps étais-je assise là ?

« Jimmy ?…

— Puis-je entrer ? Je ne pense pas que ce soit une bonne idée que je rôde devant les cabines d'essayage du rayon féminin. »

J'étais tellement choquée d'entendre sa voix que j'en oubliai que je n'arrivais plus à bouger et me mis à ramper à quatre pattes en rassemblant mes vêtements.

« Bea ?

— Non, tu ne peux pas entrer.

— S'il te plaît. Je suis inquiet pour toi.

— Je ne suis pas habillée, dis-je en serrant mes nippes contre moi pour me protéger.

— Je te connais par cœur, tu sais.

— Il n'y en avait pas autant avant, répondis-je.

— Arrête ces sottises. J'entre. »

Je n'aurais pas pu l'en empêcher. Il aurait fallu que je lâche mes habits pour ça. Je ne pouvais rien faire d'autre que lever les yeux vers lui. Il tira le rideau derrière lui, s'accroupit devant moi, écarta une mèche de mes cheveux.

« Salut, dit-il. Tu aurais préféré faire autre chose de ta journée, hein ! »

Je souris faiblement en laissant une larme s'échapper de ma paupière. Jimmy enleva son manteau et m'en enveloppa comme dans une couverture.

« Qu'est-ce que tu fais là ? demandai-je.

— Ça n'a rien de chevaleresque. Je travaille au coin de la rue.

— Je veux dire, comment se fait-il que tu sois là ?

— Amber m'a appelé. Elle m'a dit que tu ne voulais plus sortir. »

Je fronçai les sourcils.

« Ta mère a été un peu plus directe verbalement qu'elle n'aurait dû l'être. Amber était bouleversée. »

Je soupirai.

« Que s'est-il passé, Bea ? Amber pense que tu t'es évanouie. »

Je portai la main à mon cœur. Il battait presque aussi fort qu'avant. « Je crois que j'ai eu une crise de panique. » Je n'arrivais pas à me rappeler la sensation d'étouffement, mais je me voyais encore dans la glace, hurlant en silence, paniquée parce que je n'arrivais plus à respirer. Je frissonnai.

Mon ex-mari me prit par les épaules et je me laissai aller contre lui.

« Que t'a-t-elle encore fait ?

— Amber a été adorable.

— Ta mère, je veux dire.

— Rien. Ce n'était pas ça.

— Bea, c'est *toujours* ça. »

Ma mère. L'excuse commode à laquelle nous recourions tous les deux.

« Je suis exactement comme elle. Je ne fais rien d'intéressant.

— Vous ne pourriez pas être plus différentes.

— Je ne travaille pas.

— Tu fais le métier le plus précieux du monde.

— Pas vraiment, raillai-je.

— Tu formes la prochaine génération. Il faut bien que quelqu'un le fasse. Et tu le fais sans effort, généreusement, avec beaucoup d'imagination. Fabuleusement bien, à vrai dire.

— Je n'ai pas du tout l'impression d'être fabuleuse. En fait, à cet instant, je me trouve plutôt répugnante. Le miroir à trois faces n'a pas arrangé les choses.

— Tais-toi. Tu es belle.

— Non, Jimmy, je ne suis pas belle.

— Si, tu l'es. Pour nous.

— Je suis une grosse vache.

— Arrête. Pour l'amour du ciel, Bea, d'accord, tu as quelques kilos de trop… »

Je ris durement.

« C'est parce que tu prends trop sur toi. Si tu ne mangeais pas, tu ne pourrais pas tenir debout, sans parler de t'occuper de nos enfants, aider tout le monde et compenser ce que je ne fais pas. »

Je faillis me récrier, mais je me retins.

« Je sais que c'est le cas, alors ne proteste pas. »

Je poussai un soupir vacillant.

« Ça ne vaut pas le coup de te mettre dans cet état, poursuivit-il. Les kilos, tu peux les perdre…

— Mais pas ma santé mentale ?

— Ça ne vaut pas le coup. »

Mon être rationnel en était conscient, bien sûr, mais le monstre se dresserait de nouveau, gronderait et réveillerait toutes mes incertitudes. Et je l'alimenterais. C'était le plus exigeant de tous mes bébés, celui auquel je n'avais jamais réussi à imposer un train-train quotidien.

« Tu sais, Bea, tu peux retrouver la ligne si tu le veux. C'est dur, mais tu pourrais le faire. »

J'avais dû avoir l'air peiné parce qu'il ajouta :

« Mais rien ne t'y oblige. Tu es très bien comme tu es. »

J'arquai un sourcil.

« Bon d'accord, peut-être pas maintenant, à l'instant même. »

Je ris faiblement.

« Mais quand tu souris, si. »

J'essayai de me souvenir de l'effet que ça faisait de sourire. De sourire pour de vrai, je veux dire, pas seulement par politesse. Impossible de me le rappeler.

« Déjà moi, pour commencer, j'aimerais bien le voir un peu plus souvent, ce sourire. »

Qu'essayait-il de me dire ?

« Ne me dis pas que je suis devenue chiante à ce point-là ?

— On peut changer ça. À une certaine époque, tu étais toujours prête à tout.

— Ça fait un bail ! » Je marquai un temps d'arrêt. Et puis flûte, qu'est-ce que j'avais à perdre ? « Quand je t'avais. »

Jimmy me serra un peu plus fort.

« Non, Bea, tu n'as jamais eu besoin de mon soutien. Ça a toujours été l'inverse. »

J'étais là, à moitié à poil dans une cabine d'essayage en train d'avouer des choses dont je n'avais jamais eu conscience jusqu'à présent à l'homme dont j'avais divorcé.

« J'en ai besoin maintenant.

— C'est pour ça que je suis là. Et que je serai toujours là. »

Le désir me balança une grenade dans le ventre et l'étau qui me serrait la poitrine relâcha un peu son emprise.

« Dommage que nous n'ayons pas eu ce genre de conversation quand nous étions mariés », dis-je.

Jimmy garda le silence un moment et je redoutai d'avoir dépassé la mesure.

« C'était le cas. Au début. »

Je poussai un long soupir et me réjouis de l'inspiration qui suivit. Respirer. C'était si étrange d'en être conscient. Et si bête de prendre ça pour acquis.

« Tu crois que tu peux arriver à te lever ? » demanda-t-il.

Je hochai la tête bien que je répugne à m'extraire de ses bras.

« Bon. Écoute, on va mettre ta mère dans un taxi et je vais vous raccompagner à la maison.

— Merci, mon chou », dis-je. Ce fut en le voyant regarder par terre que je me rendis compte que j'avais employé le petit mot tendre que je lui attribuais jadis, que je réservais désormais à mes enfants et qui n'avait plus lieu d'être à son sujet… sauf si je pouvais inverser la tendance.

Il posa un bras protecteur sur mes épaules, flanqua ma mère dans un taxi de force – une raison suffisante pour l'aimer –, prit le volant de ma voiture et nous ramena à la maison. À un feu rouge, je regardai tour à tour mon ex-mari et mes trois filles et je pus respirer librement pour la première fois depuis que je m'étais retrouvée face à mon reflet dans la cabine d'essayage.

C'est alors que cela fit tilt dans mon esprit. Ce qui avait été une terrible épreuve m'avait paru moitié moins pénible dès que Jimmy était arrivé. Et le fichu trajet de retour en pleine heure de pointe, pendant lequel Amber nous imposa le dernier CD en date d'un groupe de filles indécent poussé à plein volume et apprit à ses sœurs des mots indécents, ne me sembla pas pénible du tout. D'ordinaire, j'écume de rage.

« Je t'agite mes fesses sous le nez ! » chantèrent les petites en chœur. Et Jimmy et moi éclatâmes de rire.

Au lieu de s'en aller juste avant que les filles se cabrent devant le triple obstacle devoirs-lecture-brossage de dents que j'étais seule à devoir les exhorter à franchir tous les soirs, Jimmy resta un peu. Pour la deuxième fois. Mieux que ça, il m'installa devant la télé avec un verre de vin et me remplaça. Voilà donc l'effet que cela faisait d'être soutenu. Quand tout fut calme sur le front ouest, il me fit une soupe Slim délicieusement nutritive en y ajoutant des crudités.

« Promets-moi de ne plus sauter les repas. »

Je hochai la tête.

« Tu m'as fait peur.

— Je me suis fait peur à moi-même.

— Comment te sens-tu maintenant ?

— Ça fait du bien. » J'étais à peu près certaine qu'il savait que je ne parlais pas de la soupe. « Merci. »

Il me sourit.

« Tu as repris un peu de couleurs au moins. »

Il était clair que nous n'étions pas en train de parler de bouffe.

4

Tu me fais quelque chose

Je n'arrivais plus à me le sortir de la tête. Chaque matin en me réveillant, je me rendais compte que j'avais pensé à lui dans mon sommeil. Je regardais fixement l'endroit où il dormait jadis en me demandant où il avait bien pu passer. J'essayais de me convaincre que mon régime m'avait tourneboulée, mais je savais que c'était autre chose. Au début, je refusais de regarder la vérité en face parce que c'était (a) grotesque et (b) trop rapide. Mais le fait est que Jimmy consumait toutes mes heures de veille. J'accomplissais allégrement mes tâches quotidiennes dans la mesure où elles étaient idéales pour rêver éveillée. Il m'appelait tous les deux ou trois jours pour prendre de mes nouvelles et nous avions de charmantes conversations. Je me faisais violence pour ne pas flirter avec lui.

Quelques jours avant l'anniversaire de Luke, j'étais en train de confectionner des millions de bâtonnets au fromage destinés à être congelés quand on sonna à la porte. Il était onze heures trente-deux. Je faillis ne pas ouvrir. Onze heures trente-deux est synonyme de démarcheurs, de représentants de commerce, d'adeptes de Hare Krishna ou d'huissiers. Mais je trouvais plus facile de voir la vie sous ses bons côtés, aussi j'allai ouvrir.

Un coursier affublé d'un gros casque noir se tenait sur le seuil, tout grinçant dans sa combinaison de cuir. Il m'aurait fait peur s'il ne m'avait pas tendu un gros sac de chez Harrods auquel était agrafée une enveloppe blanche portant mon nom. Je signai le reçu. J'avais tout de suite reconnu l'écriture. Se pouvait-il qu'un de mes fantasmes de plus en plus érotiques soit sur le point de se réaliser ? Celui où je suis en robe longue, invitée à dîner et où c'est moi qui fais office de plat principal ? Quelle que soit la manière dont ils commençaient, mes fantasmes se terminaient toujours de la même manière. Avec moi toute frémissante tandis qu'un homme me pénétrait. Cela peut paraître pervers, j'en suis navrée, mais nom d'un chien, j'en avais sacrément besoin. Pas n'importe quel homme en plus. Mon homme. Jimmy. Mon estomac chavira sous l'effet d'un désir lubrique. Pas étonnant que je perde des kilos. Comment avaler quoi que ce soit quand on a une nuée de papillons dans le bas-ventre ?

J'emportai le sac dans le salon et tirai sur l'enveloppe. Je sortis le petit mot d'une main tremblante.

Bea chérie,
Je sais que tu détestes faire du shopping. Je m'en suis donc chargé pour toi. Tu iras au bal.
Je te demande juste de me garder une danse.
Bises,
                                                                    Jimmy
P.-S. Je suis si fier de toi. Nous le sommes tous.

Je brandis la robe Diane von Furstenberg. Elle était en jersey de soie bleu nuit avec une jupe portefeuille arrivant au genou et des motifs en volutes ivoire. Elle me paraissait minuscule. Je soupirai. Il faudrait l'étirer pour qu'elle me couvre. Je retournai à mes bâtonnets de fromage, répugnant à gâcher ma bonne humeur avec une séance d'essayage désastreuse.

Pour finir, la curiosité l'emporta cependant et j'emmenai la robe en haut. J'enfilai mon plus beau soutif, enlevai ma culotte – rien de tel que la vision d'un élastique creusant un sillon dans vos chairs pour vous envoyer faire une razzia dans le frigo – et passai la robe. Je n'arrivais pas à croire qu'elle puisse m'aller si bien. Le drapé dissimulait une multitude de failles, le décolleté faisait oublier le reste et le tissu flottait sur mon postérieur d'une manière qui me faisait davantage penser au « Jell-o on Springs » de Marilyn Monroe et un peu moins à Leigh Bowery. Je courus à la salle de bains. Le haut semblait seyant. Je fis des bonds sur place pour mieux voir. En vain. J'avais besoin d'une satisfaction sur toute la longueur.

En repoussant un monticule d'habits sales, je parvins à ouvrir la porte de la chambre d'Amber et me ruai sur sa penderie, non sans avoir enfilé des chaussures à talons vertigineux. La couleur était parfaite. Mes cheveux paraissaient plus noirs, mes yeux plus bleus. Ce n'était pas seulement la couleur. La coupe aussi. La forme. En fait, c'était encore plus que ça. C'était moi. J'étais… Je surpris mon reflet dans la glace et souris. J'étais… convenable. Convenable ! Je me retournai pour considérer mes fesses. Le mouvement tourbillonnant troubla ma vision si bien que, même là, ça ne paraissait pas si mal. Je me retournai tout sourires et exécutai un saut pour fêter ça. Oh, mon Dieu ! J'étais vraiment… présentable !

Je tentai de joindre Jimmy, mais il était en rendez-vous. Je me rabattis sur un texto. « Merci. Merci. Merci. Merci. Merci. Merci. Merci. Bisou. » Quelques heures plus tard, j'en reçus un en retour. « Il n'y a pas de quoi. Content qu'elle te plaise. À samedi. Bisous. » Plusieurs bisous ! Que se passait-il ?

Après ce coup-là, je n'eus aucun mal à ne rien manger et, le samedi soir, la robe m'allait encore mieux.

Un silence abasourdi m'accueillit quand je descendis l'escalier au moment de partir. Cela m'attrista de penser que je m'étais tant laissée aller que l'amélioration de mon apparence rende mes filles muettes, mais j'étais contente de me retrouver. J'avais la foi d'une nouvelle convertie et je savais, aussi sûrement que l'hypoglycémie succède au coup de fouet dû au chocolat, que plus jamais des graisses transanimales ne franchiraient mes lèvres. Finalement, Amber brisa le silence :

« Whoa, maman, tu es canon !

— Tu es ravissante toi aussi, répondis-je. Vous l'êtes toutes les trois. Je me demande bien comment j'ai pu produire trois filles aussi merveilleuses, superbes, intelligentes. Allons leur montrer comment faire la fête ! »

L'un des moments les plus agréables de la soirée fut le trajet en taxi jusqu'à Bush Hall. Amber sortit de son sac un vieux poudrier m'ayant appartenu et, à tour de rôle, nous jetâmes un coup d'œil à notre reflet avant de retoucher notre rouge à lèvres. Maddy elle-même avait été autorisée à mettre un peu de gloss transparent et je songeai à la chance que j'avais d'avoir des filles avec lesquelles partager les merveilles de la féminité. Je sais que les filles sont complexes, difficiles, parfois sournoises, multifacettes, mais je ne voudrais pas qu'il en soit autrement. C'est ce qui fait de nous les créatures contradictoires, passionnantes que nous sommes. Et j'avais la ferme intention de fêter ça ! Névrotiques ? Bien sûr ! Parbleu ! Ça prouve qu'on réfléchit.

Je montai les marches menant à la salle d'un pas léger, mes filles dans mon sillage, consciente que pour la première fois depuis longtemps les regards appréciateurs, admiratifs, ne leur étaient pas entièrement réservés. En groupe, nous étions un plaisir pour les yeux, mes rouquines et moi. Il ne manquait qu'une seule chose, et tout aurait été parfait.

Près de la moitié des convives étaient déjà là, et nous étions juste à l'heure. Un signe de tête à l'adresse de Luke et de Faith. C'était un couple charmant. Bien qu'ils aient eu leur part de problèmes, ils travaillaient comme des bêtes tout en élevant un enfant, ce qui ne les empêchait pas d'être toujours disponibles pour tout le monde. Ils donnaient l'impression que c'était facile. Je savais pertinemment qu'il n'en était rien. Faith se pavanait dans un tailleur en cuir blanc moulant qui lui donnait des airs de Pattie Boyd. Charlie, leur fils de cinq ans, portait un jean et une veste de base-ball avec « Pap » et « 40 » cousus sur le dos. Dès qu'elles l'aperçurent, les filles s'empressèrent d'aller l'escorter comme s'il était un champion de boxe miniature.

Quarante minutes et deux coupes de champagne plus tard, Jimmy n'était toujours pas là. Ma plus jeune belle-sœur, Lucy – celle qui prétendait voir l'aura des gens et passait sa vie à regonfler les déprimés à l'aide d'aiguilles –, m'effleura le bras.

« Il va venir, ne t'inquiète pas. Il était prévu que je passe le chercher, mais il m'a dit que son rendez-vous avait duré plus longtemps que prévu.

— Un samedi ? » m'exclamai-je.

Elle haussa les épaules.

« Ça fait des siècles que je ne t'avais pas vue aussi en beauté.

— Il était temps.

— Ce n'est pas ce que je voulais dire. Aurais-tu rencontré quelqu'un ?

— Lucy !

— Quoi ? Ça fait quatre ans que vous êtes séparés. Tu as le droit, tu sais.

— La réponse est non.

— Eh bien, ça ne devrait pas tarder avec un look pareil. Crois-moi. » Elle rit. J'aimerais bien, pensai-je en fouillant l'assemblée des yeux. « Oh, regarde, voilà mes parents, s'exclama-t-elle. Et Jimmy est avec eux. »

Mon cœur exécuta un petit pas de deux avant d'exploser en un feu d'artifice céleste. Il était là. En montant l'escalier dans le sillage de ses parents, il tapota quelques mèches de cheveux encore humides qui ne voulaient pas se tenir tranquilles. Il était un peu débraillé, échevelé, les joues roses. Il avait couru. Impossible créature ! Cela me posait-il un problème ? Non. Je l'aimais encore plus parce qu'il n'avait pas changé d'un iota et c'était ainsi que je le voulais. Mon Jimmy. L'homme avec lequel j'avais passé près de vingt années de ma vie. Moins les quatre dernières. Qu'est-ce que cela représentait ? Une goutte dans l'océan. Un cillement de paupières. Une seconde dans une vie. Et lui, qu'en pensait-il ?

Honor et Peter m'embrassèrent chaleureusement en me disant que j'avais bonne mine et que les filles étaient splendides. Je souris, mais j'avais surtout envie de rejoindre Jimmy derrière eux. Il s'empara de deux coupes qu'il tendit à ses parents, puis en prit une pour moi. Un choc électrique me transperça quand il m'effleura la main. J'étais certaine qu'il l'avait senti aussi. Nous échangeâmes un sourire faussement timide. J'avais intérêt à grignoter quelque chose avant de boire un autre verre. Après trois semaines d'abstinence, le champagne m'était monté directement à la tête, mais c'était si bon, je ne pouvais pas résister.

« Tu es ravissante, Bea, dit-il.

— Merci. Je ne sais pas comment tu t'es débrouillé.

— Débrouillé pour quoi faire ? » voulut savoir Honor. Elle avait beau être habillée de pied en cap pour la bonne société, elle avait l'oreille friponne, comme toujours.

« C'est Jimmy qui a choisi cette robe pour moi. »

Le regard de mon ex-belle-mère passa de mon visage à celui de son fils.

« Vraiment ?

— Eh bien, Bea était passablement occupée et il se trouve que mon bureau est juste à côté du magasin. »

91

Je savais qu'il cherchait à protéger sa mère pour éviter qu'elle ne se fasse du souci. Mais elle n'avait aucune raison de s'inquiéter. Pas cette fois-ci.

« Comment se fait-il que tu sois essoufflé ? lui demanda-t-elle.

— J'ai fait du squash », répondit-il.

Je fronçai les sourcils.

« Lucy m'a dit que tu avais un rendez-vous.

— J'ai fait du squash après. C'est pour ça que je suis aussi en retard. Quelqu'un veut-il encore un verre ? »

Nous secouâmes la tête. Nous n'avions pas touché à nos coupes.

Tandis qu'il s'éloignait en quête d'un plateau, j'entendis un cliquetis persistant.

Faith s'était hissée sur une chaise et tapait son verre avec une cuillère pour réclamer le silence. Une vague d'applaudissements mêlés d'acclamations discrètes balaya la pièce.

« Je comptais faire cela plus tard, quand tout le monde se serait installé pour manger, mais je sens que je m'enivre trop vite, et personne ne veut entendre une femme saoule palabrer à propos de la chance qu'elle a d'avoir le mari qu'elle a, le fils qu'elle a, la vie qu'elle a. Ce serait embarrassant que je me mette à élucubrer sur la place que Luke tient dans mon cœur, sur toutes les petites attentions qu'il a pour moi et qui font que je l'aime plus chaque jour. En outre, qui y croirait, venant d'une pauvre éméchée ? Alors je me tiens devant vous maintenant, à moitié sobre, et je lève mon verre qui sera suivi de beaucoup d'autres à la santé de Luke, mon cher et tendre mari. Bon anniversaire, mon chéri.

J'espère que tu mesureras en regardant autour de toi dans cette pièce à quel point tu es aimé et combien tu mérites de l'être. Tu es un type super, et sans vouloir dénigrer le sexe le plus faible, il n'y en a pas beaucoup comme toi dans ce bas monde. »

Un grondement de protestations s'éleva parmi les messieurs présents, mais c'était de bon aloi : tout le monde connaissait Faith.

Elle leva la main.

« Exception faite des personnes présentes. » Elle rit, puis posa la main sur son cœur. « Je t'aime, et pas seulement pour avoir remis une vieille en circulation. »

Luke s'approcha d'elle, la descendit de son piédestal et l'embrassa. Ce n'était pas un baiser très tendre parce qu'ils riaient tous les deux, mais ça faisait plaisir à voir. Charlie accourut et se glissa entre leurs jambes, avide de prendre part à l'action, mais il dut attendre. Parfois il faut faire passer votre moitié avant votre progéniture. Faith et Luke étaient doués pour ça. Je portai mon attention sur Jimmy, qui observait son frère avec un sourire béat.

Comme s'il avait senti mon regard, il se tourna vers moi. Son sourire s'effaça. Ne t'inquiète pas, avais-je envie de lui crier. Je vais tout arranger. Je te le promets. Tu verras.

Je fus ravie de voir mes plateaux de hors-d'œuvre se vider en l'espace de quelques minutes une fois que les serveurs les eurent apportés. Lorsqu'on annonça le dîner, personne ne se précipita à table, et le coin bar demeura envahi de gens agréablement pompettes.

Ce fut seulement quand on fut à court de champagne qu'ils commencèrent à s'acheminer vers l'étage inférieur, où l'on servait du vin et le repas.

Honor, resplendissante, faisait le service – elle avait protégé son élégant tailleur-pantalon en velours mauve avec un tablier représentant une femme nue à la poitrine généreuse. « Quoi… Cette vieillerie ? » répétait-elle avec un sourire espiègle à tous ceux qui y faisaient allusion.

Peter arborait pour sa part un tablier figurant un membre de la cavalerie royale boutonné jusqu'au cou. Il me fit un clin d'œil en me tendant une assiette. Un peu plus tard, ils échangèrent leurs tabliers. Encore un signe, pensai-je. La capacité de se moquer l'un de l'autre sans se froisser. Ce n'était pas chose facile.

Le dîner se déroula dans la décontraction, chacun s'asseyant où il voulait. Les filles m'avaient prêté main-forte dans l'après-midi pour décorer les tables avec des branches de lierre provenant du jardin de Honor et de Peter et des bougies chauffe-plats achetées à la tonne chez Ikea. Maddy et Lulu avaient suggéré de vaporiser du brillant sur les feuilles vertes cireuses, si bien qu'à la lueur des bougies on aurait dit que des fées avaient dansé sur les tables. Et ce n'était qu'un début.

Enhardie par ma perte de poids et l'alcool, je posai mon assiette à côté de celle de Jimmy et m'assis. J'étais sur le point de lui demander s'il voulait nous rejoindre à un moment donné pendant le week-end pour faire quelque chose en famille quand Faith apparut. Elle avait sillonné la pièce en s'en tenant à sa promesse de ne consommer que du champagne (elle avait manifestement une réserve personnelle que je me jurai de piller) et elle pétait la forme. Lucy était dans son sillage.

« Hé, *Jimbean*, sais-tu que Bea a été une vraie superstar ? Les hors-d'œuvre, les tables, elle m'a évité de perdre la tête… Je te jure, cette femme pourrait être ministre vu le nombre de casquettes qu'elle arrive à coiffer. Alors que toi, tu es arrivé en retard avec la tronche de quelqu'un qu'on a traîné dans les bois et même pas de cadeau !

— Je me suis lavé au moins, répliqua-t-il, et le cadeau est une surprise.

— Je n'en doute pas ! Où étais-tu passé ? Ça fait des mois qu'on n'a pas vu le bout de ton nez.

— Je travaille, répondit-il. Ton discours m'a beaucoup plu.

— En tout cas, je t'en prie, empêche-moi de reprendre le micro, même si tu dois me l'arracher des mains. Je sens venir de terribles épanchements. N'est-il pas fabuleux, tout de même ? acheva-t-elle en souriant bêtement.

— Fabuleux, répéta Lucy. Nous nous sommes toujours félicités de la chance que nous avions d'avoir un frère aussi fabuleux. »

Luke se joignit à nous.

« Vous avez raison. » Il embrassa Jimmy. « Ça va, mon vieux ?

— Ça ne pourrait pas aller mieux. Super soirée.

— Super soirée ? Vous restez tous agglutinés en famille. Vous devriez circuler un peu, non ?

— Avec une famille comme celle-là ! Pourquoi aller ailleurs ? répliquai-je.

— Écoutez-la, non mais, écoutez-la !

— C'est pourtant ce que tu as fait, lança Lucy.

— Lucy ! s'exclama Jimmy.

— Ça ne m'a pas menée bien loin en attendant, hein ? » soulignai-je en riant.

Lucy avait toujours été le plus ardent défenseur du clan. Le regard noir que Jimmy lui décocha m'échappa, mais je suppose qu'il avait dû le lui lancer, parce qu'elle en resta là. Non que cela suffise à lui clouer le bec d'ordinaire. Notre Lucy disait toujours ce qu'elle pensait sans se soucier des conséquences. C'était admirable lorsque cela s'adressait aux autres, extrêmement désagréable quand il était question de soi. Mais ce soir, le malaise n'était pas de mise. Nous étions là pour danser.

Une demi-heure environ après que Charlie eut apporté sur un chariot un gâteau gigantesque couronné de quarante bougies, les grandes personnes eurent enfin la possibilité de brûler leurs calories en excédent. Dès que l'orchestre se mit à jouer, Jimmy se lança à ma recherche.

« Mesdames, messieurs, s'exclama le leader du groupe, sexy à souhait, nous aimerions appeler sur cette estrade une dame très spéciale. Faith et Luke, si vous voulez bien prendre vos places sur la piste… »

Ils avaient l'air perplexes. Il était évident que cela ne faisait pas partie du programme, de celui de Faith en tout cas, et je n'étais certainement pas au courant, mais Jimmy était tout sourires. Les frères et sœurs avaient concocté quelque chose. J'entendis les premières mesures de « You do something for me », de Paul Weller, et toute l'assemblée émit un « Ah » à l'unisson. C'était la chanson que Luke avait mise en fond sonore lorsqu'il avait demandé la main de Faith. Elle résumait toute leur histoire. Mais ce n'était pas le chanteur du groupe qui l'avait entonnée. Il s'était reculé et une voix féminine emplissait la salle.

Je ne compris pas tout de suite. Qui chantait si merveilleusement bien ? Quelques secondes avant que le projecteur l'éclaire, je le sus. Amber.

Faith et Luke arrêtèrent de danser et applaudirent frénétiquement puis tout le monde envahit la piste, y compris Honor et Peter. Jimmy me tendit la main et je le laissai m'entraîner sans quitter ma fille des yeux. J'étais nerveuse. Il y avait longtemps que nous avions cessé de danser ensemble.

Pourtant nous retrouvâmes rapidement nos marques. Il me fit tourbillonner vers lui, puis loin de lui. Il posa sa main sur ma taille ; je pivotai autour de lui. Nous évoluions dans les bras l'un de l'autre sans heurt. À croire que nous avions dansé la veille, et le jour d'avant. Je ne me rendis même pas compte qu'Amber avait arrêté de chanter avant que les autres se mettent à brailler et à taper dans leurs mains pour réclamer une autre chanson. Jimmy et moi applaudîmes et nous égosillâmes plus fort que toute la bande. Amber resta plantée sur l'estrade, le micro à la main, un sourire jusqu'aux oreilles. J'avais des milliers de questions à poser.

« Comment savais-tu qu'elle allait chanter ?

— Nous avons répété. C'était une surprise.

— Pourquoi ne pas m'en avoir parlé ?

— C'était une surprise, répéta-t-il.

— Mais elle ne m'en a pas soufflé un mot.

— Elle avait peur de se dégonfler et ne voulait pas te décevoir. »

Les applaudissements se prolongeaient.

« J'espère que vous avez prévu un rappel, lançai-je en riant fort pour couvrir le vacarme.

— Absolument. »

L'orchestre se remit à jouer.

« Pardon, Luke, dit Amber. Mais cette chanson-là est pour mon père et ma mère.

— C'est pour toi en fait, dit Jimmy. Je voulais que tu saches quelle grande dame nous pensons que tu es. »

Amber entonna « Son of a preacher man », l'un de mes airs favoris depuis toujours – enfin, disons dans le top 50. Je regardai Jimmy, le seul homme qui avait vraiment pu m'atteindre. Je fis un pas dans sa direction, mais nous fûmes assaillis par Lulu et Maddy qui réclamaient à cor et à cri de se joindre à nous. Nous nous séparâmes en prenant une fille chacun, tandis que notre aînée chantait comme une pro devant cent personnes.

C'est ce que j'ai voulu dire en déclarant que le meilleur était à venir. Je ne me souvenais pas d'avoir été aussi heureuse. Si comblée. Tant aimée.

À la fin de la chanson, Amber salua plusieurs fois. Puis, réintégrant sa peau d'adolescente de quatorze ans, elle sauta au bas de l'estrade et courut vers nous. Le chanteur du groupe se lança dans une interprétation tapageuse de « Carwash ». Je me mis un peu à l'écart pour reprendre mon souffle en regardant mon ex-mari et mes filles danser ensemble, le cœur gonflé d'amour.

En définitive, je dus m'asseoir. Le problème avec les talons aiguilles, c'est qu'ils vous assassinent les pieds. Le sang avait cessé de circuler dans mes orteils ; on aurait dit qu'on m'avait dépecé la plante des pieds. Je me cognais un os à chaque pas. Je me contentai de regarder ma petite famille s'ébattre sur la piste.

« Qu'est-ce qui t'arrive, Bea ? demanda Lucy en tirant une chaise près de moi.

— Pourquoi me demandes-tu ça ?

— Allons, Œil de biche, tu ne vas pas me la faire. Que se passe-t-il ?

— Lucy, pourrais-tu braquer ton regard de sorcière sur quelqu'un d'autre pour changer ?

— Non. Pas quand la santé mentale de mon frère est en jeu. »

Je résolus de prendre cette conversation à la légère, malgré une brusque montée de ma tension artérielle.

« Tu exagères un peu, là !

— Vraiment ?

— On n'a fait que danser.

— Tu parles ! »

Je lui fis une grimace sous-entendant « Tu n'es pas sérieuse », qu'elle me rendit sans sourciller. Nous nous tournâmes toutes les deux vers la piste de danse. Jimmy riait aux éclats avec les filles. Sentant nos regards se poser sur eux, ils nous envoyèrent des baisers. Tous les quatre.

« Il faut que tu sois sûre de ce que tu, fais, Bea.

— Écoute, Lucy, Jimmy et moi, on est assez grands et assez vilains pour régler nos problèmes tout seuls. D'accord ?

— Pas d'accord, parce que c'est un mensonge et tu le sais très bien. »

Je poussai un gros soupir.

« Ne fais pas ça, Bea. Nous savons tous ce qui s'est passé. »

— Vous n'en savez rien du tout.

« Veux-tu que je te rafraîchisse la mémoire… »

Je levai la main pour la faire taire, mais Lucy est Lucy.

« Tu lui as brisé le cœur, tu as pris ses enfants, tu as décidé que la vie sans personne était préférable à la vie avec lui. Et maintenant tu te pointes habillée comme ça, tu danses avec lui comme ça… Pour quelle raison ? Parce que tu as changé d'avis ? Parce que tu t'ennuies ? Trouve-toi un travail, dans ce cas. Ce n'est pas juste, Bea. Tu ne peux pas lui faire ça. »

Outragée, j'ouvris la bouche pour riposter.

« Je… Comment… Si tu… »

Quand j'étais seule dans mon lit en train de m'imaginer un nouvel avenir, tout me paraissait très clair. J'étais capable de défendre l'indéfendable, de justifier mes actes… Bon sang, je pouvais déformer les faits mieux que n'importe quel larbin du Parti travailliste pour faire croire que ma décision avait été salvatrice – et non destructrice. Sous le regard froid, malicieux de mon ex-belle-sœur, je perdis les pédales. J'étais de retour sur le banc des accusés. Présumée coupable.

« Lucy, il s'est passé des choses que tu… »

Jimmy nous rejoignit à cet instant, écarlate à force de s'être dépensé avec des partenaires nettement plus jeunes que lui.

« On papote, on papote. »

Je me levai.

« Prends ma place. Il faut que j'aille faire pipi. »

Je battis en retraite dans le sanctuaire des toilettes, non sans avoir jeté un regard implorant à Lucy.

C'est là que Faith me trouva vingt minutes plus tard.

« Ça va, ma chérie ? »

J'étais assise sur le siège, le visage enfoui dans mes mains.

« Trop picolé ? » me demanda-t-elle d'un air entendu.

Je lui jetai un coup d'œil entre mes doigts et sa voix perdit instantanément son inflexion moqueuse.

« Seigneur ! Que s'est-il passé ? »

Je secouai lentement la tête.

« Parle-moi. Qu'est-il arrivé ?

— Je ne veux pas faire d'histoires. Tu devrais être en train de danser.

— Tais-toi, petite sotte. Une fête n'est pas une fête sans un drame dans les toilettes des filles. Que s'est-il passé ?

— C'est Jimmy… »

Elle attendit que je développe. Je n'étais pas certaine d'en être capable. Il m'était impossible d'exprimer à haute voix une chose qui m'avait semblé si facile à inverser dans mon esprit.

« Je crois… Je crois que peut-être je…

— L'aime de nouveau ? » enchaîna Faith, finissant ma phrase.

Je pris ma tête à deux mains.

« Oh, mon Dieu ! Ça paraît dingue, pas vrai, après tout ce qui s'est passé ?

— Pas vraiment. C'est un mec génial qui se trouve être le père de tes enfants, sans parler du fait qu'il a été l'amour de ta vie.

— Lucy m'a fortement déconseillé de remettre ça.

— C'est normal. Elle a dû recoller les morceaux la première fois. Nous l'avons tous fait. »

J'entendais grincer les rouages de mon cerveau.

« Mais vous avez été si gentils avec moi. »

Faith était ivre, je suppose, et l'alcool lui déliait la langue.

« Nous étions prêts à te lyncher, mon cœur. Tu es passée à deux doigts de la guillotine !

— Quoi ?

— Ne me dis pas que ça te surprend.

— Personne ne m'a jamais rien dit !

— On n'avait pas le droit, cette bonne blague !

— Hein !

— À cause de Jimmy ! Il tenait absolument à ce que personne ne prenne parti. Il nous a fait jurer de ne pas te tenir à l'écart. »

Me tenir à l'écart ! Ils avaient eu l'intention de me tenir à l'écart ? Mes meilleurs amis ?

« Jurer pour de vrai, menace de mort à l'appui. Il a prétendu que c'était pour le bien des filles, mais nous savions pertinemment pourquoi il voulait à tout prix qu'on reste gentils. »

Je continuai à la dévisager, bouche ouverte. Il faut vous mettre dans la tête que le soutien de ma belle-famille avait largement contribué à me donner le courage de mes convictions. Ils comprenaient mon point de vue. Forcément, sinon il y aurait eu une révolution. L'idée qu'ils avaient voulu me mettre à l'écart, prendre parti, *son* parti…

« Il espérait que tu changerais d'avis et que tout redeviendrait comme avant », poursuivit Faith. Je me levai du trône. « Je croyais que tu le savais. »

Je secouai de nouveau la tête.

« Oh, mon Dieu ! Faith, j'ai commis une terrible erreur. »

Elle me gratifia d'un sourire renversant qui faillit me faire perdre l'équilibre.

« Enfin ! Dépêche-toi de rectifier la situation, dans ce cas. »

Je ris, sur mes gardes à la pensée qu'un être aussi entouré que Faith pouvait avoir une vision déformée du potentiel d'amour de ses semblables. Ça ne pouvait pas être aussi facile que ça.

« Tu crois qu'il m'aime encore ?

— Il n'a jamais cessé de t'aimer, ma chérie. Il n'y a jamais eu personne d'autre que toi, Bea. »

J'étais de nouveau à court de souffle, dans le bon sens cette fois-ci.

« Oh ! Faith, quand on a dansé, c'était juste… et je n'arrête pas de penser à lui. Nom d'un chien, j'ai envie de lui arracher ses vêtements. » Je riais maintenant. « Depuis quand est-il aussi beau ?

— Il a toujours été bel homme, pas aussi sexy que le mien, bien sûr, mais pas mal quand même.

— J'ai l'impression d'être une ado. Seigneur, Faith, j'ai sans arrêt envie de lui ! »

Faith mit une sourdine à mon euphorie.

« À une certaine époque, tu ne supportais même pas qu'il te touche.

— Je n'étais pas moi-même, répondis-je, refusant de penser à ces choses-là.

— Alors que maintenant ?

— À ton avis ? »

Elle ne répondit pas, parce qu'une de ses filleules venait d'entrer.

« Fais attention, dit-elle alors que nous sortions des toilettes. Et je ne parle pas seulement de toi, là. Ça fait des années que je ne l'ai pas vu aussi heureux. Il vient juste de se reprendre en main, alors tu as intérêt à être sûre de ce que tu fais. Et quand je dis sûre, je veux dire *vraiment* sûre. »

Pas de problème. Sûre. Je l'étais. Vraiment, vraiment sûre.

Le plan était le suivant. Lundi soir, épilation. Mardi soir, teinture. Mercredi soir, dire à mon ex-mari que je l'aimais toujours et que je voulais le récupérer. Fastoche ? Je ne voyais pas ce qui pouvait aller de travers.

J'étalai mes produits de beauté devant moi. Veet. Pinces à épiler. Gommage facial. Crème de beauté. De la teinture pour couvrir les cheveux blancs. Je n'allais pas fermer l'œil de la nuit. J'examinai attentivement mon reflet dans la glace. Les rides ne m'embêtaient pas trop. Je n'en avais pas tant que ça. Pas besoin d'une injection pour faire disparaître mes pattes-d'oie. Les sérums liftants faisaient aussi bien l'affaire. J'accueillerais les rides avec bonheur une fois que je me serais débarrassée de cette armure de graisse. Je tendis l'oreille, attentive au silence de la maison, et lorsque je fus convaincue qu'il était suffisamment profond, j'ouvris le flacon de teinture. Je n'avais pas envie d'avoir à fournir des explications aux filles, à Amber en particulier. Pas tout de suite en tout cas. Je n'étais pas sûre qu'elles seraient contentes de nous revoir ensemble, Jimmy et moi. Enfin, je l'étais presque. Presque à peu près sûre.

Je venais de finir de m'épiler le sourcil droit quand un coup de sonnette me fit sursauter. « Ouh ! » Je frottai la peau endolorie près de ma tempe. Pas question que j'aille ouvrir. J'avais une épaisse couche de crème décolorante sur la lèvre supérieure, un autre sourcil à apprivoiser et un sac en plastique sur la tête. On sonna de nouveau.

« Merde ! »

Je m'approchai de l'Interphone.

« Oui ?

— Bea, c'est…

— Jimmy ! Qu'est-ce que tu fais là ?

— Je passais dans le coin.

— À dix heures du soir.

— J'ai vraiment besoin de… »

Je retins mon souffle.

«… te parler. »

Je me mis à réfléchir à cent à l'heure. Je pouvais le faire entrer, m'occuper de l'autre sourcil, retirer la crème décolorante… mais comment faire disparaître cette marque rouge ? Avec du maquillage, évidemment, mais cela faisait combien de temps que je ne m'étais pas maquillée en son honneur… – merde, mes cheveux !

« Bea ?

— Oui.

— Je te dérange ? »

Je crevais d'envie de le faire entrer.

« Je suis désolée, répondis-je en toute sincérité.

— Non, non, j'aurais dû appeler.

— Ce serait mieux mercredi. »

Comment allais-je pouvoir attendre aussi longtemps ? Saleté de Veet. Saleté de vieillissement. Bordel de merde !

« OK, mercredi alors. Je te verrai mercredi.

— Super. Je suis impatiente de te voir.

— Moi aussi, Bea. Bonne nuit.

— Bonne nuit, Jimmy. »

Je t'aime. *Bientôt*, pensai-je, en raccrochant le combiné de l'Interphone. *Bientôt.*

Quand arriva le mercredi, j'avais les nerfs en pelote. J'avais encore perdu deux kilos en deux jours, rien qu'à me ronger les sangs. J'étais remontée à bloc. Impossible de rester en place. J'avais la pêche d'une fille de vingt ans. Le moral au beau fixe. La libido en folie. Jim et Bean allaient être réunis et mes filles récupéreraient leur père. Ce serait le « happy end » que j'avais prévu depuis le début. Que j'avais gâché.

Finalement j'entendis la clé d'Amber dans la serrure. Je me levai précipitamment de la table de la cuisine et fonçai dans le couloir. J'avais l'air d'être prête à tout ? Et alors ! Je l'étais. Prête à tout pour récupérer ma famille.

J'embrassai les filles en les serrant dans mes bras, en proie à un abandon réjoui, embrassai Jimmy en l'étreignant lui aussi. Il semblait vraiment content de me voir, même si je le trouvais un peu nerveux. Pour lui tranquilliser l'esprit, je me montrai aussi détendue et à l'aise avec lui que je l'étais jadis. *Tu n'as aucune raison de t'inquiéter*, lui chuchotai-je dans ma tête. *Si tu peux me pardonner, je peux me pardonner à moi aussi, et nous laisserons tout ça derrière nous.*

J'épargnai à Lulu la séance de lecture tant redoutée et fis les devoirs de Maddy à sa place pendant qu'elles dînaient, après quoi j'envoyai les filles au lit pratiquement de force. Il n'y eut pas de plaintes parce qu'elles savaient que leur père allait rester un peu au lieu de filer au moment de la phase critique. Pas de phase critique donc. En regardant les deux plus jeunes se brosser les dents, je me demandai gaiement si ces crises appartiendraient au passé quand Jimmy aurait réintégré le foyer conjugal. Peut-être pas tout à fait, mais elles seraient nettement réduites en tout cas. Leur père leur manquait. C'était la raison pour laquelle elles pétaient un câble quand il partait. J'en étais responsable, et j'allais rectifier la situation.

Je jetai un coup d'œil à ma montre. Presque l'heure du couvre-feu. Alors que nous tirions la porte de la chambre des deux plus jeunes en la laissant entrebâillée avant d'aller embrasser Amber – elle avait le droit de garder sa lumière allumée encore une heure, mais devait rester dans sa chambre –, mon cœur jouait à Pac-Man dans ma poitrine.

De retour dans la cuisine, je m'autorisai à ouvrir une bouteille de vin. J'estimais avoir dépensé ces calories à ma manière au cours des quelques dernières minutes. Pas de souci. Il me fallait quelque chose pour me calmer les nerfs. Je servis deux verres et en tendis un à Jimmy. Il le brandit puis il but – une grosse lampée, remarquai-je. Nous étions nerveux tous les deux.

« Merci d'être resté. Ça facilite les choses, c'est sûr, et puis j'ai quelque chose à te dire.

— Moi aussi, Bea, il faut que je te dise quelque chose. »

Il paraissait si excité, si avide de me parler que je me détendis. J'avais interprété les signes correctement. Ces derniers slows que nous avions dansés à la fin de la fête l'avaient mené à la même conclusion que moi. Nous devrions nous remettre ensemble. Dès à présent.

« Toi d'abord, dis-je, savourant cette nouvelle béatitude.

— J'ai rencontré quelqu'un.

— Je sais. Moi aussi… Euh, quoi ? Pardon. »

Je déglutis avec peine.

« C'est super. Qui ça ?

— Attends. Quoi ? Recommence. Tu as rencontré… »

Je l'adjurai intérieurement de dire autre chose.

« Oh ! Bea, elle est fantastique. Je sais déjà que vous serez amies toutes les deux. »

J'en doutais.

« Je ne pensais pas que c'était possible. Tu sais à quel point je… Bref, elle est absolument merveilleuse, j'ai une chance incroyable. Elle a surgi dans ma vie. Je me disais : "Plus jamais", tu sais ? On n'y a pas droit deux fois ! Mais, Bea, elle est tellement drôle, forte, si intelligente.

— Quel âge a-t-elle ? »

Jimmy éclata de rire.

« C'est la première question que tu me poses ? Elle a vingt-deux ans et elle vient de Lituanie.

— Tu plaisantes !

— Oui, Bea, je plaisante. Je ne te ferais jamais un coup pareil. »

Même si elle a cinquante-six ans et vient de Bournemouth, c'est bien ce que tu es en train de me faire !

« Elle a trente-huit ans, et Bea… » Il marqua une pause. Mon estomac se retourna. « Je veux l'épouser. »

Les muscles de ma mâchoire inférieure me lâchèrent.

« Je sais, je sais, un homme de mon âge, mais, nom d'un chien…

— Est-elle enceinte ?

— Bea !

— Désolée… C'est un peu brutal. »

C'était sacrément en deçà de la vérité !

Il veut se marier ! Sois aimable, Bea, sois aimable. Le seul moyen de t'en tirer, c'est d'être aimable. Ça ne durera pas et je serai là pour te ramasser à la petite cuillère.

« Que fait-elle dans la vie ?

— Elle travaille dans une maison de disques. »

Enfer et damnation. Elle est cool !

« Les filles l'adorent. »

Une maison de disques. Slim et ballerines.

« Quoi ? » Je ne pus dissimuler ma réprobation cette fois-ci. « Les filles l'ont rencontrée ?

— Pas vraiment, je veux… non, je veux dire…

— Jimmy, soit elles l'ont rencontrée, soit elles ne l'ont pas rencontrée.

— Sans le savoir, c'est ce que j'ai voulu dire. »

Mon ton s'était durci, j'en étais consciente. Cela fit ressurgir un million de souvenirs lugubres.

« Combien de fois l'ont-elles vue *sans le savoir* ? »

Du pipeau ! Rien que du pipeau de people tout ça, bordel de merde ! Les transactions, les partitions, des soirées entières passées à divertir ces créatifs perpétuellement assoiffés. Des conneries tout ça. Des années de conneries !

« Deux fois, quelques fois, à peine…

— Elles la connaissent à peine, mais elles l'adorent ? »

Glaciale. Intraitable. Une main d'acier s'était refermée sur mon cœur et m'avait volé ma voix. Maîtrise-toi, m'implorai-je, mais c'était impossible. Fous ma vie en l'air, mais ne déboussole pas mes enfants. Ce sont mes enfants.

« Tu n'as pas arrêté de me dire qu'il fallait que je sorte pour rencontrer des gens », souligna Jimmy.

Je mentais.

« Je suis vraiment… Je suis un peu choquée, évidemment, mais euh, mais hum, je suis contente pour toi. »

Chaque mot me restait en travers de la gorge. J'avais envie de me pencher par-dessus la table, de l'attraper

par le col de sa chemise et de lui hurler en pleine poire :
« Ne bousille pas tout ! Nous avons une chance de rectifier la situation ! »

« Merci, Bea. Tu vas vraiment l'aimer. C'est le
genre super copine. »

J'en doutais sérieusement. De l'une et l'autre chose.
La bouteille de vin était en train de se vider plus vite
que je n'avais bu d'après mon souvenir. J'engloutis
une nouvelle rasade.

« Tu aurais dû m'en parler avant que les enfants
fassent sa connaissance.

— Ce n'était pas prévu, je te le jure. »

Je n'en avais rien à faire. Je cherchais quelque chose
pour le piéger. Les piéger. La piéger.

« Combien de fois les filles ont-elles été exposées
à elle ? »

Jimmy éclata de rire.

« On dirait que tu parles d'une maladie ! »

Je ne te le fais pas dire !

« Désolée. » Qu'est-ce que j'avais à m'excuser ?

« Elles n'ont jamais été seules ensemble. Il nous
arrive de nous rencontrer au parc.

— Elle a des enfants ?

— Non. Elle n'a jamais été mariée. »

Oh, une pure… Sans tache. Comme c'est touchant !
Pas la moindre vergeture. Salope. Je ravalai péniblement des mots haineux en buvant encore un coup.

« Mais elle sait vraiment y faire avec les enfants. »

Je souris, les dents serrées. *Jusqu'à ce que tu lui
passes la bague au doigt… N'as-tu jamais lu ces
contes ?* Cendrillon *!* Blanche-Neige *! Il faut que je*

pense à ressortir ces vieux bouquins. La trentaine bien sonnée. Elle était encore en âge de procréer. *Elle va t'offrir un nouveau bébé tout neuf.* Seigneur, un garçon ! D'ici à ce qu'elle expédie les filles en pension en les faisant dormir dans la cuisine le week-end, il n'y avait qu'un pas !

« Je te suis reconnaissant d'être contente pour moi. »

Se pouvait-il que je sourie encore ? Inimaginable… Le signal d'alarme était suffisamment strident pour réveiller les morts, et pourtant il croyait en mon sourire. Il avait ignoré mon ton hargneux, plutôt. Il avait toujours été très doué pour ça.

« Je m'étais dit que ça risquait d'être bizarre de te le dire, mais on s'entend tellement bien ces derniers temps. J'ai toujours espéré qu'il en serait ainsi un jour, enfin, tu comprends. Je me suis senti vraiment proche de toi. Nous avons eu des conversations super, tellement honnêtes… »

Basta ! Je n'en pouvais plus. Toutes ces choses que je lui avais dites, que j'avais trouvées si évidentes, lui étaient passées au-dessus de la tête. J'avais vécu une histoire d'amour unilatérale. Je feignis de bayer aux corneilles et m'étirai pour faire bonne mesure. *A priori*, il devait pouvoir déchiffrer le message.

« Tu es fatiguée. Je ferais mieux d'y aller », dit-il en se levant. Je l'imitai. Il fit le tour de la table pour me serrer dans ses bras. Me brisant le cœur.

« Hé, tu ne m'as pas parlé de ton nouvel…

— Une autre fois, l'interrompis-je.

— Il n'y a pas de secrets entre nous. »

La température ambiante baissa de plusieurs degrés. Il fallait que je le vire de chez moi illico. Avant que je fasse quelque chose de terrible et que ses dires se confirment.

« Dis-moi au moins comment il s'appelle ?

— Ce n'est pas sérieux, Jimmy.

— D'accord. »

Il me sourit, le même sourire béat que j'avais vu à l'anniversaire de Luke. J'étais sûre et certaine – aussi certaine que j'engloutirais un paquet de HobNobs la minute où la porte d'entrée se refermerait sur lui – que, en écoutant le discours de Faith à propos de son mari, il n'avait pensé qu'à une seule chose : une productrice de disques d'une trentaine d'années sans vergetures, avec un tout petit cul. Et non à moi, comme je me l'étais imaginé. C'était logique au fond. Pourquoi aurait-il pensé à moi ? Il ne fallait pas se leurrer. Regardez-moi !

« Tu ne m'as pas demandé son prénom. »

Il s'était retourné, à mi-chemin de l'allée.

Parce que je ne tiens pas à ce qu'elle en ait un !

« Avec toute cette excitation, j'ai oublié. »

Il avait l'air d'attendre quelque chose.

« Euh, comment s'appelle-t-elle ? »

Il sourit à nouveau.

« Tessa King. »

Et alors ? Qu'est-ce qu'il avait à se fendre la poire comme ça ? Ce n'était pas un nom si génial que ça.

« Charmant.

— Elle est vraiment charmante. Je suis impatiente que tu fasses sa connaissance. »

Je lui fis signe d'y aller en le gratifiant d'un sourire qui me déchira les joues, puis je fermai la porte et regagnai la cuisine dans un état semi-comateux. J'ouvris la porte du placard tel un robot et en sortis le paquet de chocolats HobNobs que mes enfants adoraient. Hagarde, je restai assise à la table de la cuisine pendant que ma famille dérivait dans un sommeil profond et paisible. C'était trop tard pour réparer mes erreurs. Beaucoup trop tard.

Je regardai fixement le paquet de chocolats en le tournant et le retournant dans ma main. Une larme s'écrasa sur la table en pin bon marché, j'essuyai la suivante avec rage. Je ne pouvais plus me leurrer. Ces biscuits ne me seraient d'aucun secours. Si je les mangeais, c'est que j'avais perdu la bataille... Et je n'étais pas encore prête à baisser les bras. Il fallait que je pense à mes enfants. Notre ADN faisait partie intégrante de leurs êtres. J'en avais encore pour vingt ans. J'étais le Bean de Jimbean. Une autre larme tomba, puis une autre encore. Tessa King ? Tessa King ? Je me versai un autre verre de vin en laissant mes larmes couler à flots. Qui donc était cette superwoman, Tessa King ?

5

Entrée du dragon

Mes doigts pianotaient sur ma cuisse, et quand j'y abattis sans ménagement le plat de ma main pour qu'ils arrêtent, mon pied prit le relais. Une énergie nerveuse me sillonnait comme de l'acide sur de la tôle. Mes entrailles vibraient. James était quelque part dans Kentish Town en train de parler de moi à son ex-femme de manière à me rendre « officielle ». Je n'arrivais pas à déterminer si j'étais excitée ou pétrifiée. Un serveur remplit mon verre au passage. Je jetai un coup d'œil à ma montre. Il avait une demi-heure de retard. Je bus une gorgée. Une demi-heure… Était-ce bon signe ou mauvais signe ? Serais-je bien accueillie dans le giron familial ? Ou bannie en Sibérie ? James ne m'avait guère parlé de l'échec de son mariage, si ce n'est qu'il m'avait dit que Bea l'avait quitté. Je n'avais pas voulu en savoir plus. La séparation s'était plutôt bien passée d'après ce que j'avais pu comprendre, et je savais qu'il voyait ses filles bien-aimées aussi souvent que possible. La seule chose qu'il m'avait précisée, c'est qu'il ne s'était pas du tout attendu à tomber amoureux de nouveau, et qu'il estimait avoir de la chance. À quoi bon aller fouiller dans le passé d'un homme quand il vous a dit ça ? Ce qui était fait était fait. L'avenir, ce serait à nous de le découvrir. Je n'avais jamais eu l'intention de tomber amoureuse d'un homme divorcé voisin de la cinquantaine doté d'une crinière poivre et sel et de trois enfants. Dont une adolescente, pour l'amour du ciel ! Mais c'est ce qui était arrivé. Il avait fait en sorte que je ne puisse pas faire autrement. Une fois qu'il avait cédé, bien sûr, et qu'il s'était finalement décidé à répondre à mes appels.

Je sentis sa présence quelques secondes avant le souffle d'air frais qui m'enveloppa les pieds. Il ôta son manteau, le tendit au serveur et me rejoignit à la table, tout sourires. Les nouvelles étaient bonnes, ça se voyait sur son visage.

« Salut, beauté », dit-il en se penchant pour me déposer un baiser sur la clavicule.

Le contact de ses lèvres transmit une onde de choc à mes parties intimes. Je frémis, le pris par le cou et l'attirai vers moi pour un autre baiser. Il plongea en avant et s'accroupit.

« Comment ça s'est passé ?

— Super, répondit-il en me regardant dans le blanc des yeux.

— Vraiment ? »

Je n'en revenais pas d'être soulagée à ce point.

« Je te l'avais dit ! » lança-t-il en passant sa main sur ma tête, dans mes cheveux, sur ma joue.

Je m'inclinai vers lui.

« J'avais peur qu'elle ne veuille te récupérer. » C'était la vérité, mais je n'en avais pas pris conscience jusqu'à ce qu'il rentre dans le restaurant, le sourire aux lèvres.

« Mais non, dit-il en éclatant de rire.

— Ce serait mon cas si j'étais à sa place.

— Je préférerais que tu ne me laisses jamais partir. » Je pris son visage entre mes mains.

« Jamais.

— Je t'aime, Tessa King. » Il secouait la tête, comme s'il n'en revenait toujours pas de la chance qu'il avait. « Je t'aime vraiment, vraiment. »

J'avais lu toute ma vie des romans insipides à propos de gens qui tombaient amoureux et je les avais expédiés à l'autre bout de ma salle de bains (mon endroit préféré pour la lecture), folle de rage, au moment où le cœur reconnaissant d'une damoiselle s'emballait. Mais quand James me regardait comme ça, me parlait comme ça, mon cœur – doux Jésus, ils avaient raison depuis le début ! – en faisait autant. Je me penchai pour lui déposer un doux baiser sur les lèvres.

« Bon, dis-je. Comme ça, on est à égalité. »

Il gémit en se redressant. Je décidai d'y voir le signe d'un désir intense, plutôt que d'un genou arthritique vieillissant. Il s'assit en face de moi et se fraya un passage entre les verres et les œillets pour me prendre les mains. Nous restâmes silencieux un moment à nous regarder. Cela semblait la chose la plus naturelle du monde de se dévisager ainsi, de se perdre dans cette contemplation. Je savais pourtant que ce n'était pas forcément naturel. Que j'avais beaucoup, beaucoup de chance. Dire que j'avais été à deux doigts de tout envoyer promener !

L'épisode en question figurera dans l'*Almanach Schott* comme le rendez-vous galant le plus catastrophique qui soit. Tout avait bien commencé. Dîner. Cocktails. Conversation non-stop. Baisers. Quels baisers ! Un hôtel (mon idée). Un bain (son idée). Encore une foison de baisers. Un peu de savon. Un long moment à se sécher l'un l'autre. Et finalement, à l'aube, du sexe aussi naturel qu'un bain de minuit. Plus tard, le lendemain, l'attente jusqu'à ce qu'il revienne dans ce cocon de sensualité, de désir, dans un lit tout frais. Et puis le coup de fil tant redouté d'un « ami » m'avertissant que l'homme auquel j'avais eu l'impression de révéler mon âme était marié et avait des enfants. Je m'étais fait baiser ! La vie me faisait un procès en règle à l'époque, et, à mes yeux, James était le juge honnête qui avait manqué à mon affaire. Ayant appris que ce n'était qu'un coureur de jupons adultère de plus, j'avais capitulé. Vaincue. Ce n'était pas comme si j'étais novice.

J'étais bien consciente que la vie n'était pas juste. Si elle l'était, ma mère n'aurait pas la sclérose en plaques. J'étais intimement convaincue qu'elle était injuste parce que mon amie Claudia, la femme la plus maternelle que je connaissais, ne pouvait pas avoir d'enfants. Ce que j'ignorais, c'est que le diable jouait avec des dés pipés. Il ajoutait de mauvaises nouvelles à la malchance au moment le plus inopportun, ce qui aboutissait le plus souvent à un jugement catastrophique. Après ce genre d'attaque, on se sent à l'écart, l'apitoiement sur soi-même se change en colère, la colère en grabuge. Apprendre que James était marié était une mauvaise nouvelle supplémentaire dont je me serais volontiers passée. Quelque chose disjoncta dans ma psyché. Je quittai l'hôtel en laissant derrière moi tout espoir de « *happy end* ».

Mis à part quelques rendez-vous désastreux pendant que Bea et lui étaient séparés, James m'avait expliqué qu'il n'avait couché avec personne depuis que le divorce avait été prononcé. Il avait été aussi chamboulé que moi par cette fameuse nuit et il était revenu précipitamment à l'hôtel aussitôt après sa dernière réunion, ne pensant qu'à une seule chose : le contact de ma peau contre la sienne. Anxieux de savoir si ce qui s'était passé entre nous était une exception ou si quelque chose d'extraordinaire était en train de se produire, comme il l'espérait, il était monté à la hâte dans la chambre, pour la trouver vide. Il avait pensé que j'étais sortie prendre un café, tout en sachant pertinemment que ce n'était pas le cas, puisque je n'avais pas laissé de mot. Si j'étais bien la fille qu'il pensait, j'aurais pris cette peine. Ce en quoi il avait raison. Il n'avait pas cessé de m'appeler jusqu'au moment où il avait été forcé d'admettre que je m'étais carapatée.

C'est alors qu'il avait découvert tous les suppléments sur la facture. Et là, les derniers vestiges d'inquiétude à mon sujet (il en avait été réduit à penser qu'il m'était arrivé quelque chose, à moi ou à quelqu'un de ma famille) furent anéantis. Il avait affaire à une dingue. C'était aussi simple que ça. Une folle dingue grippe-sou et méchante, qui plus est. Il jura alors de m'effacer de sa mémoire. Le problème étant que, au cours des semaines qui suivirent, je ne cessai de ressurgir dans ses pensées. Il y avait des jours, m'avait-il avoué, où il avait espéré lire dans la presse qu'on avait découvert un corps, ou que l'hôtel droguait ses clientes pour les vendre au marché des esclaves du sexe. Quelque chose qui expliquerait mon attitude. En définitive, il avait découvert que j'étais vivante et en pleine forme. Enfin, vivante du moins.

« À quoi penses-tu ? me demanda-t-il à cet instant.

— Au fait que j'ai été à deux doigts de te perdre, et ça me pétrifie. »

C'était ce qu'il y avait de bizarre dans ma relation avec lui. Lorsque nous nous étions finalement revus et que tout avait été expliqué, un pacte tacite s'était scellé entre nous. L'honnêteté était capitale. Des vies avaient été gâchées à cause de malentendus. La mienne avait failli l'être. Je n'éprouverais plus jamais ça pour quelqu'un d'autre, j'en avais l'intime conviction. Je n'aurais pas su à côté de quoi j'étais passée. J'espérais que j'en aurais tiré le meilleur parti, mais maintenant que j'avais ressenti… Une larme chaude me chatouilla la paupière. *Quelle idiote,* pensai-je en l'essuyant. La seule chose terrible dans le fait d'aimer quelqu'un si fort, c'est la terreur que l'on éprouve à la perspective de le perdre. J'étais aussi vulnérable qu'un nouveau-né, et pourtant plus en sécurité que je ne l'avais jamais été.

« Ça va ? » demanda-t-il.

Je hochai la tête.

« Je t'aime. »

Il sourit.

« Alors, raconte-moi ce qui s'est passé, ajoutai-je en me ressaisissant. Je veux tout savoir.

— Commandons d'abord. »

Il me lâcha la main pour attraper le menu. Maintenant qu'il était là et que mes nerfs avaient relâché leur mainmise tentaculaire sur mon estomac, j'avais une faim d'ogre. Je pris une entrée et un plat avec la ferme intention de m'attaquer à un cheesecake pour le dessert. Lorsque le serveur s'en fut chercher une autre bouteille de vin, je m'arc-boutai en prévision d'un compte rendu détaillé de l'affrontement.

« Comment s'est passée ta journée ? demanda Jimmy. Tu avais une signature importante, non ?

— Ne change pas de sujet. Allez, je veux savoir.

— Il n'y a rien à dire.

— James !

— D'accord, d'accord. Nous avons couché les enfants. Pas de problème. Ensuite nous sommes descendus, nous avons bu un verre de vin et bavardé un moment. Bea m'a dit qu'elle avait rencontré quelqu'un. Je m'en étais douté parce que…

— Elle n'avait pas voulu te laisser entrer lundi.

— Oui. J'ai pensé qu'elle n'avait pas envie de me le dire par l'Interphone.

— Qui est-ce ?

— Nous n'avons pas été jusque-là parce que je me suis mis à parler de toi en lui disant à quel point tu es merveilleuse. »

Je m'adossai à ma chaise.

« Et ça ne l'a pas perturbée plus que ça ?

— Bien sûr que non.

— Tu m'avais pourtant dit qu'elle n'allait pas bien le soir où tu n'as pas pu me rejoindre au théâtre parce qu'il fallait que tu ailles chez Harrods. »

Je lui en avais voulu sur le moment. Ça faisait des siècles que j'avais réservé les billets.

James s'agita sur sa chaise, mal à l'aise.

« Il s'agissait d'autre chose. Je ne voulais pas t'en parler parce que, je ne sais pas, ça me semblait, enfin, Amber m'a demandé de garder le secret. Mais Bea se prive de nourriture depuis quelque temps. Elle essaie de perdre du poids, non qu'elle en ait besoin – enfin peut-être un peu. En attendant, elle se culpabilise à ce sujet et j'aimerais bien qu'elle arrête parce que ça ne fait qu'aggraver les choses. Bref, elle a l'air en forme maintenant. Vraiment en forme. Elle a une volonté de fer. » Bon, ça suffisait peut-être, là. J'en avais assez entendu sur l'incroyable Bea. « Ce jour-là, elle était avec sa mère, avec laquelle elle ne s'entend pas très bien…

— C'est triste.

— Elle n'a jamais pu me sentir.

— Stupide dragon !

— Elles faisaient du shopping depuis des heures pour l'anniversaire de Luke… »

Cet anniversaire était l'événement qui avait précipité mon « officialisation ». James avait voulu m'y emmener, et pour être honnête, mon refus catégorique était pour le moins superficiel. Je mourais d'envie de l'accompagner. Mais je savais que se pointer à une réunion de famille sans s'annoncer n'était pas une bonne idée. Il fallait qu'il fasse les choses bien, pour les filles, et aussi pour leur mère. Ma volonté de respecter les convenances était parfaitement machiavélique. Mon avenir était en jeu.

« … sans doute une question d'argent. Elle ne voulait plus sortir de la cabine apparemment. En définitive, elle s'est évanouie ou quelque chose comme ça, et ça lui a fait peur. Moi aussi j'ai eu peur.

— Pourquoi se disputent-elles pour de l'argent ? demandai-je pour tâcher de remplir les pointillés correspondant au moment où je n'avais pas écouté.

— C'est compliqué, me répondit-il en faisant la grimace.

— D'accord. » J'attendis une seconde, mais il en resta là. Aussi orientai-je la conversation sur autre chose. Moi en l'occurrence.

« T'a-t-elle posé des questions à mon sujet ?

— Évidemment. Des tas de questions. Ce que tu faisais, si tu avais rencontré les filles, quel âge tu avais.

— Ça ressemble plutôt à un interrogatoire.

— Ne sois pas ridicule.

— Désolée.

— Tu ne lui as pas dit que je connaissais les filles ?

— J'y ai juste fait allusion en passant.

— Bon. Elle aurait balisé si elle avait su qu'on est allés au zoo ensemble et tout ça. »

James déchira l'enveloppe d'un paquet de gressins.

« J'ai préféré ne pas entrer dans les détails.

— Elle penserait qu'on prend du bon temps derrière son dos.

— Elle n'est pas comme ça, Tessa, répondit-il en riant de moi. C'est une vraie lady, je t'assure. Drôle, gentille et la meilleure maman du monde – bien qu'elle soit trop modeste pour accepter le compliment, bien

123

sûr. Elle cultive ses propres légumes, pour l'amour du ciel ! Elle te plaira. »

Il paraissait si sûr de lui. Pourquoi ce soupçon de doute ?

Nous rentrâmes nous coucher et, pour une fois, je ne pensais pas qu'au sexe. J'avais beaucoup trop mangé, si bien que j'étais ballonnée et mal à l'aise. J'en étais réduite à rester allongée en gémissant à côté de James. Ces niaiseries à propos de femmes se consumant d'amour sont un bon gros mythe. De même que tout ce qu'on essaie de nous faire avaler au cours de notre vie à propos de séduisants princes censés garantir notre bonheur *ad vitam aeternam*. Je n'avais pas cessé de m'empiffrer depuis que j'étais avec James. Heureusement, la quantité d'exercices à l'horizontale que j'effectuais équilibrait à peu près les choses.

Au début, j'avais craint de confondre désir et amour, mais dans la mesure où James avait souvent ses filles, je passais de longs week-ends et les périodes de vacances sans le voir du tout. Une fois qu'elles étaient couchées, il m'appelait et nous parlions des heures. Certaines nuits, je restais juste allongée là avec le téléphone posé près de mon oreille à l'écouter respirer. D'autres fois, je me tortillais de désir pendant qu'il me décrivait les choses qu'il m'aurait faites si j'avais été là. Une nuit, j'étais montée dans ma Mini, j'avais roulé jusqu'à Hampstead, je m'étais glissée dans sa chambre et je lui avais fait l'amour passionnément sans faire de bruit avant de m'en retourner. Cependant, la pensée de ses enfants se réveillant nous avait fichu une trouille de tous les diables, si bien que nous n'avions plus jamais recommencé. Ce ne serait plus nécessaire désormais. Il allait leur parler de moi et puis, eh bien... l'on verrait ce qui se passerait ensuite. Mais je savais à peu près à quoi m'en tenir.

« James ? » chuchotai-je dans le noir, une ou deux heures plus tard. Pas de réponse. « James ? » fis-je un peu plus fort. Je le secouai doucement.

« Hein ?

— Tu es réveillé ?

— Non.

— T'a-t-elle brisé le cœur ? »

Je le sentis se dégonfler comme un ballon de baudruche et regrettai aussitôt d'avoir posé la question. Seulement, ça faisait un bout de temps que j'étais allongée là à gamberger, sans parvenir à fermer l'œil. Il n'avait jamais prétendu aimer pour la première fois. Je préférais qu'il en soit ainsi. Je me félicitais que ce soit le genre d'homme à épouser une femme qu'il aimait sincèrement. Et je savais que Bea l'avait quitté. Ce qui m'inquiétait subitement, ce n'était pas tellement l'idée qu'elle puisse vouloir le récupérer maintenant que je faisais partie de l'équation, mais plutôt que ce soit James qui ait envie de renouer avec elle, puisqu'elle aussi avait quelqu'un d'autre.

« Tessa, te rappelles-tu notre premier rendez-vous ? Je t'ai dit que nous ne parlerions jamais de nos relations passées.

— Oui. Et c'est ce qui m'a incitée à penser que tu cachais une épouse et deux enfants.

— Trois.

— J'étais seulement au courant de l'existence des deux plus jeunes.

— Je me souviens. Lainy et Martha, et j'étais censé avoir une femme du nom de Barbara.

— On m'avait mal informée.

— Épouvantablement, comme il s'est avéré par la suite. »

Je cherchai sa main et la serrai dans la mienne. Nous n'aimions guère nous aventurer sur ce terrain. L'odeur nauséabonde de mon inconduite aurait pu polluer l'instant le plus délicieusement parfumé.

« Ma femme m'a quitté, elle a pris les enfants. Je ne peux pas dire que je faisais des bonds de joie. »

Je le sentis se redresser et distinguai vaguement sa silhouette dans l'obscurité. Il avait les cheveux dans tous les sens, comme le matin au réveil. On aurait dit Frankenstein avant qu'il ait pris sa douche. Je n'étais pas sûre de souhaiter cette conversation en définitive.

« À dire vrai, j'ai honte de l'admettre, je ne m'étais pas rendu compte que la situation s'était détériorée à ce point, poursuivit-il. Je n'avais jamais imaginé que nous pourrions nous séparer. Je pensais naïvement que trois enfants suffiraient à souder notre couple. Mais le jour où Bea a emmené les filles chez sa mère, j'ai compris que nous avions atteint un point critique. Elle aurait préféré mourir de faim plutôt que de demander l'aumône à sa mère. Elle ne serait jamais allée là-bas par choix. Seulement parce qu'elle n'avait pas d'autre solution. Je n'en représentais plus une, apparemment.

— Mais pourquoi ? m'enquis-je en me mettant sur mon séant à mon tour.

126

— Je n'en sais fichtre rien.

— Tu ne lui as jamais demandé ?

— Évidemment que je lui ai demandé.

— Pardon. »

Nous sombrâmes dans le silence. Je vis les meubles de la chambre prendre forme lentement tandis que mes yeux s'accoutumaient à la pénombre.

« C'est pour ça que je déteste parler de ces choses, reprit-il d'une voix crispée. Les gens laïussent à n'en plus finir sur la nécessité de comprendre le passé pour se forger un avenir meilleur. Des conneries tout ça ! Le passé ne fait que nous barrer la route. Bien sûr qu'elle m'a brisé le cœur. Pendant un moment, j'ai eu l'impression qu'on m'avait décapité, qu'on avait fait de moi un veuf. Je m'occupais toujours d'Amber le matin avant qu'elle parte à l'école. Tout à coup, elle n'était plus là. Ni elle ni les autres. C'était l'enfer.

— Tu ne me l'avais jamais dit, soulignai-je, savourant cette image de lui avec sa petite fille devant le portail de l'école.

— Ça explique que nous soyons phénoménalement proches, Amber et moi. »

Je n'en avais aucune idée, pensai-je, tandis que cette vision chaleureuse refroidissait à vue d'œil. « Et ton travail dans tout ça ?

— Je pouvais organiser mon emploi du temps en fonction d'elle. Bea avait un job en or à la City. Ça aurait été de la folie qu'elle le quitte alors que j'étais disponible. »

Ainsi Bea avait un job fantastique, c'était la meilleure mère du monde et elle cultivait ses légumes. Je m'aperçus tout à coup que James avait raison. C'était dangereux de parler de ces choses-là. Entre la connaissance de l'ennemi et l'ignorance, je crois que je préférais la seconde solution. Si ce n'est que... Non. Arrête. Tout de suite !

« Je suis désolée de t'avoir posé la question. Bonne nuit, mon cœur. »

Je pensais que James serait content de me voir lâcher le morceau, qu'il s'enroulerait dans la couette et se rendormirait, mais pas du tout. Je perçus les premiers grondements de la peur dans mon ventre quand il reprit la parole.

« Je vois bien comment mes amis parlent de leur ex-femme et je trouve ça choquant, murmura-t-il. Je ne veux pas avoir à dire : "Bea était comme ci ou comme ça" pour justifier l'échec de notre mariage. C'est un être extraordinaire et je l'aimais. J'aimais la femme que j'avais épousée, mais, Tessa, poursuivit-il en se tournant vers moi, il faut que tu comprennes. Je ne suis plus marié. Je n'ai pas de réponse facile à te fournir quand tu me demandes pourquoi notre couple a échoué, si ce n'est que Bea a eu deux enfants l'un après l'autre à une époque où je voyageais beaucoup, pour un boulot qui ne me plaisait pas. Le mariage ne peut se contenter d'amuse-gueules.

— Que veux-tu dire ? »

Il soupira.

« J'ai beaucoup réfléchi à tout ça. Un couple, ça se nourrit, Tessa.

— Entrée, plat, dessert, tu veux dire ?

— Exactement. Jour après jour, et cinq plats les jours où on a envie de se faire livrer. »

J'avais des amis mariés qui avaient eu la gentillesse de dissiper l'illusion.

« Je sais que ce n'est pas facile.

— Ça fait l'effet d'un vrai casse-tête, non ?

— D'un défi plutôt, répondis-je d'un ton exalté. J'aime les défis. »

Il me caressa la joue.

« J'aurais dû me douter que tu réagirais bien. J'avais peur que tu ne te désintéresses de moi si nous avions cette discussion un jour.

— Que je me désintéresse de toi parce que tu as aimé ta femme ? » Je secouai la tête. « Non. Cela confirme simplement que tu es l'homme que je pensais. Si tu m'avais dit que tu trompais ta femme, que tu t'étais marié par accident, que tu avais fonctionné sur pilote automatique en faisant les choses machinalement tandis que les enfants naissaient les uns après les autres… » Je soupirai. « Alors là, oui, je me serais peut-être détachée. »

Ces paroles étaient certainement louables, mais, nom de Dieu, je n'étais pas naïve au point de ne pas me rendre compte que l'exécrable ex avait un certain nombre de mérites.

« Tu es toute ma vie, maintenant, Tessa. Toi et les filles. Je veux juste te rendre heureuse. Quand je vois ce sourire sur ton visage, je n'ai besoin de rien d'autre. Quand je te fais rire, j'ai l'impression d'être un géant. Rien qu'en touchant ta jambe, je me sens complet. Je t'aime et tu ne dois jamais, jamais en douter. »

C'était rassurant… je vis le monstre aux yeux verts se carapater dans les ombres. James se rallongea et posa sa tête sur mes genoux. Je lui caressai les cheveux.

« Je sais que je rabâche, Tessa, mais je me sens béni des dieux. Je n'arrive pas à croire que tu existes. Je pense que tu as été faite pour moi. »

Il déposa un baiser en haut de ma cuisse.

« James ?

— Hum ?

— Je me sens moins ballonnée. »

Il se tourna vers moi.

« Dans l'autre sens, dis-je.

— Oui, madame. »

J'étais en retard au travail. Aller à bicyclette de mon appartement du quartier de Victoria à Fulham Palace Road, c'est une chose, un trajet magnifique le long de la Tamise, mais depuis les faubourgs les plus obscurs de Hampstead, c'est une autre paire de manches, et je sous-estime toujours le temps nécessaire. Je cadenassai mon vélo à un bout d'acier libre, sachant pertinemment que j'aurais des ennuis pour en avoir bloqué deux autres ce faisant. Les gens s'imaginaient que juriste dans une maison de disques était un job glamour, que j'appelais les plus grands artistes par leur prénom, alors qu'en réalité je passais le plus clair de mes journées à lire de très, très longs mots, écrits en tout petits caractères, sans compter que plus je me familiarisais avec notre pépinière de célébrités, moins j'étais impressionnée.

Ils sont si empressés, tellement reconnaissants au départ. Quelques succès plus tard, c'est étonnant comme la gratitude se volatilise. Les plus anciens sont finalement les plus agréables à fréquenter. Ce sont des pros. Ils disent encore merci au livreur de sandwichs, à la maquilleuse, à la juriste. Ils sont conscients que c'est une question de chance. Et qu'ils en ont sacrément eu, de la chance.

J'ouvris la porte de la salle de réunion d'une poussée et pris ma place parmi les huiles. J'étais auxiliaire dans cette affaire, sinon je n'aurais jamais été en retard. Je marmonnai de rapides excuses avant d'ouvrir mon énorme dossier A4. L'un des effets secondaires d'une carrière juridique, ce sont de bons biceps. Je transportais la moitié de la forêt tropicale partout où j'allais.

J'étais partiellement concentrée sur ce qui se disait, même si la majeure partie de mon cerveau s'efforçait de concevoir la meilleure méthode à employer pour que James informe ses filles de la présence d'une nouvelle femme dans sa vie. J'étais « tombée » sur Lulu et Maddy à deux reprises au Regent's Park, alors que je m'y promenais avec Cora, ma filleule de huit ans. Le leurre parfait. Je ne voulais pas qu'elles rentrent chez elles en parlant de Tessa ceci, Tessa cela avant d'être sûre que nous allions tenir sur la longueur.

Elles ne savaient même pas comment je m'appelais. Ce n'était pas une information suffisamment importante pour que cela vaille la peine de la « sauvegarder » ; elles l'avaient effacée de leur mémoire à la fin de chacune de nos rencontres. Il y avait de nombreuses autres données plus intéressantes en concurrence. Comme le fait que les crottes de nez gelées étaient croustillantes, que Mia Turner allait avoir dix ans alors qu'elle était encore en CE1… je ne sais pas quoi, et tout le reste du charabia que j'ai pu surprendre sur l'aire de jeux. Je pensais que la visite au zoo était une entreprise risquée, mais les animaux l'emportèrent haut la main et une fois de plus, loin des yeux, loin du cœur ! Cora était l'objet de leur attention. Pas moi. Mais cela n'allait pas tarder à changer. James voulait que je vienne m'installer chez lui.

« Que lui as-tu répondu ? demanda Matt, mon merveilleux assistant, tandis que nous trempions nos petits pains dans la soupe.

— Je lui ai dit que j'étais flattée », répondis-je en haussant les épaules.

Il leva les yeux au ciel.

« Je le suis. C'est juste que…

— Ton appartement est tellement plus agréable.

— Ce n'est pas ça du tout.

— Tu n'es pas prête à aller vivre en banlieue ? »

J'étais sur le point de riposter quand Linda, la doyenne de la maison de disques, s'approcha. Elle avait lancé plus de groupes sur le marché que n'importe quel autre producteur, fait la fête avec les plus coriaces et avait eu plusieurs mariages à son actif avant de virer sa cuti en se mettant en ménage avec Sylvia, son assistante. La toute première affaire que j'avais dû plaider pour la compagnie nous opposait à un groupe que Linda avait élevé au firmament des superstars à partir de rien, ce qui ne les avait pas empêchés de filer chez le concurrent. Cela n'avait rien d'exceptionnel. Bien que Linda fût détentrice des CD en stock, ils n'avaient pas hésité à produire une nouvelle version de leurs succès en arguant que le son revu et corrigé était suffisamment distinct. Nous leur avions damé le pion. Cela représentait un paquet d'argent, si bien que Linda m'avait à la bonne. Un mot sur deux qu'elle prononçait était un juron. « Pas question que tu ailles t'enterrer où que ce soit, ma belle, tant que tu n'auras pas une putain de bague au doigt. Les vœux, j'en ai rien à foutre, mais faut que tu protèges tes droits, bordel. Tu m'entends, ma poule ? »

Cinq sur cinq, Linda.

« Ce n'est pas vraiment une question de…

— Évidemment que si, putain ! Ne sois pas si naïve, ma chérie. Tu veux être le laquais de ses mouflets, te tenir à carreau *ad vitam aeternam* parce qu'on t'empêche d'imposer un règlement ? Fais-moi confiance, le premier week-end que vous passerez à la baraque, tu te retrouveras en train de laver des fonds de culottes, de faire frire des bâtonnets de poisson et de t'ôter de la tignasse les petits pois qu'elles t'expédieront à la gueule dès que tu auras le dos tourné. » C'était gentil de sa part de partager son point de vue avec le reste de la cafétéria. « Et quoi que tu fasses, garde ton fric à part, pigé ?

— En toute honnêteté, je doute que nous ayons des difficultés de ce genre, dis-je. Ils sont amis, son ex et lui. Ce n'est pas comme s'il avait fichu le camp après une liaison torride qui aurait mal tourné. C'est elle qui l'a quitté.

— Pourquoi ? Qu'est-ce qu'il a fait ?

— Rien. »

Linda leva un sourcil.

J'aurais donné n'importe quoi pour mettre un terme à cette conversation.

« Tu ne comprends pas. Le divorce s'est bien passé. Il n'y a pas d'acrimonie entre eux. Je ne pose pas de problème, ajoutai-je sur un ton plus emphatique que je ne l'aurais voulu.

— Mon cul ! Elle ne t'a pas encore vue. Je présume que tu es plus jeune ?

— Oui, mais…

— Et il a des filles ?

— Et alors ? »

Linda se pencha vers moi.

« Tu vas regretter qu'elle ne soit pas morte, ma chérie.

— Linda !

— Je reviens sur ce que j'ai dit. Oublie la bague. Trouve-toi un mec sans enfants. J'ai remarqué que Sue, à la comptabilité, te matait souvent.

— Merci, mais…

— Eh ! Ne dis pas non avant d'avoir essayé. Suis mon conseil, ma douce ! Prends tes jambes à ton cou. »

Je souris comme si je lui étais reconnaissante de ses judicieux conseils et la suivis des yeux tandis qu'elle sortait de la pièce en trombe, mais j'enrageais à l'intérieur. Pourquoi les gens étaient-ils si négatifs ?

« Laisse-moi deviner. Ses ex-beaux-fils ne lui envoient pas de cartes de vœux, lança Matt en grimaçant un sourire au-dessus de son sandwich.

— Ce que ça peut être déprimant, mon Dieu !

— Linda en marâtre, tu veux dire ? Ce sont les enfants que je plains.

— Je parle de son attitude. Les belles-mères sont-elles forcément des objets de haine ?

— Je déteste la mienne, en tout cas, répondit obligeamment Matt. Elle a déclaré à mon père que mon homosexualité – rien que la manière dont elle prononce ce mot me fait frémir – était ni plus ni moins une rébellion contre son passé dans la Marine. »

J'étais contente de changer de sujet.

« Quelle andouille ! Évidemment que non. »

Matt me sourit d'un air espiègle.

« Évidemment que si. Mais ce n'est pas à elle de le dire. »

Je fronçai les sourcils.

« Les belles-mères, reprit-il en haussant les épaules. Elles perdent la partie d'avance.

— Merci beaucoup.

— Il vaut mieux s'engager là-dedans en connaissance de cause.

— Doux Jésus ! Il m'a juste demandé de vivre avec lui, pas de l'épouser. Je ne pense pas qu'il me faille d'ores et déjà m'inquiéter de devenir une méchante marâtre.

— Là encore, tu te trompes. Tu ne devrais penser qu'à ça. Élabore ta stratégie dès maintenant. Complote, conspire, soudoie, fais de la lèche, achète la mère, sape-la. C'est indispensable. Diviser pour mieux régner. En gros, fais ce que tu as à faire pour t'assurer que ces sales mômes soient de ton côté.

— Ce ne sont pas des sales mômes », rétorquai-je, tentant d'en revenir bon an mal an à l'aspect comique de cette conversation.

Matt engloutit un gros morceau de pain qu'il mâcha avec application.

« Pas encore.

— Je t'assure. Elles sont super, ces gamines.

— L'aînée a quatorze ans, c'est ça ? »

Je hochai la tête.

« Ferme les écoutilles. Tu es bonne pour une méga zone de turbulences. »

J'en avais assez entendu. Que Matt et Linda aillent se faire voir avec leurs foutues opinions négatives et polluantes. James Kent était la meilleure chose qui me soit arrivée dans la vie, d'autant plus que ça s'était fait sans provoquer de dégâts. Je n'avais pas brisé son couple. Il n'avait pas quitté sa femme et ses enfants pour moi. Cela faisait quatre ans qu'il était célibataire. Je n'étais pour rien dans sa rupture avec Bea. Maddy et Lulu étaient des fillettes adorables. Il était merveilleux avec elles, je l'avais constaté moi-même. Je ne connaissais pas encore Amber ; je ne l'avais jamais rencontrée, mais ça ne saurait tarder. Elle ne pouvait pas être si différente de ses sœurs. James ne tarissait pas d'éloges à son sujet. J'étais impatiente de faire sa connaissance. J'engloutis une cuillerée de soupe, mais elle était toute froide. Je n'avais plus d'appétit pour cette boustifaille de cantine et résolus de me replonger dans le sanctuaire du droit d'entreprise.

Une semaine plus tard, le samedi à marquer d'une pierre blanche arriva, et nous eûmes droit à un jour de printemps précoce. James avait emmené ses filles

136

prendre le petit déjeuner dehors pour leur annoncer qu'il voulait leur présenter une amie spéciale. Nous avions décidé de nous retrouver au parc de manière à éviter de donner l'impression qu'il s'agissait d'une entrevue prévue de longue date. Les petites joueraient et Amber et moi pourrions avoir une petite discussion en tête à tête pendant que James allait chercher des chocolats chauds pour tout le monde. Quelque chose comme ça. Nous nous étions efforcés de ne pas trop planifier les choses.

Je m'étais changée sept fois avant de sortir de chez moi et je me sentis mal, physiquement, quand le texto arriva et qu'il me fallut quitter le café où j'attendais. Je vérifiai une fois de plus le contenu de mon sac. J'avais tout ce qu'il fallait. Je n'allais pas tomber aux niveaux de corruption et de subordination suggérés par Matt, mais quelques atouts essentiels ne pouvaient pas faire de mal, au cas où. En plus des trésors que renfermait ma besace, j'avais apporté mon arme secrète.

« Tu es drôlement silencieuse, marraine T., dit Cora.

— Excuse-moi.

— Tu n'arrêtes pas de causer d'habitude.

— Tu peux parler, pipelette.

— Mme Bloom m'appelle comme ça.

— Mme Bloom ?

— Ma nouvelle maîtresse. Je suis en CE1 maintenant, tu te souviens ?

— Évidemment que je m'en souviens. Comment as-tu fait pour grandir aussi vite ?

— Les haricots verts, me répondit-elle sérieusement, avant de sourire. Hé, voilà Maddy et Lulu ! »

Elle me lâcha la main. Cora est extraordinaire. Il suffit qu'elle croise quelqu'un dans le parc une fois, si elle revoit la personne un an plus tard, elle se rappelle précisément ce qui s'est passé la première fois, de quoi on a parlé, où la personne en question habite et ce qu'elle avait sur le dos ce jour-là.

« Bonjour, tout le monde, lançai-je, un sourire scotché sur mes lèvres. *Ne leur montre pas que tu as peur, ne leur montre pas que tu as peur.* Je m'appelle Tessa.

— Ils le savent, dit Cora. Bécasse. »

Maddy et Lulu restèrent collées l'une à l'autre, et l'espace d'un instant, je les pris pour des jumelles. J'éprouvai un élan de compassion fugace envers Bea. Amber se tenait à côté de son père. Je lui tendis la main.

« Comment vas-tu, Amber ? Tu ressembles comme deux gouttes d'eau à ton père. En beaucoup plus jolie. »

On aurait dit que j'avais répété mon texte. Ce n'était pourtant pas le cas. Amber était vraiment ravissante. Un mélange de Kate Moss et de Lily Cole. Difficile de croire qu'elle n'avait que quatorze ans.

« Oh, rétorqua James, en tournant coquettement sur lui-même tel un mannequin. Je ne suis pas si moche que ça.

— Papa ! » s'exclama Amber, gênée, mais elle pouffa de rire quand il la prit par la taille. Pendant une fraction de seconde terrible, j'eus envie de les arracher l'un à l'autre, mais ce fut si passager que je crus l'avoir imaginé. Bon. Le moment était venu de distribuer les cartes.

« Je suis pas sûre que ces collants t'iraient aussi bien qu'à elle. (Puis, à Amber :) Ils sont super, au fait. Où les as-tu achetés ?

— Chez Topshop. »

Une tierce, d'entrée de jeu !

« Topshop ? Quelle coïncidence ! On vient de me donner un bon d'achat pour ce magasin. Je ne m'en servirai jamais. »

Je plongeai la main dans mon sac, écartai l'enveloppe Monsoon, celle de Jigsaw, de Gap et de chez Next (ce dernier m'avait semblé improbable, mais j'avais voulu assurer mes arrières) et sortis le bon de chez Topshop.

Amber l'ouvrit.

« Whoa, cinquante livres !

— Ah bon ! C'était gratuit. Je n'ai même pas vérifié. Garde-le. J'insiste.

— Tu es sûre ? intervint James. Je croyais que tu aimais bien Topshop.

— C'est vrai. J'aime beaucoup cette boutique. Mais je suis trop occupée pour y aller en semaine et trop vieille pour y aller le week-end. De toute façon, rien de ce que je trouverai là-bas ne m'ira aussi bien qu'à ta fille. »

Amber était aux anges. James aussi, ce qui m'agaça un tantinet. Diviser pour mieux régner... Nouvelle distribution de cartes.

« Nous nous sommes servis de leurs vêtements pour une photo avec les Bonnes Belles...

— Les Bonnes Belles ! Je les adore ! lança Amber d'une voix stridente et je songeai qu'elle avait bien quatorze ans, en fait.

— Tu aimes bien les Bonnes Belles ?

— J'en suis folle ! dit-elle avant de pousser la chansonnette : "Smack ya tush back at ya !"

— Pas mal ! Mieux que les Bonnes Belles en personne. »

Elle haussa modestement les épaules.

« Ne t'avais-je pas dit qu'elle avait une voix étonnante ? intervint James.

— Papa ! S'il te plaît… »

Oui, plusieurs fois, pensai-je froidement.

« Tessa travaille en permanence avec ces filles, ajouta-t-il.

— Whoa ! Qu'est-ce que vous faites ?

— Je suis juriste dans une compagnie de disques.

— Cool ! »

Un straight flush s'ouvrit en éventail sous mes yeux.

« Ça te plairait d'avoir leur dernier album ? »

Amber se tourna vers son père.

« Tant que je ne suis pas obligé d'écouter ces conneries.

— Ce ne sont pas des conneries, rétorquai-je en lui jetant un regard éloquent.

— C'est vrai, papa, ce ne sont pas des conneries. De toute façon, il n'est pas encore sorti.

— Je peux t'en donner un exemplaire la semaine prochaine.

— Vraiment ! C'est génial.

— Je devrais pouvoir en dénicher quelques-uns de plus si tu veux en offrir à tes amies.

— Oh oui, s'il vous plaît ! »

Flush royal ! Il est toujours important de les laisser sur leur faim. Pendant cet échange, j'avais vu du coin de l'œil Maddy et Lulu approcher peu à peu. Elles couraient à présent dans nos jambes avec Cora, en jouant à un jeu bizarre qui consistait à se prendre pour des chiots. Intrigue, complote, soudoie, fais de la lèche, achète-la, sape-la. De quoi parlait donc Matt ? Je rangeai mon paquet de cartes. J'avais remporté la première manche.

6

Entrée de la bête

J'avais passé une multitude de week-ends avec James, et tout autant sans lui. En revanche, ce que je n'avais jamais fait jusqu'à présent, c'était le partager. Deux semaines après avoir fait la connaissance d'Amber dans le parc, j'étais confrontée à la perspective de notre première nuit commune officielle. J'avais grossièrement sous-estimé la difficulté que cela représentait. Je m'étais naïvement imaginé que cela ressemblerait à peu de chose près aux week-ends que nous passions ensemble, avec les enfants en plus. Le moins que l'on puisse dire, c'est que je me fourrais le doigt dans l'œil.

Le week-end commença assez normalement, comme tous les bons films d'horreur. J'avais beaucoup de travail et il était dix heures passées quand j'arrivai finalement chez James. Tout était tranquille. Nous partageâmes une bouteille de vin avant de manger une salade sur le pouce, puis nous allâmes nous coucher. James s'endormit en quelques secondes et je m'ingéniai

142

à en faire autant. En vain. Je n'arrêtais pas de penser aux trois autres corps endormis à proximité, ce qui me mettait les nerfs à vif. James était allé les embrasser avant qu'elles s'endorment ; je m'en étais abstenue. J'avais la sensation d'être une intruse. Cela me rappela le soir où j'avais sauté dans ma voiture, le feu aux fesses, avide de sentir James sur moi, en moi, lorsque je m'étais jetée sur lui avec une précipitation qui n'était pas franchement classe.

Je le regardai. Dormir. Je savais qu'un baiser suffirait pour raviver mon désir, mais le feu aux fesses ? Je me voyais mal prendre un risque pareil à cet instant. Je ne supportais même pas d'envisager les ravages que nous aurions provoqués si on nous avait surpris en pleine action. Je roulai face au mur, en lui tournant le dos. Mais je ne me sentis pas plus à l'aise. Je me blottis donc contre lui, posai un bras sur sa taille et attendis le sommeil.

Quelques longues minutes plus tard, j'entendis une porte s'ouvrir et des bruits de pas dans le couloir. La poignée de la porte de notre chambre se mit à tourner lentement. Je me réfugiai sous la couette. C'est là que le film commence à faire peur.

« Papa », chuchota-t-on dans le noir.

James ne broncha pas.

« Papa. »

Je le poussai doucement du doigt.

« Humph !

— Est-ce que je peux avoir un verre d'eau ? »

J'allais mourir de chaud là-dessous. *Va lui chercher de l'eau, pour l'amour du ciel !* Je le poussai de nouveau. Pas très délicatement, je dois bien l'admettre.

« Qu'est-ce qu'il y a ? dit-il en se redressant.

— Je peux avoir un verre d'eau.

— Oh, Maddy ! Il y en a un à côté de ton lit.

— Non, y en a pas. Tu oublies toujours. »

Un soupir agacé s'échappa des lèvres de James.

« Non, je n'ai pas oublié. Tu n'as pas bien regardé. Comme d'habitude. »

Il repoussa les couvertures. Je battis en retraite, roulée en boule. Il semblait avoir oublié ma présence et s'en fut sur la pointe des pieds dans le sillage de sa fille. Ensuite, je vis une lumière s'allumer, j'entendis l'eau du robinet couler et un verre se remplir. Maddy avait raison. Il avait oublié. Quelques minutes plus tard, il était de retour au lit et je pus de nouveau respirer à l'air libre.

« Ça va ? chuchotai-je.

— Pas de problème », grommela-t-il avant de se rendormir aussi sec.

Je travaille dur. Quand je me repose – le week-end –, je me repose. Je trouve ça relativement normal. Respecter le sabbat et tout ça. Alors pourquoi la lumière était-elle allumée alors qu'il faisait encore nuit dehors ? Je fermai hermétiquement les yeux et m'enfouis sous la couette. Qu'est-ce que j'avais fait de mon masque pour les yeux ? Et puis la mémoire me revint. Il fallait renoncer aux masques si on voulait être sexy. James ignorait que j'en avais toute une collection sous mon lit, dans mon appartement sans rideaux. Il m'en manquait encore quelques-uns des républiques baltes, mais j'avais ceux de presque toutes les compagnies aériennes du monde. Tous les gens de ma connaissance qui partaient en voyage me rapportaient des masques, ainsi que des boules Quies, ce qui leur valait une véritable vénération de ma part, comme s'ils m'avaient acheté un pot de Crème de la mer en duty free. James émergea de la salle de bains – une douche derrière un mur bas – en robe de chambre. Il faisait son âge pour une fois. Je le lorgnai avec un seul œil.

« Hein ?

— Bonjour, ravissante créature.

— Hein ? »

Il me déposa un baiser sur la tête avant de sortir dans le couloir.

« Salut, les filles, hurla-t-il.

— Bonjour, papa ! répondirent-elles en chœur.

— Vous venez nous voir ? »

Merde. Merde. Et merde. En jetant des regards effarés autour de moi, je repérai un vieux tee-shirt qui pendait du panier de linge sale.

« James », sifflai-je. Il passa la tête dans l'entre-bâillement de la porte. Je lui désignai le tee-shirt.

« Il est dégueulasse.

— Ça m'est égal. Jette-le-moi.

— Tu es très belle comme ça », dit-il en riant.

Je brandis le majeur.

« Charmant !

— … suis pétrifiée.

— Elles t'adorent.

145

— Pas toute nue.

— Moi, je t'adore toute nue.

— Tu n'es qu'un vieux pervers », répliquai-je en m'exhibant.

Il éclata de rire.

« Difficile de faire autrement avec toi. »

Je venais à peine d'enfiler le tee-shirt quand Maddy, la plus jeune et – non que je m'autorise à penser ce genre de choses – ma préférée jusqu'à présent, entra d'un bond dans la chambre, suivie de Lulu. Elles sautèrent toutes les deux sur le lit.

« Bon, dit James. Qu'est-ce que ce sera pour vous, mesdemoiselles ?

— De la Marmite, dit Lulu.

— De la confiture, dit Maddy.

— Du Nutella », lança Amber, depuis le seuil. Je sentis les poils de ma nuque se hérisser quand elle s'avança d'une démarche nonchalante dans la pièce. Entrée de la bête. Dans tous les films d'horreur, une créature menaçante se terre dans l'ombre. Vous ne l'avez pas vue, mais vous savez à cause du bruissement des feuilles mortes et des craquements de branches qu'elle n'est jamais très loin. C'est la bête qui vous incite à guigner entre vos doigts dans l'espoir de la voir surgir, même si vous redoutez sa venue. Amber portait elle aussi un tee-shirt de son père. Et ça lui allait bien. Mieux qu'à moi. S'il vous plaît, mon Dieu, priai-je en silence, faites que je ne sois pas jalouse d'une gamine de quatorze ans. Mon père m'avait dit – en plus du fait que la vie était injuste – qu'il n'y avait pas d'émotion plus vaine que la jalousie. J'avais porté ça en moi toute ma vie, mais, bon sang, je n'arrivais pas à détacher mon regard de ses jambes. Grrr.

« Entendu. Et pour toi, ma chérie ? »

J'étais la seule personne à ne pas avoir tourné mon attention vers James.

« Tessa ? » insista-t-il.

En voyant Amber relever le menton, je songeai à Grace Kelly dans *Haute Société*. Elle serait aussi belle qu'elle. Seigneur, donne-moi la force.

« Pardon ?

— Tu veux quoi sur tes toasts ? demanda Maddy en grimpant sur le lit pour venir s'asseoir à côté de moi.

— Mes toasts ?

— Papa nous permet de prendre le petit déjeuner dans son lit. Il dit que ça ne le gêne pas de dormir sur nos miettes.

— Tessa n'est peut-être pas d'accord, souligna Amber sur le ton d'une vieille maîtresse d'école.

— Quel amour ! lança James. Elle pense toujours aux autres. »

Ben voyons. Grrrrrr.

« Elle est peut-être comme la princesse au petit pois, et la plus petite miette lui fera des bleus, dit Maddy.

— Elle ne devrait pas dormir dans le lit de papa alors », renchérit Lulu.

N'était-il pas temps que je m'en aille ?

« Ridicule. Tessa ne bougera pas de là. D'ailleurs… » Oh, non ! Il marqua un temps d'arrêt, les considérant toutes les trois chacune à son tour. « … je lui ai demandé de vivre avec nous. Qu'en pensez-vous, les filles ? »

Maddy et Lulu souriaient, mais je me rendis compte qu'elles ne savaient pas du tout pourquoi.

James se tourna vers Amber. Les petites en firent autant.

« En as-tu parlé à maman ? demanda-t-elle.

— Oui.

— Hé, James, je me demandais si je pourrais emmener les filles à l'anniversaire de Cora. Elle va avoir neuf ans.

— Il faudra que tu voies ça avec maman », décréta Amber.

Maman, maman, maman. Je ne m'attendais pas à ce que l'aînée soit dans les jupes de sa mère.

« Certainement, dis-je.

— Combien de filleuls as-tu ? ajouta-t-elle.

— Quatre, répondis-je fièrement.

— C'est parce que les gens ont de la peine pour toi parce que tu n'as pas d'enfants ? demanda Lulu.

— Lulu ! protesta son père.

— C'est ce que maman nous a dit », expliqua Amber.

D'ac-cord !

« Qui sont vos parrains et marraines ? Les meilleurs amis de ton papa et ta maman, je parie. »

Elles se tournèrent vers James. Oh, mon Dieu ! Se répartissait-on aussi les parrains et marraines ?

« Nous n'avons pas très bien choisi, dit James. Nous ne les voyons pas beaucoup. »

Bon. D'accord.

« Et si j'allais préparer ces toasts ? » suggérai-je en me rapprochant du bord du lit, avant de me rendre compte que c'était impossible. Le tee-shirt n'était pas si long que ça et s'était tire-bouchonné autour de ma taille.

« Pourrais-tu me passer un peignoir, James ? » demandai-je d'un ton calme et désinvolte pour tâcher de compenser mon filet de voix étranglée, comme si un boa constricteur me serrait le gosier. Il enleva le sien et me le jeta. Je fis de mon mieux pour l'enfiler et m'en envelopper tout en me levant, mais je suis à peu près certaine que les filles eurent droit à un aperçu de mes fesses parce que Lulu pouffa de rire.

Je sortis de la pièce, plus gênée que la première fois que j'avais mis les pieds en boîte. Marmite, confiture, Nutella. Marmite, confiture, Nutella. Si je me concentrais sur ça, j'arriverais peut-être à faire taire la petite voix qui me susurrait insidieusement, à l'instar de Rumpelstilskin : « Mets-toi au travail » de derrière un grand miroir ovale. Qu'est-ce que j'avais à ressasser ces métaphores de contes de fées ? Une heure en compagnie d'enfants et voilà que je me prenais pour les frères Grimm, pas vraiment les rois du *« happy end »*. Marmite, confiture et Nutella.

La matinée fut sauvée grâce à un livre de coloriage sur *James et la grosse pêche* et d'interminables parties de *Qui est-ce ?*, un jeu qui, à la faveur d'un processus d'élimination, permet de déterminer quel personnage détient votre rival. C'était le passe-temps préféré de Lulu, apparemment, mais j'eus vite fait de me rendre compte que son cerveau traitait l'information différemment des autres. À telle enseigne que, lorsque je répondais « Non » à la question « Porte-t-il des lunettes ? », elle abattait toutes ses cartes représentant des personnages dotés d'une vision parfaite. Du coup, je n'arrêtais pas de gagner alors que je m'efforçais vaillamment de perdre. Le plus touchant, c'est que ça ne semblait pas l'ennuyer. Elle voulait juste continuer à jouer, encore et encore. En entendant la porte d'entrée claquer, je fus soulagée à la pensée que mon remplaçant était revenu d'une excursion prolongée chez le marchand de journaux en compagnie d'Amber.

« Désolé, cria James. On a fait halte pour le café. »

Je supposais qu'il voulait dire qu'il s'était arrêté pour en acheter et attendis le mien avec bonheur.

« On en fait encore une ? proposa Lulu.

— Et si on demandait à ton papa de jouer ? »

Lulu n'avait pas l'air de beaucoup y croire. James passa la tête dans l'entrebâillement de la porte.

« Tout le monde est content ?

— Parfait, dis-je en essayant de lui faire entendre l'inverse et avide d'une ration de caféine. C'est à ton tour de jouer à *Qui est-ce ?*

— Une minute, dit-il. Laisse-moi le temps de ranger les courses. »

Sur ce, il disparut dans la cuisine. Dix minutes plus tard, aucun grand *latte* avec le sucre à part n'avait apparu, et je les entendais toujours bavarder. Ce qui voulait dire qu'il s'était arrêté pour prendre un café avec Amber. Grrrrrr.

« C'est Claire ? » demanda Lulu.

Je n'eus pas le cœur de lui dire que j'avais un garçon sous les yeux.

« C'est presque ça, dis-je. Sally.

— Oh, Sally. Je l'aime bien. On en fait une autre ? »

Tirez-moi une balle dans la tête !

« James ! »

Pas de réponse.

« Et si on jouait à un jeu où on peut tous participer ? » suggérai-je gaiement.

Lulu se tourna vers Maddy, puis elle secoua la tête.

« Amber triche, dit Maddy en guise d'explication avant de se replonger dans son coloriage.

— Que faites-vous en temps normal le week-end ?

— Avec maman, on fait de l'artisanat ou de la pâtisserie…

— Ou on construit des machines à remonter le temps », l'interrompit Maddy.

Je regrettai aussitôt d'avoir posé la question.

« Et avec votre papa ?

— On regarde la télé », me répondirent-elles d'une seule voix.

Garde ton calme, me dis-je. J'avais encore quelques tours dans mon sac. Malheureusement, je n'eus pas le loisir de faire surgir un canari de mon derrière, dans la mesure où j'entendis la porte d'entrée claquer de nouveau.

« James ? » criai-je, sentant la panique me gagner.

Pas de réponse. Je me levai pour aller dans la cuisine. Les « courses » étaient sur la table de la cuisine. Pas trace d'Amber ni de son père.

« James ! » criai-je de nouveau en jetant un coup d'œil dans les toilettes du bas. Les filles me dévisagèrent quand je revins dans le salon. Maddy me montra son coloriage. Je brandis le pouce. Ravie, elle en commença un autre. Bénie soit cette petite !

Je montai rapidement au premier et poussai la porte de notre chambre. Il n'y était pas. Les deux autres chambres étaient vides aussi. À quoi m'étais-je attendue ? À trouver James assis en tailleur devant une maison de poupées ? Je sentis que j'étais sur le point de piquer une colère hors de proportion. Il avait sûrement oublié quelque chose qu'il était allé chercher vite fait. Mais à mi-chemin de l'escalier, j'entendis un grognement.

« James ?

— Je suis en haut », fit une voix.

Il était aux toilettes ?

« Ça fait un moment que je t'appelle.

— Désolé. Je n'ai pas entendu. »

Je n'y comprenais plus rien. C'était impossible. L'appartement était petit. J'entendais péter le voisin d'à côté.

« Je crois qu'Amber est sortie.

— Elle a rendez-vous avec des copines chez Starbucks. J'espère que tu ne m'en voudras pas, mais j'ai dû piocher dans ton portefeuille. J'ai donné le reste de ma monnaie au livreur de pizza.

— Oh !

— C'était juste un billet de dix. Je te rembourserai.

— Ça n'a pas d'importance, dis-je, même si j'étais à peu près sûre qu'il ne me restait qu'un billet de vingt… Tu as l'intention de sortir de là un de ces quatre ?

— Désolé. » Je l'entendis tirer la chaîne, puis la porte s'ouvrit. Il avait un polar à la main. « Salut. Vous vous amusez bien là-bas en bas ? »

Un Rolodex de réponses savoureuses défila dans ma tête, mais elles seraient toutes considérées comme une offense mortelle.

« Salut, dis-je à la place.

— Re-salut. Bon alors, qu'allons-nous faire le reste de la journée ? »

Un autre Rolodex fit son apparition, mais les répliques caustiques étaient dangereuses, je le savais.

« On devrait peut-être penser au déjeuner.

— Déjà ! »

Oui, déjà. Le temps passe à toute vitesse quand on s'amuse !

« Super. J'ai acheté de quoi faire des spaghettis bolo. Les filles adorent ça.

— J'aimerais bien te voir à l'œuvre. » Je ne l'avais jamais vu cuisiner. Nous dînions dehors. Ou bien je nous préparais quelque chose quand il venait chez moi.

« Ma spécialité, déclara-t-il.

— Le seul plat que tu sais faire, tu veux dire.

— Les croques au fromage, ça compte ?

— Non.

— Alors la réponse est oui. Mais je sais faire cuire un œuf dur.

— Tout le monde est capable de mettre un œuf dans l'eau bouillante pendant quatre minutes. »

Il s'approcha de moi et m'enlaça. Je sentis ma colère s'évaporer.

« Mais les miens sont parfaits. Ni trop durs ni trop mous.

— Pas trop mous, j'espère.

— Jamais !

« — Non, dis-je en glissant ma main entre ses jambes, ce n'est pas ton problème apparemment. »

Mais c'est celui de tes enfants. Je regardai autour de moi. Qui avait dit ça ? James m'embrassa sur la bouche.

« Descendons voir ce que ces petits monstres fabriquent et je me mettrai à la popote. »

En définitive, je fis la cuisine. Le portable de James sonna au moment où il ôtait la première couche de pelure d'un oignon. J'avais mis la touche finale au plat – quelques gouttes de sauce Worcestershire, quand il raccrocha. Spécialité, tu parles !

Les spaghettis étaient parfaits. Mais au moment de se mettre à table, nous n'étions pas au complet, aussi ils restèrent sur la plaque à se figer en attendant le retour d'Amber.

« On pourrait peut-être commencer, non ? » suggérai-je.

Lulu et Maddy avaient été si sages et je voyais bien qu'elles étaient affamées. Il y avait suffisamment long-temps que j'étais marraine pour savoir ce qui arrive quand on ne donne pas à manger aux enfants.

« Je lui ai dit de rentrer à une heure », dit James, ignorant qu'il était le quart passé.

Finalement, nous entendîmes la clé dans la serrure.

« Génial ! Je crève de faim », lança Amber en se laissant tomber sur une chaise.

J'attendis que James dise quelque chose. Ce qu'il fit :

« Bon, alors, mangeons. »

Je mordis dans un bâtonnet de carotte que j'avais coupé pour parer à l'effondrement et le croquai bruyamment.

« Maman dit que c'est mal élevé de faire du bruit en mangeant », dit Amber en me fusillant du regard.

J'arrêtai de mâcher. James disposa les assiettes servies sur la table, puis il apporta le bol de fromage que les deux petites avaient aidé à râper. Amber en prit une énorme poignée – la moitié du bol. Je levai de nouveau les yeux vers James, m'attendant une fois de plus à ce qu'il fasse une remarque. Ce qu'il fit. « Bon, les filles, allez-y, attaquez !

— Il va peut-être nous falloir un peu plus de fromage, dis-je en passant le bol à Lulu.

— Bonne idée », dit James en s'asseyant.

Je ne dis pas grand-chose de plus pendant le reste du repas.

« C'était délicieux, papa, dit Amber en portant les assiettes au lave-vaisselle.

— Ce n'est pas moi qu'il faut remercier, mais Tessa. C'est elle qui a tout préparé. »

Je mis un peu trop de temps à effacer l'expression qui voulait dire « Je t'en prie, ça m'a fait plaisir » qui avait commencé à se dessiner sur mon visage et répondis donc à la moue franchement disgracieuse d'Amber par un sourire reconnaissant.

« Qu'est-ce qu'il y a pour le dessert ? » demanda Maddy.

Je me tournai vers James.

« Nous irons manger une glace plus tard, répondit-il.

— Il y a des pommes, soulignai-je.

— Maman fait toujours un dessert le week-end », insista Maddy.

Je me tournai de nouveau vers James pour solliciter son aide. « Je ne sais pas faire la cuisine comme votre mère, dit-il.

— Mais Tessa est là. Elle non plus, elle ne sait pas faire la cuisine ? Ce que je préfère, c'est le soufflé aux bananes.

— Impressionnant.

— Maman invente des recettes », précisa Lulu.

Évidemment.

« Elle peut te donner des cours. Comme ça, tu sauras faire. »

Maddy avait l'air contente d'elle. Le problème était résolu.

« Et la charlotte aux fraises, dit Lulu. J'aime bien m'occuper des biscuits.

— Tessa ne sait pas cuisiner, c'est évident », lança Amber.

J'étais sidérée de la virulence de sa remarque. Je tentai de lui sourire, mais elle mit ses écouteurs sur ses oreilles et se détourna. Je notai mentalement que je devais sans perdre un instant m'inscrire à des cours chez Prue Leith. Je te montrerai de quoi je suis capable, petite peste !

Finalement elles quittèrent la cuisine au compte-gouttes et je m'installai devant une tasse de café instantané. Bon, pensai-je. D'accord… Il allait falloir augmenter la mise. J'étais une négociatrice chevronnée et une femme capable. Je pouvais me sortir de cette ornière. Ce que je ne savais pas, je l'apprendrais. Je portai la tasse à mes lèvres…

« Aaaaah ! »

Le cri venait du salon. J'étais debout en moins d'une seconde. Lulu était recroquevillée dans un coin et se tenait la tête. Maddy était adossée au mur. Amber se donnait un mal de chien pour prendre un air dégagé, mais c'était peine perdue.

« Que s'est-il passé ? demandai-je en courant vers Lulu.

— Maman, sanglota-t-elle.

— Laisse-moi regarder.

— Aïe !

— Que s'est-il passé ? » répétai-je en voyant une tache rouge se répandre sur la peau claire de Lulu juste au-dessus de la tempe.

Amber mit les mains sur ses hanches.

« Pourquoi tu me regardes ?

— Je te demandais juste si tu avais vu ce qui s'était passé.

— Elle s'est cogné la tête contre la table basse. »

J'avais compris ça toute seule. Où donc était passé James ? Il n'avait tout de même pas besoin de faire la grosse commission encore une fois.

« Je vais t'aider à te relever. On va aller à la cuisine et mettre des glaçons sur ta bosse. »

Lulu pleurait toujours, mais sans faire de bruit.

« Tu es courageuse », dis-je en l'entraînant hors de la pièce.

Je sortis le bac à glaçons, qui ne contenait qu'un seul glaçon. Je le tapai avec force contre le plan de travail. Le glaçon glissa sur le Formica et alla tournoyer dans l'évier en alu. James faisait les cent pas dans la jungle dehors. Il était au téléphone.

Je mis le glaçon solitaire dans de l'essuie-tout et le passai à Lulu avant de remplir le bac d'eau. En le rangeant dans le congélateur, j'avisai un sachet de petits pois congelés. C'était encore mieux. J'en déposai quelques-uns dans un torchon propre et le tendis à Lulu à la place.

Amber nous observait depuis le seuil.

« Arnica, marmonna-t-elle.

— Pardon ?

— Arnica. » Elle avait l'air fascinée par ses pieds tout à coup. « Maman se sert toujours d'arnica quand Lulu se casse la figure.

— Ça lui arrive souvent ? »

Amber hocha la tête.

« Elle ne regarde jamais où elle va. Papa en a un tube dans le tiroir des couverts.

— Merci, Amber. »

Je tentai un nouveau sourire, et cette fois-ci, j'eus droit à un haussement d'épaules méprisant. En ouvrant le tiroir, j'y trouvai un tube d'arnica presque vide. J'en extirpai une noisette et la frottai sur la bosse de Lulu.

« Merci, Tessa. Ça fait du bien. »

Je la pris par la taille.

« Tu vas avoir un bleu, tu sais.

— Tu veux bien faire un bisou ? Ça fera moins mal », me demanda-t-elle, et ce fut ainsi que je découvris le goût fort et sucré de l'arnica.

James s'approcha de la fenêtre. Il vit Lulu blottie contre ma poitrine et brandit le pouce, tout sourires. Je le rassurai en lui souriant à mon tour. Mais ça ne voulait rien dire. Je redoutais de ne pas tenir le coup jusqu'au soir. Ce en quoi je n'avais pas tort.

La nuit commençait à tomber quand je verrouillai la portière de ma voiture, et pourtant c'était loin d'être l'heure d'aller se coucher. Je me dirigeai vers l'appartement de Billie, à West Acton, et appuyai longuement sur la sonnette. Elle vint m'ouvrir.

« Qu'est-ce que tu fais là ? N'était-ce pas le premier week-end où tu devais jouer à la maman ? »

Je l'écartai de mon chemin.

« J'ose espérer que tu as du vin.

— Ça fait plusieurs jours que la bouteille est ouverte.

— Je m'en fous.

— Oh, mon Dieu ! À ce point-là ! »

Billie et moi partagions un appartement autrefois, et quand je dis partager, c'est partager. Il n'y avait aucune ligne de démarcation entre ses possessions et les miennes. Près de vingt ans plus tard, j'avais le sentiment que je pouvais encore me servir de sa brosse à dents et écluser son vin.

« Que s'est-il passé ? » demanda-t-elle en me suivant dans le couloir.

J'ouvris le réfrigérateur, puis un placard pour prendre un verre et me servis. J'en proposai à Billie en en avalant bruyamment une rasade.

« Il est trois heures de l'après-midi, me répondit-elle en secouant la tête.

— La journée ne finira donc jamais, fis-je d'un ton gémissant. Je suis levée depuis des heures. Où est Cora ?

— À un anniversaire. Elle en a trois par semaine en moyenne. Assieds-toi. Respire.

159

— Je ne peux pas. Je n'ai qu'une heure devant moi. J'ai dit que je devais aller à la banque.

— Les banques sont fermées le samedi, Tessa.

— Merde.

— Que s'est-il passé ?

— Écoute, c'était bizarre d'être là avec eux dans la chambre, et puis James a foutu le camp avec Amber, j'ai préparé le déjeuner. Personne n'a dit merci… »

Je vis Billie réprimer un sourire.

« Qu'est-ce qu'il y a ?

— Rien. Continue. Un vrai cauchemar, on dirait. »

Son sarcasme me coupa les ailes. Je m'assis.

« Pas vraiment. Je n'ai rien contre le fait de glander un peu, mais… Oh, je ne sais pas. Elles n'arrêtent pas de parler de Bea. Amber a sorti l'album de photos, ce qui partait d'un bon sentiment, somme toute. »

Mon ancienne coloc s'assit en face de moi.

« Continue.

— C'est Superwoman, je te jure. Elle est belle en plus.

— Toutes les mères sont Superwoman. Tu le seras toi aussi. On apprend ça sur le tas. C'est juste que les non-initiés ne s'en rendent pas compte.

— Mais elle, c'est Super-superwoman. »

Billie ouvrit la bouche pour protester.

« Je ne plaisante pas. Potager, soufflés aux bananes. Elle fait des tortues en cuir grandeur nature pour les projets scolaires. Je suis sûre qu'elle est capable de faire des claquettes en chantant l'hymne national à l'envers.

— As-tu jamais vu ma tête en papier mâché de Nelson Mandela ? »

Je fronçai les sourcils.

« Peu importe. Continue.

— Ensuite j'étais en train de mettre du linge sale dans la machine quand James s'est pointé avec un monceau d'uniformes. »

J'attendis sa réaction outrée.

« Et alors ?

— Toute la journée, j'avais fait le ménage, la cuisine tout en m'occupant de divertir les petites. La lessive en plus ? Ça fait aussi partie de mon boulot ?

— Tu étais en train d'en faire une de toute façon, me répondit-elle, écartant ma plainte d'un haussement d'épaules. Et franchement, oui, c'est ton boulot. Si tu as vraiment l'intention de vivre avec James.

— Il ne fait jamais rien d'habitude.

— Rien du tout ?

— Ne te méprends pas. Il est super avec elles, mais, enfin, il était pendu au téléphone ! Il ne pouvait strictement rien faire. » Je n'arrivais plus à soutenir le regard de Billie. « On en est encore au stade où on se renifle le derrière, tu comprends. J'avais besoin de lui.

— Tu le lui as dit ?

— Je pensais que c'était évident. »

Billie fit la grimace.

« J'ai éprouvé le besoin de prendre l'air. Je lui ai dit que je devais aller à la banque et je suis venue ici directement. »

Je la regardai écarter de son visage ses cheveux noirs ridiculement longs et les nouer. Ils étaient striés de gris maintenant et je fus frappée de la vitesse à laquelle les dernières décennies étaient passées. Pourtant, j'étais encore là, assise sur son canapé, à parler mecs.

« Ça pourrait être sympa pour Bea de ne pas se retrouver avec un gros sac de linge sale sur le dos le dimanche soir, dit-elle.

— Mais…

— Si elle est Superwoman, il faut que tu en sois une toi aussi. Tâche de te la mettre dans la poche. Fais le repassage. Si elle t'apprécie, ils t'apprécieront aussi.

— Mais elle ne fait plus partie de l'équation. Elle a quitté James.

— Ne sois pas si bornée, Tessa. Tu as ses enfants. La seule différence dans l'équation, c'est que tu en fais partie maintenant. »

Je m'adossai au canapé. J'avais peut-être commis une erreur en venant trouver Billie. Entre l'échec de son mariage et la brouille avec son ex, elle avait trop de poids à porter pour faire preuve d'impartialité.

« Ce n'est pas que je ne compatis pas, Tessa, je t'assure, mais malgré tout le respect que j'ai pour toi, tu es la personne qui compte le moins dans cette affaire. Si tu veux vivre avec James, il faut que les filles soient ta priorité. Elles ne t'ont pas demandé de sortir avec leur père. Ça leur est tombé dessus. Et si Bea voit que tu fais passer leurs intérêts avant les tiens, elle acceptera peut-être qu'une autre femme borde ses enfants le soir.

— Mais tu viens de me dire qu'il fallait d'abord que je me la mette dans la poche.

— Justement. C'est comme ça qu'il faut faire. Renvoie-lui des filles heureuses.

— Ça ne va pas être facile. La comparaison ne m'est guère favorable. Je ne sais rien faire en pâtisserie à part des croquants au chocolat, et les filles m'ont déclaré qu'elles étaient passées à autre chose depuis un an. »

Billie se mordit la lèvre.

« Quoi ? »

Elle leva la main.

« C'est probablement une bonne chose, tu sais. Ne cherche pas à la copier. Et surtout, quoi que tu fasses, n'essaie pas de la battre. Sois toi-même. Trouve ton propre truc.

— Tu veux que je partage avec elles ma connaissance encyclopédique des actes délictuels ?

— La musique, Tessa. Les concerts gratis. Gâte-les. Donne-leur des billets pour Hannah Montana, ce genre de choses.

— Ça semble quelque peu désespéré, non ?

— Tu le fais bien pour Cora.

— Je l'aime. C'est facile.

— Fais semblant dans ce cas, jusqu'à ce que ça te vienne naturellement. »

Je la dévisageai. Et si ça ne venait jamais ? J'avais trop peur de la réponse pour poser la question, aussi je me bornai à hocher la tête.

À mon retour, je trouvai James et ses filles blottis dans le canapé en train de regarder *Strictly come dancing*. Je n'avais pas envie de m'asseoir par terre ni d'éjecter James pour prendre sa place. De toute façon, j'avais de la vaisselle à faire, la cuisine, le repassage. Une belle inversion des rôles du conte de fées. La méchante belle-mère bannie de l'âtre. Rectificatif. Je n'étais pas encore belle-mère. Je me demandai si j'en serais jamais une et je me rendis compte en y pensant que j'en avais envie. Terriblement envie. Il fallait que je fasse les choses bien. Je ne tenais pas à me retrouver dans vingt ans sur le canapé de Billie en train d'avoir la même conversation. Je mis le premier lot de chemises à laver puis j'entrepris de préparer le dîner avec les ingrédients que j'avais achetés sur le chemin du retour.

Quand tout fut prêt, j'appelai James et les filles dans la cuisine chaude et les regardai avec bonheur s'attaquer à des fajitas au poulet croustillantes, accompagnées de poivrons rouges et de fromage blanc. Une chose était certaine : ces filles avaient bon appétit. Je n'avais pas à m'inquiéter de les voir chipoter. Je me roulai une fajita. C'était une phase d'ajustement, voilà tout. Il était normal que ça ne se fasse pas tout seul. Tout finirait par bien aller. Je voyais les choses d'une manière plus rationnelle. Billie avait raison : faire passer les filles d'abord, et tout se mettrait en place de soi-même.

Elles allèrent se mettre en pyjama et je commençai à me réjouir de passer la soirée seule avec James quand je compris soudain, à mon grand dam, que le week-end Amber n'était pas reléguée dans sa chambre avec un bouquin, mais autorisée à rester au salon pour regarder la télé. Je n'avais aucune envie de me farcir une série nulle, mais impossible de protester. J'avais trop peur de dire quelque chose qu'une ado précoce de quatorze ans pourrait utiliser contre moi plus tard dans un tribunal biscornu de son imagination. Je me retirai de nouveau dans la cuisine et pris mon poste devant la planche à repasser. La rationalité était peut-être un peu prématurée.

James apparut.

« Tu n'es pas obligée de faire ça, tu sais, me dit-il sans m'en empêcher pour autant.

— J'ai presque fini. »

Il m'enlaça et me déposa un baiser sur la tête.

« Je te remercie de te montrer aussi compréhensive. Si on allait au pub du coin ? Je t'offre un verre. »

Mon regard s'illumina. Mais c'était un feu de paille.

« Et les filles ?

— Amber est là. Elle veut regarder un film cucul de fille, de toute façon. On ne restera qu'une heure ou deux. Elle a mon numéro.

— Tu es sûr qu'on a le droit ? »

Il éclata de rire.

« On n'est pas en pension.

— Je veux dire, Bea serait-elle d'accord ?

— On le fait tout le temps. Il m'arrive souvent de sortir chercher quelque chose – une pizza, de la bière. Ça ne pose aucun problème. »

Des alarmes retentissaient dans ma tête. Mais j'avais toujours soif, alors…

Me retrouver hors de la maison, bras dessus bras dessous avec James, et lui seul, allégea la tension qui n'avait cessé de grandir en moi tout au long de la journée. Le pub voisin n'était qu'à quatre minutes à pied, mais mon soulagement était tangible lorsque nous poussâmes la porte. James m'apporta une grande vodka tonic et s'assit. J'en engloutis une bonne partie avant de songer à le remercier.

« Désolée. Merci et à ta santé. »

Il brandit sa pinte.

« Ça va ? »

Je le dévisageai. Certes, je prônais l'honnêteté, mais nous nous étions aventurés en territoire inconnu et je n'étais pas sûre de savoir où je mettais les pieds.

« C'est normal que ça te semble difficile, Tessa. J'ai de la peine à passer une journée avec mon neveu. Pourtant, j'ai des enfants.

— J'arriverai certainement à survivre sans plus jamais jouer à *Qui est-ce ?*

— Lulu flaire le sang neuf comme un grand requin blanc, répondit-il en buvant une gorgée de bière.

— Tu aurais pu me prévenir. »

Il secoua la tête.

« Certainement pas. J'ai réussi à lire toutes les pages sportives du journal. »

J'ouvris la bouche pour protester.

« Je plaisante, Tessa. Je n'ai même pas acheté le journal.

— Ce n'est pas drôle.

— Le repassage n'a pas eu l'effet thérapeutique escompté, si je comprends bien ? »

Je ravalai ma réponse avec une lampée de vodka.

« J'ai remarqué que ça marchait mieux si je me tapais la tête avec le fer, ajouta-t-il.

— Je serai ravie de te le faire à toi. »

Il me décocha un sourire espiègle.

« Aurais-tu retrouvé ton sens de l'humour ?

— Absolument pas. Il a été laminé par les parties de *Qui est-ce ?*

— Je ferais bien d'aller te chercher une autre vodka. J'espère qu'à la quatrième tu auras oublié ma difficile progéniture et que tu m'aimeras de nouveau. »

J'éclusai mon verre.

« Tu as de la chance. Je ne peux pas résister au châtiment. » Je lui tendis mon verre vide. « Il ne m'en a fallu qu'un seul, en fait. »

Il leva quatre doigts.

« C'était une quadruple. »

C'était donc ça, cette chaleur soudaine qui irradiait de mon plexus solaire.

« Tu me connais bien.

— Je connais mes filles », répliqua-t-il en se dirigeant vers le bar. Je l'appelai, il se retourna. « Je vais faire des progrès, je te le promets.

— Tu n'as pas besoin d'en faire. Les filles t'adorent déjà. »

Je secouai la tête.

« Je t'assure, Tessa. »

Je ne pouvais cacher la peur qui devait se lire dans mes yeux.

« Qu'est-ce qu'il y a ? » demanda-t-il en scrutant mon visage.

J'avalai ma salive.

« Elles parlent beaucoup de leur mère. »

Il revint s'asseoir, posa les mains sur la table et se pencha vers moi.

« Oh, mon cœur ! C'est ma faute. J'ai toujours voulu qu'elles parlent librement de leur mère si elles en avaient envie, qu'elles sachent que ce n'était pas un sujet tabou, qu'elles n'étaient pas responsables du divorce. J'ai tenu à ce qu'il en soit ainsi. Je suis désolé. Essaie de ne pas le prendre personnellement. »

Je pris un air rassuré, mais en mon for intérieur, je me disais : *Est-ce possible ?* Tout ce que je dirais, ferais, tout ce que je me mettrais sur le dos, ma manière de conduire, de dormir, serait jugé par des enfants qui appartenaient, par essence, à l'ex-femme de mon petit ami. On pouvait difficilement faire plus personnel.

« J'essayerai », marmonnai-je.

James se redressa.

« Et puis, Tessa, sache que je ne t'en veux pas d'éprouver le besoin d'aller à la banque à trois heures et demie un samedi après-midi, et je ne te dirai rien même si tu y vas tous les samedis après-midi. » Il marqua un temps d'arrêt. « Ou le dimanche. Le temps de t'acclimater. »

Je lui pris la main et y déposai un baiser.

« Combien de temps est-ce que ça va prendre ?

— Toute la vie, j'espère », répondit-il en gardant ma main dans la sienne.

Quand nous rentrâmes à la maison, toutes les lumières étaient allumées. Je compris tout de suite que quelque chose clochait. Nous nous étions attardés au pub plus longtemps que prévu pour la bonne raison que nous nous y sentions vraiment bien. James ne voulut pas admettre qu'il était inquiet, mais il avait la mâchoire crispée tandis qu'il remontait l'allée du jardin en envoyant valser le gravier. Je trottai dans son sillage, nerveuse et pleine d'incertitudes. Nous trouvâmes les filles blotties dans notre chambre. La chambre de James. Un feu roulant de questions nous apprit que Lulu avait été malade et que Bea était en route pour venir les chercher.

James était bouleversé, ravagé. Il prit Lulu sur ses genoux.

« Comment te sens-tu maintenant ? demanda-t-il.

— Quand on est malade après s'être cogné la tête, c'est très grave, décréta Amber.

— Pourquoi ne m'as-tu pas appelé ?

— Je t'ai appelé. Sept fois. Tu n'as pas répondu. »

Le portable de James était sur la table devant nous toute la soirée. J'avais insisté pour qu'il en soit ainsi.

« Il n'a pas sonné », dis-je.

Amber me jeta un rapide coup d'œil.

« J'ai dû me tromper de numéro, rétorqua-t-elle.

— Sept fois ?

— J'ai appuyé sur la touche "bis". Désolé, papa. »

Papa, papa, papa.

« Quand as-tu vomi ? Est-ce arrivé plusieurs fois ? demanda James en posant la main sur le front de Lulu.

— J'avais mal au ventre.

— Et maintenant, comment te sens-tu ?

— Attends une minute, Lulu, as-tu vomi ? demandai-je.

— J'ai cru que ça allait venir », dit-elle. Sur le ton de l'excuse.

« Quand on se cogne la tête… »

— OK, Amber, on a compris. Passe-moi le téléphone, s'il te plaît. »

James composa le numéro de Bea.

« Salut, Bea… »

J'ignore ce qu'elle lui répondit, mais elle l'interrompit.

« Attends, attends, l'implora-t-il. Elle n'a pas vomi. Elle ne se sent pas très bien, c'est tout. » Nouvelle interruption. « Elle ne pouvait pas s'étouffer, nous étions juste au coin… » Bea hurlait. À pleins poumons, maintenant. « Tu as raison. Ça ne se reproduira pas. Désolé. » J'observais attentivement Amber. Elle ne quittait pas son père des yeux.

Maddy bâilla. Je la pris par la main et l'emmenai se coucher.

« Est-ce que maman va venir ? demanda-t-elle.

— Je ne pense pas. Lulu va se remettre.

— Je lui avais dit de ne pas manger le gâteau de riz.

— Quel gâteau de riz ?

— La boîte qu'Amber nous a donnée. C'est hyper sucré. J'aime pas ça. Lulu, elle, elle trouve ça bon. Je crois bien qu'elle a tout mangé. »

Elle pointa le doigt vers la boîte renversée sous le lit voisin, la cuillère jetée, plantée dans la moquette.

Je la ramassai.

« Vous ne devriez pas laisser de la nourriture sous votre lit.

— Maman le fait bien, répondit-elle.

— J'en doute fort. »

Je ramassai la boîte toute gluante.

« Ne dis pas que je te l'ai dit. Les festins de nuit sont censés être secrets.

— Ne t'inquiète pas. Je sais garder un secret. À présent, mets-toi au lit, poupée.

— Bonne nuit, Tessa. »

Elle se blottit sous les couvertures en calant son pouce dans sa bouche, serra le drap dans son poing et s'endormit.

Au moment où je fermais la porte, James apparut dans le couloir, tenant Amber par les épaules. Je planquai la boîte derrière mon dos.

« Bea ne vient pas, me dit-il. Fausse alerte. »

C'était le moins que l'on puisse dire. Je les dépassai sans piper mot. Je n'osai pas. Les effets de la vodka étaient passés de la phase rose à la phase noire. Lulu s'était endormie dans notre lit. J'éteignis la lumière et m'approchai de la fenêtre pour tirer les rideaux. Dehors sur le trottoir, je vis un couple remonter la rue en riant et en s'embrassant. C'était nous, quelques instants plus tôt. En face j'aperçus une femme seule près d'une voiture quelconque. J'eus l'impression qu'elle levait les yeux vers moi. Elle pleurait manifestement, à en juger d'après les secousses qui agitaient ses larges épaules rondes. Était-ce Bea ? Peut-être m'avait-elle vue me rapprocher de la vitre pour tenter de mieux la distinguer parce que, subitement, elle se jeta sur sa portière et disparut dans la voiture. Le plafonnier illumina un bref instant son visage. Je poussai un soupir de soulagement. Cette grosse femme triste ne ressemblait en rien à Bea.

Le dimanche matin, j'ai honte de l'avouer, je me réveillai dans mon studio près de la Tamise, avec un gaillard en train de jouer du tambour dans ma tête. Je n'y prêtai pas attention. Je me voyais mal retourner chez Billie. Je m'invitai donc chez Al et Claudia. Nous étions amis depuis le collège ; ils ne pouvaient pas faire autrement que me laisser entrer. Je suis sûre qu'ils auraient préféré rester au lit tous les deux avec les journaux, mais il y avait urgence. Dans la mesure où ils n'avaient pas d'enfants, je savais que j'aurais toute leur attention et que je bénéficierais de la compassion inconditionnelle que je cherchais. Je n'arrêtais pas d'oublier que nous avions passé l'âge pour ça.

« Bon, alors, que s'est-il passé ensuite ?

— Disons que ça ne s'est pas bien terminé, dis-je.

— Ça va sans dire, Tessa, puisque tu es ici chez nous en train de pester contre James et les filles alors que tu devrais être avec eux, souligna Al.

– Je ne peste pas. »

Claudia grignota son croissant.

« Amber a peut-être vraiment eu peur. Elle n'a que quatorze ans. Vous lui aviez laissé une grosse responsabilité sur le dos. »

Claudia était génétiquement programmée pour voir le meilleur côté des gens.

« Les petites dormaient. Nous étions au coin de la rue.

— Seulement elles ne dormaient pas.

— Parce que Amber les a réveillées !

— Tu n'en sais rien.

— Claudia ! Dans quel camp es-tu ?

— Le tien, évidemment. C'est la raison pour laquelle je ne pense pas que tu devrais en faire un plat. Elle a paniqué quand sa petite sœur s'est sentie mal et elle a appelé sa mère. C'est ce que font tous les enfants. Elle n'a probablement même pas essayé le numéro de James.

— Il était affiché sur le frigo.

— Justement. Elle était gênée d'avoir oublié ce qu'elle était supposée faire. Et puis comme il était trop tard pour faire marche arrière, elle a exagéré l'état de Lulu, et pour ajouter foi à son histoire, elle a parlé du fait que Lulu s'était cogné la tête. Elle aurait eu l'air bête sinon – pire, puérile. Et à quatorze ans, on n'a pas envie de paraître puéril. »

J'ouvris la bouche pour la refermer aussitôt comme un poisson rouge. Je discernais la logique de son raisonnement. Puis je revis le ravissant visage d'Amber blotti dans le creux du bras de mon petit ami et secouai la tête.

« Elle est résolue à avoir ma peau.

— Ne sois pas ridicule. Elle a quatorze ans.

— On dirait plutôt qu'elle en a… quinze, ce qui n'est déjà pas de la tarte de nos jours.

— Qui fait preuve de puérilité maintenant ? » intervint Al.

Claudia posa une main apaisante sur la jambe de son mari.

« Tessa a le droit d'être fâchée.

— Je ne suis pas d'accord. Ils sont allés au pub. Pourquoi ne sont-ils pas restés boire un verre à la maison ? Tessa a trop bu, et puis une fois le calme

173

revenu, elle a décidé de s'enfiler encore quelques petits verres et de débiter à James tout ce qui foirait dans sa manière d'éduquer ses filles.

— Il avait passé près d'une heure à la "réconforter", rétorquai-je en mimant les guillemets, encore furibarde à la pensée qu'une gamine de quatorze ans ait besoin d'autant de sollicitude. Et ça ne s'est pas passé comme ça.

— Je ne vois pas comment il aurait pu avoir le sentiment que tu lui faisais la leçon quand tu lui as dit qu'il gâtait trop sa fille.

— Je lui ai juste dit qu'il ne voyait pas ce qu'il avait sous les yeux. »

Pour être honnête, je ne me souvenais plus trop de ce que j'avais dit. Al avait raison. La demi-bouteille de vin n'avait pas amélioré mon humeur, ni ma mémoire.

« Tu passes quelques heures avec lui et ses enfants et puis tu décides sans vergogne que tu serais capable de faire mieux que lui. Pas étonnant qu'il t'ait laissée partir.

— Al !

— Personnellement, je pense que vous avez été aussi stupides l'un que l'autre, reprit-il sans se laisser démonter. Elles ne te connaissaient ni d'Ève ni d'Adam jusqu'à il y a deux semaines et voilà que tout à coup tu t'installes chez leur père ! Amber te cherche peut-être des poux, et franchement, on la comprend, mais elle ne se rend probablement même pas compte de ce qu'elle fait. Qui es-tu ? Elle ne te connaît pas. Tu aurais dû lui accorder bien plus de temps que ça pour apprendre à te connaître. Quel effet est-ce que ça te ferait si en

174

entrant dans la chambre de ton père tu trouvais une pépée quelconque affublée d'un tee-shirt à lui, qu'il appelle "chérie" ?

— Je ne suis pas une pépée quelconque.

— Pour elle, si. Demande à Ben ce qu'il en pense. Ça lui est arrivé suffisamment de fois. »

Ben, notre vieil ami commun, pâtissait du fait d'avoir une mère qui avait porté la libération de la femme à des sommets sans précédent, sans cacher aucune de ses conquêtes à son jeune fils.

— Ça suffit, Al, intervint Claudia.

— James n'a rien à voir avec la mère de Ben, lançai-je, offusquée. Je suis la première personne qu'il amène chez lui depuis son divorce. »

L'expression d'Al était sans équivoque.

« Je t'assure.

— Peu importe. Ça ne change rien. C'est toi l'adulte dans cette affaire. Comporte-toi comme tel. Retournes-y et redresse la situation. Excuse-toi aussi d'avoir fichu le camp dès le premier signe de grabuge. »

Sur ce, Al quitta la pièce.

Je m'attendais à ce que Claudia s'excuse de l'humeur de son mari, mais non.

« Il a raison, tu sais. Tu as laissé à James la responsabilité d'expliquer aux filles pourquoi tu n'étais pas là ce matin. Quelle conclusion doivent-ils en tirer tous les quatre ? Dès que les filles font un faux pas, délibérément ou non, tu prends la poudre d'escampette. Tous les parents savent que les enfants ont besoin de constance. Si j'étais à la place de James, j'entendrais retentir l'alarme. Alors, fais attention. Si c'est bien l'homme que tu crois, il protégera ses enfants avant tout, même si cela signifie qu'il perdra la fille de ses rêves. »

Les vents de la colère tombèrent et je perdis brusquement de ma verve.

« Ce serait dommage, Tessa, parce que je vous ai vus ensemble. Je pense que tu es bel et bien la fille de ses rêves, et il est l'homme idéal pour toi. »

Mon portable sonna. C'était l'homme Poivre et Sel. J'avais peur de répondre. Claudia appuya sur la touche verte et me le passa.

« Joue franc-jeu », chuchota-t-elle d'un ton ferme en me laissant seule sur le canapé.

« Alors ? demanda-t-elle quand je la rejoignis dans la cuisine dix minutes plus tard.

— Je me suis confondue en excuses et j'ai promis que ça ne se reproduirait pas.

— Bravo. Ça n'a pas dû être facile.

— Plus facile que je ne le pensais. Vous aviez raison tous les deux. J'ai eu tort de partir. C'est le genre de choses que font les ados. Il a été très gentil, comme à son habitude.

— Évidemment. C'est un mec bien », dit Al. Ce qui était significatif à mes yeux, dans la mesure où on ne fait pas beaucoup mieux qu'Al.

Je hochai la tête.

« Bon alors, que vas-tu faire ?

— Il emmène les filles à la piscine.

— Tu ferais bien d'y aller.

— Il est préférable que je les laisse seuls aujourd'hui, à mon avis.

— N'importe quoi ! lança Claudia, et tu le sais très bien. Où est passée ta volonté, ma fille ? Tu dois prendre le taureau par les cornes.

— Je n'ai pas de maillot.

— Je peux t'en prêter un.

— Tu fais la moitié de ma taille, ma chérie.

— Vipère ! lâcha-t-elle en plissant les yeux. Je ne t'ai jamais aimée.

— Moi non plus, répondis-je en riant.

— Allez ! Fiche le camp. »

Je m'aperçus que j'étais clouée sur place.

« J'ai les boules, marmonnai-je.

— Tant mieux, lança Al en levant les yeux de son journal. Ça prouve que tu n'es pas sûre de ton fait, si bien que tu prendras peut-être un peu plus de précautions à partir de maintenant.

— Je te demande pardon, Al. Tu avais raison sur toute la ligne. Mais s'il te plaît, lâche-moi un peu, tu veux ?

— Non.

— Pourquoi pas ?

— Parce qu'il se trouve que je suis d'accord avec ma femme. Vous êtes faits l'un pour l'autre, James et toi, et je veux que ça marche pour vous tous. Cela dit, ça ne servirait à rien de prétendre que ça se fera tout seul. »

Je me passai la main dans les cheveux.

« Nom de Dieu, les choses sont-elles toujours aussi compliquées ? »

Al et Claudia échangèrent un regard.

« Oui », me répondirent-ils à l'unisson en souriant tristement, le regard plein de tendresse. Les complications, ils connaissaient ça par cœur. Ils n'avaient jamais pu avoir l'enfant dont ils rêvaient. « À présent, cesse de tergiverser et file à la piscine. »

Je me tournai vers la porte.

« Je pourrais toujours les épater avec ma nage synchronisée, dis-je.

— Eh ben voilà ! » s'exclama Claudia.

Ce n'était pas une plaisanterie.

Ce soir-là, après un après-midi où il s'était ingénié à me faciliter les choses plus que je ne le méritais, James me rejoignit sur le canapé, armé d'une bouteille de vin et de deux verres. Les filles avaient été rapatriées saines et sauves chez leur mère. Effectivement, je les avais bluffées avec ma nage synchronisée. Amber elle-même avait paru impressionnée.

« Je suis désolée…

— Ça suffit, Tessa. Tout est oublié. Arrête de t'excuser, s'il te plaît. »

Je hochai la tête.

« Bon alors, maintenant, dis-moi la vérité.

— À quel sujet ?

— Dans quelle partie terrifiante de ton ancienne vie as-tu appris la natation synchronisée ? Disposes-tu de toute une collection de bonnets en plastique avec des fleurs dessus ? Faut-il que je craigne le pire ?

— Absolument », répondis-je. Il remplit généreusement les deux verres. Je bus une gorgée avec bonheur. « Eh bien, ce n'était pas exactement le club Med.

— Quoi alors ?

178

— Le centre de rééducation de la Reine Elisabeth à St. John's Wood. »

James me considéra d'un air grave.

« Pas moi, m'empressai-je de préciser. Maman.

— Oh. »

J'avais emmené James à plusieurs reprises chez mes parents le week-end. Ça s'était bien passé ; il était évident qu'ils l'aimaient bien. Je ne lui en voulais pas d'avoir oublié la bombe à retardement. La sclérose en plaques est une sale maladie, on ne sait jamais quand ni où elle va frapper. Cela faisait près de vingt ans que maman s'était réveillée un matin sans pouvoir bouger les jambes. Papa avait pensé qu'elle avait eu une attaque, mais les médecins avaient diagnostiqué une sclérose. James avait vu une femme relativement en forme, mais c'est parce qu'il n'avait pas connu la tornade que maman avait été. Ses jambes sont son point faible. Je la vois faire attention où elle met les pieds à chaque pas. Elle marche sur une corde raide dans la vie, sans harnais ni filet de sécurité.

« Papa et moi nous relayions pour l'accompagner à la piscine pour sa rééducation. Bess, sa kiné, était une nageuse synchronisée canadienne, ex-championne olympique. Une femme incroyable. Elle rendait les choses amusantes, et à un moment donné, vers le quatrième mois, je me suis rendu compte que nous avions tous arrêté de redouter ces séances. Le pire, c'était d'aider maman à s'habiller et à se déshabiller. Papa est encore capable d'exécuter un beau saut du dauphin. » Je n'avais jamais su si ces exercices assidus à la piscine avaient permis à maman de se remettre sur pied, ou si c'était la magie de Bess, l'extraordinaire générosité des

179

soins qu'elle prodiguait, qui avaient opéré. « Maman et elle sont toujours en contact. »

James m'attira contre lui. Nous gardâmes le silence quelques instants. Un silence que je trouvai rassurant. En temps normal, je remplis ces moments d'angoisse de bruit. La télé, la radio, de longues conversations téléphoniques, le pub, des sottises… Avec James, les choses déplaisantes semblaient moins déplaisantes. Ma mère avait la sclérose en plaques. Certes. Elle avait des jours avec et des jours sans, des jours où ses remèdes la clouaient au lit, ce qu'elle avait en horreur, mais je n'avais plus à me montrer courageuse pendant ces périodes-là. Des moments aussi où tout allait bien pour elle et où j'avais plus peur que jamais. J'éprouvais un soulagement énorme, incroyable. Les bouderies d'adolescente, je pouvais m'en accommoder. Ce que je pensais ne plus pouvoir supporter, c'était la solitude. Al, Claudia et Billie avaient raison. Il fallait que je fasse en sorte que ça fonctionne. Pour nous tous. James m'embrassa.

« Je t'aime tellement fort, dit-il. Il y a des moments où ça me fait peur. Je ne sais pas ce que j'ai fait pour te mériter, et je redoute que quelqu'un là-haut ne se rende compte qu'on ne t'a pas envoyée au bon destinataire et qu'un autre devrait avoir le droit de dire que tu lui appartiens. »

Je le dévisageai en clignant des yeux, sidérée.

« Tu ne parles pas sérieusement, si ? Je me suis comportée comme une vraie conne hier.

— Tout est oublié, je te l'ai dit. Et si, je suis sérieux. Je ne m'attendais vraiment pas à avoir une deuxième chance. Quand Bea est partie, quand j'ai compris qu'elle ne reviendrait pas, je me suis mis au point mort, en quelque sorte. J'ai des amis qui ont perdu leur femme à cause d'une horrible maladie, et puis ils ont rencontré quelqu'un d'autre, ils se sont remariés. J'ai toujours trouvé ça étonnant. Leur nouvelle épouse était tout à fait charmante, mais ce n'était pas la même chose. Je les ai toujours considérées comme des modèles légèrement inférieurs à l'original. C'est terrible à dire, non ? Mais toi ? Tu es parfaite. »

J'aurais voulu le démentir. Le convaincre du contraire. Mais il m'embrassa de nouveau, de petits baisers tout doux sur la bouche et autour, jusqu'à ce que je me mette à gémir et que mes entrailles se retournent, toute velléité de protestation envolée. Nous avions l'appartement pour nous deux. Et nous en fîmes bon usage.

Je m'étais fait une promesse. Je ferais le nécessaire pour faciliter les choses aux filles. Billie, Claudia et Al m'avaient donné de bons conseils et j'aurais été bien bête de ne pas les écouter. James m'aimait. Et il aimait ses filles. Rien d'autre n'avait d'importance. J'adoptai donc une forme de schizophrénie volontaire. Du lundi au vendredi, j'étais une femme active. Juriste. Même si je me posais parfois des questions. Le week-end où j'avais James pour moi toute seule, j'étais égoïstement amoureuse. Plus rien n'existait en dehors de lui et moi. Et j'appréciais d'autant plus ces moments-là que, un week-end sur deux et le mercredi soir, j'enfilai le manteau qui me rendait invisible, je parlais uniquement quand on m'adressait la parole, je cuisinais, je faisais la lessive et je dépensais de l'argent. Beaucoup d'argent.

7

Eau sauvage

Intéressant, non, la manière dont la vie vous joue parfois des tours ? Pendant longtemps, j'avais eu la conviction que je me marierais. Il y avait probablement eu de joyeuses soirées jadis avec Helen, Claudia, Francesca et Billie, mes amies de toujours, où nous avions imaginé la demande en mariage idéale. Si tel était le cas, je n'en avais pas gardé le souvenir. Mais j'étais persuadée qu'un jour viendrait où ça m'arriverait. Puis il y avait eu une longue période pendant laquelle j'avais pensé avoir largement dépassé la date limite de vente. On m'avait retirée des rayonnages pour me mettre à la poubelle.

Ensuite, à la faveur d'une sorte de crise de la quarantaine prématurée alliée à une remise en cause totale doublée d'un accès de folie, je m'étais imaginé que Ben, mon meilleur ami, aurait dû être mon mari. Cela aurait été parfait, si ce n'était qu'il avait épousé la femme idéale huit ans plus tôt. Al et moi étions témoins à leur mariage. Fabuleux discours, même si c'est moi qui le dis…

Dix-huit mois plus tôt, j'avais appris par la manière forte qu'on ne sait jamais ce que la vie nous réserve.

Ma ravissante amie Helen avait péri dans un tragique accident de voiture.

Je décidai alors qu'il était hors de question que je gaspille le reste de ma trentaine à imaginer le pire ou le meilleur puisque, quoi que j'envisage, ça ne se passerait pas comme ça. Ce sont les tours que nous joue la vie. Elle possède une bibliothèque aussi riche que la photothèque Getty, remplie d'événements imprévisibles. Celui qu'elle avait en réserve pour moi ce jour-là l'était tout particulièrement.

James et moi étions serrés l'un contre l'autre dans la rame d'un métro bondé, cramponnés à la barre verticale, pareils à des bambins sur un carrousel. Dehors il pleuvait et les fenêtres étaient embuées par la vapeur provenant des manteaux mouillés. Ça m'était égal.

Nez à nez, nous nous souriions bêtement. J'avais conscience d'être devenue quelque chose que j'ai toujours eu en horreur, mais je m'en fichais. Nos lèvres se posaient les unes sur les autres entre deux phrases. J'étais merveilleusement loin de ce qui m'entourait. J'aimais cet homme. Un point, c'est tout. C'était l'élu de mon cœur et je voulais être à jamais à ses côtés.

« Tessa ?

— Hum ? fis-je en souriant d'un air rêveur.

— Veux-tu m'épouser ?

— Comment ?

— J'ai dit, veux-tu m'épouser ? »

183

Le reste du monde ressurgit et je devins intensément consciente de l'endroit où je me trouvais. Dans le métro, à l'heure de pointe. J'avais un parapluie calé entre les fesses. Je voyais les points noirs dans la graisse qui enrobait les narines de l'homme assis au-dessous de moi. Quelqu'un avait mis une dose franchement excessive d'Eau sauvage ; quelqu'un d'autre avait pété. C'était donc ça ? Le moment que j'avais prétendu ne pas avoir imaginé ? Où étaient le coucher de soleil, le champagne, l'intimité ? Où était ma réponse ? Eh bien, les demandes en mariage ne sont pas aussi faciles à gérer qu'il y paraît. Les imaginer et les vivre sont deux choses entièrement différentes.

Je remarquai que les gens autour de nous étaient attentifs à ma longue pause. Quelqu'un écarta même les écouteurs de son iPod de ses oreilles. Il fallait que je dise quelque chose. « Tu me demandes ça sérieusement ? » J'essayai de gagner du temps. On aurait dit que j'avais laissé mon cœur et mes tripes dans le tunnel où il m'avait posé la question la première fois.

« Sans le moindre doute. Veux-tu m'épouser ? »

Arrête ! On est dans le métro, nom de Dieu ! Mais James avait ce regard intense et je compris qu'il était là où j'avais été : dans la guimauve. Il avait oublié les 759 personnes avec lesquelles nous partagions ce wagon. Quant à moi, je sentais 1 518 yeux rivés sur moi – en fait 1 517, en tenant compte du vaurien borgne qui rôdait à la périphérie de mon champ de vision. Concentre-toi, ma fille ! N'étais-je pas justement en train de me vautrer dans la béatitude ?

Doux Jésus, c'était plus dur que cela n'en avait l'air dans les films. Si je l'aimais autant que je le pensais, pourquoi est-ce que je ne lui sautais pas au cou en hurlant : « Oui, oui ! » et pourquoi, oh, pourquoi mes tripes me disaient-elles qu'il y avait vraiment trop d'Eau sauvage dans l'air ? Si je disais à haute voix ce que j'avais en tête, est-ce que je ne risquais pas de tout gâcher ?

« Oui », dis-je. Mais avant que ses oreilles aient transmis le message à son cerveau, j'ajoutai : « Non. » Plutôt fort.

« Non ?

— Désolé. Seigneur, James, j'en ai envie, vraiment, je t'aime tellement. Mais je ne pense pas que les filles soient prêtes pour ça. C'est trop tôt. Ce n'est pas juste envers elles. »

Je vis une femme hocher la tête. Tire-toi de mon décor !

« Nous ne sommes pas obligés de nous marier tout de suite. Nous pourrions prolonger nos fiançailles, dit-il.

— Je ne veux pas de longues fiançailles. Je serais prête à t'épouser aujourd'hui, mais je n'ai même pas rencontré Bea, ni ta famille.

— Ils vont tous t'adorer.

— As-tu demandé aux filles ce qu'elles pensaient de moi ? Amber en particulier. »

La situation s'était arrangée avec les deux plus jeunes, mais Amber demeurait impénétrable. J'avais le sentiment de faire mon maximum, mais ce n'était pas suffisant. Elle gardait ses distances. Si j'en avais parlé à James, il m'aurait répondu que je me faisais des idées.

185

C'était la raison pour laquelle je m'en étais abstenue. Je pris son visage entre mes mains. « Elle est plus protectrice envers toi que tu ne t'en rends compte. » J'avais envie de dire « possessive », mais je m'efforçais d'être honnête et diplomate en même temps. Pas facile. « James, je suis fille unique. J'ai peur de ne pas être très douée pour le partage.

— Tu refuses, alors ?

— Je dis que je dois apprendre à gérer la situation.

— Alors, c'est oui ? » s'exclama-t-il avec un sourire radieux. Face à son bonheur, mon cœur se mit à battre à tout rompre.

« C'est compliqué.

— Ne complique pas les choses. Ça n'a rien de compliqué. Je t'aime. Tu m'aimes.

— Tu as trois filles qui ne me connaissent pas.

— Épouse-moi, et elles apprendront à te connaître. Ce sont mes enfants. Fais-leur confiance, s'il te plaît. Je les connais. Elles vont être ravies. Un papa tout seul, c'est bien pire !

— Évidemment qu'elles t'aiment. Je ne vois pas ce qu'on peut ne pas aimer chez toi. »

Il me sourit.

« Alors, c'est oui.

— James…

— Allons, Tessa. Qu'est-ce qu'on attend ? »

Oh, et puis flûte ! Il y a des moments dans la vie où il faut se jeter à l'eau. On réglerait les détails plus tard.

« Repose-moi la question.

— Quand ça ?

186

« — Maintenant.

— Tessa King. Veux-tu m'épouser ?

— Oui », répondis-je.

Il m'embrassa alors, et je fus submergée par tant d'amour que mon cœur supplanta ma raison, et je ne vis plus que des pétales de roses, des robes blanches et des happy ends à répétition. Amen. Cela faisait plus de trente-cinq ans que je vivais avec des images de contes de fées dans la tête. Il faudrait plus que trois mouflets et la Northern Line pour les effacer.

Je me dirigeai vers mon bureau, indifférente au tohu-bohu du lundi matin. Si j'avais fonctionné normalement, j'aurais remarqué l'intensité accrue des bruits de couloir. Mais je ne fonctionnais pas normalement.

« La vache ! » s'exclama Matt en tendant les bras pour prendre mon manteau. Je le laissai me l'ôter. « T'as entendu la nouvelle ? »

Je le dévisageai d'un air morne.

« Un journaliste du *News of the World* a surpris Sulky Jo en train de baiser avec Danny Treadfoot.

— Quoi ?

— Le fiancé de Carmel. »

Matt secoua la tête, frustré.

« Jo et Carmel. Les Bonnes Belles. »

Je n'avais toujours pas percuté.

« Danny Treadfoot, son fiancé, le meilleur buteur de Manchester ? » Je le regardai en fronçant les sourcils. « Qu'est-ce que tu as à la fin ? Tu as un problème ou quoi ?

— James m'a demandé ma main, dis-je.

187

— Quoi ?

— James. Il m'a demandé de l'épouser.

— Oh, mon Dieu !

— Dans le métro !

— Quoi ? » Il paraissait horrifié. « Quelle ligne ?

— Matt !

— Était-ce une ligne agréable au moins ? La Centrale ou Piccadilly ? Ou était-ce la déprimante Hammersmith ou la City ? » Il frissonna. « Seigneur, dit-il. C'était la Northern, c'est ça ?

— Elle était bondée. »

La porte de mon bureau s'ouvrit à la volée.

« Carmel a l'intention de faire un procès à Sulky Jo pour les pertes de revenus à prévoir, dans la mesure où elle ne pourra pas assurer la promotion du nouvel album. Le simple fait de se trouver dans la même pièce que son ancienne coéquipière la rendrait malade physiquement. Elle a un certificat médical pour le prouver. Le département juridique veut que tu obtiennes une injonction. Moi, je veux que tu attendes. » Linda caquetait comme une poule. « Béni soit ce petit connard, on n'aura pas besoin de se faire chier avec la promotion après ce coup-là. Génial, ce gus ! Si je n'avais pas appris que Sulky Jo se tapait Danny, je l'aurais inventé. » Linda nous dévisagea, Matt et moi. « Haut les cœurs, les gars ! Ce genre de merde produit des disques de platine.

— C'est pas ça, dit Matt.

— Il y a eu un décès ? »

Comme je n'avais pas la moindre envie de parler, Matt répondit à ma place.

« James a demandé Tessa en mariage.

— Sans déconner !

— Dans le métro, précisa-t-il.

— Tu ne vas pas prendre ça au sérieux, me lança Linda avec emphase. C'était manifestement improvisé, partant, nul et non avenu.

— Juste un réflexe automatique, commenta Matt. Elle a raison. Ignore !

— Absolument. Oublie », renchérit Linda, et ils me dévisagèrent tous les deux.

Je ne savais pas trop ce qu'ils attendaient de moi.

« Tu as pigé ce qu'il fallait faire pour cette merde avec Sulky Jo ? »

Je hochai la tête.

« Super ! Je veux que la presse s'en gargarise pendant des jours et des jours. Où ça s'est passé, combien de fois dans la nuit. L'équipe de Manchester s'en balance, tant qu'il passe pour un étalon. C'est impératif. Je vais leur garantir cinq fois par nuit, minimum. Pas d'injonction dans cette affaire. Au fait, dit Linda en sortant du bureau à reculons, que lui as-tu répondu ?

— J'ai dit oui.

— Oh, merde. » Elle revint dans la pièce, se laissa tomber lourdement dans le fauteuil face à mon bureau. « Qu'est-ce qui t'a pris de faire une chose pareille ? »

À l'heure du déjeuner, tout le monde était au courant. La boîte semblait scindée en deux. La moitié des employés pensait que James aurait dû attendre quelques jours jusqu'à la Saint-Valentin, l'autre moitié qu'une demande en mariage le jour de la Saint-Valentin était pire qu'une demande dans le métro. Le sujet avait cessé de m'appartenir à une heure cinq, si bien que, avide d'avoir un peu d'espace pour penser, je sortis des locaux et pénétrai dans le jardin de l'église en face pour gagner le chemin de halage le long de la Tamise. Je me sens toujours mieux près de l'eau. Mon portable sonna. C'était un numéro masqué. Déterminée à l'ignorer, mais bien trop consciencieuse pour ce faire, je répondis.

« Tessa King.

— Bonjour, Tessa King », fit une voix que je connaissais mieux que la mienne.

Je retrouvai le sourire. Le nœud entre mes sourcils s'effaça. Il y avait un temps fou que nous ne nous étions pas parlé et il avait fallu qu'il appelle maintenant.

« Oh, mon Dieu, Ben ! Tu n'aurais pas pu mieux choisir ton moment.

— Ça va ?

— Peux-tu quitter ton travail un moment ?

— Que se passe-t-il, Tess ? »

Il était la seule personne au monde à m'appeler Tess. Ça m'avait manqué.

« James m'a demandée en mariage. »

Il y eut un temps d'arrêt.

« Dis-moi où on peut se retrouver. J'arrive. »

Vingt minutes plus tard, il entrait dans le pub où j'avais trouvé refuge. Cela faisait plus d'un an que je ne l'avais pas vu. Il avait l'air d'aller bien.

« Seigneur, Tessa, tu vas te marier ?

— C'est l'impression que ça donne.

— Ça semble un peu rapide. »

Sa réaction était compréhensible dans la mesure où, il n'y avait pas si longtemps que ça, je lui avais déclaré ma flamme. Il est vrai aussi que c'était lui qui m'avait annoncé, à tort, que James était marié et qu'il avait des enfants, si bien qu'on ne pouvait se targuer ni l'un ni l'autre d'avoir eu un comportement exemplaire.

« Eh bien, disons qu'à mon âge je n'ai pas vraiment de temps pour la période de parade nuptiale idéale de deux ans.

— Et des enfants ? Vas-tu essayer d'en avoir ?

— Nom d'un petit bonhomme, mec ! Offre-moi un verre avant de te mettre à poser des questions pareilles !

— Désolé. Une pinte ?

— Disons un demi.

— Tu as changé.

— C'est rien de le dire », répliquai-je.

Il sourit.

« Je suis drôlement content de te voir, mon amie. Ça faisait trop longtemps. »

Aussi longtemps qu'il avait fallu pour permettre aux choses de se décanter entre nous. Mais à cet instant, plus que tout, j'avais besoin de retrouver mon vieux copain.

« Merci, dis-je.

— Pourquoi me remercies-tu ? »

Pour m'avoir laissé une porte de sortie. Pour m'avoir pardonné mon moment de folie. Pour ne pas avoir quitté ta femme. Pour m'accueillir de nouveau à bras ouverts.

« D'être venu, répondis-je.

— C'est à ça que servent les amis. »

Avec deux demis devant nous, il était évident que nous avions changé tous les deux. Nous nous installâmes pour parler mariage.

« Voilà ce que j'ai appris, dit Ben en ouvrant un sac de chips. Le mariage te donne une protection invisible face au monde. Tu disposes d'un punching-ball quand tu en as besoin. D'un complice s'il t'en faut un. D'un amant à dispo. D'un soutien permanent. Le plus compliqué, c'est de ne pas perdre de vue que la personne en question t'apporte tout ça en permanence. Tu en arrives à penser que tu ne le dois qu'à toi-même. Que tu es l'unique pourvoyeur de tous ces bienfaits. En conséquence, tu finis par en avoir marre des exigences de ton partenaire, du coût de ces services. La loyauté, le respect, la fidélité. Changer les ampoules quand tu te satisfais très bien de vivre dans le noir. Le plus dur, garder le sens de l'humour. La rancœur s'installe peu à peu. La lassitude. La sensation qu'il te manque quelque chose alors qu'en fait tu as tout. C'est juste que tu ne t'en rends plus compte. »

Je tentai de digérer ce qu'il venait de débiter. Mais je n'y arrivais pas.

« La vache ! fut tout ce que je trouvais à dire. Depuis quand es-tu si sage ?

— Je me suis mis à lire. C'est incroyable en fait. Nous nous croyons tous uniques, alors qu'on n'est qu'une bande de branleurs. » Il rit. « Le cap des sept ans. Tu sais ce que c'est ? Un fait statistique. Autour de la neuvième année, les taux de divorce montent en flèche, les relations entrent dans une zone de voile blanc. On est perdu, désorienté, on en a ras le bol l'un de l'autre, on n'en peut plus parce qu'on n'arrête pas de se fader des bosses qu'on n'avait pas vues. » Il remarqua que je fronçais les sourcils. « Des analogies liées au ski. Tâche de suivre. »

J'étais perplexe.

« J'ai compris l'histoire des bosses, mais pourquoi neuf ans ?

— Réfléchis, combien de temps durent en général les fiançailles ou les périodes où on se contente de sortir ensemble ? » Il répondit lui-même à la question. « Deux ans. Plus les sept ans, ça fait neuf en tout. Ce n'est pas par hasard que toi et moi avons failli nous mettre dans le pétrin au bout de ce laps de temps là précisément. Ne le prends pas mal, mais si ça n'avait pas été toi, j'aurais probablement fait le pitre avec une stagiaire quelconque. C'était inévitable au regard des statistiques. J'aime ma femme. Elle me tape sur les nerfs parfois parce que c'est une vieille bique qui en sait trop sur trop de choses. Mais c'est aussi pour ça que je l'aime. Tu me suis ?

— Je crois que j'ai besoin d'un autre verre. »

C'était ma tournée. Je revins avec deux autres demis.

« Comment ça se passe avec ses filles ? » demanda Ben.

J'esquissai un geste évasif.

« J'ai peur de devenir la méchante marâtre, quoi que je fasse.

— N'essaie pas d'être une belle-mère. Fais ce que tu sais faire le mieux.

— Picoler et rouler sous la table ? »

Il ignora ma remarque.

« Borne-toi à ajouter trois filleules supplémentaires à ta liste.

— Mes filleuls ne demandent qu'à m'aimer.

— Les filles ne t'apprécient pas ?

— Je pensais arriver à les amadouer à coups de vêtements de marque, de CD, de gloss brillants parfumés à la cerise, mais je crois qu'elles commencent à voir clair dans mon petit jeu.

— Subtil.

— À peu près autant qu'un cours de violon pour débutants. » Je fronçai les sourcils en pensant aux enfants étrangement sérieux qui avaient logé chez nous le mercredi précédent. « Je crois que je fais fausse route.

— Laisse-leur du temps, dit Ben. Comment peut-on ne pas t'aimer ? » Je serrai sa main dans la mienne en songeant à la force que mes amis me donnaient. Et à quel point il m'avait manqué. « James m'a demandé de l'épouser. Du temps, elles ne vont pas en avoir beaucoup.

— Tu penses que c'est un peu prématuré ?

— Oh, je n'en sais rien. Le reste de ma vie n'y suffira peut-être pas. Mais, si c'est bel et bien le cas, faut-il que je me jette à l'eau ou pas ? Existe-t-il des gens sur cette terre qui aiment leur belle-mère ?

— Évidemment.

— Qui ?

— Tu veux que je donne un nom ?

— Oui.

— Eh bien, pas Cendrillon de mes deux en tout cas.

— Non, fis-je en riant de désespoir. Pas elle.

— Alors, dis-moi, comment s'y est-il pris ? Serait-ce Jamie Theakston, la grande gueule de la radio, qui t'a transmis sa demande en direct pendant que vous preniez votre petit déjeuner au lit ? »

Mes épaules s'affaissèrent.

« Oh, non ! lança Ben en souriant jusqu'aux oreilles. Il a vraiment foiré.

— On pourrait dire ça comme ça.

— Dieu merci. Ça n'a pas pu être pire que ma propre demande en mariage.

— Vous étiez à Paris, en haut de la tour Eiffel. Tu vas me dire que Sasha avait le vertige ? »

Ben fit la grimace.

« Ça, c'était la deuxième fois. »

On croit connaître les gens…

« Et la première ?

— Ce n'était pas franchement mon heure de gloire.

— Raconte-moi, s'il te plaît. Je sens que ça va me faire du bien.

— Si jamais tu le dis à Sasha, je ne t'adresse plus jamais la parole.

— D'accord. Allez, raconte.

— Six heures du matin, complètement défoncé à l'ecsta…

— Quoi ?

— Mon morceau de bravoure ! Je te dis pas ! En jean, torse nu, couvert de sueur et tremblotant, j'ai hurlé ma demande sous la fenêtre de sa chambre avant de sombrer dans un état semi-comateux. On m'a transporté à l'hôpital pour un lavage d'estomac.

— Super !

— Elle m'a fait jurer de garder le secret.

— Pas difficile !

— Non. La honte totale. Mais j'étais sincère.

— J'ai toujours pensé que la tour Eiffel, c'était un peu *too much*. Je comprends maintenant. Il fallait que tu te rattrapes.

— As-tu remarqué la taille du diamant ?

— Souvent.

— Bon. À ton tour.

— Northern Line. Huit heures cinquante-trois.

— En retard !

— Je ne te le fais pas dire. »

Ce soir-là, je regagnai mon appartement de bonne humeur, grâce à Ben. Dans le métro ? Et alors ! Des gosses revêches ? Tous les enfants étaient revêches, ils répondaient, ils boudaient, ils piquaient des crises. Je ne devais pas le prendre personnellement. La seule chose qui comptait, c'était la question, et qui l'avait posée. Mon James Kent. Monsieur Poivre et Sel voulait m'épouser. En entendant son toc-toc familier à la porte, je courus lui ouvrir. Je me jetai à son cou et m'agrippai à lui comme un singe. Nous ralliâmes le canapé sans qu'il me lâche, malgré l'énorme bouquet de fleurs et la bouteille de champagne millésimé qui l'encombraient. Je me rendais bien compte que je ne lui facilitais pas la vie, mais maintenant qu'il était là, je ne voulais plus le lâcher.

« Je te demande pardon de ne pas avoir dit oui tout de suite.

— C'est ce que tu as fait. J'ai oublié le reste.

— Je ne pourrais pas être plus heureuse, dis-je en l'embrassant partout sur la figure.

— Tant mieux. Parce que toi aussi tu me rends très heureux.

— Je vais me marier ! »

Il sourit.

« Je sais.

— Excitant, hein ?

— Très. En as-tu parlé à tes parents ?

— Ils m'ont appelée deux fois aujourd'hui, mais je préférerais le leur dire en face. Ce week-end peut-être ?

— Ils n'arriveront peut-être pas à tenir aussi longtemps. »

Je haussai les sourcils.

« J'ai pris un verre avec ton père jeudi dernier.

— Il ne m'a pas dit qu'il venait en ville.

— Je suis allé à Oxford.

— Pour quoi faire ? » Je n'étais pas très rapide à la détente. « Oh ! »

James sourit.

« Tu as demandé à mon papa de quatre-vingt-huit ans la permission de m'épouser ? J'approche de la quarantaine, pour l'amour du ciel !

— Eh bien, je l'ai fait… » Il s'interrompit. Toussa. « Au nom de la tradition. J'ai pensé que ça lui plairait. »

Il avait eu l'intention de dire autre chose, mais j'enfouis cette réalité derrière des métrages de tulle, de soie et des choix de bouquets.

« Que t'a-t-il répondu ?

— Il a dit que la décision t'appartenait, bien sûr. Mais je tenais à le lui demander quand même.

— Pas étonnant qu'ils n'arrêtent pas de m'appeler. »

James se dégagea de sous moi.

« Alors, madame Kent, que diriez-vous d'un verre ? »

Je me levai.

« Mlle King adorerait boire un verre. »

Il croisait les bras. Je les décroisai. Lui saisis la main.

« Je ne veux pas être la deuxième Mme Kent.

— Il y en a plusieurs autres, tu sais. Ma belle-sœur, Faith, ma mère… »

Je l'attirai contre moi, me dressai sur la pointe des pieds et lui déposai un baiser sur le bout du nez.

« Tu vois très bien ce que je veux dire.

— Je suis tombé amoureux de Tessa King. Tu seras toujours Tessa King pour moi.

— Buvons pour fêter ça », dis-je en ouvrant la bouteille.

Après cela, nous laissâmes bêtement le champagne tiédir.

Plus tard, nous nous prélassions tête-bêche dans un bain rempli de bulles en trinquant à notre bonheur futur.

« Comment vas-tu annoncer ça aux filles ?

— J'ai pensé que nous devrions le faire ensemble mercredi soir.

— Tu ne crois pas que ce serait mieux que tu leur en fasses part toi, au cas où l'idée ne leur plairait pas ? Elles ne pourront rien dire si je suis là.

— Tessa, combien de temps va-t-il te falloir pour comprendre que ces enfants te trouvent géniale ? »

Je ne voulais pas lui dire qu'il avait tort.

« C'est trop tôt.

— Trop tôt ?

— Pas pour moi. Mais ça fait beaucoup de choses à digérer pour elles.

— Les enfants s'adaptent plus facilement que les adultes.

— Dis-leur sans moi au moins. J'apparaîtrai quand elles t'auront posé toutes les questions qu'elles auront envie de te poser et qu'elles ne te poseraient peut-être pas en ma présence.

— Il faut qu'elles sachent que nous formons un front uni. J'ai déjà commis cette erreur.

— Ce sera le cas. Mais accorde-leur ce privilège.

— D'accord, madame la sagesse, mais ça ne va pas être facile. J'ai envie de le crier aux gens dans la rue. »

Il m'embrassa le pied.

« Et Bea ?

— Euh, ça, c'est un peu plus compliqué. »

Je me redressai.

« Je pensais que tu m'avais dit qu'elle…

— Compliqué parce qu'elle le sait déjà.

— Quoi ? »

Je devinai que James s'était rendu compte de son erreur parce qu'il tendit le bras hors de la baignoire pour attraper la bouteille et se resservir. Tactique de diversion. Ça ne marchait pas si bien avec les femmes d'âge adulte.

« Ce que je veux dire, c'est que je lui ai dit que je comptais le faire, si bien qu'elle ne sera pas surprise. »

C'est moi qui n'en revenais pas ! Je suis sûre que dans le côté droit de mon cerveau, où la logique est censée résider, je pensais : *Annonce-lui la nouvelle en douceur, par étapes, préviens-la de ce qui l'attend.* Mettre l'ex hors jeu. Très futé. Mais à cet instant, je n'avais qu'une seule idée en tête, c'était que James avait informé sa chère et tendre Bea, sa confidente, la femme avec laquelle il avait parlé tard un soir jusqu'à point d'heure, avant de me le dire à moi !

« Elle regrette profondément ce qui s'est passé, Tessa. Elle veut juste que je sois heureux. Et je le suis. Et ça lui rend la vie plus belle, ne comprends-tu pas ?

— Je suppose, dis-je, même si je trouvais ça un peu louche.

— Après ça, bien sûr, il va falloir que tu rencontres le reste du clan Kent. Ils vont t'adorer, je le sais. Maman a proposé d'organiser un rassemblement informel un samedi où nous avons les filles.

— Ta mère ? dis-je en faisant la grimace. Comment est-elle ?

— Eh bien, disons qu'elle a une manière bien à elle de faire les choses.

— Bon, dis-je, pas plus avancée. Est-ce que j'invite mes parents ?

— Bien sûr. Plus on est de fous, plus on rit. C'est notre devise.

— Que dirais-tu de quelques copains pour me soutenir ?

— Gardons ça pour la fête des fiançailles, non ?

— La fête des fiançailles ?

— Eh bien, je ne pense pas que ce soit une bonne idée que tu découvres notre flopée de cousins le jour de notre mariage.

— Combien en as-tu ?

— Vingt-sept. »

J'avalai péniblement ma salive en plaignant d'avance mes trois cousins.

« Un grand mariage, commentai-je.

— Un superbe mariage. »

Je commençais à me prêter au jeu.

« On pourrait déployer une tente au-dessus du verger de mes parents de manière à couvrir les poiriers nains en les décorant de milliers de petites lampes.

— Tu y as déjà réfléchi, hein ? »

James avait l'air enchanté. Je ne compris pas tout de suite que je devais adapter ma réaction en conséquence. J'étais novice. J'apprenais sur le tas.

« C'est ce que j'avais prévu de faire pour leurs noces de rubis. Mais maman n'allait pas très bien cette année-là, alors nous y avons renoncé. J'avais calculé qu'on pouvait asseoir quatre-vingts personnes.

— Une fois la famille casée, ça ne laisse pas beaucoup de place pour les amis, souligna James, un peu tendu.

— Eh bien, dans la mesure où tous ces cousins ont déjà eu droit aux premières noces, ils accepteront sûrement de passer la main ce coup-ci. »

Je me rendis compte, trop tard, que j'avais dit une bêtise. James posa son verre sur le bord de la baignoire.

« L'eau est froide, dit-il.

— Je vais faire couler un peu d'eau chaude.

— En fait, je viens de me souvenir que je dois rappeler quelqu'un. On attend ma réponse. » Il se leva. « J'en ai pour une seconde. » L'eau baissa d'un coup. Je me sentis exposée. Il enveloppa une serviette autour de ses hanches et alla chercher son téléphone en laissant des empreintes de pied derrière lui. Je restai assise dans la baignoire froide, presque vide. Je regrettais d'avoir pris un ton aussi catégorique. Je n'avais pas réfléchi, c'est tout. En fait, ma remarque se voulait drôle. Ha ha. Mais que savais-je des conflits inhérents aux secondes noces ?

Nous oubliâmes cet incident, ou plutôt nous l'occultâmes. Et puis, quelques jours plus tard, par une soirée frisquette, James en mit plein la vue à tout le monde en venant me chercher au travail sur un taxi-moto Virgin. Je trouvai pour le moins significatif le fait que je n'avais pas passé une soirée de la Saint-Valentin avec qui que ce soit depuis l'âge de dix-huit ans, date à laquelle un hippie, sur une plage vietnamienne, m'avait offert un dreadlock en gage d'amour éternel. Pendant longtemps, j'avais aimé un homme que je ne pouvais pas avoir parce que c'était plus sûr comme ça. Il m'avait fallu encore plus de temps pour comprendre que mieux valait vivre dans un monde précaire que de ne pas vivre du tout.

J'ignorais où cette moto était censée nous mener, mais lorsque nous dépassâmes le cimetière Brompton, je commençai à avoir une petite idée. « Tu veux qu'on aille se peloter derrière une tombe ? hurlai-je dans mon casque quand nous nous arrêtâmes à un feu rouge. Ou dans un hôtel louche du coin ? » James brandit le pouce. Je lui envoyai un baiser. Nous nous rendions sur les lieux de notre premier rendez-vous. J'espérais que ça se finirait mieux cette fois-ci.

L'hôtel avait organisé une soirée de Saint-Valentin. Je supposais que James avait réservé une chambre, mais je m'abstins de lui poser la question. Du champagne rosé au bar. Il n'y avait que des couples autour de nous. La première chose que je remarquai, c'est que tous nos amis tourtereaux ne faisaient guère de bruit. Il y avait de la tension dans l'air, à vrai dire. Eh bien, nous, nous ne serions pas comme ça ! Si ce n'est que ce n'était pas très facile de se comporter normalement alors que douze autres couples écoutaient tout ce que nous nous disions. Après quelques horribles faux départs à propos de notre journée, qui paraissaient tellement banals dans le silence ambiant, nous nous tûmes aussi. La musique était insupportable. Un échantillonnage complet de toutes les chansons d'amour sirupeuses jamais écrites. Pourquoi ignorais-je cette réalité-là quand j'étais célibataire ? Pourquoi ne m'avait-on jamais précisé que les dîners de la Saint-Valentin étaient atrocement ringards et que j'étais bien mieux lotie avec un DVD et un plateau-repas ?

Un pâté de crabe rose arriva, en forme de cœur. J'éclatai de rire. Plusieurs femmes me fusillèrent du regard. Nous fîmes vaillamment de notre mieux, mais l'atmosphère oppressante du lieu engloutissait tout élan de joie. C'était absolument impossible d'être romantique sur commande. Un des couples était en train de se disputer. Dieu merci. Enfin un sujet de conversation ! Mais cette distraction bienvenue perdit franchement de son intérêt quand je me rendis compte que la pauvre fille était en train de se faire larguer, et non pas courtiser, comme elle l'avait espéré. Elle partit en larmes.

« James », chuchotai-je.

Il avait l'air d'un poisson hors de l'eau. C'était sa tour Eiffel à lui. Et je n'avais qu'une seule envie : sauter.

« Peu m'importe combien ça coûte. Je paie l'addition et nous fichons le camp.

— Quoi ? »

Je fis le geste de me trancher la gorge.

« Je suis désolée. Tu as fait ça pour moi, et je te remercie d'avoir essayé, mais foutons le camp d'ici avant que ça nous tue. »

J'avais dit tout ça en un chuchotement guttural.

« Il est hors de question que tu paies, répondit-il.

— Attends un peu. Tu vas voir. »

Je me levai, m'approchai du maître d'hôtel, l'informai que je souhaitais régler l'addition et partir. Puis je retournai à la table, tapai mon code et ce fut tout. Nous étions libres de nous en aller.

« Désolée, dis-je au gérant. C'est juste trop…

— Ne vous inquiétez pas. C'est la pire nuit de l'année. Le chef vient de remporter le gros lot.

— Le gros lot ?

— On avait parié sur le temps qui s'écoulerait avant que quelqu'un parte en pleurs. Le chef avait dit trente-six minutes. En plein dans le mille ! Amusez-vous bien. »

Je pris le bras de James et nous sortîmes dans la nuit. Nous trouvâmes un kebab dans Fulham Road, commandâmes des brochettes de poulet avec de la sauce piquante, et repartîmes en laissant des taches de sauce sur le trottoir dans notre sillage. C'était le bonheur. C'était nous. Et j'étais heureuse. Et impatiente de montrer à mon amoureux son cadeau de la Saint-Valentin.

Les lumières étaient allumées dans le salon. Je levai les yeux vers James.

« Ce n'est rien. Ma sœur Lucy est là. »

Je vis mon strip-tease au ralenti se volatiliser sous mes yeux et une boule se logea instantanément dans ma gorge. Je n'avais pas encore rencontré ses frères et sœurs.

Lucy était la cadette. Je m'arrêtai de marcher.

— Tu ne m'as rien dit.

— Bea avait besoin d'un moment de liberté, alors les filles sont chez moi. Je ne voulais pas annuler notre soirée. Heureusement, Lucy n'avait pas de projets.

— Pourquoi ne pas m'en avoir parlé ?

— Écoute, tu as fait des prouesses récemment pour passer du temps avec les filles, je pensais que tu aurais envie de rentrer à la maison ce soir pour les voir, or je voulais passer la soirée seul avec toi. »

« Envie » était une interprétation possible. James remonta l'allée et glissa la clé dans la serrure. J'avais le cœur au bord des lèvres.

« Jimbean ! s'exclama une jolie blonde dans l'entrée.

— Lucy, je te présente Tessa. »

Elle s'approcha de moi ; je lui tendis la main. Elle l'écarta et m'embrassa.

« Ravie de te connaître. Il n'arrête pas de parler de toi. » Elle sentait le patchouli. « J'adorerais rester discuter le bout de gras, mais j'ai un rendez-vous.

— Je suis désolée. On aurait pu rentrer plus tôt.

— Pas ce genre de rendez-vous-là. Je vais casser des assiettes dans un super resto grec de Soho avec des copines, dépenser un peu de tension sexuelle réprimée et beaucoup d'argent, boire à l'excès et flirter avec de beaux serveurs. Ensuite on ira en boîte.

— Je peux venir ? demandai-je.

— Non. Il faut que tu restes ici pour baiser avec mon frère. » Elle fit la grimace. « Je préfère que ça soit toi que moi !

— Ravie de l'entendre !

— Au revoir. On se verra chez papa et maman pour le baptême du feu, et Tessa, j'étais ravie de faire ta connaissance. Merci d'avoir remis un sourire sur le visage de ce vieux con. »

Elle jeta son sac en patchwork sur son épaule et agita la main.

« Elle me plaît, glissai-je à James.

— Tu les aimeras tous autant. » Il fronça les sourcils. « Bon, rappelle-toi ce qu'elle t'a dit de faire.

— Monte, *Jimbean,* belle bête ! Je te rejoins dans une minute avec ton cadeau de la Saint-Valentin.

— Puis-je ouvrir le paquet tout de suite ? » demanda-t-il en tendant la main vers la ceinture de mon manteau.

Je m'écartai de lui.

« Non. C'est moi qui l'ouvre. Toi, tu regardes. »

Son regard s'illumina et il fonça vers l'escalier.

Je n'avais jamais fait de strip-tease de ma vie. Il est vrai que je n'avais jamais été mariée, ni belle-mère. Et je n'avais jamais aimé quelqu'un au point d'en oublier l'effet que cela faisait d'être inhibée et même timide. Notre chambre était plongée dans l'obscurité. James était allongé sur le lit et je me tenais dans le faisceau de lumière qui s'infiltrait par la porte de la salle de bains entrouverte. On aurait presque dit un Jack Vettriano. J'avais même préparé de la musique et mis mon iPod en marche tout doucement, en fond sonore. C'était amusant. J'effeuillai mes vêtements langoureusement. J'entendais James gémir de temps à autre, mais je ne voyais pas son visage. Pour finir, je me retrouvai en slip et soutien-gorge de dentelle noire, porte-jarretelles et talons vertigineux.

« Viens ici, souffla-t-il.

— Non. »

Le soutif disparut ensuite, suivi d'un bas, puis de l'autre, mais je gardai les chaussures et le slip.

« Et maintenant le clou du spectacle », lançai-je. J'ôtai mon slip, le jetai par-dessus ma tête et pris une pause cochonne.

« Aaaaah ! »

Ce cri strident n'était pas la réaction à laquelle je m'étais attendue. La pièce fut brusquement inondée de lumière et de filles en pyjama poussant des hurlements. James rampa sur le lit et enfila le jean qu'il venait juste d'envoyer balader et je restai clouée sur place, le dos cambré, un doigt humide désignant bêtement le cœur rose entre mes jambes. Je dis bêtement parce que l'art pubien que j'exhibais n'avait pas besoin de davantage d'attention qu'il n'en recevait déjà.

« Aaaaah ! » hurla Lulu de nouveau.

Trop tard, mes jambes me portèrent à la hâte dans le sanctuaire de la douche. Là, je m'enveloppai dans une serviette, m'accroupis derrière une porte rapidement verrouillée en jurant de ne plus jamais ressortir. J'ai de l'eau, au moins, pensai-je. Qu'est-ce qui m'avait pris de me faire tailler les poils du pubis en forme de cœur et de les teindre en rose ?

8

No man's land

Il ne fut jamais question du cœur rose. James avait dû en toucher un mot aux filles, mais il ne le confirma pas, pas plus qu'il le nia lorsque je lui posai la question. J'aurais préféré des ricanements au mutisme auquel je fus confrontée. J'aurais participé à une bonne blague au moins. J'étais la seule à sentir les démangeaisons dans ma petite culotte. Seule à avoir des suées la nuit. En revanche, je ne pense pas que j'étais la seule à faire semblant d'avoir oublié. James se tenait désormais à une distance respectable de moi en présence des filles, et chaque fois que je tentais d'aborder le sujet, il l'écartait d'un geste. En fait, chaque fois que j'essayais de lui parler d'une chose qui concernait ses enfants et moi, il répétait ce qu'il avait toujours dit : elles m'adoraient, tout allait bien. J'étais loin d'en être convaincue et multipliais les maladresses avec les filles, tout en étant parfaitement consciente que j'en faisais trop.

En dépit de mes craintes profondes, James insista pour les informer de notre projet de mariage. Il prit un après-midi de congé, alla les chercher à l'école et les emmena manger des glaces. Après quoi il leur annonça que nous voulions nous marier, avec leur bénédiction. Je n'étais pas là, aussi suis-je forcée de me fier à sa parole : elles étaient ravies. Maddy et Lulu étaient tout excitées à l'idée d'être demoiselles d'honneur, Amber aussi peut-être, quand elle s'autoriserait à l'être. C'était tout au moins l'impression que j'avais. Un jour, elle manifestait un certain enthousiasme, et puis elle sombrait dans le silence et faisait la moue toute la journée du lendemain. Je ne savais jamais trop à quelle Amber j'allais avoir affaire.

J'aurais adoré mettre ces sautes d'humeur sur le compte d'hormones erratiques, mais James m'informa qu'elle n'avait pas encore ses règles, si bien que, même avec les meilleures intentions du monde, je m'estimais responsable.

J'avais la ferme intention d'y aller piano, pour son bien, mais une fois que la nouvelle de nos fiançailles fut divulguée, les choses s'accélérèrent et je fus contrainte d'affronter ce que je ne pouvais plus éviter désormais : la famille de James.

« Allons, Tessa, j'ai promis qu'on serait là de bonne heure. »

Cela faisait trois fois que James m'appelait du bas de l'escalier. Mais je n'étais toujours pas prête. Mes chaussures Jimmy Choo qui apportaient une touche de sex-appeal à ma tenue élégante et distinguée s'étaient volatilisées. Je l'entendis monter l'escalier au galop.

« Et celles-ci ? dit-il en pointant l'index vers le sol.

— Les chaussures que je mets pour aller au tribunal ? On dirait des pompes de gardienne de prison.

— Même avec des bottes en caoutchouc aux pieds, tu serais ravissante, dit-il. Allons-y. »

Vaincue par ma propre détermination à ne pas être « ce genre de fille », je glissai mes pieds gainés de soie dans ce qui me fit l'effet d'après-ski et lui emboîtai le pas. Ce que j'avais envie de faire en réalité, c'était de piquer une méga crise et de refuser d'aller où que ce soit tant que mes souliers de vair n'auraient pas réapparu là où ils étaient censés être.

En arrachant mon regard de la vision déprimante à mes pieds, je me tournai vers les filles sur la banquette arrière.

« Oh, Amber, j'ai failli oublier. J'ai réussi à dégoter un billet supplémentaire pour le concert privé des Belles. Il y a une réception après.

— Je les déteste. Jo est une sale garce. Elle a piqué le petit ami de sa copine, me répondit-elle en me gratifiant d'un regard appuyé avant de porter son attention sur son père.

— Tu sais très bien que je n'ai pas… »

Je m'interrompis.

« Pas quoi ? » fit-elle.

Qu'étais-je sur le point de dire ? Que je n'avais pas volé James à sa mère, ou que je ne le lui avais pas volé à elle ? C'est pourtant ce que j'avais fait, pas vrai, Amber ? Et c'est là que le bât blessait.

« … pas pensé que ça te mettait dans cet état-là.

— Ces filles-là, ce sont les pires. Des vraies peaux de vache ! »

Elle cracha cette expression avec un tel venin que cela ne laissa aucun doute dans mon esprit : l'animal auquel elle faisait référence était plus canin que bovin. Mais elle ne pouvait pas encore me traiter de chienne. Pas en face, en tout cas. Elle se détourna et regarda fixement par la fenêtre. Je crus voir une expression de peine confuse se refléter dans la vitre, mais je me trompais. C'était juste une moue boudeuse.

Lorsque nous arrivâmes chez les parents de James, à la lisière de Hatfield, la porte d'entrée s'ouvrit à la volée et un homme aux cheveux blancs qui devait être son père nous fit signe. C'était James avec davantage de rides d'expression et plus de poivre. Que du sel ! Il était beau, comme son fils, avec des yeux bleu clair et un sourire à la Don Johnson. Derrière lui se tenait une femme distinguée en robe de cocktail noire. Les filles coururent vers leurs grands-parents. J'hésitai à avancer, comme l'intruse que j'étais.

« Maman, papa, dit James en m'entraînant vers eux, je vous présente Tessa. »

Peter m'embrassa sur la joue.

« Ravi de vous rencontrer. Je présume que vous avez besoin d'un bon verre. Martini ? »

Je fis la grimace.

« Est-ce raisonnable si tôt dans la journée ? »

J'eus droit à une étreinte de la part de Honor.

« Impératif, je dirais, me répondit-elle en souriant. Ne vous inquiétez pas. Tout va bien se passer. J'ai pris des cocktails de fruits exotiques pour vous, les filles. Venez me donner un coup de main dans la cuisine. Et toi, Jimmy ? Martini ? »

Nous les suivîmes à l'intérieur.

« Il vaut mieux que je prenne une bière, papa. Je conduis.

— Mettez-vous à l'aise. On revient. Tessa, ça fait très plaisir de vous avoir. Nous sommes si heureux pour vous.

— Merci. »

Les filles disparurent dans le sillage de Honor et Peter, nous laissant seuls dans le hall d'entrée.

« Jimmy ?

— J'en ai bien peur. »

Il fit la grimace.

« Jimmy, répétai-je. Ça fait bizarre. Je crois que je préfère encore Jimbean. »

Il enfouit ses mains dans ses poches.

« Pas de souci. Tu peux continuer à m'appeler M. Kent si tu veux. »

Nous restâmes plantés là, légèrement mal à l'aise.

« En voilà deux de réglés, soufflai-je.

— Il n'en reste plus que trois millions », répondit James.

Il me conduisit dans un salon chic-négligé décoré à la perfection. Des canapés blancs confortables, un feu dans la cheminée, une myriade de coussins colorés, des bougies parfumées et des beaux livres sur l'art et l'architecture – tout ce qu'il fallait pour se sentir à l'aise, ce qui ne nous empêcha pas de sombrer dans un silence malaisé. Avide de donner l'impression d'un couple heureux, détendu, je m'empressai de combler ce silence. J'aurais dû me satisfaire d'une contemplation discrète de mes galoches.

« Que penses-tu de ce qu'Amber a dit dans la voiture ?

— Impressionnant, j'ai trouvé. Les filles de ce genre sont abominables. À mon époque, pourtant, elles avaient un succès fou. Je n'ai jamais compris. »

Une pause prolongée.

« Tu n'as pas trouvé sa remarque un peu… » Je cherchai un terme moins incendiaire que « désobligeante ». « … franchement désobligeante ? » En vain.

James pencha la tête de côté d'un air faussement perplexe.

« Comment ça ? »

Tu sais très bien ce que ça veut dire, chenapan !

« Eh bien… dirigée contre moi ? »

— Ne sois pas ridicule, Tessa. Elle parlait des chanteuses d'un groupe.

— Tu ne vois vraiment pas…

— Jimbean !

— Salut, Lucy. »

Celle que je connaissais. Merci, mon Dieu !

Elle se tourna vers moi.

« Tu es parée ? »

Je secouai la tête.

« Eh bien, c'est trop tard maintenant, ils sont venus en masse. »

Une vague de clameurs s'éleva derrière la porte.

« Tout le monde était dans la cuisine, comme d'habitude, ajouta Lucy. Ils sont impatients de te voir. » Le bruit s'intensifia. « Prépare-toi à l'impact. »

J'éprouvai une envie presque irrésistible de me couvrir le visage des deux mains, mais j'étais incapable de faire un mouvement. Les portes s'ouvrirent et là, devant moi, se dressa une photo de famille digne de l'ère victorienne. Mater, pater, Faith et Luke et, devant eux, les enfants. Ils me regardaient tous. Ou plutôt, ils regardaient mes chaussures.

« Bonjour, dis-je, je suis Tessa. »

Ils s'avancèrent telle une amibe multitête et la force de leur présence me fit basculer sur le canapé. On me bécota beaucoup, quelqu'un me tendit un verre, puis un autre, Peter porta un toast au couple heureux, tout le monde applaudit et on me bécota de plus belle.

« Alors, vous êtes juriste ? » demanda Luke, mon futur beau-frère. Ce que ça pouvait faire bizarre !

« Dans le show-biz, c'est ça ? répondit Faith.

— Les droits d'auteur, les procès en diffamation, ce genre de choses ? enchaîna Luke.

— Ça, c'est le côté sympa. Il s'agit surtout de signature de contrats, lui répondis-je avant que sa femme puisse le faire à ma place.

— Tu n'aurais pas un frère ? Je n'ai personne dans ma vie en ce moment, lança Lucy.

— Lucy !

— Qu'est-ce qu'il y a ? Je ne vois pas pourquoi elle garderait ça pour elle. Ça fait du bien de partager.

— Désolée, Lucy. Je suis fille unique. Mais j'ai quelques copains célibataires que je pourrais te présenter.

— Pas ce fonctionnaire ! intervint James d'un ton contrarié.

— Il est sexy ? demanda Lucy.

— Très. »

Un petit garçon apparut et grimpa sur les genoux de Faith.

« Vos parents viennent-ils ? demanda cette dernière.

— Malheureusement pas. Papa s'est fait mal au pied en dansant. Ils n'ont pas pu se déplacer.

— En *dansant* ? s'exclama Luke. Je croyais qu'il était… »

Il n'acheva pas sa phrase.

« Luke ! Franchement !

— C'est vrai qu'il n'est plus tout jeune, dis-je, volant à son secours.

— Mais pas infirme apparemment », dit Faith en glissant sa main dans les cheveux de son mari.

Je sentais qu'elle s'efforçait d'être de mon côté tout en protégeant son territoire. Amber m'avait dit que Bea et elle se voyaient souvent, si bien que je ne savais pas trop à quoi m'en tenir.

« Le père de Tessa est un homme extraordinaire. À quatre-vingt-huit ans, il serait capable de me damer le pion, dit James en me prenant la main.

— C'est le cas de la plupart des gens, mon vieux, riposta Lucy.

— Et votre maman ? » demanda Honor.

Je tournai la tête dans tous les sens pour essayer de suivre. J'avais l'impression d'être à un match de tennis en double.

« Malheureusement, elle n'est pas assez bien pour conduire en ce moment. »

Elle ne l'est jamais !

« Oh ! Aurait-elle attrapé cet horrible microbe qui circule en ce moment ? intervint Faith. Charlie a dégobillé pendant des jours. Des tas d'enfants ont manqué l'école. »

Je pensais qu'ils étaient au courant pour la sclérose en plaques. Je m'armai de courage en prévision de l'histoire que je détestais raconter, mais qu'on sollicitait toujours. Quand, comment, quoi, où, ma pauvre, j'ai un ami… Mais cela n'eut pas lieu. Il se produisit un brusque revirement.

« Bea m'a dit qu'ils avaient carrément fermé l'école, dit James.

— Ça ne s'est pas arrêté là. Les inspecteurs sanitaires ont trouvé des traces de salmonelle. Nous sommes en train de constituer un comité. Ils sous-traitaient jusqu'à présent… »

Cet échange fut suivi d'un pseudo-débat à propos des travailleurs illégaux mineurs. Quelqu'un parla d'une jeune Vietnamienne de quatorze ans que l'on avait découverte à la caisse d'un supermarché, ce qui suscita une brève discussion afin de déterminer si le Vietnam serait une destination sympa pour le Noël de la famille Kent.

Puis Faith se tourna vers moi.

« Alors, Tessa, pour en revenir à nos moutons… »

J'étais prête pour mon laïus à propos de la santé de ma mère.

« … Où est la bague ?

— La bague ?

— La bague ! Oui, où est-elle ? insista Emma en m'agitant son propre caillou sous le nez.

— Je n'en ai pas encore, dis-je en regardant bêtement mes doigts dénudés.

— Pas pu arracher la bague de Nona des doigts morts de Jimbean », commenta Charlie, le gamin de cinq ans assis sur les genoux de Faith.

Je ris, mais j'étais la seule.

« Charlie ! protesta Luke, son père.

— Quoi, papa ! C'est ce que t'as dit dans la voiture.

— Luke ? »

C'était James. Froissé manifestement. Et pas parce que la situation me mettait mal à l'aise.

« Désolé, vieux. J'oublie parfois que nous vivons avec un perroquet humain.

— La question n'est pas là. »

Luke hocha la tête d'un air penaud.

« Cette bague ira à Amber, dit James. Nous en avons parlé. Bea la garde en attendant. »

Attends une minute. Bea ? Je pensais que nous parlions… Oh, mon Dieu ! J'eus l'impression que la pièce avait enflé brusquement, puis rétréci. Jim Bean. Bea. Jimbean, ce n'était pas lui. C'étaient eux, ensemble !

« Elle la *portait* à l'anniversaire de Luke, Jimmy.

— Et alors ? demanda James, défendant son ex-femme.

— Mamy pense qu'elle devrait la garder, lança Amber en venant s'asseoir sur le genou de son père. Pour rembourser une partie des frais scolaires. » Qu'est-ce que c'était que cette histoire ? Rembourser qui ? Je sentais le sol se dérober sous mes pieds.

« Amber, ma chérie, cette bague ne couvrirait même pas les frais d'un trimestre scolaire de nos jours, dit Honor. Elle a une valeur sentimentale, c'est tout.

— C'est la raison pour laquelle elle t'est destinée, mon ange, ajouta James. Pour le jour où tu te marieras.

— Je ne me marierai jamais », répliqua Amber en me jetant un regard en biais.

J'avais envie de me lever d'un bond et de crier : « Elle m'a dans son collimateur ! », mais je n'avais plus le courage de me battre.

« Bien sûr que si ! répondit Faith.

— Jamais !

— Bon, dit Honor en se levant. Le déjeuner est prêt. Allons-y. »

Tout le monde quitta la pièce. James saisit Amber par la taille.

« Alors, t'occuperas-tu de ton papa quand il sera vieux ?

— Évidemment, répondit-elle.

— Une fille parfaite. Dévouée à son père, sans petits amis.

— Il n'a jamais été question que je n'aie pas de petits amis ! »

James en resta bouche bée. Amber éclata de rire.

« Petite coquine », dit son père.

Ils sortirent ensemble du salon.

Je m'attardai un peu. Les choses pouvaient-elles encore empirer ?

Faith rôdait aux abords de la porte.

« Ne vous inquiétez pas, me dit-elle. Ça s'arrange avec le temps.

— Vraiment ? »

Son bambin de cinq ans s'approcha de nous et me prit la main. Il me fit un grand sourire. Enfin, un ami.

« Tu veux bien me montrer ton derrière ? »

J'éclatai de rire.

« Charlie !

— Quoi ? Je veux voir le cœur rose. »

Était-ce Amber que j'entendais ricaner dans le couloir ?

« Qu'est-ce que c'est que ces sottises ? » protesta Faith.

Son fils ouvrit la bouche pour répondre.

« Pas maintenant, Charlie. Va te laver les mains.

— Mais maman…

— Tout de suite, Charlie. »

Il fila. Étais-je parano ou avais-je bien surpris un sourire réprimé quand Faith se détourna de moi ? Je fermai les yeux et expirai à fond. Et moi qui pensais que mes chaussures seraient la pierre d'achoppement. Il me fallut puiser en moi toute la force que je possédais pour la suivre dans la salle à manger. Mais je m'exécutai, un sourire scotché sur les lèvres, même si tout le monde avait les yeux rivés sur mon entrejambe.

Il me fallut beaucoup de temps pour digérer ce que j'avais appris au cours de ce déjeuner. Ma première réaction avait été de m'en prendre à James, mais c'est ce qu'Amber voulait, aussi gardai-je ma fureur, ma peur pour moi. Je me rendais compte que, pour que notre couple marche, j'avais besoin d'elle dans mon camp. Elle avait toute l'attention du roi, les yeux de sa mère et mon cou sur le billot ! Je n'aurais jamais gain de cause en adoptant une attitude défensive. Le moment était venu de passer à l'attaque. Cora avait fait un travail admirable avec Maddy et Lulu. Pourquoi Caspar, mon filleul de dix-sept ans, n'en ferait pas autant avec Amber ? Il pourrait lui faire admettre que j'étais susceptible d'être une plaisante adjonction à sa vie plutôt qu'une redoutable ogresse mangeuse d'hommes, couvertes de verrues, sortie tout droit d'un conte de fées. La fois suivante où nous eûmes les filles, j'étais fin prête.

Les choses ne se passèrent pas du tout comme prévu, naturellement. Quand je présentai Caspar à Amber, il eut le coup de foudre.

J'arrivai à l'appartement en sa compagnie et appelai Amber. Je n'avais pas beaucoup d'espoir – ce matin-là, elle s'était montrée particulièrement laconique et avait battu en retraite dans sa chambre avec son bol de céréales. Elle descendit pourtant sans se faire attendre en cabriolant dans l'escalier, ses longs cheveux flottant derrière elle. Le pyjama Snoopy avait été remplacé par un sweat-shirt très *flash-dance* qui lui tombait des épaules, ses seins impertinents sans soutif pointant sous le coton, un mini-short et des bottes Ugg. Ses cuisses avaient une ligne concave, comme celles de Kate Moss. Elle avait mis du gloss, auquel ses cheveux adhéraient. Je n'aurais jamais dû lui dire que mon filleul allait venir. Ni qu'il avait dix-sept ans. Elle sauta les dernières marches et atterrit devant lui avec un sourire digne de Miss Univers.

« Salut ! » lança-t-elle.

Ce seul mot suffit. Le coup invisible l'avait frappé de plein fouet. Sa mâchoire devint toute flasque ;

un million de rêves érotiques furent instantanément stockés dans son esprit pour un usage futur. Il était terrassé. Ma taciturne future belle-fille décida alors d'usurper la voix d'Ursula, la méchante sorcière sous-marine (j'ai regardé trop de DVD pour enfants) dans le but de subjuguer mon filleul, qui tomba illico sous le charme. Comme le prouva la suite.

Je me retirai dans la cuisine pour faire une autre lessive – pas la mienne –, et les observai par la fenêtre tandis qu'ils bavardaient sur les balançoires désormais inutiles du jardin. Caspar avait beaucoup grandi depuis un an. Il n'avait plus ce teint pâteux propre aux hommes des cavernes, son acné avait disparu et il avait dû trouver un produit miracle pour apprivoiser ses boucles désordonnées. Avec son jean bas sur la taille et son tee-shirt Quicksilver (acheté par mes soins en guise de pot-de-vin pour le convaincre de venir ce jour-là), il avait un look vraiment cool. Si je continuais à jeter l'argent par les fenêtres à ce rythme, il allait falloir que je me dégote un second boulot.

Amber riait constamment à gorge déployée, en rejetant sa crinière flamboyante. Je ne pensais qu'à une seule chose : elle allait attraper la mort. Cette éventualité ne m'était pas tout à fait désagréable. Je fourrai un autre uniforme d'école dans la machine en essayant de la chasser de mon esprit. À cet instant, Amber posa la main sur la cuisse de Caspar. J'enfournai le reste du linge sale, mis la machine en marche puis je rampai dans la cuisine pour tenter d'avoir une meilleure vue. Ils avaient abandonné les balançoires et se dirigeaient vers le fond du jardin envahi de broussailles, où la bourrache régnait en maître. Quelque part au milieu des mauvaises herbes, un hortensia menait un combat perdu d'avance. Je les perdis de vue près de la cabane de jardin. Ils fument, fut la première pensée qui me vint à l'esprit. Si seulement ! fut la dernière.

J'entendis la clé de James dans la serrure, et comme les voix des deux petites portaient à travers le vitrail victorien de la porte, je fus bien obligée de me relever.

« On est rentrés ! » cria James. Lulu se précipita vers moi pour me montrer ses décalcomanies, après quoi elle entreprit de m'expliquer en détail le régime alimentaire du velociraptor. Maddy m'embrassa. James entra à son tour à grandes enjambées, chargé d'un cageot débordant de provisions.

« Que fait ce garçon au milieu de l'hortensia ?

— Ce garçon est mon filleul, Caspar.

— Qu'est-ce qu'il a à se balancer comme ça ? Il est défoncé ou quoi ?

— Il a arrêté, je te l'ai dit. »

Mais je perçus la peur dans ma voix et me rapprochai de la fenêtre. Pas de joint en vue. En revanche, j'aperçus une paire de chaussures Jimmy Choo qui faisaient saillie parmi les mauvaises herbes.

Mes chaussures ! pensai-je aussitôt. Puis : qu'est-ce qu'Amber fabrique à genoux dans la bourrache ? Ma troisième pensée bloqua toutes les autres. Un feu d'artifice de jurons explosa dans ma tête. En faisant brusquement volte-face, je vis James poser le cageot sur la table de la cuisine. Calculant que j'avais à peu près deux secondes avant qu'il les voie, j'ouvris brutalement la fenêtre et hurlai : « Amber ! Ton père est rentré. »

Je vis ses pieds dans mes chaussures reculer, Caspar basculer vers l'avant, relever son pantalon et revenir vers la maison.

« Ne me dis pas qu'il fait pipi dans le jardin ! » lança James.

Il les avait repérés.

Je le détournai de la fenêtre. Je savais qui on accuserait. Moi. Parce que j'avais un filleul.

« Bien sûr que non. Si tu allais t'asseoir ? Je vais te faire une tasse de thé. »

James s'assit docilement.

« Merci, dit-il. Je suis rétamé. »

Ce qui l'avait rétamé, c'était d'aller chercher ses filles à deux anniversaires distincts, et un cageot de fruits et légumes commandés à l'avance chez l'épicier du coin.

« J'espère que tu as pu profiter de ces quelques heures de tranquillité », me dit-il.

Mais oui, mais oui, pensai-je parce que, comme dans les contes de fées, la lessive se fait toute seule et les adolescents ne fricotent pas ensemble.

Amber et Caspar entrèrent par la porte de la cuisine donnant sur le jardin. Elle avait remis ses bottes Ugg. Qu'avait-elle fait de mes pompes ? Je croisai les bras sur ma poitrine et fixai Caspar en plissant les yeux.

« On peut aller chez Starbucks, papa ? demanda Amber. Keira et Freddy nous attendent là-bas.

— Bien sûr, ma chérie. As-tu besoin d'argent ? »

Non merci, papa, j'ai économisé ce que j'ai gagné en faisant des pipes… euh, en vendant des journaux.

« Merci, papa. »

Elle l'embrassa sur la joue. Elle ne manquait pas d'audace, pensai-je, vu où sa bouche était quelques instants plus tôt.

James lui tendit un billet de vingt. Pas étonnant qu'il n'ait pas de quoi payer les frais de scolarité. Il maintient M. Starbucks à flot à lui tout seul. Caspar suivit Amber d'un air rêveur.

Pauvre idiot, pensai-je, tu te fais des illusions. Du coin de l'œil, je vis que James avait la même expression que mon filleul. Vous faites bien la paire ! Amber me gratifia d'un de ses sourires éblouissants.

« Salut, Tessa. »

J'étais sans voix. Quelle effrontée !

« Amusez-vous bien », leur cria James.

Je n'osai pas ouvrir la bouche.

James se tourna vers moi.

« Tu vois. Je te l'avais bien dit, lança-t-il. Tu as tort de te mettre martel en tête. Amber t'adore. »

Seigneur ! Donne-moi la force.

Le lendemain, James proposa une promenade dans le parc. Je me serais bien défilée, mais je n'avais aucun endroit où aller et me coltinai donc cette corvée, m'attendant à des jambes fatiguées, des mains froides, des boissons renversées et des gémissements. (J'avais raison sur toute la ligne.) Ah, les promenades en famille ! Quel bonheur ! Je parvins néanmoins à me ménager une petite entrevue en tête à tête avec Amber. Nous laissâmes les trois autres à l'aire de jeux pour rallier le café en haut de la colline.

« Alors, qu'as-tu pensé de Caspar ? »

Elle ne daigna même pas me regarder.

« Il est un peu lèche-bottes.

— Quoi ?

— Collant, si tu préfères. Je n'arrivais pas à me débarrasser de lui. »

J'en restai comme deux ronds de flan. J'essayai de déchiffrer son expression, mais elle se cachait derrière ses cheveux.

« J'ai eu l'impression que tu le trouvais plutôt à ton goût.

— Qu'est-ce qui t'a fait penser ça ? » riposta-t-elle d'un ton railleur.

Voyons, laisse-moi réfléchir ! La pipe que tu lui as faite cinq secondes après l'avoir rencontré ? On ne devrait jamais faire ça comme ça à n'importe quel âge, et encore moins à quatorze ans.

« Je vous ai vus, Amber, dis-je à voix basse.

— Tu as vu quoi ?

— Toi, Caspar, mes chaussures, l'hortensia ?

— C'est quoi un hortensia ?

— Bon d'accord, les mauvaises herbes que ton père appelle son jardin.

— Papa adore son jardin. Je vais lui dire qu'il ne te plaît pas. »

Des propos menaçants, mais elle n'avait pas l'air rassuré. Je tentai une manœuvre d'approche.

« J'ai l'intention de garder ça pour moi, Amber.

— Je ne vois pas de quoi tu parles.

— J'ai vu mes chaussures », rétorquai-je d'un ton sévère.

Elle haussa les épaules, mais je la sentis perdre de son assurance quand elle baissa les yeux.

« Une fois qu'on s'est fait une réputation, c'est difficile de s'en débarrasser. On s'enlise facilement dans la boue, Amber ! »

J'aurais mieux fait de me taire. Elle me fusilla du regard.

« Tu peux parler ! » s'exclama-t-elle. On aurait dit que son visage se froissait. « J'ai vu ce que tu faisais, toi ! Si c'est ce que papa aime, il peut te garder. »

Sur ce, elle redescendit en courant vers l'aire de jeux. Je montai seule jusqu'au café, la mort dans l'âme. Je n'en avais plus rien à faire de mes chaussures, et ma satisfaction d'avoir des munitions pour viser Amber me paraissait puérile. Je n'arrêtais pas de revoir son ravissant visage se friper, d'entendre ces mots cruels lancés à mon adresse.

De retour à l'appartement, je me souvins que la lessive attendait depuis la veille dans la machine et gagnai la cuisine pour achever ma besogne de belle-mère. Dieu merci, j'étais seule quand je tirai sur le tas de sous-vêtements emmêlés. Tout était mauve !

« Merde », marmonnai-je, furax contre moi-même, tout en espérant vainement que mes yeux me jouaient des tours. Tout était teint. Je fis le tri entre les justaucorps et les collants, les vestes de pyjama et les pantalons, dont mon jean Seven bleu marine tout neuf. Comment s'était-il retrouvé là ?

« Quelle conne ! » Les tenues de danse étaient fichues. Réfléchis, ma fille, réfléchis. Ce n'était pas si grave. Un coup de fil à mon amie Francesca, maman de Caspar et de deux fillettes, et je saurais où aller. Les cours de danse, c'était le… – je me creusai la cervelle – … pas le lundi en tout cas, alors ça irait. En entendant des voix, je fourrai le tout dans le panier de repassage en couvrant bien. Puis, telle une épouse modèle, je dressai la planche à repasser et m'attaquai aux vêtements que je n'avais pas bousillés. Profitant d'un moment tranquille, j'enfouis la tenue de danse humide dans un sac en plastique que je portai à la hâte dans le coffre de ma voiture. Rongée par la culpabilité, je passai en revue les cartables de Maddy et de Lulu, les aidai à faire leurs devoirs avant de les expédier dans la voiture pour les rendre, en bon état, à leur admirable mère. J'étais prête à parier qu'elle n'avait jamais teint un justaucorps par erreur.

« Écoute, Tessa, on va s'arrêter en chemin pour manger une pizza.

— Je n'ai pas faim, merci. J'ai des dossiers à préparer pour le boulot.

— Allez ! Ça ne sera pas drôle sans toi. »

James était plus gentil que jamais. Nom de Dieu, il n'avait donc pas vu la tête d'Amber ! Mais comment aurais-je pu dire non après que Maddy m'eut pris la main en me suppliant ? C'était impossible.

Nous nous acheminâmes donc vers le redoutable Pizza Express, rempli des mouflets du reste du monde. Un élément positif au moins : mon horloge interne semblait s'être arrêtée. Je fus sur pilote automatique pendant tout le dîner, coupant des tranches de pizza, épongeant les boissons renversées tout en évitant les coudes pointus d'Amber et, lorsque nous regagnâmes la voiture, je me sentis soulagée. Je devais avoir l'esprit ailleurs parce que je ne me rendis même pas compte que, au lieu de rentrer à la maison, nous primes la direction de l'est vers Holloway. Dans le cirage, je ratai le cinéma, la grande rue, le centre commercial et le pont de chemin de fer.

Je repris conscience quand nous nous arrêtâmes brusquement.

« Où sommes-nous ?

— On dépose juste les filles, dit James.

— Comment ?

— Chez Bea, précisa-t-il en pointant l'index.

— Mais…

— Ne t'inquiète pas. J'ai mis tous les uniformes d'école que tu as repassés dans leurs sacs. On a tout. »

Là n'était pas la question. J'avais de la sauce tomate sur le tee-shirt que je portais depuis deux jours parce que je n'avais pas eu le temps de laver mes propres affaires, et mes cheveux étaient crades.

« Je… ne pense pas que… ce soit… une bonne idée, articulai-je.

— Ne sois pas ridicule. Tu fais partie de la famille maintenant. »

Tais-toi ! Tu vas réveiller la bête. Je me tournai vers les filles. Mes futures belles-filles. Les filles de Bea. Amber me regarda dans le blanc des yeux. Je me forçai à sourire.

« Merci pour ce super week-end, les filles. À mercredi. »

Lulu et Maddy me rendirent mon sourire. Amber sortit de la voiture.

« Venez, vous deux. Dépêchez-vous. Papa doit partir maintenant. »

Le sourire des deux petites s'effaça.

« Dites au revoir à Tessa », lança James.

S'il s'adressait à Amber, ce dont je doute, elle l'ignora et il ne releva pas. Lulu m'étreignit à la hâte.

Maddy était en train de se bagarrer avec la ceinture de sécurité. Je me penchai vers l'arrière pour lui donner un coup de main.

« Laisse-moi t'aider, mon cœur », dis-je en la détachant.

À l'instant où la ceinture céda, Maddy se jeta en avant entre les sièges. Elle prit mon visage dans ses petites mains.

« Je peux te dire un secret ? chuchota-t-elle, son nez contre le mien.

— Bien sûr.

— Je t'aime très fort. »

J'avais envie de pleurer.

« Ce n'est pas obligé que ce soit un secret, tu sais », dis-je en lui caressant la joue.

Mais elle le savait mieux que moi.

« Si.

— Pourquoi ? »

Au moment où elle s'apprêtait à me dire ce que je pensais déjà savoir, qu'Amber l'interdisait, James replongea dans la voiture. « Maman est là », dit-il. Maddy sortit de la voiture comme une fusée, remonta en courant l'étroite allée jusqu'à la porte d'entrée où elle se jeta dans les bras de sa mère. Juste avant qu'elle soit enveloppée par son affectueuse fille, je l'aperçus. La femme que j'avais vue en larmes devant l'immeuble de James le soir où Lulu était malade. Un immense morceau d'un puzzle invisible m'atterrit sur la tête. James avait tort. Son ex-femme n'acceptait absolument pas la situation, et cela expliquait tout. Je la regardai de nouveau. J'avais enfin trouvé la solution. Et la solution était Bea. Tout le monde lui parlait en même temps. Elle souriait, se débrouillant pour répondre et écouter simultanément. Il était temps de faire face. Le moment était venu pour elle de m'affronter.

« Tu ne veux pas entrer un instant ? fit une voix qui devait être la sienne.

— Je pense qu'on ferait mieux d'y aller. »

Le silence qui suivit était palpable. On ? *On ?* Elle ne m'avait pas vue sur le siège passager pour la bonne raison qu'elle ne s'attendait pas à ce que je sois là. Je ne savais plus quoi faire maintenant. La portière était déjà ouverte. Je glissai un pied dehors et me levai. Les filles s'écartèrent. Bea fit un pas en avant. Mon cœur chavira. Je m'étais trompée. Ce n'était pas la grosse dame en larmes. Elle était ravissante en fait. Élégante. Plus que moi. J'étais consciente que je devais me montrer courtoise. Mais je n'y arrivais pas. Je n'arrivais même pas à dire bonjour. Nous nous dévisageâmes.

« Maman ! Téléphone !

— Comment ?

— Téléphone ! » hurla Amber en désignant la maison.

Bea se tourna vers James.

« Désolée, chéri. Une autre fois. »

Chéri ? La porte d'entrée s'était refermée lorsque je repris mes esprits. Bea et les filles avaient disparu. James haussa les épaules, fit le tour de la voiture et se glissa derrière le volant. Je me rassis. Chéri ? Je me demandais quel terme affectueux il employait pour elle quand je n'étais pas là. *Jimbean ?*

Une fois convaincue que nous n'étions plus à portée de voix, plusieurs tournants plus loin, je repris la parole.

« C'était idiot de faire ça, aboyai-je.

— Quoi ?

— Tu ne peux pas nous mettre face à face comme ça !

— Ce n'est pas ce que j'ai fait. J'ai raccompagné les filles.

— Pas avec moi dans la voiture ! Ce n'est pas juste envers elles. »

James mit le clignotant et tourna méthodiquement le volant entre ses doigts. Je crus bêtement qu'il avait enregistré ce que je lui avais dit.

« Pourquoi pas ? s'étonna-t-il. C'est ce que je fais un dimanche sur deux quand je les ai.

— Pas avec moi dans la voiture !

— Je ne vois pas pourquoi ! On va se marier, Tessa. »

Je déglutis.

« Elles ne sont pas prêtes. Amber, aucune d'entre elles.

— Vraiment ? répliqua-t-il d'un ton glacial.

— Oui. *Vraiment.*

— Elles ne sont pas prêtes, ou c'est toi qui ne l'es pas ?

— Nous tous, James... » J'hésitai avant d'ajouter : « Même Bea, peut-être.

— Elle avait l'air d'aller bien, j'ai trouvé.

— Ah ouais !

— Ne sois pas ridicule, Tessa.

— Nom de Dieu, James, ce n'est pas ta vieille copine d'école que je viens de ne pas tout à fait rencontrer ! C'est ton ex-femme, qui t'a brisé le cœur, qui se met sur son trente et un dimanche soir, qui t'appelle "chéri"...

— Arrête. » Il se rangea derrière une voiture garée et éteignit brusquement le moteur. « Arrête. J'essaie juste de rendre les choses aussi normales que possible. Pour tout le monde. Pourquoi faut-il que tu en fasses toute une affaire ?

— Tu sais quoi, James ? La vie, c'est parfois toute une affaire, que cela te plaise ou non. »

Il poussa un gros soupir. Comme s'il avait déjà tout entendu. J'émettais une plainte tout à fait justifiable, et on faisait de moi une chieuse !

« Excuse-moi, je t'ennuie, là, ou quoi ? »

Il ferma les yeux.

« On vient de déposer les enfants. Bea n'a pas eu l'air de s'offusquer plus que ça de la situation. »

Et moi si ? Moi stupide bécasse hyperémotive ? Eh bien, tu n'as pas servi de punching-ball tout le week-end à une gamine de quatorze ans d'une force insoupçonnée. Tu n'as pas teint un justaucorps en mauve. L'art de la tonte pubienne ne fait pas partie des hobbies de ta famille. Tu n'es pas un amour secret. Une future seconde épouse. Tu es « chéri ». Moi, je ne suis personne.

« Tu refuses de voir ce qui est devant ton nez, dis-je.

— Et toi tu refuses de ne pas le voir.

— Qu'est-ce que ça veut dire ?

— Que tout va bien. Pourquoi dramatises-tu ? Tu fais des montagnes d'une taupinière, à mon avis.

— Eh bien, peut-être pourrions-nous parler de tout ça rationnellement si tu cessais de considérer la stabilité affective de tes enfants comme une taupinière. La situation ne leur convient pas, et ça, tu ne veux pas l'admettre.

— Ne me dis pas que mes filles ne sont pas heureuses.

— Tu entends ce que tu veux entendre. Je n'ai jamais dit qu'elles n'étaient pas heureuses.

— Qu'as-tu voulu dire alors ?

— Oh, laisse tomber. Je rentre chez moi. »

J'ouvris ma portière.

« Très bien, Tessa. Prends la fuite. Ça marche à merveille pour toi, apparemment. »

Je me tournai vers lui, mais il regardait droit devant lui, si bien que je n'eus pas d'autre solution que de sortir de la voiture. Enfin, j'en avais peut-être une, mais je n'avais pas envie d'y recourir sur le moment. James quitta l'emplacement avant que j'aie le temps de lâcher la poignée, qui jaillit de ma main en étirant douloureusement mon petit doigt.

« Aïe », fis-je en regardant fixement les feux arrière. « Aïe », répétai-je. Parce que j'avais mal.

J'étais au bout du rouleau en arrivant chez moi. Je pris une bouteille sur l'étagère, l'ouvris et me servis un énorme verre de vin rouge froid. Il faisait froid dans tout l'appartement, abandonné, poussiéreux. C'était ma maison, mais elle semblait aussi vide que moi. Et le foyer que je voulais ne voulait pas de moi.

Je montai le thermostat avant de me recroqueviller sur mon canapé. Une larme me tomba sur les genoux. J'essuyai furieusement la suivante. À trente-huit ans, sans enfants, je me retrouvais en plein no man's land. Pire, ce n'était même pas un territoire sans homme. C'était le territoire de Bea. J'étais l'intruse. Elle était leur mère. C'étaient *ses* enfants. Elle détenait un atout majeur que le distributeur de cartes ne me donnerait jamais. L'ADN. Où me situais-je du coup ? La laissée-pour-compte. Vous parlez d'une vie. Une autre larme tomba, puis une autre. Bea Kent ? Bea Kent ? Je me versai un autre verre de vin et pleurai toutes les larmes de mon corps. Qui donc était cette super-woman, Bea Kent ?

9

Régime liquide

« Ils sont partis, maman, dit Amber.

— Hein ? »

Elle croisa les bras sur sa poitrine, me faisant penser à moi.

« Ils sont partis, je te dis. »

Je redressai mes vertèbres une à une.

« Excuse-moi. Qui a téléphoné ?

— C'était une erreur, me répondit-elle sans me regarder en face.

— Bon, enlevez vos manteaux, les filles. Vous mourez de faim, je suppose.

— On est allés chez Pizza Express, répondit Lulu.

— Tous ensemble ?

— Tessa aime les pizzas avec des raisins secs, ajouta Lulu. Elle a dit que je pourrais avoir une robe orange.

Elle n'a jamais dit ça », riposta Amber.

Je poussai mon troupeau dans le couloir.

« C'est gentil. Alors comment s'est passé le week-end ?

— Super, répondit Lulu. Tessa et moi, on a inventé un nouveau jeu.

— C'est bien. Maddy, arrête de racler tes chaussures. Qu'est-ce que tu as ?

— J'en veux une rose.

— Quoi donc ?

— Elle va nous emmener à un concert ! interrompit Lulu.

— Une quoi ?

— Une robe de demoiselle d'honneur rose. Je n'aime pas l'orange et papa a dit qu'il fallait qu'on ait des robes assorties. Tu crois que ça ira, maman ? Si j'en ai une rose. Avec plein de jupons, comme une fée. Papa dit que Tessa aura l'air d'un ange, alors tu crois que je peux être une fée ? Une fée rose.

— Et toi, maman, qu'est-ce que tu vas mettre ? »

Je les dévisageai tour à tour.

« Euh… euh…

— Y a des messages pour moi, maman ? » demanda Amber d'un ton enjoué.

Je me raccrochai à elle comme à une bouée de sauvetage.

« Oui. Keira a appelé, ainsi qu'un garçon. Il n'a pas laissé son nom.

— Keira. Je peux la rappeler maintenant ? On prépare le spectacle de fin de trimestre ensemble. On a plein d'idées.

— Très bien. Bon, c'est bien. Voyons un peu ça. »

J'ouvris la fermeture Éclair du sac qui emmenait mes enfants loin de moi dans un certain état et me les ramenait dans un autre. Pour une fois, les uniformes n'étaient pas roulés en boule, mais pliés avec soin. Je fleurai l'odeur à la fois douce et forte du Soupline.

« Eh bé ! Votre père a encore fait la lessive. »

Je vis Amber asséner un petit coup de coude à Lulu au moment où celle-ci ouvrait la bouche pour répondre.

« Tu as pété !

— Pas du tout, se récria Lulu, blessée.

— Qu'est-ce que c'est que cette odeur, alors ?

— J'ai pas pété, maman.

— Ça n'a pas d'importance, dis-je.

— Mais c'est pas vrai ! » protesta-t-elle.

Je voyais d'ici où cela allait nous mener.

« Elle a raison, maman, intervint Maddy. Amber a menti.

— Pourquoi est-ce que je mentirais ? » hurla Amber en partant comme une furie.

Je me gardai de la rappeler pour qu'elle s'excuse vu que je savais pertinemment pourquoi elle avait inventé ce bobard.

« Tout le monde est un peu fatigué, je crois. Si on montait ? Vous devez avoir des devoirs à faire ? »

Mes deux adorables cadettes secouèrent la tête. Seigneur, quel bonheur qu'elles soient de retour à la maison !

« Et ta lecture, Lulu ?

— C'est fait.

— Vraiment ? »

Elle hocha la tête. Maddy l'imita. Je sus alors qu'elle disait vrai. Maddy n'avait pas encore appris à mentir. Elle n'a rien de la benjamine typique. Je remplis mes poumons d'air.

« Ça va, maman ? » demanda Lulu.

Je me frottai le torse à l'endroit où ça avait fait si mal.

« Juste une petite indigestion. Alors pas de devoirs à faire, ni de lecture. Montez prendre un bon bain. Nous aurons plein de temps pour que je vous lise des histoires au lit. »

Les petites gravirent les marches quatre à quatre en poussant des cris de joie. Pas de dîner à préparer à la va-vite, ni de devoirs à faire précipitamment, pas de mots simples et pourtant énigmatiques à arracher à Lulu… Comment se fait-il que je ne me sentais pas soulagée ? Ça aurait dû être le cas. Du coup, la dernière heure de la journée en compagnie de mes enfants serait agréable, et non pas le champ de bataille habituel après un week-end avec leur père trop riche en stimulations, en glucose, et trop pauvre en discipline.

Je contemplai un moment les chemises impeccablement repassées avant de flanquer bêtement un petit coup de pied dans le sac. Je savais très bien que Jimmy n'avait rien fait de tout ça. Il n'était pas très doué pour ces choses-là. Ça ne pouvait être qu'une seule autre personne. Tessa King. J'étais prête à parier qu'elle s'était occupée de la lecture aussi. Ne t'attends pas à des remerciements de ma part, ma belle ! Je ne suis pas encore prête ! Ainsi, Jimmy s'était trouvé une gentille fille au pair pour se coltiner les corvées. Quel corniaud !

Je m'en serais volontiers chargée moi-même. De tout. Je me tournai vers la porte d'entrée, m'attendant presque à la voir là, un sourire condescendant sur les lèvres, tenant mes enfants par les épaules. « Salut, Bea, on passe juste ramener les filles. Oui, nous avons passé un super week-end. Elles sont merveilleuses… »

Oui, merveilleuses, avais-je envie de hurler. Fabuleuses parce que je leur ai donné ma vie. Mon âme ! Mon énergie ! Ma sagesse ! En contrepartie, j'ai droit à toi ! L'image que j'avais d'elle était floue. Je l'avais entrevue de profil, sortant de la voiture. Un grand nez, m'avait-il semblé. Et puis Amber m'avait appelée et j'avais trouvé plus facile de battre en retraite.

Je hissai le sac sur mon épaule et rejoignis les filles au premier. La porte d'Amber était fermée. Je savais qu'il ne valait mieux pas que je l'ouvre. J'entendais ces fichues Bonnes Belles s'égosiller, une chanson inaudible à propos de pelotage. Les deux petites étaient déjà nues en train de courir en tous sens dans leur chambre quand j'entrai. Ravies d'être de retour au bercail. J'étais allée chez James et son appartement m'avait fait l'effet de ce qu'il représentait pour les filles et pour moi : une solution temporaire. Un passage. Un endroit où les jeunes pousses étaient en bac, prêtes à être transplantées du jour au lendemain. Elles avaient bien des affaires à elles là-bas – de vieux jouets avec lesquels elles ne jouaient plus. Ou des choses auxquelles elles s'intéresseraient plus tard, dans un avenir aussi inimaginable qu'un ciel infini, et qu'elles mettaient de côté, comme tout ce dont on ne comprend pas l'usage.

Elles étaient chez elles ici. Je m'étais donné de la peine pour qu'il en soit ainsi et je me rendais bien compte en les entendant courir pieds nus sur le parquet qu'elles étaient heureuses d'être là. Et moi j'étais heureuse qu'elles soient là. Et pourtant, et pourtant…

À l'époque où j'étais mariée, je rêvais d'avoir la paix. Je l'ai en horreur maintenant. J'avais vécu trop longtemps dans cet asile, je suppose. L'espace vide et les journées qui ne passaient pas à la cadence d'une mitrailleuse me fichaient le bourdon. Les week-ends où les filles n'étaient pas là, je tournais en rond en attendant qu'on me demande d'aller chercher quelque chose, de repriser quelque chose, de coller quelque chose, d'essuyer quelque chose, d'être quelque chose. Et puis je me figeais, prenant conscience tout à coup que personne ne me demanderait quoi que ce soit, et que je n'étais personne sans elles. Je n'avais pas besoin de temps pour moi, j'avais besoin de passer plus de temps avec elles. J'avais continuellement besoin d'elles. Qu'adviendrait-il de moi quand Maddy aurait l'âge d'Amber ? Me fermerait-elle la porte au nez elle aussi ?

J'avais une sensation de creux dans l'estomac. Elle se prolongea pendant le bain et les bavardages incessants à propos de robes de demoiselle d'honneur. Durant les trois histoires que je lus. La conversation que je tentai d'avoir avec mon aînée passive. Ce creux se faisait toujours sentir quand j'enfilai le couloir d'une maison silencieuse avant de descendre les marches grinçantes. Lorsque je passai les pièces au crible en quête de choses à ramasser, à ranger, quand je m'aperçus que je n'avais strictement rien à faire. J'avais un creux dans l'estomac. Et il allait falloir que je le comble si je ne voulais pas risquer de perdre le peu qu'il me restait de mon être. J'ouvris la porte du réfrigérateur à la volée.

« Dieu merci, tu es là ! dis-je à Faith. Je n'ai pas arrêté de t'appeler.

— Désolée. Que se passe-t-il ?

— Où étiez-vous ?

— Au cinéma.

— Et Charlie ?

— Il dort.

— Qui était là pour le surveiller ?

— Bea, tu n'appelles pas à une heure pareille un dimanche soir pour me parler de mes arrangements avec la baby-sitter, que je sache ?

— Non. Excuse-moi.

— Elle ne répond pas sur le fixe.

— Ah ! D'accord.

— Ça va mieux maintenant ? »

Je marquai un temps d'arrêt.

« Qu'est-ce qu'il y a, Bea ? »

Je pris ma tête douloureuse entre mes mains. Ce n'était peut-être pas une bonne idée de téléphoner en fait.

« Je m'excuse de ne pas t'avoir appelée à propos du déjeuner. »

Je relevai les yeux et guignai entre mes doigts.

« Le déjeuner ? Quel déjeuner ?

— La présentation officielle.

— Présentation ?

— Bea, tu es ivre ? »

— Si seulement ! » Je me troublai et me forçai à m'asseoir bien droite sur ma chaise. « Je fais ce régime ridicule. Je ne peux pas risquer de prendre des calories. Quelle présentation officielle ?

— Tessa est venue déjeuner chez Peter et Honor. Toute la famille était là. »

Si Faith se rendit compte de son erreur, elle ne releva pas. *Toute la famille sauf moi*, eus-je envie de rétorquer. *Toute la famille sauf moi !*

« Je n'étais pas au courant, répondis-je faiblement en m'emparant de mon verre.

— Les filles ont bien dû t'en parler.

— Non. Elles ne m'ont rien dit.

— C'est bizarre, dit Faith. Tu es sûre que ça va, Bea ? Je te trouve un peu…

— Fatiguée. Je suis sortie avec des amis hier soir. On est rentrés un peu tard.

— C'est génial, Bea ! »

Ouais. Sauf que c'était un mensonge. J'avais besoin d'un autre verre.

« As-tu rencontré quelqu'un ?

— Personne que j'aie envie de revoir. »

Ça aurait été difficile vu que j'avais passé toute la nuit seule sur mon canapé.

« Alors, comment ça s'est passé, ce grand déjeuner ?

— Elle ne s'en est pas mal sortie », répondit Faith, s'efforçant d'être diplomate, mais pas suffisamment à mon avis, loin de là. Mon idée de la diplomatie consistait à clouer Tessa au pilori. Tout le reste provoquerait mon courroux, et des incidents de frontière risquaient de s'ensuivre. J'éclusai mon verre et m'en servis un autre. Mais je ne bus pas tout de suite. J'avais besoin des lumières de mon ex-belle-sœur.

« Bien sortie, tu dis ?

— Elle était nerveuse, la pauvre ! Elle avait d'horribles chaussures qui lui donnaient des allures d'infirmière en chef. Mais elle est futée, il n'y a pas de doute. »

Intelligente. Intéressante. Amusante aussi, je parie. Riche en anecdotes spirituelles, au courant des dernières actualités. C'est bien beau tout ça ! Moi, je n'ai même pas le temps de lire le journal.

« Tu es toujours là ?

— Oui.

— Il y a eu un moment franchement embarrassant quand Charlie lui a demandé s'il pouvait voir son cœur rose, ajouta Faith en ricanant malgré elle.

— Son quoi ?

— Oh ! Euh… Rien.

— Qu'est-ce que c'est que cette histoire ?

— Les filles ne t'ont rien dit. »

Non, elles ne m'ont pas parlé de ça non plus.

« Ah oui… le cœur rose ! Bien sûr. Comment pourrais-je oublier ? » Je me forçai à rire tout en me demandant de quoi j'étais supposée rire. Embarrassant, c'est le mot qui convient.

« Non, mais franchement ! Se peindre les poils en rose… faire un strip-tease. C'est un peu exagéré, tu ne trouves pas ? »

J'eus un haut-le-cœur et avalai rapidement ma salive.

« Elle a eu la décence d'être gênée, au moins », enchaîna Faith.

La décence ! Les poils teints en rose. Un strip-tease. Nouveau haut-le-cœur. Il n'y avait rien de décent là-dedans. Cette femme ne faisait rien de décent. Acheter mes enfants avec des robes de fée. Des billets de concert. Du gloss. Elle me prenait pour une imbécile ou quoi ?

« Ça va, Bea ?

— J'essaie de me retenir de rire, balbutiai-je.

— J'avais un peu pitié d'elle à vrai dire.

— Eh bien, tu as tort. Je l'ai vue tout à l'heure.

— Comment ça ? Pourquoi ? Lui as-tu parlé ?

— Non.

— Tu ne l'as pas laissée entrer ?

— Non. Elle était dans la voiture avec Jimmy.

— Désolée. Je ne te suis pas. Pourquoi sont-ils venus si tard ?

— C'était plus tôt », répondis-je, sentant la colère monter. Pourquoi Faith était-elle si bornée ? Si lente à la détente ?

« Oh, s'exclama mon ex-belle-sœur. En d'autres termes, elle n'est pas venue te voir exprès, toute seule ?

— Non. Elle était dans la voiture avec Jimmy.

— Tu me l'as déjà dit… mais… Ah bon d'accord, je comprends. Quand il a déposé les filles à la maison, tu veux dire ? »

Évidemment. N'était-ce pas déjà assez déplaisant comme ça ? Et qu'est-ce que ça voulait dire, « Ah bon d'accord » ? Elle était venue chez moi, sans prévenir, cette effrontée, comme si c'était normal que mon mari dépose mes enfants chez moi en compagnie d'une autre femme ! En plus de ça, elle ne s'était même pas donné la peine de dire bonjour ou quoi que ce soit…

« Tu es encore là, Bea ?

— Hum.

— Bea, tu es sûre que ça va ? Tu as l'air fâchée.

— Je ne suis pas fâchée. Je suis… » Je fixai la bouteille presque vide devant moi. « Je suis crevée.

— C'est juste que, enfin, à l'anniversaire de Luke, tu m'as dit que… »

Je me redressai brusquement. À l'affût. Flairant le danger.

« Un moment de nostalgie, déclarai-je avec emphase. C'est tout.

— Vraiment ?

— Absolument.

— Parce que Lucy a remarqué que tu portais ta bague de fiançailles.

— C'est le seul bijou convenable que je possède. »

Cette Lucy, hippie de mes deux, Mademoiselle Je-sais-tout, agaçante au possible, toujours à fourrer son nez dans les affaires des autres. Que savait-elle des responsabilités ? Des devoirs d'une mère ? De la culpabilité ?

« C'est ce que je lui ai dit. Mais je comprendrais, tu sais, si… enfin, si tu pensais que tu avais fait une erreur. Tu n'as pas à endurer ça toute seule dans ton coin.

— Ce n'était rien, je t'assure. On s'est tellement bien entendus ces derniers temps, Jimmy et moi, que je me suis laissée aller à oublier tout ce qui s'était passé. Je n'ai absolument aucune envie de… Non, non. Cette soirée en famille m'est montée à la tête l'espace d'un instant. C'est un peu difficile, tu sais, quand je le vois s'amuser avec les filles. Danser en famille. Comme cela devrait être.

— Tu es sûre…

— Tout va bien, Faith. J'ai dit ça comme ça. Tu n'en as parlé à personne, rassure-moi ?

— Non. Mais j'étais très embêtée. Je t'ai dit que Jimmy tenait encore beaucoup à toi. Je n'étais pas du tout au courant pour Tessa. Évidemment, tout est clair à présent. Je comprends pourquoi il était tellement détendu en ta présence. Tellement plus heureux. Il s'est finalement remis de votre rupture. On a retrouvé notre Jimmy. Désolée, ça paraît un peu dur, mais…

— Dur ? » Je m'esclaffai de nouveau. Des coups de poignard. D'horribles poignards, dentelés, froids, brûlants. Frappant, frappant, frappant. Pas assez profondément pour me tuer, mais, Seigneur ! ce que ça pouvait faire mal, et le sang – il ne devrait pas y avoir autant de sang. Ils avaient dit qu'ils avaient tout enlevé. Ils mentaient.

« Non, pas dur, dis-je, en m'obligeant à parler. C'est juste, en fait. Je l'ai quitté. Je… »

J'avais fait tellement pire que ça. J'avais tout foutu en l'air. Mais je n'étais plus moi-même. Ne le voyaient-ils pas ? L'amour est une chose étrange. Jimmy en avait à revendre ! C'était accablant. On ne m'avait jamais aimée comme ça. Pas même ma mère. J'avais appris à devenir un être que l'on pouvait aimer. J'avais trouvé la manière d'inciter un homme à tomber amoureux de moi. Ce n'était pas sorcier. Avec les hommes, c'était facile. Les mères étaient plus difficiles à attendrir. Seulement je ne pouvais pas lui rendre la pareille. Je n'étais pas à la hauteur. Je n'arrivais pas à l'aimer en retour. Ce n'était pas ma faute…

« Bea ?

— Ouais.

— Tu te sers encore de ton fichu portable ?

— Excuse-moi.

— Ça coupe sans arrêt.

— Désolée.

— Appelle-moi de ta ligne fixe. Tu vas avoir une tumeur.

— Ce serait la solution toute trouvée.

— Comment ?

— Je n'arrive pas à le trouver.

— À trouver quoi ? Je ne comprends rien à ce que tu dis, Bea.

— Le sans-fil. Écoute, j'ai des trucs à faire.

— Il est dix heures et demie. Dimanche soir.

— Des étiquettes, bredouillai-je. On va toujours boire un verre ensemble mercredi ?

— En fait, Bea, je suis désolée, je me suis emmêlé les pinceaux.

— Pas de souci. Une de mes amies va au cinéma ce soir-là, alors…

— Oh, super. Une autre fois alors. »

Oui, oui. Une autre soirée seule à la maison.

« Eh Bea ! Félicitations pour le régime ! Ça va beaucoup t'aider.

— Merci. »

Condescendante à souhait ! Je posai le sans-fil que j'avais soi-disant perdu sur la table près de la bouteille de vin que j'étais censée ne pas avoir bue et éclusai mon verre. C'était bel et bien un régime grotesque, dans la mesure où il se composait à 90 % de liquide. Ça marchait, en attendant. Je perdais du poids et j'aimais bien cette sensation de faim continuelle. C'était comme une copine proche. Et j'avais sacrément besoin d'une copine !

Je me réveillai en entendant le réveil hurler. Je tapai dessus. Il tomba de la table de chevet avec fracas et continua à beugler. Je jetai un coup d'œil à ma montre pour voir si je pouvais rester encore couchée quelques minutes, mais les bruits de pas sur le palier m'indiquèrent que non. Tout comme l'heure. J'avais dû mal régler mon réveil. Il était déjà sept heures vingt.

Je bondis hors du lit et le regrettai aussitôt. Je frottai mes tempes douloureuses. J'avais encore oublié d'ouvrir la fenêtre. J'ai toujours mal à la tête quand je dors sans l'ouvrir. Mes habits étaient soigneusement pliés sur la table à côté de ma coiffeuse. Je remarquai toutefois que mon pyjama était mal boutonné. Curieux ! Je devais être drôlement fatiguée au moment de me coucher. Je ne me rappelai même pas l'avoir enfilé. En me tournant vers ma pile de vêtements bien rangés, j'eus une pensée, comme un rêve qui se dissipe. Mais avant qu'elle se soit totalement formée, elle s'était évanouie, et je ne pus rien en saisir. Hormis qu'elle était désagréable.

Je m'habillai à la hâte – pas le temps de choisir d'autres habits, m'aspergeai le visage d'eau froide, me brossai les dents et sortis de ma chambre en me demandant si je n'avais pas chopé un virus. Les filles déjà habillées étaient dans la cuisine. Amber était en train de verser des céréales dans des bols quand j'entrai dans la pièce. Des Special K. Dieu merci, elles aimaient bien ça. Les redoutables Crunchy Nut n'avaient pas franchi le seuil de la maison. Je pouvais en être fière. J'embrassai les filles.

« Tu sens bizarre, maman, dit Maddy. Aïe ! Amber m'a donné un coup de pied.

— Pas du tout !

— Si !

— Ça suffit, les filles ! J'ai mal à la tête. »

Je mis du pain à griller avant d'écraser quelques bananes. Les toasts brûlèrent. Fichu thermostat. Il y avait peut-être un esprit frappeur dans la maison. Je garnis à nouveau le grille-pain.

« Et le yaourt avec du miel ? demanda Lulu.

— Laisse-moi le temps ! lui rétorquai-je.

— Je vais m'en occuper, dit Amber en tendant le bras vers le frigo.

— Ne te penche pas en arrière comme ça, Amber. Tu vas tomber. »

Elle s'efforçait d'être gentille, parce qu'elle se sentait coupable de son attitude arrogante de la veille au soir, probablement. Eh bien, je suis désolée de ne pas être aussi cool que Tessa, de ne pas vous distribuer des CD gratuits et des places de concert. Navrée de devoir être celle qui te répète continuellement de ne pas te pencher en arrière sur ta chaise, mais il faut bien que quelqu'un le fasse, bordel !

« Maman ! Les toasts ! »

De la fumée noire montait en volutes du vieux grille-pain.

« Et merde ! hurlai-je. Qu'est-ce qu'il a ce machin ?

— Tu as mis trop fort.

— Pas du tout, répondis-je avec mauvaise humeur. Je viens de baisser.

— Tu t'es trompée de sens. »

C'est très agaçant d'être remise à sa place par sa fille.

« Je viens juste de… » Je jetai un coup d'œil au grille-pain. Le point rouge était sur « max ». « Si vous trouvez ça drôle, pas moi. C'est du gaspillage.

— Tu le mangerais quand même. Même s'il était tombé par terre.

— Amber Kent ! Comment peux-tu dire une chose pareille. »

Elle me fusilla du regard. Un regard empreint de rage. Ou s'agissait-il d'autre chose ? Ma colère céda la place à la peur. « Qu'est-ce qu'il y a, Amber ? Que se passe-t-il ? » Les petites me dévisagèrent avec des yeux grands comme des soucoupes, puis elles se tournèrent vers leur sœur. Un muscle tressaillit sur sa joue. Elle tient ce tic de son père. Ils sont incroyablement semblables, ces deux-là. Elle fut sur le point de dire quelque chose, j'en suis sûre, puis elle regarda Lulu et Maddy, plongea sa cuillère dans son bol de céréales et la fourra dans sa bouche. Elle dut mâcher cette bouchée une centaine de fois. À la trentième, j'avais

251

compris que je n'obtiendrais plus rien d'elle. Pour finir, je réussis à griller du pain et à verser le yaourt sur les bananes écrasées avant d'y ajouter quelques gouttes de miel en forme de cœur. Mais il était trop tard pour manger. Nous n'avions plus le temps. Je transvasai le mélange pâteux dans un Tupperware, m'emparai du tas de cartables et poussai les filles vers la porte d'entrée.

« Tu es sûre que tu peux conduire ? demanda Amber en aidant les petites à monter dans la voiture.

— Qu'est-ce que tu racontes ?

— Tu as dit que tu avais mal à la tête. »

Elle m'avait prise au dépourvu.

« Ça va aller. Je te remercie de ta sollicitude. »

Elle haussa les épaules avant de se glisser sur la banquette arrière à côté de ses sœurs. En temps normal, elle s'assied devant avec moi. Je savais ce que cela voulait dire : Tessa était en train de gagner, et moi de perdre. Évidemment ! Comment pourrait-il en être autrement ? Ce n'était pas à elle d'imposer les règles, de réveiller trois enfants et de les faire s'habiller le matin, de les nourrir, de les abreuver, de les surveiller, de les éduquer. Elle n'avait pas à inculquer la politesse à des bêtes qui auraient préféré l'état sauvage. Elle avait le droit de se pavaner dans des tenues chics, de se teindre les poils du pubis en rose et de soudoyer mes enfants à coup de pizzas et de cadeaux. C'était obscène. Cette fichue taille de guêpe se contentait sans doute de grignoter les raisins secs…

« Stop ! » hurla Amber.

J'enfonçai la pédale de frein à fond.

« Qu'est-ce qu'il y a ? »

Elle pointa le doigt sur une femme et deux enfants au milieu du passage piéton. Le capot de ma voiture était à quelques centimètres du crâne des petits. La femme me dévisageait, terrifiée. Je levai la main en guise d'excuse. D'où avaient-ils surgi, nom d'un chien ? Fichue Tessa King ! Elle envahissait mes pensées. Elle me gâchait la vie. Je redémarrai lentement et roulai comme une camionnette de laitier le reste du trajet. Nous étions en retard. Eh bien, pensai-je en attendant que la secrétaire émerge de son bureau pour venir ouvrir la porte déjà verrouillée, il y a une première fois pour tout.

Je restai un long moment assise dans la voiture en respirant lentement avant de me remettre en route. La décharge d'adrénaline libérée dans mon organisme à l'instant où Amber avait crié avait eu le même effet qu'un détergent sur la graisse. Elle traça un sillon net dans mon cerveau et je vis les choses clairement. J'avais remarqué les bouteilles vides dans la poubelle et je savais que ce n'était pas moi qui les avais mises là. Il fallait que ça s'arrête, tout ça. Et tout de suite. Avant que ça fasse des ravages. Avant qu'il y ait des victimes. Si j'étais capable de poser la fourchette, je devais aussi être capable de poser le verre. Ça ne faisait pas si longtemps. Les soupes japonaises feraient aussi bien l'affaire. À peu de chose près. Je n'avais pas besoin de boire. C'était juste pour faire passer la faim. J'étais capable de rester sobre. Quelques verres le soir ne faisaient pas de moi une alcoolique. Ce n'était pas comme si j'arrosais mes céréales d'alcool. Je m'étais déjà endormie sur le canapé, mais je me souvenais toujours d'être allée me mettre au lit. La différence était là. Et les matins… ils étaient de plus en plus difficiles. J'étais de mauvais poil, je m'en rendais bien compte. Parce que j'avais faim. C'était ça le problème. Je ne mangeais pas assez, évidemment, si bien que l'alcool me montait à la tête. Eh bien, il n'était pas question que je me remette à boulotter. Tout le monde disait que j'étais beaucoup mieux. Jimmy en particulier. Il allait falloir que je me passe de vin le soir. Je mangerais plus de salade. J'en étais capable, je le savais.

Je m'en tins à ma résolution jusqu'à l'heure du thé. Mais la hantise du poisson pané et des petits pois eut raison de moi. Mes sucs gastriques protestaient dans leur cage tourmentée, il fallait que je les dompte. Un verre de vodka, ça ne fait que quatre-vingt-dix calories, ce qui est déjà pas mal. Je pouvais manger deux pommes pour le même prix, mais leur aptitude à couper l'appétit est à peu près nulle. Ce n'était qu'un seul verre, après tout. Je me passerais de vin plus tard. Juste de quoi tordre le cou au démon. Ou l'apaiser jusqu'à ce que les assiettes soient vides et les vestiges du repas mastiqués par les dents métalliques du broyeur ménager. Je ne les jetais plus à la poubelle ; je ne me faisais plus confiance. J'avais découvert que ça ne suffisait pas à m'empêcher d'y revenir plus tard et de les fourrer dans ma bouche quand tout le monde avait le dos tourné. Bizarrement, quand j'étais là debout à manger seule, j'arrivais à me convaincre que ces calories-là ne comptaient pas. « L'économie protège du besoin », disait ma mère. Ses paroles sans concession avaient l'effet inverse sur moi. L'économie intensifie le besoin. Amber avait raison. Il m'était arrivé de manger par terre. De fourrer des miettes dans ma bouche. En essayant encore et toujours de combler le vide.

J'étais en train de nettoyer le four quand le téléphone sonna. J'ôtai mes gants en caoutchouc avant de décrocher.

« Madame Kent, désolée de vous déranger. Ici, Mme Hitchens. »

Le professeur de danse.

« Bonjour, comment se passe la journée de présentation ?

— Très bien pour le moment, merci, si ce n'est que Lulu n'a pas sa tenue de danse.

— Elle est comme son père. Elle doit être dans son casier.

— Eh bien, en fait, nous la lui avions donnée vendredi pour qu'elle la rapporte à la maison avec son uniforme... »

Ainsi donc, Tessa King la parfaite n'était pas si parfaite que ça.

« Je sais ce qui a dû se passer. Elle était chez son père ce week-end. Je vais voir ce que je peux faire.

— Puis-je lui assurer qu'elle l'aura cet après-midi ? Ça l'a fait pleurer. »

Eh bien, la vie est dure, ma petite. Il va falloir que tu t'y fasses.

« Bien sûr.

— C'est merveilleux, madame Kent, merci beaucoup. Elle s'est donné tellement de mal pour cette représentation. »

Pour l'amour du ciel, c'est un cours de danse pour des gamines de neuf ans, pas Covent Garden. Au fait, je suis la « première Mme Kent », sachez-le. Il y en a une deuxième en route. Vous l'ignoriez ?

« Je vais voir ce que je peux faire, répétai-je d'un ton allègre.

— Merci beaucoup. Lulu vous en sera reconnaissante, j'en suis sûre. »

Je n'avais jamais eu droit à des remerciements les 3 287 fois où mes filles étaient parties à l'école avec leurs tenues de danse propres, mais aussi sûr que la Terre est ronde, Lulu se souviendrait de ce moment traumatisant de son existence et ne manquerait pas de me le rappeler chaque fois que quelque chose irait de travers dans son monde. Cette pauvre Lulu, elle a eu une mère épouvantable, vous savez !

Eh bien, il n'était pas question que je porte le chapeau toute seule. Aussitôt après avoir raccroché, j'appelai Jimmy. Il était à son travail, mais je pus le joindre juste avant qu'il entre en réunion. Il promit de faire un saut chez lui à l'heure du déjeuner pour récupérer la tenue de danse et de la déposer à l'école avant deux heures et demie. Je le remerciai avec effusion, ignorant la sensation tenace que j'avais que cela n'arriverait pas. J'achevai mes tâches ménagères puis j'allai faire les courses au supermarché. Je songeai que je ferais aussi bien de m'arrêter au dépôt de verre. J'aurais pu attendre que les éboueurs chargés du recyclage passent, mais c'était sur mon chemin de toute façon. Je détournai les yeux jusqu'à ce que toutes les bouteilles se soient fracassées dans l'énorme container.

J'entendis le téléphone sonner au moment où je trimballais le dernier sac de provisions.

« Elle n'est pas ici, dit Jimmy.

— Elle y est forcément, répondis-je en posant le sac dans le coffre.

— Elle n'est pas ici, Bea, répéta-t-il. J'ai fouillé partout. »

Les dents serrées, je renchéris : « Sauf ton respect, tu n'es pas très doué pour…

— Bea, je t'assure, elle n'est pas ici !

— Ne te mets pas en colère contre moi, s'il te plaît. Ta fille ne t'a pas appelé en larmes. Tu n'as pas eu la prof au bout du fil. On la lui a donnée vendredi pour qu'on puisse la laver.

— Dans ce cas, Tessa a dû la mettre à la machine, la repasser et te la renvoyer avec le reste des affaires.

— Eh bien, figure-toi que non. J'ai vidé le sac hier soir. Navrée, Jimmy, mais c'est toi qui l'as.

— Ce n'est pas sa faute, Bea. C'est la mienne. Je suis nul quand il s'agit des affaires des filles. Je suis désolé, ça n'est pas…

— Ton fort, répliquai-je avec un rire forcé. Je crois que je suis au courant, Jimmy. » Mais si ta petite fille au pair n'est pas capable de s'en charger, il faut bien que quelqu'un s'y colle. « Il va falloir que tu appelles Tessa pour lui demander ce qu'elle en a fait.

— N'y aurait-il pas un autre moyen de…

— Je ne t'aurais pas téléphoné dans ce cas. S'il te plaît, c'est important pour Lulu. Je reste en ligne.

— Elle avait une réunion super importante aujourd'hui. »

Dommage pour elle. Miss Big Deal…

« Lulu s'est entraînée pendant des semaines et tu sais qu'elle a besoin d'un maximum de confiance en elle en ce moment. »

Je l'entendis jurer dans sa barbe.

« Tu as raison, bien sûr. Attends… Tessa King, s'il vous plaît… Je sais qu'elle est en réunion, mais c'est important. Je suis son fiancé… » Je fis la grimace. « Oui, bonjour, James, c'est ça, oui, merci beaucoup. Je sais à quel point c'est important, mais il s'agit d'une urgence. » *James*, hein ?

J'attendis en silence, tout comme lui. Une autre pensée moins acerbe s'insinua dans ma rage… C'est une très mauvaise idée ce coup de fil, mon ami, très mauvaise. Ne l'interromps pas si c'est vraiment important. Tu sais ce que tu aurais dû faire ? Foncer dans un magasin, régler le problème en dépensant de l'argent comme tu le fais pour toi-même, acheter un nouveau justaucorps à Lulu, coudre l'élastique toi-même, même maladroitement, et le porter à l'école avant deux heures et demie. Mais ça ne t'a même pas effleurée, hein ? Et maintenant…

« Allô, Tessa… »

C'est parti.

« Désolé de te déranger en pleine réunion. Oui, tout le monde va bien. Non, pas ta mère, doux Jésus, non ! » J'avoue que je me sentis un peu mal à ce stade. La maman de Tessa avait-elle des problèmes de santé ? « C'est juste, écoute, c'est le jour du spectacle de Lulu à l'école… Oui, de danse… Je sais, mais elle est dans tous ses états… En larmes… Je suis navré que tu te sentes… je te trouve un peu irresponsable là… Non, je ne peux pas simplement aller acheter… » Elle avait un peu de jugeote au moins ! « Eh bien, tu ne devrais pas traiter ça par-dessus la jambe, Tessa. Dis-moi juste où est cette foutue tenue de dans… » Ouh là ! « Tessa ? Tessa ? »

« Que se passe-t-il ? » demandai-je. Pas de réponse. « Alors, Jimmy, où est-ce ? »

Je l'entendis rapprocher le combiné du fixe de son oreille.

« Elle a raccroché. »

Je me mordis la lèvre pour ne pas rire.

« Lui as-tu expliqué que c'était pour notre fille ? »

Il poussa un gros soupir.

« Oui.

— Lulu va être affreusement déçue, ajoutai-je, histoire de remuer le couteau dans la plaie.

— Je suis absolument navré, Bea. »

Je ne pouvais pas faire autrement que de retourner l'épée contre moi.

« Je vais appeler les autres mamans pour voir ce que je peux trouver.

— Tu es une véritable bénédiction. Merci. S'il te plaît, fais mes excuses à Lulu.

— Tu peux le faire toi-même.

— Je le ferai, bien sûr, je le ferai.

— Je te rappellerai pour te dire si j'ai réussi à régler le problème.

— Merci. Bea, je te demande pardon. Je sais que tu fais déjà tellement de choses… »

Je raccrochai.

Ce fut à peu près à ce moment-là que je me souvins des affaires de danse d'Amber que j'avais mises de côté jusqu'à ce que ses sœurs soient assez grandes pour les porter. Je montai dans sa chambre. Dans le haut du placard, j'avais entassé des cartons étiquetés contenant toutes sortes de vêtements attendant d'être transmis. Il y avait un carton de pulls, un autre de pantalons, un rempli d'habits d'été, un autre de maillots de bain, de tenues de sport, et bien entendu, dans une maison remplie de filles, un énorme carton de tenues de danse. Tout était rangé par âges. Tout était propre et soigneusement plié. Je sortis la pile marquée « 10 ans ». Ce serait peut-être un tout petit peu trop grand, mais ça ferait l'affaire. Je me rendis à l'école. Je remis à Lulu la tenue déjà étiquetée, et je fus récompensée par un gros baiser et des sourires reconnaissants de la part de ses professeurs. Ils savaient à quel point c'était compliqué de veiller sur trois enfants, dont une grande qui faisait plus de dégâts à elle seule que les deux autres. J'agitai la main avec désinvolture, maîtresse de moi-même. Cette croix que nous portons toutes !

« Vous êtes fabuleuse, me dit Mme Hitchens. Le règlement ne l'autorise pas vraiment, mais voudriez-vous assister à la représentation ? » Rien ne me serait plus agréable, pensai-je. Quand Lulu me vit, son sourire me combla. Elle est totalement nulle en danse, mais son enthousiasme gagne tous les cœurs. J'applaudis à tout rompre quand elle eut fini, et emmenai son sourire avec moi en partant.

Jimmy m'avait laissé trois messages anxieux. Je résolus de le rappeler plus tard.

Je repris ma voiture et rentrai à la maison en fredon-
nant les airs qui passaient à la radio. Je montai dans la
chambre d'Amber et remis tous les cartons en place
dans l'ordre où je les avais trouvés. En refermant le
placard sur tous ces habits en attente, je me demandai,
en me souriant toujours à moi-même, pourquoi je n'y
avais pas pensé plus tôt.

10

Une soirée au cinéma

Le mercredi suivant, on sonna à la porte. Elles étaient en retard. Et Amber, comme d'habitude, avait préféré m'obliger à me lever pour leur ouvrir plutôt que de chercher ses clés. Mais elles étaient de retour. Et c'était bien. Je tiraillai sur ma robe neuve, ajustai l'encolure devant la glace de l'entrée, puis j'ouvris la porte en me passant la langue sur les lèvres.

« Honor ! m'exclamai-je. Euh… Que…

— Bonjour, Bea. Jimmy m'a demandé de ramener les filles.

— Oh ! fis-je en jetant un coup d'œil dans la rue. Il n'est pas avec vous ?

— Non.

— Bonsoir, les filles.

— Salut, maman, répondirent-elles en chœur avant de m'écarter pour passer.

— Je suis un peu en retard, désolée. Nous étions au musée des Sciences.

— J'aimerais bien que Jimmy me prévienne quand il change de programme comme ça.

— Navrée. Elles ont mangé, au moins. »

Elle se retourna pour partir.

« Vous n'y êtes pour rien. Entrez, je vous en prie. On ne s'est pas revues depuis l'anniversaire de Luke. Ce serait sympa de bavarder un moment.

— Avec plaisir. » Honor entra dans ma modeste demeure, referma la porte et jeta son manteau par-dessus la rampe d'escalier. « Vous avez l'air en pleine forme, Bea. Combien de kilos avez-vous perdus ?

— Je ne sais pas. Quelques-uns.

— Bea. »

Je ne pus réprimer un sourire de triomphe.

« Euh, près de huit, je crois.

— C'est incroyable. En si peu de temps ? »

J'eus un petit rire nerveux.

« Ce n'est pas l'impression que ça donne. Ma conseillère chez WeightWatchers m'a dit que le début, c'est ce qu'il y a de plus facile. J'ai de la peine à le croire. C'est déjà sacrément dur. Mais le chiffre sur la balance baisse, ce qui m'incite à continuer.

— Vous faites le régime WeightWatchers alors ? »

Je conduisis mon ex-belle-mère dans la cuisine.

« Je n'aurais pas pu faire ça toute seule. Tout est très contrôlé. C'est ce qu'il me faut. Trop de tentations dans la maison, trop d'occasions de tricher, entre les biscuits et le goûter des enfants. Le poisson pané, c'est mon point faible. » Je ris. « Avec cette méthode, je dois m'en tenir à un certain nombre de points par jour, mais si je grignote accidentellement une de ces vilaines petites friandises à l'orange, je peux déduire les points et cela ne me pousse pas forcément à me jeter sur le cheddar sous prétexte que tout est perdu. Les légumes, on peut en manger autant qu'on veut, si bien que je suis continuellement en train de ronger une carotte ou quelque chose. »

Mon Dieu, ça paraissait presque sain à entendre !

« Eh bien, mes félicitations, Bea. Je suis impressionnée. »

Vous avez tort. Je vous mens entre mes dents tachées à force de boire du café noir.

« J'avais l'intention d'attendre que les filles soient couchées avant de prendre mon verre de vin à deux points, mais puisque vous êtes là, voudriez-vous vous joindre à moi ?

— Ce serait avec plaisir. Vos filles sont adorables, mais éreintantes aussi. Juste un verre. Je conduis.

— Je n'ai pas droit à plus », dis-je en la gratifiant d'un grand sourire. Au fond je sais peut-être de qui Amber tient ses talents d'actrice.

« Parfait. Merci beaucoup.

— Alors qu'est-il arrivé à notre Jimmy cette fois-ci ? Une grosse affaire sur le point de se conclure ? demandai-je d'un air entendu.

— Il s'agit plutôt d'une affaire personnelle, me répondit Honor.

— Vraiment ?

— Une petite dispute, apparemment. En attendant, ils sont partis. »

Y en a qui ont de la chance, pensai-je en me demandant qui casquait.

« Une dispute ?

— À propos d'une tenue de danse, je crois. La pauvre est sans doute en train de se rendre compte que le rôle de belle-mère est plus ardu qu'elle ne le pensait. L'avez-vous rencontrée ?

— Je l'ai aperçue à travers une vitre de voiture, mais je ne suis pas sûre que ça compte. Je ne pense pas que Jimmy soit tout à fait prêt pour un ménage à trois. On risquerait de se mettre à faire des comparaisons. »

Honor éclata de rire. J'en fis de même. Ha ha ha.

« Elle a l'air d'une très chic fille. Lulu et Maddy sont manifestement sous le charme, mais Amber risque de lui donner du fil à retordre à mon avis.

— Sous le charme. Oui. C'est sympa. Je pensais qu'Amber l'aimait bien aussi. Elle n'arrête pas d'écouter ce CD des Bonnes Belles. Je crois que Tessa travaille avec elles, ou quelque chose comme ça. »

Bien évidemment, à ce stade je savais très précisément ce qu'elle faisait. J'avais vérifié plusieurs fois sur Google, mais j'étais obligée de feindre l'indifférence totale, de peur que Honor ne se rende compte qu'il y avait anguille sous roche. Puisque mes enfants ne daignaient pas me tenir au courant des ragots, j'avais besoin d'elle dans mon camp. Personne ne devait soupçonner quoi que ce soit.

« C'est commode, faut le reconnaître, nota Honor.

— À qui le dites-vous !

— J'ai l'impression que Tessa a poussé le bouchon un peu trop loin cependant.

— Vraiment ? m'étonnais-je.

— Amber m'a dit qu'elle avait la sensation de s'être fait graisser la patte. »

C'est bien, ma fille.

265

« Je la plains presque, cette pauvre Tessa, dis-je, parfaitement hypocrite.

— En tout cas, elle va nous en faire voir de toutes les couleurs, celle-là. »

Je résolus de supposer que Honor parlait de Tessa, même si je savais pertinemment que ce n'était pas le cas. Je servis deux verres de vin.

« Et ça ne fait que deux points ? » demanda Honor.

Je lui décochai un clin d'œil.

« Eh bien, je vous avoue qu'il m'arrive de tricher un tout petit peu.

— Je vous comprends, dit-elle en levant son verre. À votre santé. Je suis très impressionnée. Vraiment. Comme toujours. »

Je me rappelai juste à temps de ne pas boire comme si j'étais seule et de m'asseoir d'abord.

Honor et moi sirotâmes notre vin à petites gorgées tout en bavardant normalement, agréablement, pendant que les filles se préparaient à se coucher. Je n'avais qu'une seule envie en fait : parler du projet de mariage. J'avais réussi à la jouer cool pendant un moment, mais je n'étais pas capable de tenir ma langue plus longtemps.

« Les filles sont tout excitées à l'idée d'être demoiselles d'honneur. La promesse d'une robe neuve est le moyen assuré de gagner le cœur de n'importe quelle fille.

— Il n'y a pas qu'elles ! Tessa a une foule de filleuls. Elle veut qu'ils participent tous. Je sais qu'il y en a une qui connaît déjà les petites. Elles ont souvent joué ensemble cette année. Elle a un drôle de nom.

Corky, quelque chose comme ça. Maddy et elle ont le même âge, je crois. Il y aura donc ces trois-là, sans aucun doute. Et puis deux petits garçons, adorables, qui trottineront derrière elles. Ainsi qu'un plus grand qui aura la charge de placer les gens.

— Luke sera-t-il témoin de nouveau ? demandai-je sournoisement.

— Oh non ! s'exclama Honor. Ils ont fait très fort à ce sujet, de mon point de vue.

— Comment ça ?

— Jimmy a demandé à Amber d'être son témoin.

— Tessa est ravie, je parie. » Je tentai de prendre un ton désinvolte pour dissimuler mon désarroi. Combien d'autres choses ma fille chérie m'avait-elle cachées ?

« C'est Tessa qui a eu l'idée, apparemment. N'en parlez pas à Amber, nous ne sommes pas censés être au courant. Tessa ne veut pas qu'on sache que ça vient d'elle. C'est vraiment une chic fille. Désolée, cette conversation à propos de l'organisation du mariage vous met peut-être mal à l'aise ? »

Je secouai la tête et scotchai un nouveau sourire sur mes lèvres. Mal à l'aise, c'était rien de le dire ! C'était le prétexte que j'attendais. Je bus une longue gorgée de vin. Je vais vous montrer ce que c'est qu'une chic fille !

« Amber n'a pas arrêté d'en parler tout l'après-midi. Elle bout d'impatience. Son idée est non pas de faire un discours à propos de Jimmy, mais de réécrire les paroles de "Can't help loving dat man"... Aimer mon papa... C'est touchant, n'est-ce pas ? Elle va faire un tabac, comme d'habitude.

— Elle va chanter ! Doux Jésus ! » Non, non, non. Ça, je ne le supporterais pas.

« Ils ont déjà réservé l'orchestre. Vous les connaissez, ils étaient à l'anniversaire de Luke. Amber les a contactés pour prévoir un créneau de répétitions. Elle est d'une ténacité incroyable quand elle veut quelque chose. C'est admirable pour quelqu'un de son âge. Elle a vraiment de l'ambition. La plupart des adolescents que je connais sont des mollassons.

— Ils ont déjà réservé l'orchestre ? »

Honor hocha la tête.

« La date est déjà fixée alors ? »

Les choses pouvaient-elles encore empirer ?

Honor leva les deux mains.

« Je suis désolée, Bea. Je pensais que vous le saviez. »

Je dissipai son inquiétude d'un geste. Donne le change maintenant, tu t'effondreras plus tard.

« Jimmy n'arrive même pas à se rappeler qu'il doit me prévenir quand il ne peut pas prendre les enfants. Je ne comprends pas pourquoi je m'étonne encore. Alors c'est quand le grand jour ?

— Le 21 juin. Le jour le plus long de l'année.

— Inutile de se demander qui va jouer le rôle de Bottom. »

Honor me dévisagea.

« Je plaisante… Un beau mariage en plein air, alors ?

— Ils ont prévu cent vingt convives, je crois. Tessa a une famille réduite, mais un nombre grotesque d'amis pour compenser. Nous devons aller déjeuner chez ses parents à Oxford pour faire leur connaissance, voir la maison, le terrain. Tessa veut dresser une tente au-dessus du verger.

— Grandiose. »

Bon sang, se pouvait-il que mon verre soit déjà presque vide !

« Pas tant que ça. Des poiriers nains, apparemment. Ça va être un régal de dîner parmi les arbres, à la lueur d'une multitude de petites lumières scintillantes qui émailleront la végétation. »

Ça faisait rêver.

« Ça risque de coûter cher, dis-je.

— M. et Mme King n'ont qu'une seule fille, alors je suppose qu'ils ont mis un peu d'argent de côté. Cela fait suffisamment longtemps qu'ils attendent. À vrai dire, j'ai le sentiment que Tessa trouve que l'on précipite un peu les choses, mais Jimmy est déterminé et puis, elle n'est plus toute jeune »

D'après ce que j'avais entrevu, elle avait tout d'une gamine. En âge de procréer. Je sentis de nouveau ce vide au creux de mon estomac. Je bus les dernières gouttes de vin pour le combler.

« Cent vingt convives, dis-je. C'est… » Autant que nous. « … un sacré nombre pour un second mariage ? Je veux dire, ne cherche-t-on pas plutôt à faire profil bas en pareille circonstance ?

— C'est une première pour elle.

— Bien sûr. Suis-je bête ! Elle va se marier en robe blanche alors, je suppose.

— Je doute que Tessa King soit du genre à porter une robe blanche.

— C'est rarement le cas des secondes épouses. Encore un peu de vin ?

— Vous y avez droit ?

— Mon ex-époux se remarie, dis-je. Tant pis pour les points ! »

Je remplis mon verre et ajoutai quelques gouttes dans celui de Honor. Elle m'observait. À l'époque où notre couple avait commencé à battre de l'aile, elle avait essayé de m'en parler. C'était une femme subtile, qui faisait partie de cette race exceptionnelle de mère capable d'aimer leur fils tout en étant consciente de ses défauts. J'aurais dû me confier à elle alors ; mais je n'avais pas pu. Je n'y arrivais toujours pas.

« Cette histoire avec Tessa vous est-elle pénible ? »

Je m'adossai à ma chaise. Un soupçon de vérité rendrait le mensonge plus convaincant.

« Ce qui m'est pénible, c'est que personne ne me dit rien. Du coup, je me sens bizarre. Je n'aime pas être maintenue à distance et je n'ai pas besoin qu'on me protège.

— Qu'est-ce qui vous fait penser que c'est vous que l'on protège ? »

Je regardai mon ex-belle-mère en clignant des yeux.

« Ne vous est-il pas venu à l'esprit que marcher dans vos pas pouvait être une redoutable perspective ?

— Moi ? Vieille, obèse, au bout du rouleau ? m'exclamai-je en riant. Ça m'étonnerait. »

Honor croisa ses bras sur sa poitrine.

« Voulez-vous que je vous dise ce que nous voyons, nous ? »

J'avais envie de lui répondre par la négative. Il était plus facile parfois de croire les pires choses.

« Je vois une femme qui élève trois enfants à peu près toute seule. Jimmy est merveilleux avec les filles, mais il les gâte trop…

— J'en ferais autant si je ne les avais qu'un week-end sur deux.

— Peut-être. Mais cela veut dire que vous, et vous seule, faites le plus gros du travail. L'organisation, les dispositions à prendre, les conduire, aller les chercher, les repas, les lessives, et je ne parle même pas des problèmes de discipline. Vos trois filles sont mignonnes comme tout, vous faites forcément les choses bien ! »

Je me levai et m'approchai de l'évier, chassai une larme du revers de la main.

— « Vous décrivez à peu de chose près toutes les mamans que je connais. Que nous soyons en couple ou non, l'essentiel de la charge nous incombe. Je doute que Peter vous ait beaucoup aidée.

— C'était différent à notre époque. Le rythme de la vie était nettement plus lent, les attentes moindres. Jimmy et Luke passaient des heures à jouer au foot dans la rue. Ça ne pourrait plus se faire aujourd'hui, si ? Vous subissez beaucoup plus de pression que j'en ai jamais subi, à mon avis. Le rôle de mère s'apparente de plus en plus à une sorte de compétition professionnelle. Je suis allée chercher les filles à l'école. J'ai vu la kyrielle de clubs : échecs, mandarin, l'art du débat ! Toutes les mamans sont tirées à quatre épingles. Je trouve ça terrifiant, et je ne suis pas facilement terrifiée. »

Je m'adossai à l'évier.

« Vous savez pourquoi nous nous prêtons à ce jeu-là ? »

Honor haussa les épaules.

« Pourquoi ?

— Parce que, au fond de nous, nous n'estimons pas ce que nous faisons. Si je pensais vraiment qu'être efficace, coudre des centaines de chouchous, participer aux voyages scolaires étaient un accomplissement, je ne me sentirais pas aussi inutile. J'ai autant d'éducation que mes enfants en auront. Et je n'en fais rien.

— Vous ne m'écoutez donc pas ? Vous faites un boulot remarquable. Vos filles sont des merveilles.

— Mes amies qui travaillent en font tout autant. Et pourtant, croyez-moi, je les attendais au tournant.

— Je ne comprends pas. »

J'achevai mon deuxième verre de vin.

« Je ne suis pas aussi altruiste que vous le pensez. Je dirais même que je suis loin d'être aussi gentille que vous vous l'imaginez.

— Bea…

— C'est vrai. Toute cette pseudo-générosité est étayée par le terrible espoir que, d'une manière ou d'une autre, ma présence derrière le stand des pâtisseries rendra mes enfants plus heureux que ceux dont les mères ne sont pas là parce qu'elles sont encore au turbin. Il n'y a rien de plus démoralisant que de s'apercevoir que leurs gosses ne sont pas plus perturbés que ça, qu'en fait ce sont les vôtres qui présentent un déséquilibre.

— J'ignorais que vous ressentiez cela. »

Je me mordis la lèvre.

« Moi aussi. » Je m'approchai du frigo. « Un autre verre ?

— Un petit alors. Il faut que je rentre.

— Eh bien moi, je ne vais nulle part, dis-je en la resservant avant de remplir mon verre.

— Cette prise de conscience serait-elle liée au prochain mariage de Jimmy ? »

Je méditai la chose un instant.

« En partie, je suppose. Mes filles vont avoir une belle-mère qui est un meilleur modèle que moi. Ça me reste un peu en travers de la gorge.

— Célibataire, sans enfants et presque la quarantaine. C'est ça que vous voulez pour vos enfants ?

— Indépendante, active, assez âgée pour savoir dans quoi elle se lance. Ce ne sera pas vingt ans de servitude gratuite pour Tessa King, ça, c'est sûr ! D'ailleurs, votre description ne colle pas. Elle va bientôt se marier, elle a trois charmantes belles-filles, pas de blessures de guerre, une merveilleuse relation. C'est moi qui suis célibataire, sans enfant, et j'approche de la cinquantaine, nom de Dieu !

— Mais non !

— Ça ne va pas tarder. Les filles vont vite grandir et alors, Tessa et moi serons sur un pied d'égalité. Nous aurons toutes les deux des relations adultes avec chacune d'entre elles. En définitive, l'enfance sera oubliée. À quoi tous ces chouchous m'auront-ils servi, vous voulez me le dire ?

— Mais le fondement, ce qu'elles sont...

— ... ce qu'elles auraient été de toute façon, à moins que nous n'ayons fait quelque chose de terrible.

273

Enfin, j'ai tout de même à mon actif l'une des choses les plus atroces que l'on puisse faire à des enfants. Je les ai arrachées à leur père. Entre Tessa et moi, la plus admirable, c'est elle. Et ce qui est crispant là-dedans, c'est que c'est tout à fait ce que votre charmant fils mérite. »

Honor me prit la main.

« Vous êtes la mère de mes petites-filles, Tessa King ou pas. Rien ne changera ça. Je vous aime comme ma propre fille, je vous remercie chaque jour pour elles et je continuerai à le faire. Je sais que c'est difficile. Sans doute avez-vous raison ? Les choses iront peut-être en empirant. Mais je vous en conjure, ne me dites jamais, jamais que ce que vous faites est sans valeur. C'est inestimable, Bea. Vous m'entendez ? » Je ne pouvais plus parler. Alors je bus à la place.

En entendant des pas dans l'escalier, je m'empressai de me relever du sol. J'étais remontée sur le canapé quand Amber entra.

« Ça va, maman ? »

Je lui souris innocemment.

« Hum ?

— J'ai cru entendre un gros bruit.

— Ça devait venir de chez les voisins. Tu devrais être au lit.

— J'y étais, me répondit-elle en m'observant attentivement.

— Je vais venir te faire un bisou.

— Qu'est-ce que tu regardes ?

— Il n'y a rien d'intéressant à la télé. Je pensais mettre une cassette. »

Elle resta là à me dévisager, puis elle jeta un coup d'œil par-dessus le canapé pour avoir une meilleure vue sur l'écran. Je m'aperçus trop tard que j'avais laissé la boîte de la cassette ouverte par terre.

« S'il te plaît, maman, ne regarde pas ça encore une fois.

— Comment ça, "encore une fois"? Je pensais que c'était toi qui l'avais sortie. Histoire de trouver l'inspiration pour ton discours de témoin.

— C'est mamy qui t'a parlé de ça ?

— Elle n'aurait pas dû avoir à le faire. C'est toi qui aurais dû me le dire. »

Elle baissa les yeux.

« Amber ?

— Je ne voulais pas te faire de la peine.

— Pourquoi veux-tu que ça me fasse de la peine ? »

Elle releva les yeux, entendant mes mots, y prêtant foi parce qu'elle savait qu'on pouvait me faire confiance, mais flairant néanmoins le piège. Le terrain semblait sûr, mais… Elle hésita.

Je l'exhortai à m'en dire plus.

« C'est très excitant. Un vrai privilège. Et très adulte.

— C'est papa qui m'a demandé, dit-elle, se décidant tout à coup, un grand sourire aux lèvres, avide de me faire part de ses projets. "C'est le rôle le plus important de la cérémonie", m'a-t-il dit. Je dois porter les alliances. D'habitude, c'est un garçon qui s'en charge, et les garçons ont des poches. Or, je veux porter cette robe bleue de chez Harrods. J'ai déjà demandé à mamy si elle voulait bien me l'acheter. Elle a dit oui, mais il n'y a pas de poches, alors j'ai pensé qu'il me faudrait peut-être un sac à main assorti et des chaussures.

— Tu as pensé à tout ça, hein ?

— Pour y mettre les alliances.

— Ton père a déjà une alliance. »

Elle ne vit pas venir le danger. Moi non plus.

« J'ai l'intention de chanter mon discours, poursuivit-elle. Je me fais aider par un ami. Il est très doué. Je crois qu'il sera compositeur plus tard ; je pourrais chanter ses chansons. Il a des tas de grandes idées, à propos du monde, de la pauvreté, tu vois. Il est tellement rafraîchissant. »

Rafraîchissant ? Tu as quatorze ans, pour l'amour du ciel ! Comment peux-tu avoir besoin de gens rafraîchissants à ton âge ?

« Tu comptes chanter une chanson sur la pauvreté ? » dis-je en serrant les dents au point que j'en avais mal à la mâchoire.

Elle éclata de rire, pensant que je plaisantais.

« Non, maman. Je vais chanter une chanson à propos de papa, de l'homme fabuleux qu'il est. Il est si gentil, tellement drôle. C'est le meilleur papa du monde. Toutes mes copines le disent. Le père de Clara parle à peine, je te jure. Il n'a jamais joué à se déguiser, jamais chanté.

— Il fait ça, ton père ?

— Il le faisait en tout cas. Jusqu'à ce que… »

Son joli visage se plissa. Je savais ce qu'elle pensait : où ce sentiment de bien-être était-il passé ? Une alarme avait retenti. Elle apprenait à déchiffrer les premiers avertissements, sans trop savoir encore quoi en faire.

Je saisis la perche qu'elle me tendait.

« Jusqu'à ce que Tessa débarque. Ce n'est pas grave, Amber, tu peux ne pas l'aimer, tu sais. C'est difficile quelquefois de partager.

— Je l'aime bien, maman. Ça non plus, ce n'est pas grave, hein ? J'ai le droit ? Ne devrions-nous pas nous réjouir qu'elle rende papa heureux ? C'est plutôt cool, non ? »

La fureur monta en moi telle une coulée de lave jaillissant d'un volcan.

« Cool ? » Je ris méchamment. Je voyais bien qu'Amber sentait le sol se fissurer sous ses pieds. Elle voulut partir. J'eus envie de la laisser filer, mais la colère me mit un maillet dans la main et je n'avais plus qu'une seule envie : m'acharner sur ces failles jusqu'à ce que tout l'édifice s'écroule.

« Bon sang, ce que tu peux être naïve ! *Heureux ! Rafraîchissant ! Cool !* Tu ne sais rien du monde réel, ma pauvre petite », achevai-je en éclatant de rire de nouveau.

Si la terreur surgit sur son visage, je ne la vis pas. La brume rouge de l'alcool s'était abattue sur moi. J'étais dans un brouillard digne des Baskerville et je ne voyais plus les monstres. Ni les ravages qu'ils pouvaient causer. C'était le rire qui lui avait fait le plus peur. Ce rire gras, sardonique, un son laid, condescendant, qui faisait écho à mes pensées irrationnelles d'ivrogne à propos de ma magnifique fille. Je tournai mon attention vers l'écran de télé.

« Non, Amber, ce n'est pas cool. Pas cool du tout. »

Je ramassai la télécommande à l'endroit où elle était tombée. Où *j'étais* tombée.

« S'il te plaît, maman, évite de regarder ça encore une fois.

— Va te coucher, ma petite fille. »

Consumée par une rage indicible, je rembobinai la cassette, et l'invitation à notre mariage, d'une blancheur immaculée, apparut sur l'écran. M. et Mme Harold Frazier seront heureux de vous accueillir au mariage de leur fille Belinda… (Bon sang, je m'étais battue contre ça, en vain, comme d'habitude.) Personne ne me connaissait sous le nom de Belinda, m'étais-je lamentée, mais je n'avais pas compris que mes noces n'avaient rien à voir avec moi et tout à voir avec la volonté de ma mère de nous montrer à nous tous comment les choses devaient se faire.

Jimmy avait fait preuve d'une patience d'ange, il fallait bien l'admettre. La nuit, dans les bras l'un de l'autre, nous vitupérions les manières ridiculement snobinardes de ma mère en nous promettant de lui tenir tête. Le lendemain, nous baissions de nouveau les bras. Peut-être cela nous avait-il rapprochés. Les stupides requêtes de ma mère n'avaient pas d'importance au fond. Tant que nous nous disions « oui » au moment opportun, rien d'autre ne comptait. Nous étions jeunes. Nous savions si peu de choses.

Je m'esclaffais sur l'écran, face à l'objectif à présent. Des bigoudis sur la tête. En train de faire sécher mon vernis à ongles. Dans ce kimono de soie verte que j'avais tellement porté depuis qu'il était devenu transparent à certains endroits. Je brandissais mes mains à une trentaine de centimètres d'écart. Si je riais ainsi, c'est parce que Suzie, une amie qui a disparu de la circulation depuis, me demandait si c'était la « taille » que faisait Jimmy. Il y a si longtemps que je me suis mariée que nous n'avions pas le son à l'époque. Heureusement. Nous nous étions servis de la vieille caméra 8 mm de mon père. Le film avait été transféré sur vidéo depuis belle lurette, sans perdre pour autant, Dieu merci, cette qualité hachée des vieux films amateurs.

J'avançai la bande en accéléré jusqu'au mariage. Mon père. De nouveau en vie. Me tenant la main. M'aidant à tenir debout. C'était seulement en sortant de la voiture que je m'étais rendu compte que j'allais me marier. Neuf mois d'organisation minutieuse, laborieuse – dragées, plans de table, ourlets, hors-d'œuvre – et ce fut seulement à cet instant, un pied sur le gravier, que je pris conscience que j'allais dans un endroit d'où je ne reviendrais jamais.

Je considérai ma main nue. Divorce ou pas, j'avais vu juste. Je n'étais toujours pas revenue. J'observai la fille que j'avais été. Sa taille de guêpe, ses cheveux noirs, brillants, ses yeux bleus limpides. Des souliers en ivoire immaculés, une robe tellement ajustée que j'arrivais à peine à respirer, une robe que seule Amber pourrait porter maintenant, une robe que j'avais gardée, dissimulée dans une housse à cause de la comparaison grotesque qui s'imposait quand je la pressais contre ma silhouette post-partum. Elle comptait deux cents boutons garnis de soie du cou jusqu'au bout de la traîne. Et Jimmy les avait tous défaits, l'un après l'autre. Lentement, méthodiquement, chacun accompagné d'un baiser. Me déshabillant jusqu'à ce que je sois, de droit, à lui. Et dépouillée.

Qu'est-ce que cette journée m'avait apporté ? Quel effet avait-elle eu sur moi en fin de compte ? Elle m'avait donné mes enfants. Des enfants magnifiques, merveilleux, que j'aimais infiniment, au-delà de toute compréhension, pour lesquels je serais prête à mourir plusieurs morts. J'avais monté la garde à côté de leurs petits corps endormis et j'avais pleuré face à tant de perfection. Des enfants dont les petits doigts dodus s'étaient agrippés aux miens, qui avaient dépendu de moi pour leur survie, et ça m'avait coûté la vie. Je fixai intensément l'écran de télé – où étais-je passée ? Où était passé ce sourire ?

Je regardai ma silhouette irréprochable disparaître à la porte de l'église, aspirée par les ténèbres à l'intérieur. La caméra ne m'avait pas suivie, ma mère ayant estimé que cela ne se faisait pas. Le film s'interrompait, et une seconde plus tard, je ressurgissais, mariée. Je mis sur pause et scrutai ma forme vacillante. Notait-on déjà une différence ? Un changement microscopique ? Avais-je rétréci ? Jimmy avait-il grandi ?

Qui accorde la main de cette femme à cet homme ? Je n'avais pas pensé à l'implication de cette formule traditionnelle. Ma mère y tenait. Sous prétexte que ce serait indigne de dire autre chose, et une fois de plus, nous y avions consenti. Si j'avais réfléchi à ce que ces mots voulaient dire, je me serais peut-être battue un peu plus. Mais je ne pensais pas au-delà de ce jour-là. En toute honnêteté, je ne pensais pas du tout. J'aimais Jimmy. La formule importait peu. Aussi mon père s'était-il avancé pour me donner en mariage.

Quelle était la différence entre la fille qui était entrée dans l'église et celle qui en était ressortie quelques instants plus tard ? Je connaissais la réponse. Celle qui avait réapparu avait été *donnée* en mariage. Je n'étais même pas autorisée à faire ça toute seule. Nous sommes tellement convaincus de contrôler notre avenir. Nous croyons tenir le volant de notre existence. Nous nous imaginons que nous prenons nos décisions nous-mêmes. Mais ce n'est pas vrai. Nous sommes façonnés, manipulés, forgés, formatés par la société, ses attentes, la biologie, surtout la biologie. Notre principale force est notre féminité. C'est aussi une profonde faiblesse. L'espèce a besoin de se nourrir de nous pour survivre. Nous mourons afin que d'autres puissent vivre. La pro-création nous incombe. Les hommes donnent peut-être une partie d'eux-mêmes à leur progéniture, mais nous nous donnons en entier. Nous donnons tout ce que nous pouvons à nos enfants et ils ne nous doivent rien. Ils n'ont pas demandé à naître. Cela vient de nous. Jimmy et moi pensions prendre la décision de fonder une famille, mais cette issue était programmée avant ma naissance. J'avais des ovules avant d'avoir des cils. Dans le ventre de ma mère, je portais déjà mes enfants en devenir. Tous. Les trois auxquels j'avais donné nais-sance et celui que j'avais tué.

J'expédiai la télécommande contre la télé. Que savais-je ? Que savait cette fille stupide, naïve, pour l'amour du ciel ? Rien. Pas étonnant qu'elle ait commis tant d'erreurs. La colère se dissipa, le vide se rouvrit en moi, les regrets le comblèrent.

« Je suis désolée, sanglotai-je. Désolée… désolée… tellement désolée. »

Pour se racheter auprès des filles, Jimmy m'avait téléphoné en suggérant qu'elles dorment chez lui vendredi soir. J'avais refusé au départ sous prétexte que ça les perturberait trop, mais il m'informa qu'Amber l'avait appelé spécifiquement pour lui faire cette requête. C'était la peur qui m'avait fait changer d'avis. La peur d'un rêve dont on n'arrive pas vraiment à se souvenir. Il était entendu que, samedi matin, il les conduirait chez Faith et Luke où je devais aller les chercher à l'heure du déjeuner.

Je ne suivis pas tout à fait le programme. Il n'était pas encore onze heures quand je débarquai dans leur charmante demeure d'East Acton.

« Pardonne-moi, dis-je à Faith. C'était trop silencieux à la maison. »

Faith rit aux éclats, et je ne compris pas pourquoi.

« Ça ne m'étonne pas. Entre donc. Tu as vraiment bonne mine. Je n'arrive pas à croire que tu aies perdu autant de poids. »

Bizarrement, cela ne me faisait pas tant de bien d'entendre ça. J'étais en train de gagner la bataille contre la nourriture, mais c'était une vaine victoire. Je mettais toute la force de ma volonté à me priver d'aliments solides. Ce qui laissait la porte dangereusement ouverte à l'absorption de liquides. Une fois de plus, je m'étais réveillée sur le canapé, les tempes douloureuses, avec un goût mortel dans la bouche. Cela se produisait chaque fois que j'étais seule désormais. Le vide me consumait. Les regrets amers. L'âcre mépris de moi-même.

« Les enfants sont dans le jardin. Tu veux un café ?
— Volontiers. »

Je la suivis dans sa cuisine immaculée où les œuvres encadrées de Charlie décoraient tout un mur, à côté de son emploi du temps hebdomadaire et de son menu attitré.

« On a fait installer un gigantesque tremplin. Ils n'en décollent plus, me dit Faith en préparant le café. Lulu est plutôt douée.

— Elle se destine peut-être au cirque. En attendant, elle est toujours aussi mauvaise en lecture.

— Ça conviendrait mieux à Amber, à mon avis. Après le numéro d'évasion mirobolant qu'elle nous a fait.

— De quoi parles-tu ?

— D'hier soir.

— Je commence à en avoir assez qu'on ne me dise rien ! Que s'est-il passé encore ?

— Tu ne l'as pas vue ?

— Non, Faith. Elle est ici. »

Faith avait l'air franchement inquiète maintenant.

« Elle n'est pas ici. Elle est rentrée.

— Quand ça ?

— Hier soir. J'ai cru que tu plaisantais quand tu m'as dit que la maison était trop silencieuse.

— Elle a dormi chez Jimmy. Elles étaient toutes là-bas. »

Faith attrapa le combiné du téléphone mural.

« Appelle-la. Elle n'y est pas, je t'assure. Ils se sont disputés.

— Qu'est-ce que tu fais ?

— Je téléphone à Jimmy. »

La panique commençait à m'envahir. Je me creusais les méninges. Était-elle rentrée à la maison ? L'aurais-je su ?

« Appelle-la, Bea… Jimmy, salut. C'est Faith. Tu m'as bien dit qu'Amber n'avait pas dormi chez toi la nuit dernière, n'est-ce pas ? »

J'appuyai fébrilement sur les touches de mon portable sans perdre une miette de ce qu'elle disait, en essayant de me souvenir de respirer.

« Merde ! » J'essayai de nouveau. « Ça sonne.

— Elle est partie de l'appartement vers neuf heures hier soir, m'informa Faith.

— Ils l'ont laissée s'en aller sans me téléphoner ? »

Elle haussa les épaules.

Les sonneries qui me résonnaient à l'oreille s'interrompirent.

« Ouais ?

— Amber, c'est toi ? Dieu soit loué… Où es-tu ?

— À la maison », me répondit-elle.

Ignorant son ton revêche, je jetai un coup d'œil à Faith.

« Elle est à la maison, soufflai-je.

— Pas de souci, Jimmy, elle est à la maison. Oui, je lui dirai.

— Que s'est-il passé ? » demandai-je.

Pas de réponse.

« Amber ? »

Perplexe, je levai de nouveau les yeux vers Faith.

« Je vais t'expliquer, articula-t-elle.

— Reste en ligne. Il faut que je parle à ton père. Je ne comprends pas du tout ce qui se passe.

— Normal », dit Amber avant de raccrocher.

J'étais troublée. Faith avait l'air de savoir pourquoi.

« Que t'a-t-elle dit ?

— Rien, répondis-je.

— Assieds-toi. Bois ça.

— Que s'est-il passé, pour l'amour du ciel ?

— Amber a emmené la vidéo de votre mariage chez son père.

— Quoi ? Quand ça ?

— Hier soir. »

J'essayai d'avaler ma salive, mais j'avais la bouche sèche. Je bus une gorgée de café brûlant.

« En rentrant, Tessa a trouvé Jimmy et les filles blottis sur le canapé en train de manger des plats tout prêts, ce qu'elle a en horreur apparemment, et de regarder cette vidéo. Amber a décrété qu'elle l'avait apportée parce qu'elle voulait en savoir davantage sur les discours de témoins. »

J'avais déjà entendu ça. C'était déjà un mensonge alors. Ma fille me défendait. Me protégeait. Mentait pour moi.

« Le problème, c'est qu'ils étaient en train d'écouter le discours de Jimmy à ton sujet. Tu t'en souviens ? » demanda Faith.

Si je m'en souvenais ! Je le connaissais par cœur. Je me le répétais tel un mantra durant mes longues nuits sans sommeil.

« Je sais que toutes les personnes ici présentes connaissent cette histoire, mais je vais vous la raconter quand même, parce que je n'en reviens toujours pas.

J'ai rencontré Bea à un dîner. Nous étions assis aux deux extrémités de la table et je m'amusais comme un petit fou avec une bande de super copains à un bout. Mais chaque fois que je regardais à l'autre bout, et je n'arrêtais pas, je ne voyais qu'une seule chose : cette fille hilare avec les plus grands yeux bleus que j'avais jamais vus. La soirée se poursuivit, les gens changèrent de place, et pour finir, je me retrouvai à côté d'elle. Nous nous mîmes à bavarder en groupe, mais la seule voix que j'entendais, c'était la sienne. À un moment donné, sa jambe effleura la mienne et j'eus le sentiment que quelque chose m'avait manqué toute ma vie sans que je m'en sois rendu compte. Sans même la regarder, je glissai la main sous la table et la posai sur sa cuisse. L'espace d'une seconde, elle cessa de parler, puis elle continua. Elle ne fit même pas mine d'écarter ma main. Dès cet instant, je vécus en tandem. Et il en sera ainsi tant que je vivrai. Bea, les mots "Je t'aime" ne suffisent pas, mais je passerai le restant de ma vie à compenser ce que les mots n'arrivent pas à faire. Mesdames, messieurs, je vous en prie, levez votre verre à la belle Bea, si précieuse, si drôle, si prudente, si aventureuse, si affectueuse, si malicieuse. Bea, ma femme. Pour toujours. »

Je me pris la tête entre mes mains.

« Tessa était bouleversée et Jimmy, comme toujours, a refusé de prendre parti, alors… L'attitude de Tessa ne se défend pas forcément…

— Comment a-t-elle réagi ?

— C'était vendredi soir. Elle avait travaillé toute la semaine…

— Faith ! Comment a-t-elle réagi ?

— Elle a dit qu'Amber cherchait à saboter son mariage, qu'elle avait planifié cette attaque. Elle l'a accusée d'être égoïste et de vouloir empêcher son père d'être heureux. Jimmy a essayé de se montrer diplomate. Il n'a pas réussi. Amber a fichu le camp. Tessa en a apparemment fait de même ce matin. »

Je la dévisageai d'un air interdit.

« Je ferais sans doute bien d'appeler Jimmy. »

11

Tu es encore en vie

Je sonnai à la porte et attendis nerveusement sur le seuil. Il y avait longtemps que je n'avais pas été seule avec Jimmy. Trop longtemps. Il m'ouvrit. Il avait une mine épouvantable.

« Oh, Jimmy, dis-je en l'étreignant.

— Merci d'être venue. Je suis dans la merde jusqu'au cou.

— C'est ce que m'a dit Faith.

— Je ne comprends vraiment pas pourquoi il a fallu qu'elle apporte cette fichue cassette.

— Ce n'est pas elle qui t'a forcé à la regarder, je te signale, dis-je, prenant la défense d'Amber. Je n'arrive pas à croire que tu l'aies laissée partir d'ici à pied.

— Ça ne s'est pas passé tout à fait comme ça. Elle m'a demandé de lui appeler un taxi. J'ai donné ton adresse au chauffeur et il l'a reconduite à la maison.

— J'aurais pu ne pas être là.

— Elle m'a dit qu'elle t'avait téléphoné.

— Elle a quatorze ans !

288

— Je suis désolé. Tessa était en larmes… » Il s'interrompit. « Tu as raison. Je ne sais pas à quoi je pensais. Tout est de ma faute. Comme d'habitude. » Il soupira. « Tu veux boire quelque chose ? Un verre de vin.

— Volontiers. » Je le suivis dans la cuisine. Je l'observai d'un peu trop près tandis qu'il versait un liquide couleur de miel dans un verre. Il s'interrompit, réfléchit et en ajouta encore une goutte. Il me tendit le verre.

« Qu'est-ce qui t'a pris de regarder cette cassette, Jimmy ? Tu devais bien savoir que Tessa allait arriver.

— Elle était censée travailler tard. En définitive, elle a fait un effort pour rentrer voir les filles. Ça n'aurait pas pu être pire.

— Mais pourquoi as-tu visionné cette cassette, à la fin ?

— C'est Amber qui l'a mise. Je suis entré dans la pièce à ce moment-là… » Un sourire fugace passa sur ses lèvres. « Ça faisait tellement longtemps que je ne l'avais pas regardée. Je n'osais pas, pour être honnête. J'ai vu ton père, il avait l'air d'aller si bien, et puis toi en train de te préparer… On t'aurait donné à peu près quatre ans. Les copains et moi au pub – tu te souviens de Talbot ? Je me demande ce qu'il est devenu. Il était tellement grand ! Comment avons-nous fait pour le perdre ? C'était sympa de revoir ces images après tant de temps. Je me suis pris au jeu.

— J'ai pensé la même chose quand j'ai vu Suzie. Nous étions tellement proches, dis-je. Ça paraît incroyable qu'on ne se voie plus.

— Tu l'as visionnée toi aussi ? »

Je le considérai en ouvrant de grands yeux, me sentant affreusement coupable.

« À force de parler de ce mariage…, repris-je lentement. Les filles avaient envie de voir ma robe. Amber te l'a probablement dit. »

Il secoua la tête. Amber ne m'avait donc pas dénoncée. Pas encore.

« Tu étais superbe, mais qu'est-ce que Luke s'était mis sur le dos ? »

Étais superbe. *Étais.*

« Et ma mère ? renchéris-je en me forçant à rire. On aurait dit un paon !

— Ce qu'elle a pu nous casser les pieds !

— Tu as toujours été tellement patient avec elle.

— C'était la seule solution pour qu'elle te fiche un peu la paix. J'espérais l'amadouer afin qu'elle arrive à voir ce que je voyais en toi.

— Peine perdue.

— Elle est aussi myope qu'une fichue chauve-souris, voilà pourquoi. »

Jimmy réussissait toujours à apaiser les blessures que ma mère m'infligeait. Comment avais-je pu oublier ?

« Tu t'en rends bien compte, n'est-ce pas ? »

Je hochai la tête. En fait, non. Mon impression personnelle, c'était que ma mère me perçait à jour tels des rayons X. Si je n'étais pas dans son camp, j'étais contre elle. Amber avait-elle le même sentiment à mon égard ? Une raison supplémentaire de me sentir coupable.

« Il y a tellement de gens sur cette vidéo, et les filles adorent regarder Luke et Lucy. Ils étaient si jeunes.

— Nous aussi. »

Jimmy haussa les épaules.

« Je ne me sentais pas si jeune que ça. Je savais exactement ce que je faisais, en tout cas. Le discours de ton père était magnifique. Ensuite ce fut ton tour. Les filles avaient vraiment envie de l'entendre. On était si bien, blottis ensemble sur le canapé. Ma coiffure les a fait mourir de rire. Bon sang, Bea, je n'ai même pas entendu la clé dans la serrure !

— Sur quel passage est-elle tombée ?

— Le moment où on découpait le gâteau. » Il marqua un temps d'arrêt. Mieux que quiconque, je savais ce qui venait ensuite. « Le baiser.

— Un sacré baiser, dis-je. A-t-elle entendu une partie du discours ?

— Maddy l'a surprise dans la nuit en train de visionner la cassette toute seule. » Un long silence s'ensuivit. Il y avait tellement de choses que je brûlais de dire. « Tessa était encore toute chamboulée ce matin. Pas tant à cause de ce qu'elle a vu. Parce que, je ne sais pas très bien en fait, je crois qu'elle a eu le sentiment qu'on s'était ligués contre elle. »

Je n'en étais pas si sûre.

« Elle t'a peut-être dit ça, Jimmy, mais à sa place, je m'inquiéterais… Je ne sais pas, j'aurais peur des comparaisons », dis-je. Prudente et audacieuse à la fois. C'était moi tout craché.

« Je ne lui ai jamais menti à propos de l'amour que j'éprouvais pour toi. J'en étais incapable. J'ai évité de la bassiner avec ça, mais je ne l'ai jamais nié non plus. Évidemment que je t'aimais. Je t'ai épousée. Tu étais ma femme. »

Au passé. Toujours au passé.

« Je suppose que l'entendre et le voir de ses propres yeux sont deux choses différentes.

— Que veux-tu dire ? Tu penses qu'elle s'imagine que je ne l'aime pas ?

— C'est une question de degré, Jimmy. »

Nous restâmes là un moment à nous regarder. J'entendais mon cœur se démener dans ma poitrine. Tu crois peut-être l'aimer, mais à quel point ? Au fond.

« Si j'étais elle, insistai-je méchamment, je me poserais la question de savoir si tu pourrais m'aimer autant que tu as aimé ta première femme et tes enfants. Le coup de foudre n'arrive pas à tout le monde, Jimmy, c'est un fait, et jouer les seconds rôles n'a rien d'un conte de fées. »

En voyant tressaillir le muscle de sa mâchoire, je sus que j'avais fait mouche.

« Te souviens-tu des dernières lignes de ton discours ? demandai-je.

— Bien sûr.

— Tu as dit que tu passerais le reste de ta vie à me montrer ce que "Je t'aime" veut dire. Eh bien, pour citer Alanis Morissette, "tu es toujours vivant".

— J'ai essayé. Tu ne m'as pas laissé faire, Bea. Rappelle-toi ? Tu ne me laissais même plus t'approcher. »

J'étais dans un état de nervosité presque douloureux. Il fallait que je fasse attention où je mettais les pieds maintenant. Très attention.

« Je suis désolée, Jimmy. Je sais que nous n'en avons jamais vraiment parlé, mais tu dois bien comprendre que je n'étais pas moi-même. Je n'aurais pas pu faire ce que j'ai fait autrement. J'avais besoin d'aide et j'étais trop fière pour l'admettre. J'en suis consciente maintenant. Je t'ai rejeté, je n'aurais pas dû. Je suis vraiment navrée.

— Ça n'a pas d'importance.

— Peut-être que si, Jimmy.

— Je ne pense pas que ce soit le moment de parler de ça, Bea. »

Pourquoi pas ? Le moment me paraissait bien choisi au contraire. Avant que nous commettions une autre erreur en restant séparés.

« Nous devrions peut-être essayer de comprendre un peu mieux ce qui s'est passé.

— Tu penses que ça faciliterait les choses pour Tessa ? »

Il secouait la tête.

C'était un drôle de raisonnement, mais j'étais prête à tout pour ne pas perdre le fil.

« Écoute, réfléchis. Si nous n'avons jamais compris la situation, toi et moi, comment le pourrait-elle ? »

Jimmy se renfrogna. Il paraissait meurtri.

« Nous avons très bien compris l'un et l'autre, à mon avis », répondit-il. Le sol trembla sous moi et s'ouvrit. Et elle était là. L'impasse. La crevasse dans laquelle nous tombions inévitablement. Le ravin. Un fossé d'effondrement d'une telle profondeur que nous n'avions même jamais tenté de le franchir. Il nous avait brutalement arrachés l'un à l'autre. Pendant un moment, j'étais

293

restée plantée d'un côté. Mais Jimmy n'était même plus sur l'autre. Il avait levé le camp pour aller s'installer sur des collines doucement vallonnées, loin du danger.

« Je m'efforce juste d'arranger les choses. Je l'aime, tu comprends. Elle me rend heureux. »

Il avait raison, bien sûr. Nous savions parfaitement à quoi nous en tenir. Les paroles, quelles qu'elles soient, ne changeraient rien aux faits. J'avais eu mon tour, et j'avais tout gâché. Je méritais d'être dans la situation dans laquelle je me trouvais. J'avais tué notre amour. Jimmy n'y était pour rien. Il avait droit à une seconde chance. Il s'était contenté de m'aimer et cela n'avait pas suffi. Peut-être pourrais-je faire quelque chose pour lui ? Il me fallut un long moment avant de trouver le courage de lui répondre.

« Qu'est-ce que tu fais ici dans ce cas ?

— Comment ?

— Va la trouver. »

Il me dévisagea d'un air perplexe.

« Tu es désespérant, Jimmy. Va la rejoindre. Persuade-la que tu l'aimes plus que tu ne m'as jamais aimée. » Les mots qui sortaient de ma bouche ne m'appartenaient pas. Ce n'était pas pour elle que je disais ça. C'était pour Jimmy. L'homme que j'aimais. L'homme que j'avais toujours aimé. Et que j'avais perdu.

« Elle m'a dit qu'elle ne voulait pas me voir pendant un jour ou deux, le temps de remettre ses idées en place.

— Elle ment.

— Comment le sais-tu ? »

Ah les hommes ! « Fais-moi confiance. File ! »

Il prit ses clés de voiture sur la table de la cuisine, puis se figea.

« Cela aurait-il changé quelque chose si j'étais venu te trouver chez ta mère ? »

Je serrai les dents.

« C'est ça que tu voulais que je fasse ? Bea ? C'est ça ? »

Je portai la main à mon cœur.

« Il faut que tu y ailles maintenant, dis-je d'un ton douloureux.

— Seigneur, Bea…

— Allez. Vas-y !

— D'accord. Je m'en vais.

— Bien », dis-je. Non, très, très mal.

Il partit en courant dans le couloir.

« Attends ! » hurlai-je.

Il se retourna.

« Je… » Je déglutis. « Oh, Jimmy, je suis… je veux que tu saches… » Dis-le-lui. Dis-lui que tu l'aimes encore. Maintenant, avant qu'il soit trop tard.

« Ne t'inquiète pas, Bea, dit-il à voix basse. Je sais. »

Tu ne sais rien du tout. Tu n'as pas la moindre idée de ce que j'allais dire. Je le regardai se diriger vers la porte d'entrée. Qu'est-ce que c'étaient que ces inepties totalement contradictoires ? Ce n'était pas ça que je voulais. Pas ça du tout. Il avait la main sur la poignée, et je crus un instant qu'il allait se raviser. Mais c'était prendre mes désirs pour la réalité. J'étais derrière lui. J'avais beaucoup trop de retard. J'étais coincée dans le passé. Tessa était son avenir.

« Pas plus, Bea, dit-il. Je ne l'aime pas plus. Juste différemment. Mais je te remercie. »

Les larmes me vinrent instantanément aux yeux. Mais il avait déjà refermé la porte.

Je retournai chez Faith chercher les filles.

« Tout va bien ? » demanda-t-elle.

Je hochai la tête.

« Seigneur, Bea, tu as pleuré ! »

J'avais mal à la mâchoire.

« Que s'est-il passé ?

— Je lui ai dit d'aller la rejoindre », dis-je doucement.

J'entendais les enfants. « Maman ! » Je n'avais qu'une seule envie : sentir leurs bras autour de moi, leur souffle contre mon cou, écouter leurs jacassements.

« Attendez une minute, les filles. On vient tout de suite voir votre spectacle.

— Il faut que je retourne auprès d'Amber.

— Tu n'iras nulle part. Je suis inquiète pour toi.

— Ne te fais pas de souci.

— Bea, s'il te plaît. Laisse-moi t'aider. »

Faith repoussa mes enfants dehors. Lulu me jeta un coup d'œil anxieux par-dessus son épaule. Je lui envoyai un baiser pour la rassurer.

« Bois un verre avant de partir, suggéra Faith.

— Non, merci.

— Allez ! Ça te fera du bien. »

Pas vraiment en fait, mais je n'eus pas la force de décliner une seconde fois.

« Si je peux faire quelque chose, tu sais…

— Personne ne peut rien pour moi, Faith. Ça va aller. Tout ça remue beaucoup de choses. Notre couple n'a pas marché, mais tu veux que je te dise ce que je trouve vraiment stupide ? Je ne sais même pas pourquoi. Nous avions tous les atouts en main. Je regrette ne pas avoir fichu cette cassette à la poubelle.

— Pourquoi ?

— Notre mariage était magnifiquement réussi. Je plains Tessa. J'imagine très bien ce qu'elle a dû ressentir. Jimmy l'aime, mais il m'a aimée moi aussi… Nous avions probablement davantage de choses en commun que nous ne le pensions. J'ignore comment les choses ont pu foirer à ce point.

— C'est dur, la vie de couple, que veux-tu ! Je trouve ça difficile avec un seul enfant et aucun problème financier. Je m'étonne toujours de la rapidité avec laquelle on peut passer du rire aux chamailleries. Si on ne veille pas au grain… J'ai parfois l'impression d'avoir trois carrières. Mon couple, la maternité, mon boulot. J'ai finalement compris que le couple est le plus important des trois, alors que c'est l'élément auquel on consacre le moins de temps. Il faut lui donner la priorité, et ce n'est pas facile, surtout quand les moments où il faut se donner le plus de mal sont précisément ceux où on n'a pas envie d'être dans la même pièce.

— Mais Luke et toi, vous avez toujours l'air tellement… »

Faith écarta ma remarque d'un geste.

« Nous avons nos hauts et nos bas, comme tout le monde, crois-moi.

— Tu ne m'en parles jamais.

— J'aurais l'impression d'être déloyale. Ça va bien entre nous en ce moment, mais à l'époque où on essayait d'avoir un deuxième enfant, c'était l'horreur ! Je ne sais pas comment on s'en serait sortis sans toi. Tu es la seule à avoir eu le courage de me mettre en garde contre les pièges.

— On n'a aucun mal à les identifier quand on s'y est heurté de plein fouet soi-même. »

Après avoir regardé Charlie et les filles manquer de se fracturer le crâne à plusieurs reprises sur le tremplin, j'avais les nerfs à cran et je ne pensais plus qu'à Amber seule à la maison. Je bouclai les deux petites dans la voiture et rentrai à la hâte.

« Alors, qu'avez-vous pensé de la robe de mariée de maman ? » demandai-je, histoire d'entamer le débat.

Je me heurtai à un mur de silence qui allait généralement de pair avec la présence de leur grande sœur.

« Ne vous inquiétez pas, enchaînai-je d'un ton cajoleur. Je suis au courant pour la cassette. Vous pouvez me raconter ce que vous faites avec papa et Tessa, vous savez. Sinon, je me sens un peu exclue. » Elles échangèrent un regard. « J'aime bien être au courant de vos activités. Comme quand vous allez à l'école ou comme ce que vous avez fait aujourd'hui avec Charlie, vous comprenez ? »

Elles hochèrent la tête de concert. Mais pas franchement. Ce qui voulait dire qu'elles n'avaient pas compris.

« Bon, laissez-moi dire les choses autrement. Pourquoi ne pas m'avoir parlé du déjeuner chez papy et mamy ? »

Nouvel échange de regards. Les deux sœurs communiquant en silence, pareilles à des jumelles. Elles étaient tellement proches. Moins d'un an d'écart. C'étaient pratiquement des jumelles en fait.

« On n'avait pas le droit, répondit finalement Maddy.

— Pas le droit de quoi faire ?

— De t'en parler, précisa Lulu.

— Selon qui ? Papa ? »

Elles secouèrent la tête.

« Amber ? » dis-je, essayant de deviner, et à en juger d'après leur changement d'expression, je compris que j'avais mis le doigt sur la coupable. « Les filles, combien de fois faudra-t-il que je vous dise que vous n'êtes pas forcées d'obéir à votre grande sœur ? Mieux vaut m'en parler d'abord, parce que parfois Amber… » Attention à ce que tu dis. Pas de zizanie dans la troupe, quoi qu'il arrive… « Enfin, elle aime bien plaisanter et il ne faut pas toujours la prendre au sérieux. C'est tout. Vous pouvez tout me dire. » Elles étaient soulagées, manifestement. « Pour quelle raison ne voulait-elle pas qu'on m'en parle ?

— Elle a dit que ça te ferait de la peine.

— C'est quand vous ne me dites rien que ça me fait de la peine. Et Amber est une vilaine fille parce qu'elle dit juste ça pour ne pas avoir d'ennuis. Du coup, je suis fâchée contre elle, mais ça ne veut pas dire que j'ai de la peine », débitai-je, interprétant mal sa réponse.

Maddy corrigea mon erreur avec la perspicacité extralucide de la jeunesse.

« Mais maman, si on parle de Tessa et de papa, tu deviens triste et on n'arrive pas à te réveiller. »

Je me cramponnai des deux mains au volant.

« Qu'est-ce qu'il y a ? chuchota Maddy à sa sœur. Maman a dit qu'on pouvait tout dire. »

Je forçai mes yeux à se concentrer sur la route devant moi, ma voix à rester calme.

« Et c'est vrai. Je ne serai plus fâchée ni triste.

— Même si on dessine sur les murs ? lança Lulu, flairant une brèche.

— Non, petite coquine, le règlement de la maison s'applique toujours. Et si tu traverses la route sans regarder, tu auras une fessée. Nous parlons juste de Tessa et de papa, là. Vous pouvez me dire tout ce que vous voulez.

— Ça veut dire qu'on a le droit d'être excitées par le mariage ? demanda Maddy.

— Oui.

— Et qu'on peut te montrer des photos de nos robes ? ajouta Lulu.

— Oui.

— Et qu'Amber ne sera plus obligée de te mettre au lit ? »

Je tournai brusquement la tête vers elles, puis de nouveau vers la route.

« Quoi ? »

Maddy avait l'air d'avoir peur. Maddy qui avait le sommeil si léger. Ma vision nocturne.

« Non, m'empressai-je de répondre pour la rassurer. Elle n'aura plus à le faire. »

Elles échangèrent un sourire. Je déplaçai le rétro-viseur pour qu'elles ne puissent pas voir mon visage déformé par les efforts que je déployais pour tenir ces fichues larmes en échec. *Non*, jurai-je en silence, *elle ne sera plus jamais obligée de faire ça*. Et cette fois-ci, j'étais sérieuse.

« Maman ?

— Oui.

— Ça veut dire aussi qu'on peut aimer Tessa ? »

C'était la voix de Maddy. J'absorbai des rayons de lumière à travers le pare-brise et les forçai à entrer en moi. Puis je me tournai un bref instant vers mes filles.

« Je pense que vous devriez l'aimer », répondis-je en souriant.

Maddy paraissait satisfaite.

« Moi aussi, dit-elle.

— Et moi aussi », renchérit Lulu.

Elles étaient les enfants que je voulais qu'elles soient, et bien davantage. À présent, c'était à moi d'être la mère qu'elles méritaient.

Nous fûmes accueillies par une musique assourdissante, mais j'étais déterminée à ne pas faire d'histoires. J'avais appris ma leçon. Je montai l'escalier et frappai à la porte d'Amber, que j'ouvris faute de réponse.

« On est rentrées. Oh… désolée. J'ignorais que tu avais de la compagnie. »

Le garçon s'était levé. Ce qui me plut. Il avait l'air terrifié en plus, ce qui n'était pas pour me déplaire.

« Bonjour, je suis la maman d'Amber. »

Il s'inclina légèrement et me tendit la main.

« Caspar, dit-il, puis il s'approcha de la stéréo et appuya sur un bouton. C'était nettement mieux.

— Tu aurais dû me dire que tu avais un invité, dis-je en m'efforçant de puiser dans mon capital de paix et d'amour.

— Tu aurais dû frapper.

— C'est ce que j'ai fait.

— Comment allez-vous ? dit Caspar. Je suis ravi de faire votre connaissance.

— Moi de même. Amber, il faut qu'on parle.

— On n'a rien à se dire.

— Mais hier soir…

— Je n'avais pas envie de rester chez papa. » Elle n'arrivait pas vraiment à me regarder dans les yeux. J'en conclus qu'elle mentait, mais je n'en étais pas sûre. « Tu dormais sur le canapé. Je n'ai pas voulu te réveiller. »

Le regard de Caspar se posa sur tout, sauf sur moi. Je sentis le sol se dérober sous mes pieds.

« Il n'y avait plus personne quand je me suis réveillée. J'ai pensé que tu étais allée chercher Maddy et Lulu. »

J'avais songé à ranger les habits propres dans les chambres des filles ce matin, mais, pour être honnête, je ne me sentais pas dans mon assiette, si bien que je m'étais noyée dans du thé à la place. J'étais partie chez Faith de bonne heure pour échapper à la tentation de me faire des toasts. Je ne savais pas du tout si Amber disait la vérité ou pas.

« Vous restez déjeuner, Caspar ? »

Amber jeta un coup d'œil à sa montre et s'extirpa du gros fauteuil poire qu'elle ne remplissait qu'à moitié.

« On va au parc jouer au foot avec des copains. » Depuis quand ma fille de quatorze ans me disait-elle ce qu'elle faisait sans me demander la permission ?... Depuis qu'elle me mettait au lit. « Laissez-moi vous préparer des sandwichs au moins. » Caspar avait l'air tenté. Ah, ces fringales d'ados !

Je les appelai cinq minutes plus tard. En entendant grincer le parquet, je sus qu'ils m'avaient entendue. Ils dévalèrent les marches quatre à quatre. Un plat ovale rempli de sandwichs trônait au milieu de la table. Caspar posa sa guitare dans son étui contre le mur et s'assit. J'appelai les petites.

« Vous jouez de la guitare alors ?

— Il joue super bien et ça ne fait qu'un an qu'il en fait », répondit Amber, oubliant momentanément qu'elle était censée m'ignorer. Caspar rougit.

« Ça doit être vous qui aidez Amber à préparer sa chanson pour le mariage alors.

— Elle n'a pas besoin d'aide. »

Elle eut un petit rire gêné et lui asséna un coup de coude.

« Mais si.

— Non, pas du tout.

— Je t'assure que si.

— Si je comprends bien, elle aimerait bien que vous lui donniez un coup de main.

— Peu importe, riposta Amber. Ça ne se fera pas de toute façon.

— Bien sûr que si, chérie. Tout va s'arranger entre Tessa et ton père. Rien de ce qui s'est passé hier soir ne prêtera à conséquence en définitive. Tu sais comment c'est le vendredi soir. Tout le monde est fatigué, de mauvaise humeur. Tu seras le meilleur témoin qui soit, et je trouve que c'est une excellente idée de chanter ton discours.

— Ah bon ! Tu penses ?

— Oui. »

Amber n'avait pas l'air tout à fait convaincue. Elle semblait confuse. Je ne pouvais l'en blâmer. Vivre avec moi ces derniers temps devait donner l'impression de côtoyer le docteur Jekyll. À la nuit tombée, l'inconnue surgissait. Mais j'étais déterminée à la persuader que tout cela était derrière nous.

« Madame Kent…

— Appelez-moi Bea… s'il vous plaît. » Il était peut-être temps que je récupère mon nom de jeune fille. Inutile d'avoir trop de « Mme Kent » dans le voisinage.

« Euh… c'est l'anniversaire de mon copain ce soir. Il a dix-sept ans. Je me demandais si je pourrais emmener Amber.

— Dix-sept ?

— Ce n'est pas loin, maman. À Tufnell Park. Dans un bowling. Ses parents seront là.

— Euh ? » Caspar avait-il dix-sept ans lui aussi ? C'était un peu vieux, non ? Amber n'était-elle pas un peu jeune ? J'avais envie de dire non, mais je venais à peine de hisser le drapeau blanc et je risquais de causer des ravages en le rangeant trop vite.

« Je viendrai te chercher à dix heures dans ce cas.

— *Yes !* s'exclama Caspar. Super.

— Ce serait plus simple que je prenne un taxi, non ? suggéra Amber. À cette heure-là.

— Non. Les taxis sont dangereux. »

Je savais pertinemment ce qu'elle pensait.

« Qui va surveiller Maddy et Lulu ?

— Ah oui ! Je n'avais pas pensé à ça. » Je m'engageais en terrain inconnu. Une fois de plus. C'est le problème avec les gamins : juste au moment où on commence à maîtriser la situation, ils prennent une année de plus et entrent dans une toute nouvelle phase.

« Je pourrais la ramener si vous voulez, madame Kent. Il y a un bus direct.

— Bea, réitérai-je. Je ne suis pas sûre. Amber n'a que quatorze ans. Ton père peut peut-être venir te chercher. Il n'est pas loin. »

Ils échangèrent un rapide coup d'œil.

« Allons, Amber, tout va s'arranger pour ton père, je t'assure. Cela dit, il y a des chances qu'il soit avec Tessa, alors laisse-moi réfléchir. Polly la voisine pourrait peut-être surveiller tes sœurs pendant que je vais te chercher.

— Merci, maman. »

Elle jubilait.

« Ce n'est pas encore sûr.

— C'est mieux que non », répondit-elle. J'aurais accepté n'importe quoi rien que pour voir ce sourire se substituer à l'inquiétude que j'avais vue déformer les traits parfaits de ma fille. Comme j'étais la cause de son tourment, il m'appartenait de la faire disparaître.

En définitive, ce fut le papa de Caspar qui nous fournit la solution. Il m'appela pour me proposer de passer les chercher tous les deux à la maison et de ramener Amber ensuite. Il prit mon adresse et me promit que ma fille serait de retour à dix heures. Déterminée à passer pour la femme rationnelle que j'avais été jadis, je lui répondis que je n'étais pas à une demi-heure près. Il avait l'air sympathique.

Une fois les deux petites au lit et Amber habillée pour sa première soirée, j'embrassai mon aînée et les accompagnai tous les deux à la porte. Amber alla jusqu'à me demander si je préférerais qu'elle reste à la maison pour me tenir compagnie. S'il m'avait fallu une leçon supplémentaire, je la tenais. Mais je n'en avais nul besoin. Je l'avais eue, ma leçon. Et j'y avais prêté attention cette fois-ci. Je tentai de la convaincre que tout irait bien, mais elle n'avait pas de raison de me faire confiance et je savais que ce ne seraient pas mes paroles qui la persuaderaient du contraire. J'avais un rendez-vous moi aussi, un rendez-vous pour lequel j'avais besoin d'être seule.

À peine la porte fermée, je fonçai sur le congélateur. La première chose que j'en sortais d'habitude, c'était la vodka. Mais elle n'était pas là. J'ouvris le frigo. Le vin aussi avait disparu. Je me dirigeai vers le placard au-dessus du réfrigérateur, que les enfants ne pouvaient atteindre. C'était là que je rangeais mes réserves, mais tous les alcools s'étaient volatilisés.

Dans le casier sous l'escalier, il n'y avait que les bouteilles poussiéreuses que nous conservions depuis des siècles. Je n'arrivais pas à me souvenir pourquoi, mais le fait est que je les avais toujours. En temps normal, je me serais demandé si j'avais fait mon Winnie l'Ourson en oubliant tout le miel que j'avais consommé, mais j'étais allée faire les courses au supermarché et je savais que j'avais reconstitué les stocks. Au cas où j'aurais des invités. Ma première pensée fut l'amnésie. Puis je songeai à un vol. Il s'avéra que je me trompais sur les deux chapitres.

Je finis par trouver la bouteille de vodka planquée dans une boîte à chaussures Jimmy Choo au fond du placard d'Amber. C'est la boîte qui attira mon attention, dans la mesure où je savais qu'elle ne possédait pas de souliers de cette marque. Je ne retrouvai jamais la bouteille de vin ouverte, mais les six autres étaient sous son lit. Le Baileys, le gin et le whisky (vestiges de l'époque Jimmy) se cachaient sous l'énorme stéréo vieillotte qu'elle me suppliait toujours de remplacer. Je les portai en bas et les alignai sur le comptoir de la cuisine.

Ni l'amnésie ni un voleur, mais l'ange gardien qui me couchait les soirs où je n'arrivais plus à mettre un pied devant l'autre. Ce n'était pas elle, l'ennemi. Tessa non plus. L'ennemi, c'était moi et la cochonnerie dans ces bouteilles. C'était ce vide que j'essayais de combler. C'était ce que j'avais été *avant* le vide.

Je dévissai d'abord le bouchon de la vodka et la reniflai longuement avant d'en verser le contenu dans l'évier. *Glou, glou, glou glou.* Le liquide dégorgea du gros flacon bon marché. *Glou, glou, glou.* Je gardai les yeux fermés jusqu'à ce que je n'entende plus que quelques gouttes tomber par intermittence. Les relents d'alcool emplirent l'air. Le whisky, le Baileys, le gin suivirent le même chemin. C'était plus facile de s'en débarrasser. Quand j'en arrivais au stade où je buvais ça, je ne sentais plus le goût. Du coup, ça ne me manquerait pas. Le vin, j'étais incapable de le jeter. Je mis les six bouteilles dans un carton et les portai chez la voisine.

Polly fut un peu surprise de me voir.

« Un cadeau », lançai-je en lui tendant le carton.

Elle sourit, un peu déconcertée.

« Pour avoir la gentillesse de surveiller les enfants quand j'ai besoin d'aller quelque part, de récupérer mes paquets…

— Ne soyez pas ridicule. Vous en faites autant pour moi.

— Prenez-les, je vous en prie. Je fais un régime strict et je ne supporte pas la tentation.

— Là, vous parlez ma langue. Voilà ce qu'on va faire. Je vais les garder et, quand vous aurez atteint l'objectif que vous vous êtes fixé, nous les boirons ensemble.

— Le vin aura le goût de bouchon d'ici là.

— Balivernes. Courage, ma fille, ça va déjà tellement mieux. »

Je rentrai chez moi et, me sentant pleine d'énergie, je sortis le Cif et m'attaquai à la cuisine telle une équipe de nettoyage chirurgicale. Je mangeai une mandarine, une pomme, un peu de céleri. Je bus du thé à la menthe brûlant et briquai, briquai, briquai tout en chantant avec la radio. Amber n'était pas la seule personne de la famille à savoir chanter. J'avais chanté et joué la comédie à l'université. J'avais été choriste dans plusieurs groupes d'étudiants sans talent. J'étais capable de pousser la chansonnette dans un karaoké et j'adorais les vieux airs d'autrefois. Il était temps de redevenir cette personne. Le moment était venu de me ressaisir. De m'oublier, au bénéfice de mes enfants. De lâcher la bouteille.

À dix heures vingt-cinq, j'entendis la clé dans la serrure. C'était furtif, hésitant, nerveux.

« Non, ça ira, ce n'est pas la peine d'attendre », disait Amber. J'étais la seule à pouvoir percevoir l'anxiété dans sa voix. À en connaître la raison. Elle avait peut-être caché les bouteilles d'alcool, mais elle ne savait toujours pas ce qu'elle allait trouver en rentrant. Elle ne voulait pas que Caspar voie ce qu'elle avait vu tant de fois.

Je me précipitai à la porte pour la libérer de son angoisse.

« Maman ! »

Je n'avais pas eu le temps d'ôter mon tablier.

« Désolée. J'avais encore des choses à faire dans la maison. Bonsoir. »

J'aperçus Caspar dans l'allée. Une voiture était garée devant notre petite barrière. Dès qu'il me vit, l'homme assis au volant en sortit et se dirigea vers moi.

« Merci beaucoup d'avoir ramené Amber », dis-je en articulant à la manière de Dame Maggie Smith. Je pris ma fille par les épaules pour qu'elle puisse se rendre compte que je n'avais rien bu.

« Tu t'es bien amusée ? » demandai-je en la regardant dans le blanc des yeux.

Elle hocha la tête, trop abasourdie pour parler.

« Bonsoir. Je suis Nick. Le papa de Caspar. »

Nous échangeâmes une poignée de main.

« Bea. »

Il avait l'air d'avoir douze ans et ressemblait comme deux gouttes d'eau à son fils. Bel homme.

« Ravi de faire votre connaissance. Ça a été un plaisir de voir Amber, comme d'habitude.

— Tout comme Caspar.

— Voudriez-vous le garder dans ce cas ?

— Papa !

— On pourrait faire un échange, suggérai-je.

— Maman !

— Entendu, répondit Nick.

— Je peux rester alors ? demanda Caspar d'un ton plein d'espoir.

— Non ! nous exclamâmes-nous à l'unisson son père et moi, ce qui nous fit rire – de nous-mêmes, quoique je ne pense pas que les enfants l'aient compris.

— Une autre fois peut-être, dis-je en serrant Amber contre moi. Merci encore. Bonne nuit. »

Je me retournai, prête à regagner mon domicile.

« Maman, chuchota Amber en se libérant de mon étreinte.

— Qu'est-ce qu'il y a ? Il fait froid. »

Elle me fusilla du regard.

« Oh, désolée. Bonne nuit, Caspar. À bientôt, j'en suis sûre. »

Amber leva les yeux au ciel et Nick et moi échangeâmes un nouveau sourire.

Je rentrai dans la maison en laissant la porte entrouverte. Nick regagna sa voiture en faisant tourner son moteur. Le message était clair. Pas de papouille ce soir. J'entendais le doux murmure de leurs voix sur le palier. J'entrevoyais leurs silhouettes déformées par la vitre dépolie. Ils se rapprochèrent l'un de l'autre. Leurs voix se réduisirent à un chuchotement inaudible, puis se turent brusquement. L'instant d'après, Amber rentra à son tour, ferma la porte, après quoi elle me serra fort dans ses bras et fila dans sa chambre. Pour être seule. Avec Caspar. Dans sa tête.

Une vingtaine de minutes plus tard, je montai deux tasses de camomille et frappai à sa porte. Elle était au lit dans son pyjama Snoopy, le visage illuminé par la lumière phosphorescente de son portable. Elle souriait. En écrivant un texto. La lettre d'amour des temps modernes.

« Merci, maman, dit-elle en achevant une longue réponse.

— Alors, c'était bien cette fête ? »

Elle me gratifia d'un grand sourire.

« Ça aurait été super même dans un embouteillage sur la M25, pas vrai ? »

Elle secoua la tête.

« Il est sympa, non ? »

Je bus une gorgée de tisane.

« Très sympa. J'aime bien son père aussi.

— Ses parents n'avaient que vingt ans quand Caspar est né. »

Cela expliquait ce visage de chérubin. Nick était encore un enfant lui-même.

« Ils sont ensemble depuis le premier jour de la fac pratiquement. Ils n'arrêtent pas de se faire des câlins. C'est trognon. Nick est très romantique.

— Et je présume que son fils est tout à fait comme lui. »

Amber remonta ses genoux contre sa poitrine, un peu gênée, mais avide de m'en dire plus.

« Il embrasse bien ?

— Maman !

— Quoi ! Tu peux me le dire. C'est très important. Mieux vaut éviter le genre machine à laver, ou les baisers tout secs et caverneux. Berk !

— Il m'a juste embrassée sur les lèvres. Tout doucement. C'est un gentleman.

— La douceur, c'est bien. La langue, c'est mieux.

— Maman ! Chuuuut !

— Je suis désolée, mais c'est vrai.

— Bon, eh bien je te le dirai si ça arrive.

— Quand cela arrivera, Amber Kent. Quand. »

Son portable bipa. Elle bondit. Tout excitée.

« Ne reste pas pendue toute la nuit au téléphone. »

Elle me fit un clin d'œil. Ce n'était plus qu'une question de jours, cela ne faisait aucun doute.

Je fermai la porte derrière moi, laissant leur jeune rêve d'amour à la merci de leurs dysorthographies respectives. L'idée qu'Amber soit amoureuse me faisait chaud au cœur et me rendait heureuse. Ce n'était pas encore ça ! Mais ça arriverait un jour. C'était tellement merveilleux. Au début. Je me repris. Allons, allons. Il y avait des dangers, bien sûr. Mais le moment n'était pas encore venu de se faire du souci. Elle avait quatorze ans. C'était son premier béguin. Il jouait de la guitare. Voilà tout. L'existence de ma fille était toujours dominée par ses copines. Ils ne s'étaient même pas encore embrassés pour de vrai. Ce n'était pas sérieux.

J'enfilai le couloir. Quoique ? Comment s'étaient-ils rencontrés ? Pas à l'école, à l'évidence. Ce n'était pas le frère d'une de ses amies… Il faudrait que je pense à lui poser la question demain matin.

J'allai me coucher en emportant ma tisane. Il était onze heures à peine passées. J'aurais dû dormir, mais je n'arrivais pas à chasser de mon esprit l'image du sourire rayonnant d'Amber. Ainsi, nous entrons dans le monde des garçons. Malgré moi, j'étais non pas jalouse de ce sourire, mais pleine de regrets. C'était une si belle aventure de découvrir un autre être humain. L'intimité, un grand secret. Les longues conversations tard dans la nuit étaient un outil d'apprentissage précieux, dans la mesure où on en apprenait autant sur soi que sur l'autre. Surtout, c'était sympa. Et ça me manquait.

J'éteignis ma lampe. Depuis quatre ans, je tentais de m'habituer à dormir au milieu d'un grand lit, mais je continuais à me blottir du côté droit pour laisser assez de place à Jimmy. Il me manquait. Sa présence physique me manquait. Je regrettais le baiser avant de s'endormir, même s'il était devenu hâtif à la longue. Je regrettais la main qui serpentait vers moi, avide de jouer. Elle me manquait alors même que je l'avais détestée. Pourquoi l'avais-je tant haïe ? N'aurait-elle pas tout arrangé ? Je me rapprochai de son côté du lit et tendis le bras. Il avait essayé. Vraiment. Mais je ne l'avais pas laissé me faire du bien. Je ne méritais pas de me sentir mieux.

« Oh, Jimmy », marmonnai-je dans l'oreiller. Mon autre main glissa le long de mon pyjama et alla se nicher entre mes jambes. Je me collai tout contre, l'encourageant, l'exhortant à ne pas faire sa timide. Je gémis contre le matelas. « S'il te plaît. » J'implorai une force invisible. « S'il te plaît. » Que demandais-je au juste ? De l'intimité, bien sûr. Qu'on me touche. Qu'on me guérisse. Qu'on me remplisse de nouveau, qu'on me comble. Mon index trouva son chemin entre les replis, mais n'alla pas plus loin. J'étais sèche comme un toast sans beurre.

Je n'eus aucune nouvelle de Jimmy jusqu'au mercredi suivant quand il appela pour dire qu'il ne pouvait pas aller chercher les filles à l'école – dans vingt minutes. Mais verrais-je un inconvénient à ce qu'il passe les voir un peu plus tard dans la mesure où il avait quelque chose d'important à leur dire ?

Vingt minutes ! Je m'efforçai de garder un ton aimable, mais c'était se payer ma tête. J'arrêtai d'un geste agacé mon DVD de remise en forme et courus à la voiture. J'arrivai juste à temps, mais je n'avais pas pris de goûter et Amber mit un temps fou à sortir. Ma présence fut loin de provoquer un élan de gratitude – comme si j'avais fait disparaître Jimmy ! Je commençais à en avoir assez qu'on m'attribue perpétuellement le mauvais rôle. Lorsqu'il se pointa finalement, il sema le trouble, au point que deux de mes trois filles se retrouvèrent en pleurs.

« J'ai quelque chose à vous annoncer », dit-il tout sourires en ouvrant grands les bras.

Pas de préambule ni d'avertissement. Il n'y mit même pas les formes pour les amener en douceur à la déception. Le mariage n'aurait pas lieu. Et vlan !

« Quoi ?

— Ouais. C'est annulé. »

Qu'est-ce qu'il avait à sourire comme ça ? Comment osait-il ? Nous ne parlions plus que de ça depuis que les filles avaient découvert que ce n'était pas un sujet tabou. J'avais même écrit la chanson d'Amber en partie. Elle brûlait d'impatience. Elles se promenaient partout en tenant des bouquets imaginaires, éparpillant des pétales imaginaires sortis de paniers imaginaires. Cela aurait dû me rendre dingue *a priori* – si ce n'est que tout le monde était tellement content, bon sang de bonsoir ! Je ne buvais plus, les monstres avaient battu en retraite dans l'ombre, pour de bon, pensais-je, et ça allait beaucoup mieux sans eux. Voilà que Jimmy débarquait, hilare, et lâchait une bombe avec la plus totale désinvolture.

« Que s'est-il passé ? demandai-je, interloquée, sans parvenir à dissimuler ma colère.

— Tu veux dire que je ne vais pas faire mon discours ? s'enquit Amber.

— On ne sera plus demoiselles d'honneur ? fit Lulu en écho d'un ton plaintif.

— Tessa ne sera plus notre belle-mère ? » C'était Maddy qui avait posé la question. La seule qui ne pleurait pas. Mais son menton tremblotait. Elle est trop bonne.

Nous attendions toutes la réponse.

« Eh bien, vous savez que nous avons visionné la vidéo du mariage de votre maman et moi ? »

Où voulait-il en venir ? Ne t'avise pas d'incriminer cette cassette ! Amber ne se le pardonnerait jamais.

« Eh bien, Tessa a pensé que nous devrions faire les choses autrement. »

C'était la faute d'Amber *et* de Tessa maintenant. Bravo, Jimmy ! Les filles réagirent par un silence abasourdi. Oh, Jimmy. Elles tenaient tellement à un mariage comme le nôtre. Elles le trouvaient parfait. Elles pensaient que ça devait se passer comme ça. Le dénouement, elles n'en avaient plus rien à faire. Elles voulaient juste un recommencement. Était-ce si difficile à comprendre ?

« Alors, on a eu l'idée de la plage. »

Le silence s'étira en longueur.

« Dans les Caraïbes. En mai.

— C'est en plein trimestre. Tu ne peux pas leur faire manquer les cours au milieu de l'année, Jimmy.

— J'ai pensé que les circonstances étaient suffisamment exceptionnelles. Une affaire de famille.

— Ça, c'est pour les deuils, pas les fêtes ! Amber a des examens en juin, Lulu est déjà… Je veux dire, elle a déjà pas mal de choses à rattraper, et puis Maddy a été sélectionnée pour l'équipe de foot.

— Il y a une équipe de foot à RGS ? »

J'ignorai sa question.

« Vous ne pourriez pas faire ça pendant les vacances de Pâques plutôt ?

— C'est trop cher de faire venir tout le monde à cette époque-là, de les loger… »

Ce n'était pas à moi qu'il fallait dire ça. Ma mère n'allait pas casquer pour tes deuxièmes noces. Désolée.

« Songe à tout l'argent que vous allez économiser en lampions », dis-je.

Amber ricana. Elle avait rallié mon camp. Puis elle se rappela autre chose.

« Et l'orchestre ?

— Il va falloir y renoncer.

— Comment ça ? Papa ! J'ai travaillé… »

Elle se passa la main dans les cheveux en tentant de cacher sa déception. C'était une surprise. La chanson était une surprise. À cet instant encore, elle répugnait à tout gâcher pour son père, alors que c'était exactement ce qu'il était en train de faire pour elle.

« Jimmy, nous ne parlons que de ce mariage depuis des jours. Tu peux comprendre qu'elles soient un peu… » Nom d'un chien, je lui flanquerais volontiers une poêle à frire sur le crâne. « … déçues.

— Et nos robes ?

— Vous n'en aurez pas besoin sur la plage. Il fait trop chaud. Vous mettrez vos maillots à la place. »

Maddy et Lulu me regardèrent avec de grands yeux tristes, et je sus qu'elles étaient en train de troquer mentalement leurs parures de fée contre des Speedos bleu marine standards. Fais quelque chose, maman. Fais quelque chose. Amber aussi porta son attention sur moi. Fais quelque chose, maman, fais quelque chose. Réfléchis, réfléchis, réfléchis.

« Bon, d'accord, mais vous allez quand même faire une fête de fiançailles, non ? »

Jimmy hocha la tête.

« Dans ce cas, les filles ne peuvent-elles pas être demoiselles d'honneur à cette occasion ?

— Sans mariée ? demanda Maddy.

— Un moindre détail, ma chérie. Elle sera là, la future mariée. Vous serez les demoiselles d'honneur de la fiancée. »

Ça n'avait pas l'air de les emballer, mais au moins on ne m'envoya pas promener.

« Et puis je suis sûre que Tessa sera d'accord pour quelques lancers de fleurs sur la plage. Vous pourriez le faire deux fois ! » Je me tournai vers Amber. « Je parie qu'à la réception il y aura de la musique, qu'on dansera. Il n'y a jamais eu de fête sans musique *live* chez les Kent, jamais. Pas vrai, Jimmy ? »

Je le regardai dans le blanc des yeux.

« Évidemment qu'on dansera.

— Et vous ferez venir un orchestre », insistai-je.

Il fronça les sourcils en hochant lentement la tête.

« Certainement.

— Tu vois ? Tout ira bien.

— Mais oui ! Un orchestre, je ne vous l'ai pas dit ? Un super groupe. »

C'est bon, tais-toi maintenant, au cas où vous n'arriveriez pas à en trouver un à la dernière minute ! La rébellion s'apaisa. Jimmy me suivit dans la cuisine.

« Qu'est-ce que c'est que cette histoire ?

— Je ne peux rien te dire, mais tu as intérêt à dénicher un groupe *rapido presto*. Et à en informer Tessa le plus vite possible.

— La fête de fiançailles est censée être réservée aux copains, Bea.

— Si ça ne te plaît pas, c'est pareil. On ne construit pas un feu de joie sous les yeux de ses enfants pour refuser de l'allumer le 21 juin. Je sais précisément quelle robe Amber a l'intention de porter – ça va te coûter une petite fortune –, et les petites veulent des tonnes de rubans. Harrods, Sally, quatrième étage. L'affaire sera dans le sac en quelques minutes.

— Oh ! Merci, Bea.

— Ne compte pas sur moi pour m'en occuper, Jimmy. C'est à toi de le faire. »

On aurait dit que je l'avais giflé. C'était assez drôle en fait, mais ça ne me fit pas rire du tout. Soudain il m'étreignit.

« Je commence à me demander si j'arriverais à me marier sans toi. »

Whaou, tu as vraiment l'art de la formule qui fait plaisir, mon bonhomme !

« Merci, Bea, encore et encore. »

À nous deux, nous tirâmes notre épingle du jeu. La fête de fiançailles devint le mariage et le mariage fut transféré sur une plage à une date ultérieure, à fixer selon les promotions sur les vols. Tessa parvint à dénicher un orchestre. Ce qui ne me surprit guère. Vu son secteur d'activité, elle devait avoir de bons plans. Et je restai sobre. Parfois je me sentais plus mal qu'en proie aux pires gueules de bois de mon existence. J'avais la tremblote. Je transpirais à grosses gouttes et je toussais comme un phoque. Je m'enfilai une boîte de Smint sans sucre par jour et je buvais des litres de V8. Mais je ne touchais plus à la bouteille.

Le grand événement finit par arriver. Le vendredi matin, j'embarquai les filles dans la voiture avec leurs sacs. Après les avoir déposées à l'école, je me rendis chez Jimmy pour lui confier les robes repassées afin d'éviter qu'elles ne se froissent. Il était habillé et chaussé avec goût, d'une beauté diabolique avec ses cheveux poivre et sel et ses yeux bleus limpides.

« Je suis impatient de les voir sur leur trente et un », me dit-il en prenant mon fardeau, qu'il jeta sur la rampe de l'escalier. Mon cœur chavira, mais je me mordis la lèvre.

« Merci, Bea.

— Amber s'est pavanée tous les soirs dans la maison avec sa robe depuis que tu lui as achetée. Elle est tellement belle dans cette tenue, ça fait presque peur. » Ne râle pas, ne râle pas. « Tu vas les pendre, n'est-ce pas ?

— Bien sûr. Tout de suite ? »

Une partie de moi mourait d'envie de lui demander si je pouvais venir à la fête aussi. Juste pour la voir. Je me sentais tellement forte que je pensais pouvoir faire face.

« Je ferai en sorte qu'on prenne des tas de photos », me dit Jimmy, comme s'il avait lu dans mes pensées.

L'ex-épouse ne va pas au bal. Où avais-je la tête ?

« Passe une merveilleuse soirée, Jimmy. Ne laisse pas Amber boire.

— Elle n'aime même pas l'alcool. »

J'arquai un sourcil.

« Et elle n'a jamais embrassé de garçon peut-être. »

Jimmy se boucha les oreilles.

« Je ne veux pas le savoir.

— Ne t'inquiète pas, il est bien.

— Je suis content qu'il te plaise.

— Oui, je le trouve sympathique. Bon, je ferais mieux d'y aller. Amusez-vous bien.

— Ça va ? »

Je hochai la tête.

« Très bien. J'ai un rendez-vous pour le petit déj. Faut que je file. »

Il se pencha et m'embrassa sur la joue.

« Je les déposerai chez toi dimanche. »

J'agitai la main avec désinvolture, l'air de dire « peu importe » et m'éloignai.

À partir de là, ce fut la bérézina. J'eus une contre-danse pour commencer. Cinquante livres, ça fait mal. Ensuite je tombai en panne d'essence. J'étais folle de rage – comment pouvais-je être bête à ce point-là ? Carmen – Dieu la bénisse – vint à ma rescousse avec un jerrycan de sans-plomb et un café. Elle me suivit jusqu'à la station d'essence, où ma carte de crédit fut refusée.

Après ce parcours du combattant, nous allâmes dans un café où j'éprouvai une envie presque irrésistible de m'enfiler un croissant aux amandes.

« Je suis vraiment désolée, répétai-je en regardant Carmen payer ma salade de fruits et mon café noir.

— Arrête de t'excuser. Si tu as besoin de liquide, je peux t'en passer.

— C'est forcément une erreur. Je ne peux pas croire que j'aie déjà atteint la limite de retraits. Je ne suis pas sortie ! »

Nous portâmes nos plateaux à une table près de la fenêtre. Je plongeai la cuillère en plastique collante dans ma salade.

« Alors, quels sont tes projets pour éviter de perdre la tête ce week-end ? me demanda-t-elle.

— J'envisage une lobotomie.

— Tu y as déjà droit tous les jours !

— Je pensais faire deux fois le tour du parc en écoutant *Anna Karenine* sur mon iPod et puis m'envoyer la série de *Six Feet Under* au grand complet. Ça reflétera mon humeur.

— Oh, mon Dieu ! Ça fait rêver ! »

Ça rend suicidaire, oui ! pensai-je. Carmen mordit dans son croissant. « Alors, comment est-il, ce petit ami ? » Elle attendait ma réponse, mais j'avais les yeux rivés sur la porte. « Bea ?

— C'est incroyable. Je parlais justement d'elle l'autre jour. »

Carmen se retourna.

« De qui ?

— Tu vois cette femme ? Ça fait bizarre… Elle était témoin à mon mariage.

— Pourquoi te caches-tu sous mon aisselle dans ce cas ? »

Je me redressai.

« Je ne l'ai pas revue depuis la naissance d'Amber. On passait des moments si agréables toutes les deux après le boulot, mais ma vie s'est compliquée. Il fallait que je rentre à la maison pour que Jimmy puisse aller à une autre de ses réunions bidon qui ne menaient jamais nulle part. Elle a fini par me laisser tomber.

— Va lui dire bonjour.

— Je ne peux pas.

— Pour l'amour du ciel, les vieilles amitiés sont vitales, Bea ! Je deviendrais dingue sans mes vieilles copines. »

Je la regardai, gênée de penser que je la considérais comme une vieille copine. Cinq années d'échanges superficiels devant le portail de l'école, était-ce vraiment suffisant ?

« Tu as raison. » Me sentant passagèrement intrépide, je me levai et m'approchai de la table de Suzie. Elle n'avait pas changé et je ne pus m'empêcher de sourire en m'approchant.

« Suzie ? »

Elle plissa les yeux pour se protéger de la clarté du soleil derrière moi.

« Bonjour.

— Ça fait si longtemps ! Je n'arrive pas à y croire. Comment vas-tu ? »

Elle jeta un rapide coup d'œil à l'amie qui l'accompagnait, puis reporta son attention sur moi.

« Ça va, bien, très bien même.

— Pour tout te dire, je parlais justement de toi il y a quelques jours.

— À qui ?

— À Jimmy. On se demandait ce que tu étais devenue.

— Euh, eh bien, je me suis mariée, j'ai deux enfants, euh… Je gère toujours notre entreprise.

— Whoua ! Une entreprise. » Je sentis le jugement me tomber dessus comme un couperet. Ne me demande pas, je t'en supplie, ne me demande pas ce que je fais.

« Quel genre d'entreprise ?

— Et toi ? »

Nous avions parlé en même temps. Je me refusai à répondre à sa question.

« Alors vous avez une affaire, ton mari et toi ? repris-je, l'interrompant pour la seconde fois.

— Eh bien, euh… » Son amie lui toucha la main. « En fait, mon mari est euh… Il est mort l'année dernière. »

Je m'accroupis, oubliant les quinze dernières années, et pris sa main dans la mienne.

« Oh, mon Dieu, Suzie, je suis désolée…

— Écoute, euh, je vais sans doute te paraître grossière, mais… je ne sais pas qui tu es. Je ne m'en souviens pas… Étions-nous à l'école ensemble ? »

Je retirai prestement ma main.

« Je suis Bea. Bea Frazier, Bea Kent… Jimmy et Bea. »

Elle en resta comme deux ronds de flan, et j'entrevis la vérité dans la seconde avant qu'elle ait le temps de me la cacher.

« Bea, Seigneur ! Je suis désolée. Je ne t'ai pas reconnue… Tes cheveux euh… tu as changé de coiffure. Tu as l'air en forme. Avant, tu…

— J'avais une frange, dis-je en coinçant une mèche derrière mon oreille.

« — Ça fait si longtemps, reprit Suzie, embarrassée. Comment va Jimmy ? Vous avez eu un fils, non ?

— Trois filles.

— Whaou ! Pardonne-moi de ne pas t'avoir reconnue. Je ne suis pas encore tout à fait remise. »

Je ne voulais pas qu'elle me fasse des excuses. J'étais méconnaissable. C'est juste que je l'avais oublié.

« Bref, je vais vous laisser tranquilles… » Je tentai de sourire. « Je suis vraiment navrée pour ton mari.

— Je suis contente que tu aies encore Jimmy. Il a toujours été bel homme. Écoute, je suis désolée, Bea, je t'assure… Voyons-nous un de ces jours. As-tu une carte ? » Je secouai la tête. Les mamans quelconques n'ont pas de cartes de visite. « Prends la mienne. Appelle-moi. Ce serait super de rattraper le temps perdu, et de revoir Jimmy. »

Je retournai auprès de Carmen. En fait, j'eus l'impression de me traîner jusque-là. La carte de visite rigide, gravée, me brûlait la main.

« Comment ça s'est passé ?

— Carmen, je suis désolée… J'avais complètement oublié. Le plombier doit passer… Il doit attendre devant la maison. Il faut que j'y aille. »

Elle brandit sa fourchette.

« Et ton petit déjeuner ?

— Je n'ai pas le temps, répondis-je en partant à reculons.

— Prends soin de toi, Bea. »

Prends soin de toi ? Je passais mes journées à prendre soin d'autres gens. Prendre soin de moi n'était qu'une corvée de plus. C'est tellement plus *rafraîchissant* de se laisser aller. Parfois, quand je passais le week-end seule, je ne prenais même pas la peine de m'habiller. Je ne me brossais pas les dents, je ne me lavais pas. En fait, je ne faisais strictement rien à part boire mon quota de calories jusqu'à être malade, ravie de tout voir remonter. Dégobiller remettait le compteur des calories à zéro, et j'adorais ça. C'était ce que j'appelais prendre soin de moi. Pour une raison quelconque, je n'arrivais jamais à provoquer des nausées en me gavant de bouffe, mais le vin blanc et la vodka, ça fonctionnait bien. Les liquides ne posaient pas de problème, semblait-il. La liberté de l'irresponsabilité totale. La joie du chaos absolu, c'était ainsi que j'aimais prendre soin de moi. Mon système de récompense perso.

« Je prendrai soin de moi, c'est promis », répondis-je.

Il n'y avait pas de plombier, évidemment. J'avais juste besoin d'un prétexte pour ficher le camp. Cela dit, deux des trois livreurs que j'attendais ce jour-là ne se pointèrent pas non plus. Ma mère passa pour se réjouir de mes malheurs. Le broyeur avala une cuillère. Et les plombs sautèrent. Je sais que tout ça, ce n'est pas la fin du monde, mais il faut du temps pour tout organiser, c'est ennuyeux, répétitif, et voilà qu'on doit tout recommencer. J'aurais peut-être mieux supporté la situation la veille. Mais ce jour-là, il s'était passé quelque chose que je ne pouvais ignorer.

Je m'étais raconté des histoires. Une distance bien plus grande que j'étais disposée à l'admettre me séparait de l'être que j'avais été. Les huit kilos perdus ne représentaient pas grand-chose par rapport au chemin qu'il me restait à parcourir. Je m'étais vue dans les yeux de Suzie. J'étais une *grosse* au potentiel gâché. C'était le prétexte que j'attendais. J'étais plus forte que je ne l'avais été des semaines plus tôt, mais pas tant que ça ! Les enfants étaient à des lieues du danger. Je voulais plonger dans le précipice. Calories neutres, me revoilà !

J'avais repris mes esprits à trois heures du matin, dans la cuisine. Le lendemain, je me sentais trop mal pour parler. Ce qui n'avait pas d'importance puisque je n'avais personne à qui parler. Je sortis juste pour acheter quelques denrées saines dans un café sympa de Kentish Town, dans l'intention de redresser la balance. Du porridge bio dans une boîte en carton et un smoothie « détox ». J'y allai à pied, histoire de m'éclaircir les idées.

« Bea ? »

Je me retournai brusquement et jetai un coup d'œil par-dessus mes lunettes de soleil.

« Il me semblait bien que c'était vous. »

Je fus longue à la détente.

« Nick. Le papa de Caspar.

— Oh ! Bonjour. Désolée. J'avais la tête ailleurs.

— La gueule de bois ? » Il souriait.

« C'est si évident que ça ?

— Il n'y a pas de soleil et vous avez commandé un smoothie détox.

— Hum ! fut tout ce que je réussis à marmonner.

— C'est très courageux de votre part de faire la fête deux jours de suite.

— Hum !

— Ça va être la grosse fiesta ce soir. Avec le show Amber-Caspar en prime. Même si je ne pense pas que James et Tessa soient au courant. »

Il ne pouvait pas se rendre compte que je fronçais les sourcils vu que mes lunettes étaient énormes. Son visage me disait bien quelque chose. Et depuis quand Caspar allait-il à la soirée de fiançailles ?

« Fran est chez le coiffeur. Nos filles voulaient entrer dans la danse, alors elles ont eu droit à des robes neuves elles aussi. Quelle merveilleuse idée vous avez eue là ! Cora, nos deux filles et les deux vôtres en robes de fée assorties. Je suis impatient de voir ça. »

Fran ? Cora ? De qui parlait-il, nom d'une pipe ?

« Son filleul à la guitare, sa future belle-fille au micro. Sacrée soirée en perspective. Je n'ai jamais vu Tessa aussi heureuse. Ça fait plaisir. Elle le mérite tellement.

— C'est vrai », dis-je. Qu'est-ce qui me prenait ? Je ne la connaissais même pas. Cette foutue femme-enfant. Femme-objet.

« Son filleul ?

— Caspar. Tessa King est la meilleure marraine du monde. Elle fera une super belle-mère aussi. Amber est si contente que vous l'appréciiez. Ça facilite tellement les choses. Bref, faut que je me sauve. Je vous recommande de faire la sieste. On se verra au bal. »

Je brandis le pouce parce que je n'osais pas ouvrir la bouche. Caspar ? Caspar était le filleul de Tessa.

Ma fille et son filleul, et tout le monde trouvait ça très bien ! Et Amber qui prétendait que Tessa et moi étions comme cul et chemise pour pouvoir roucouler avec son amoureux ? Moi qui pensais qu'elle cherchait à me protéger. Il n'était pas du tout question de moi. J'étais juste un obstacle. Une chieuse. Ce serait tellement plus facile s'ils pouvaient tous aller danser sous le soleil couchant sans avoir à s'encombrer de l'ex. Personne n'en avait rien à foutre de moi. En plus d'être méconnaissable, j'étais remplaçable. C'était pire que ça. J'avais déjà été remplacée. Dormir, Nick, pauvre fion romantique ? Dormir ? J'avais besoin de bien plus que ça, bordel de merde !

« Un smoothie détox à emporter ! » clama le garçon derrière le comptoir.

Beaucoup trop tard.

12

Amour naissant

« Qui a le sèche-cheveux ?

— Quelqu'un peut-il me prêter son mascara ?

— Merde ! J'ai filé mon bas. Tessa ! Tu n'en aurais pas une paire de rechange ? »

Je me levai alors que Fran, ma meilleure amie depuis l'université et la maman de Caspar, entrait dans la chambre en sous-vêtements, arborant un unique bas. Elle tenait mollement l'autre, pareil à l'ombre de Peter Pan. Elle se figea en me voyant.

« La vache ! Tu es sublime ! »

Claudia surgit à son tour en se tenant la tête.

« Au secours ! Aidez-moi, j'ai les cheveux qui frisottent ! Doux Jésus, Tessa, tu as l'air d'une star de cinéma ! »

Billie émergea de la salle d'eau.

« Masca… » Le mot se perdit dans un long sifflement.

Je souris.

« J'ai toujours rêvé de siffler comme ça, soupira Fran.

— Tourne sur toi-même », dit Billie. Ce que je fis. J'avais opté pour un rouge très nuptial. Vermillon, en fait. Ma robe était en soie pure, et je n'étais pas sûre qu'elle tiendrait le coup toute la soirée. Et après ! Les robes de mariée n'étaient pas faites pour durer. Cela dit, ce n'était pas à proprement parler ma robe de mariée. Pour ça, j'avais choisi un caftan en coton blanc (ne vous méprenez pas, je ne parle pas d'un chiffon à quinze livres acheté sur le marché de Portobello, mais de la plus belle création de Heidi Klein, ornée de subtiles broderies de perles et de paillettes, dans une étoffe au transparent suggestif assortie au Bikini blanc). En un sens, pourtant, cette robe de bal rouge commençait à me faire cet effet. Maintenant que toutes mes copines étaient là à courir dans tous les sens à moitié à poil, me rappelant un million de soirées de notre jeunesse, je me réjouissais que Bea nous ait incités à marquer l'événement. Nous pensions le faire pour les filles, mais avec mes amies autour de moi, je me rendais compte que c'était tout autant pour James et moi.

« Vous ne trouvez pas bizarre que ce soit à l'ex-femme de James que je doive cette soirée ?

— Elle vient ? demanda Billie.

— On ne l'a pas invitée, répondis-je en faisant la grimace. Nous ne nous sommes pas vraiment rencontrées. Je regrette tout de même de ne pas avoir été aussi magnanime qu'elle.

— Nick l'a rencontrée, dit Fran. Il l'a trouvée très sympa. Ouverte d'esprit en plus. Elle autorise Amber à dormir chez nous.

— Je l'ignorais.

« — Il vaut sans doute mieux que vous gardiez vos distances plutôt que d'être comme cul et chemise. Il est préférable que tu n'en saches pas trop », souligna Claudia.

Je lui jetai une culotte à la figure.

« Il n'y a rien à savoir.

— Dégueu ! Elle est à toi.

— Oui. Je vais m'en passer. Il n'y a pas de place pour un string sous cette robe. »

Elle était sans bretelles, avec un décolleté plongeant derrière et un autre devant, en forme de cœur, qui, grâce à un échafaudage industriel, me maintenait les seins en place. Le corsage était tellement serré que je ne respirais que par saccades. Le bas, en fourreau, descendait jusqu'à terre, mais une fente derrière me permettait de me déplacer et laissait deviner mes longues jambes, et c'était ça l'important. Totalement exubérant. Mais c'était le soir ou jamais, non ? Et encore, ce n'était rien à côté de la tenue de ma future belle-fille ! J'avais une coiffure dans le style des années 40, des lèvres peintes en rouge-écarlate, le teint clair et les yeux soulignés par du eye-liner noir liquide. Mon intention avait été de ressembler à Ava Gardner, et à juger d'après l'expression de mes copines, j'avais réussi mon coup. Nous pouffâmes de rire. Maddy et Lulu avaient raison. C'était sympa de se déguiser.

À propos des filles…

« Hé, vous autres, ça se passe bien ? »

Cora, Maddy et Lulu, ainsi que Katie et Ella, les petites de Fran, avaient établi leur camp dans la minuscule chambre des filles. Lulu était la coiffeuse en chef, bien qu'Amber fût censée superviser. Quant à James, il avait été relégué chez Faith et Lulu, à Acton, de même que Caspar. Son appartement de Hampstead avait été temporairement réquisitionné par la gent féminine. Le sol disparaissait sous les tombereaux de tulle. Fran, Billie, Claudia et moi nous pressâmes sur le seuil du « vestiaire junior » pour regarder les filles se monter mutuellement leur fermeture Éclair, se brosser les cheveux et tourbillonner à nous flanquer la nausée. En les observant toutes les cinq, nous partageâmes une prière en silence pour remercier le ciel de la chance que nous avions, de l'amour de notre vie et de notre amitié. Je pris la main de Claudia dans la mienne et la serrai, sachant qu'elle pensait à la fille qu'elle avait perdue. Tous les moments heureux seraient à jamais teintés de tristesse. Il manquerait toujours quelqu'un à la fête.

« Ça mérite un verre », m'exclamai-je. Je n'entendis pas la moindre protestation.

En bas dans la cuisine, je fis sauter un bouchon et versai de la mousse dans quatre coupes. Puis une cinquième. Pour Amber. C'était une femme elle aussi maintenant. Une femme en devenir, certainement.

« Amber ! Du champagne ! criai-je du bas de l'escalier.

— Je suis tellement contente que vous vous entendiez bien maintenant, dit Claudia.

— Oh, mon Dieu, c'est le jour et la nuit. Elle est adorable depuis quelques semaines. » Je me tournai vers Fran. « C'est à ton fils que je dois ça. Mon fan numéro un.

— Plus maintenant, j'en ai peur. Il est fou d'elle.

— À propos, où est-elle ? demanda Billie. Je suis impatiente de voir sa robe.

— Dans la salle de bains, probablement », répondis-je en leur tendant les coupes. Je levai la mienne. « Aux amis absents.

— À Helen », renchérit Billie.

Nous bûmes toutes en chœur.

« Je n'ai pas l'intention de faire un discours plus tard, repris-je, mais il y a une chose que je tiens à vous dire à toutes les trois : merci de votre soutien et de tous les conseils que vous m'avez prodigués au fil des ans. Merci de m'avoir pardonné quand je n'écoutais pas, de m'avoir encouragée quand j'écoutais. Merci d'avoir partagé vos vies avec moi. » Mon regard se porta sur Fran et Billie. « … ainsi que vos enfants. Je veux que vous sachiez que si j'envisage de me marier c'est uniquement parce que je sais que vous êtes là pour me surveiller. Que je peux tout vous dire sans me sentir jugée. Que si je foire vous me remettrez à ma place, que si James devient casse-couilles, vous me soutiendrez. Je n'aurais jamais franchi le pas sans vous. C'est bien trop dur.

— Très sensée, commenta Fran, qui en connaissait un bout sur le mariage.

— Ne pleure pas, Tessa. Ton mascara va couler. »

Billie me tendit un torchon.

« À nous ! lança Claudia.

— À nous ! » renchérîmes-nous d'une seule voix.

Une porte claqua. Quelqu'un monta l'escalier, deux marches à la fois. Une autre porte claqua. Tout le monde se tourna vers moi.

« Amber ? demanda Fran.

— Quand est-elle sortie ? » m'enquis-je, inquiète. Perdre le précieux joyau de James risquait d'obscurcir quelque peu le tableau.

« Tu ferais bien d'aller voir, dit Fran, la maman de tout le monde.

— Moi ?

— Qui d'autre, ma chérie ?

— Tu ne pourrais pas y aller, toi ?

— Tu disais que ça s'était arrangé entre vous.

— C'est vrai, chuchotai-je, mais j'ai toujours l'impression d'être une usurpatrice. Vas-y, s'il te plaît. Elle t'aime beaucoup.

— Pas question !

— J'ai du mal à monter l'escalier dans cette robe… » Elle me désigna l'escalier en question d'un geste impérieux. « Bon, bon d'accord, j'y vais. Passez-moi cette coupe. »

Je frappai à la porte d'Amber.

« Va-t'en, dit-elle. S'il te plaît. »

Ce fut le « s'il te plaît » qui me mit la puce à l'oreille.

« Ça va ? »

Elle ne répondit pas.

« Amber ? » Je tournai la poignée. La porte se referma brutalement sous mon nez. « Va-t'en, je te dis. Fous le camp ! T'es bouchée ou quoi ?

— Que s'est-il passé ? Il y a un problème avec Caspar ? »

Pas de réponse.

« Qu'est-ce qu'il a fait ?

— Qui ça ? »

Seigneur, ne me dites pas qu'on était de retour à la case départ !

« J'ai une coupe de champagne pour toi », dis-je, changeant de tactique.

Silence radio.

« Tu n'en veux pas ? »

Nouveau silence.

« Bon, écoute, nous partons dans dix minutes. »

Je me retournai, prête à partir, puis me plantai de nouveau devant la porte en essayant de me souvenir de l'effet que les grands événements de ce genre avaient sur moi quand j'avais son âge.

« Écoute, Amber, si tu te fais du souci pour ta robe, je veux que tu saches qu'elle te va à ravir. Ton père va être tellement fier de toi. Nous serons tous les deux… »

Pour toute réponse, j'eus droit à un beuglement musical à travers la porte. Des accents rageurs de guitare. Je supposai que je devais ça à mon cher filleul. Où étaient les Bonnes Belles quand on avait besoin d'elles ? Je retournai dans la cuisine.

« Que se passe-t-il ? »

Je haussai les épaules.

« Où est-elle allée ? »

Je levai les mains en un geste d'impuissance. Mes amies me considérèrent d'un air déçu.

« Quoi ? Elle refuse de me parler. Il n'y a rien à faire.

— Il a dû se passer quelque chose, dit Claudia. Elle était tellement excitée tout à l'heure.

— Je vais téléphoner à Caspar, suggéra Fran. Ils se sont peut-être disputés à propos de la chanson ?

— La chanson ? Quelle chanson ? »

Fran leva les sourcils.

« Oups !

— Quelle chanson, nom de Dieu ?

— C'est un secret, répondit Fran.

— Plus maintenant. Accouche.

— Caspar et Amber ont préparé une chanson en guise de discours de témoin. »

Question pièce manquante au dossier, ça se posait là !

« Je comprends pourquoi ils ont fait un foin pareil pour l'orchestre. Vous n'avez pas idée du nombre de services qu'il a fallu que je rende pour dégoter un groupe correct dans un laps de temps aussi bref. Pourquoi ne m'a-t-on rien dit ?

— C'était une surprise.

— Pour James. Pas pour moi. » Je secouai la tête.

« Appelle Caspar. Il n'est pas question que je me farcisse une scène ce soir. Une vraie diva, cette môme ! » Je me servis une autre coupe. « L'éclairage de la salle ne lui convient peut-être pas et elle a décidé de laisser tomber.

— Allons, Tessa, range ton balai de sorcière, lança Claudia.

— Tu ne te rends pas compte de ce que c'est, répliquai-je d'un ton plaintif.

— Toi non plus, me répondit-elle. Tu n'imagines pas l'effet que ça fait quand une sirène s'installe à la maison et jette un sort à ton père.

337

— C'est *moi* la sirène ? » Je baissai la voix. « Tu as vu sa robe ? Elle a coûté autant que la mienne ! »

Fran réapparut dans la cuisine.

« Caspar dit qu'il ne l'a pas vue depuis la répétition de cet après-midi et ça s'est super bien passé. Il va l'appeler et puis nous rappeler. »

Je levai les yeux au ciel, à la manière d'Amber.

« Elle va tout gâcher, j'en suis sûre.

— Il s'est forcément passé quelque chose. Où est Bea ? Tu es sûre qu'elle ne voit pas toute cette histoire d'un mauvais œil ?

— C'était son idée. Le problème ne vient pas d'elle, mais d'Amber. Elle nous fait une de ses crises ! Je vais vous expliquer comment ça se passe. Il va falloir que je fasse venir James, il passera une demi-heure avec elle dans sa chambre à la consoler avant qu'elle accepte d'en sortir, et quand elle aura eu causé un maximum de dommages, elle affichera un air brave, se remettra du drame imaginaire censé s'être produit, elle enfilera sa robe et ce sera la reine du bal. Exactement comme l'autre soir, quand elle a fichu le camp après avoir exigé qu'on lui appelle un taxi. Où sont passés les gosses qu'on expédie dans leur chambre après une bonne fessée ?

— Un jour ils sont plus grands que vous, dit Fran.

— Et puis c'est illégal maintenant, précisa Billie.

— Vraiment ? C'est regrettable. Une fois qu'elle se sera calmée, je vous le dis, James sera fier comme Artaban que sa fille ait réussi à maîtriser ses nerfs, ou ce qui la titille. Oh, s'il vous plaît ! Ne me regardez pas comme ça ! m'écriai-je en agitant un doigt sous

338

leur nez. Attendez un peu ! Vous verrez, dis-je d'un air entendu. Amber Kent a plus d'un tour dans son sac.

— Quel âge as-tu ? Treize ans ? As-tu oublié comment c'était ? »

Oh, ferme-la, Claudia. Je retire tout ce que je viens de te dire à ton sujet.

« Elle a raison, Tessa. Tu avais beaucoup moins de mal à pardonner à Caspar ces effroyables sautes d'humeur, je te fais remarquer.

— Pourquoi réagis-tu différemment dans le cas d'Amber ? »

Ce que j'ai dit sur vous toutes – virage à 180° ! Je m'enferrais. Parce que, parce que, parce que… elle tient le cœur de James dans le creux de sa main et me le prête seulement quand elle retourne chez sa mère.

« Je ne demandais qu'un seul soir, lançai-je d'un ton hargneux.

— Je croyais que tu faisais ça pour les filles ? souligna Billie. Pour tout le monde.

— D'accord, d'accord. Je suis une méchante sorcière », grognai-je à leur adresse. Ce qui les fit rire. « Mais c'est tellement dur de le partager.

— Ça pourrait être pire. Il pourrait être comme Christophe et ne rien en avoir à foutre. »

Billie avait raison. Le papa de Cora s'était pour ainsi dire volatilisé.

« Bon, bon, je vais prévenir James », dis-je, baissant les bras. Elles hochèrent toutes la tête de concert.

Pour finir, nous partîmes les premières avec les fées en tulle dans un gigantesque carrosse. J'arrosai ma furie de champagne en espérant que les acides se neutraliseraient mutuellement. Au bout du cinquième verre, cela commença à faire son effet.

Il y avait tellement d'amis au Century – le bar que James avait loué pour la réception – que j'en vins à oublier que mon fiancé était encore à la maison avec la mini-mariée. Bon, ça ne marchait pas tout à fait, mais je m'amusais bien tout de même. Puis mes parents arrivèrent, avec Ben et Sasha, et mon clan s'en trouva consolidé. C'était sympa de présenter mes vieux copains à ma future famille. J'appréciais beaucoup Faith. Honor, je pourrais vraiment m'attacher à elle, je le savais. Peter et papa se lièrent d'amitié en un clin d'œil. Je n'aurais jamais imaginé que la pêche pouvait être un sujet aussi hilarant. Je sentais qu'un nouveau hobby était sur le point de s'ajouter aux centaines que mon père collectionnait depuis qu'il avait pris sa retraite un quart de siècle plus tôt. Je m'approchai de lui pour le serrer dans mes bras. J'étais tellement fière de lui.

Maman semblait aller bien elle aussi. Elle n'avait qu'une seule canne. Une, c'était bien. Deux, moins bien. Le déambulateur, pas terrible du tout. Elle ne se servait de son fauteuil qu'en dernier recours. Lucy la hippie et Billie la tzigane semblaient fascinées l'une par l'autre. Plus tard, je les vis explorer la salle comme une paire de professionnelles. Je savais depuis toujours que Billie avait quelque chose de spécial, de mystique, d'unique. Du coup, Lucy remonta dans mon estime : elle avait eu la perspicacité de voir au-delà de l'apparence un peu pataude et de sonder les profondeurs.

Finalement, j'aperçus James. Ivre d'amour, je courus vers lui et me jetai à son cou.

« J'ai cru que tu allais me laisser en plan.

— Jamais, répondit-il.

— Tout va bien ?

— Tu vois, nous sommes là. »

Amber se volatilisa dans la foule. Elle n'avait pas mis la robe bleue.

« Qu'est-il arrivé à sa robe ? »

Le visage de James s'assombrit dangereusement.

« Ne me pose pas la question.

— Tout cet argent…

— Tessa.

— Désolée.

— J'ai besoin d'un verre. »

Il n'eut pas à le demander deux fois.

L'alcool coulait à flots, le niveau des décibels ne cessait d'augmenter. J'eus droit à tellement d'éloges que j'en vins à me prendre pour Ava Gardner en personne. Au milieu d'une histoire de diffamation à propos d'un ancien membre d'un groupe que Matt, mon assistant, était en train de raconter, une plainte grinçante jaillit des haut-parleurs. Nous tressaillîmes.

Mon père avait pris le micro. Un technicien l'écarta gentiment de l'ampli et le bruit se tut.

« Mesdames, messieurs, je suis navré d'interrompre les réjouissances, mais je vous saurais gré d'accorder votre pardon à un vieil homme et de me laisser vous dire quelques mots à propos de ma fille. La future mariée. Comme vous le savez tous, James et Tessa ont décidé de ficher le camp sur une plage pour les noces, et pour une raison inexplicable, ils ont résolu de ne pas nous emmener avec eux.

— Tu es invité, papa !

— Oui, mais le discours du père de la mariée n'a pas grand intérêt sans un public. Aussi, mesdames, messieurs, sans plus de cérémonie… » Il jeta un coup d'œil à ses notes. « … je tiens à remercier le pasteur pour… Oups ! Désolé, c'est l'ancienne version. » Il gloussa et rangea sa feuille. Les gens gloussèrent avec lui. Impossible de faire autrement avec mon père. Quelque chose de si juvénile transparaissait dans son regard et dans sa voix, même si sa peau était vieillie, ses os un peu plus tordus que je ne voudrais qu'ils le soient. « Tessa est née très vite. Nous n'avons même pas eu le temps d'arriver à l'hôpital. Notre fille ne voulait pas attendre et je crois pouvoir affirmer sans risque que depuis lors nous nous sommes efforcés de la rattraper. Son insatiable curiosité a été un atout pour moi. Dès l'instant où je l'ai attrapée, et je veux dire *attrapée* littéralement, et jusqu'à ce jour, elle m'a incité à tourner le dos au vieillissement et à rebrousser chemin pour aller à sa rencontre, vers sa jeunesse. Plus elle s'y ingénie, plus elle grandit, et plus j'y gagne. Je pense sincèrement que le jour où elle est venue nous annoncer qu'elle allait épouser James, nous nous sommes finalement retrouvés sur un pied d'égalité. Père et fille. Et non plus parent et enfant. Je suis tellement fier de toi, Tessa. » Sa voix se brisa un peu. Une boule de la taille d'un morceau de charbon vint se loger dans ma gorge. « Fier de tes amitiés que tu estimes tant, je le

342

sais. Fier de ta ténacité et de ton refus de baisser les bras. Fier de ton esprit, de ton humour, de ta beauté, dont tu n'as jamais abusé. De tes remarquables talents de nageuse synchronisée aussi, bien sûr. »

Une onde de rires déconcertés parcourut l'assistance.

« James, je sais que vous êtes conscient d'avoir de la chance, et comme elle n'arrête pas de parler de vous, je pense avoir raison de dire qu'elle éprouve la même chose à votre égard. Mais, Tessa, je veux que tu saches que la chance n'est qu'une infime partie du mariage. L'amour, le respect, l'humilité, la gentillesse, l'altruisme, le cran constituent le reste. Et puis il y a l'ultime ingrédient secret qui nous donne la force de franchir les obstacles, de sauter les fossés, de gravir les collines, de survivre dans le désert. J'ai longtemps pensé que c'était la magie. Mais c'est peut-être l'espoir. Alors, je voudrais lever mon verre à l'espoir.

— À l'espoir, lança en écho la salle tout sourires.

— À James et Tessa.

— À James et Tessa !

— Aux Kent et aux King, crièrent ensuite les gens.

— Aux Kent et aux King !

— Je sens qu'une grande union est sur le point de se sceller, reprit mon père après avoir bu une gorgée. Et finalement, mais surtout, à ma chère et brillante épouse Lizzie qui m'a donné deux magnifiques cadeaux dans cette vie. Son amour et notre fille. Je te remercie pour l'un et pour l'autre. Bonne soirée. »

Que dire ? La foule fut prise d'hystérie et je fichai en l'air mon maquillage. J'étreignis papa de toutes mes forces, il me serra encore plus fort. J'aperçus

Amber par-dessus son épaule. En train de nous observer, puis de regarder James m'embrasser, et je songeai que Claudia avait peut-être raison au fond. Si quelqu'un avait fait main basse sur mon père, qu'aurais-je éprouvé ? Je me serais sans doute sentie aussi isolée et malheureuse qu'elle semblait l'être à cet instant. Je m'excusai et mis le cap sur elle, mais les gens n'arrêtaient pas de venir me congratuler, m'embrasser, me complimenter, et c'était difficile de me libérer sans me montrer grossière.

Quand j'atteignis enfin l'autre bout de la pièce, elle avait disparu. Je me promis de la trouver plus tard, mais la fête envahit le temps et l'espace, et à mon insu, il fut bientôt minuit passé.

Nous prîmes d'assaut la piste de danse. Maman dansa un slow avec Ben sur un air funky de Beyoncé. Je dansai avec Luke. Puis avec maman. Puis avec Ben. Puis James me tapota l'épaule et je dansai avec lui. À ce stade, c'était une sorte de pot-pourri.

« Tu n'aurais pas vu Amber par hasard ? »

Je secouai la tête et l'embrassai.

« Je n'arrive pas à la trouver, ajouta-t-il en promenant son regard sur les têtes qui rebondissaient.

— Je sais que Caspar la cherchait. Ils se sont peut-être repliés dans un coin sombre.

— J'en doute fort.

— Allons, James. Elle a presque quinze ans. Elle a le droit…

— Ce n'est pas ça. Ils se sont disputés, si tu veux le savoir, et il lui a fait beaucoup de peine.

— Ici, pendant la fête ?

— Non, avant. C'est pour ça qu'elle était… Bref, je ne veux pas gâcher notre soirée.

— Ils ne se sont pas disputés. On a appelé. Caspar a dit que tout allait bien »

Une ombre passa sur le visage de James.

« Pour l'amour du ciel, explique-moi ! demandai-je, inquiète maintenant.

— Écoute, Tessa. Je ne veux pas parler…

— Pour l'amour du ciel, dis-moi ce qui se passe !

— Il a déchiré sa robe. Elle n'a pas voulu me dire exactement comment, mais ça semble assez évident, et maintenant je n'arrive pas à la trouver.

— Ce n'est pas possible.

— Elle me l'a montrée.

— Ça ne prouve pas que Caspar…

— Tu veux dire qu'elle ment ? »

J'étais acculée, une fois de plus, dans une impasse impossible à laquelle je commençais vraiment à m'habituer.

« Bien sûr que non, mais c'était sûrement accidentel, ou alors… »

James plissa les yeux.

« Comment peut-on déchirer une robe accidentellement ? »

Je compris que la situation était en train de déraper à une vitesse grand V. J'étais convaincue qu'en suggérant une fête de fiançailles Bea n'avait pas voulu que ça se termine par une bataille rangée entre James et moi.

« Tu as raison, dis-je. On parlera de ça demain. »

Ben combla l'espace entre nous.

« Je m'attendais à un speach de la part du futur marié, lança-t-il d'un ton jovial.

— Je ne suis pas très doué pour ce genre de chose, répondit James. Désolé, Ben. Pardonne-moi, mais il faut que j'aille chercher ma fille.

— Oups ! Aurais-je dit quelque chose qu'il ne fallait pas ? »

Je regardai James partir.

« J'ai peut-être tort, mais la manière dont il a dit "ma fille" ne donne-t-elle pas des envies de meurtre ?

— Pour tout te dire, j'ai moi-même flairé un parfum de reproche juste là. Qu'est-ce qui se passe ?

— Je songe à acquérir un grand miroir ovale doré.

— L'idée de la mettre en pension t'a-t-elle effleurée ? renchérit Ben.

— Souvent. »

Il m'attira contre lui et me serra dans ses bras.

« Tout finira par s'arranger. Ne t'inquiète pas. »

Je m'appuyai contre lui.

« Je peux te dire un truc ? »

Sentant un changement de ton, Ben m'entraîna hors de la piste de danse. Comme j'étais aussi repérable qu'un panaris dans ma robe rouge flamme, nous montâmes sur le toit en terrasse pour échapper à mes admirateurs éméchés. Il avait plu et le plancher en teck était glissant.

« Qu'est-ce qui t'arrive ? demanda Ben en me mettant sa veste sur les épaules pour me protéger du froid.

— J'ai regardé la vidéo de leur mariage.

— Non !

— Depuis, ça me hante. Je ne sais pas ce qui m'a pris. Et il n'est pas du tout nul pour ce genre de chose, comme il le prétend. Il est même brillant. Le discours qu'il a fait pour Bea… » J'entendais encore les mots prononcés avec une infinie douceur, je voyais l'amour dans ses yeux. « J'en ai pleuré, et pas seulement parce qu'il n'était pas question de moi. Je ne voulais pas d'un discours similaire ce soir. Ce n'est pas vrai. Je voulais le même discours, mais différent. Le mien. Pas le sien. À la place, il s'est défilé. Je suis écœurée. »

Ben m'enlaça la taille.

« Mais tu vois bien qu'il t'aime. À la manière dont il te couve des yeux, Tess, tu ne peux pas en douter. »

Je regardai fixement mes pieds. Les lanières en cuir de mes chaussures m'entamaient la chair. Je m'aperçus seulement à ce moment-là que ça me faisait mal. J'avais envie de m'asseoir, mais tout était mouillé.

« Tout ce qu'il te dira publiquement, devant ses enfants, sera un affront pour leur mère. Il s'efforce de ménager leur sensibilité, c'est tout.

— Et la mienne alors ?

— Tess…

— Je sais, je sais. Les filles passent d'abord. Je suis une adulte.

— Tu comprends maintenant pourquoi je n'ai jamais voulu avoir des enfants ? James fait tout bonnement ce qu'il doit faire, et en l'occurrence, je lui tire mon chapeau.

— Mais ce sont ses enfants. C'est facile pour lui.

— Je n'en suis pas si sûr, Tess. Quand ils arrivent au boulot le lundi matin, mes collègues qui ont des enfants ont l'air… » Il passa mentalement en revue son ample vocabulaire « … abattus. Un à un, ils admettent qu'ils sont avides de venir travailler pour respirer un peu. Liens biologiques ou pas, les gamins sapent toute votre énergie.

— Je ne suis pas la méchante marâtre alors ?

— Non. Et je te parie que Super Bea elle-même redoute les vacances scolaires.

— Ni reine de l'artisanat ni déesse des biscuits…

— Toutes les mamans que je connais ont été réduites aux larmes par leur progéniture. Je me fais un devoir de leur poser la question afin de pouvoir m'en souvenir les rares fois où je suis ivre et cafardeux.

— Comment ça, les rares fois ? Tu es constamment ivre.

— J'ai dit ivre *et* cafardeux. »

Je posai la tête sur son épaule.

« La nuit, quand je n'arrive pas à dormir, j'imagine qu'un feu s'est déclenché dans la cuisine et puis, comme dans un jeu d'ordinateur, je me demande qui James sauverait en premier.

— Écoute, Tess, même si Bea était allongée près de lui, il se précipiterait pour sauver ses filles d'abord. C'est le prix à payer quand on devient parent. Un prix élevé, je n'en doute pas. » Il haussa les épaules, faisant rebondir ma tête. « N'est-ce pas la raison pour laquelle leur mariage a échoué au départ ? »

Je me redressai brusquement. Je n'avais pas vraiment de réponse à donner à cette question. Ce fut à mon tour de hausser les épaules.

« Débrouille-toi pour le savoir. Une fois que tu auras compris ça, tu auras moins peur, et cette vidéo cessera de te hanter.

— Et si James refuse de me dire quoi que ce soit ?

— Il ne refusera pas. C'est un type bien. Et il t'aime sincèrement. C'est d'ailleurs l'unique raison pour laquelle je t'autorise à l'épouser.

— Sasha doit dormir à poings fermés la nuit, sachant que tu la sauverais si le bâtiment prenait feu.

— Sasha ? » Ben fit la grimace. « Ça m'étonnerait. C'est elle qui me sauverait ! »

En entendant un bruit derrière nous, je me retournai pour découvrir un Caspar trempé, gelé, misérable.

« Caspar ? Qu'est-ce qu'il y a ? Que s'est-il passé ?

— Ah, tu es là. Je t'ai cherchée partout.

— Tu es trempé comme une soupe !

— J'ai besoin de ton aide, dit-il. C'est Amber. »

Ne pourrait-on pas me laisser profiter encore un tout petit moment de cet intermède heureux ?

« Que s'est-il passé entre vous deux ? »

Il fronça les sourcils.

« Rien.

— Vraiment ? Comment se fait-il alors qu'elle n'ait pas mis sa robe, et pourquoi ne chantez-vous pas la chanson ?

— Elle n'est pas d'attaque.

— Pourquoi pas ?

— Elle ne l'est pas, c'est tout. »

Pourquoi ? Parce que tu n'as pas su résister !

« Si tu crois que je peux t'aider, tu te trompes. Amber ne m'apprécie pas vraiment. Je doute d'être ton meilleur défenseur en l'occurrence.

— Je n'ai pas besoin qu'on me défende. J'ai besoin que tu m'aides à la faire descendre de l'escalier de secours avant qu'elle meure de froid, et à la ramener à la maison avant que M. Kent la voie.

— Trop tard. Il est déjà au courant.

— De quoi ?

— De la… » Je regardai mon filleul dans le blanc des yeux. « De la dispute.

— On ne s'est pas disputés. Oh, et puis laisse tomber, je vais chercher maman. Désolé d'avoir perturbé votre petit tête-à-tête.

— Ce n'était pas un tête-à-tête, dis-je.

— Où est-elle ? » demanda Ben.

Caspar hésita.

« Où est-elle ? »

Il désigna le coin de la terrasse où une porte indiquait « Sortie de secours ».

Ben s'élança.

Je trouvai qu'il en faisait un peu trop jusqu'au moment où je la vis. Recroquevillée sur les marches en fer, elle était trempée, frigorifiée et semblait fragile au point de se briser. Son mascara lui couvrait la moitié de la figure ; ses cheveux collaient à ses bras minces et à son dos osseux. J'en oubliai temporairement ma colère.

« Qu'est-ce qu'elle fiche là ? aboya-t-elle.

— Je n'ai pas pu trouver maman, lui répondit Caspar sur le ton de l'excuse. Elle peut aider. Je t'assure. »

Amber posa la tête sur ses genoux. Super. Je n'étais même pas leur premier choix. Il y avait une bouteille de champagne débouchée sur la marche à côté d'elle.

« A-t-elle bu ? chuchotai-je à l'adresse de Caspar.

— Ce n'est pas ça.

— Est-elle saoule ? Je commence à en avoir un peu assez de tous ces mélodrames d'ados.

— Vas-y doucement, Tess, chuchota Ben.

— Tessa, je t'assure, ce n'est pas ça… » J'écartai Caspar de mon chemin, m'agenouillai et posai la veste de Ben sur les épaules d'Amber.

« Que s'est-il passé, Amber ? »

Elle enfouit son visage entre ses genoux.

« Qu'est-il arrivé à ta robe ?

— Tessa, ne…

— Elle a dit à son père que tu l'avais déchirée, ajoutai-je en me tournant vers Caspar. C'est une sérieuse accusation. Est-ce vrai ? »

On aurait dit que je lui avais planté un javelot dans le cœur. Il n'avait pas fait ça, bien sûr. Amber se mit à trembler. Je crus un instant qu'elle riait. Je l'orientai face à moi. Elle ne riait pas. Je pris peur.

« Tu veux que j'aille chercher James ? »

Elle secoua énergiquement la tête.

« Oh, mon Dieu, Amber, ne me dis pas que tu es encei…

— Bon sang, Tessa, elle a quatorze ans ! »

Je me tournai à nouveau vers Caspar.

« Je vous ai vus dans l'hortensia. Tu ne vaux pas mieux, alors ne prends pas cet air offusqué.

— C'était une blague, Tessa, pour te mettre en boîte. On savait très bien que tu étais en train de nous épier depuis la cuisine. Pour qui me prends-tu ? On venait de se rencontrer !

— Pour l'amour du ciel ! m'exclamai-je, incrédule.

— Amber m'a soutenu que c'était le genre de comportement que tu attendais d'elle. Je ne l'ai pas crue, mais elle avait raison.

— Ben ouais. Amber la pute. Toi aussi tu vas déchirer ma robe ? »

Ben et moi en restâmes sans voix l'espace d'un instant. Nous dévisageâmes tous les deux Amber, qui s'empressa d'enfouir de nouveau sa tête entre ses genoux en croisant les bras sur ses jambes. Elle eut un haut-le-cœur. Croyant qu'elle allait vomir, je reculai d'un pas. Un adolescent avait déjà dégobillé dans mes chaussures et je n'avais aucune envie de revivre cette expérience. Elle sanglotait en fait.

« Je ne t'ai jamais traitée de pute, Amber… »

Caspar se pencha et lui prit le bras.

« Allons-nous-en », dit-il. Elle le regarda avec tant de gratitude que je n'étais plus sûre de rien tout à coup. Il la souleva dans ses bras, tel un héros de cinéma, renversant la bouteille de champagne au passage. Elle était vide. Amber était donc ivre.

« Je te demande pardon, Caspar, lui chuchota-t-elle à l'oreille. Je ne pouvais pas… c'était impossible…

— Ce n'est pas grave, je comprends », lui répondit-il gentiment.

Elle ne pouvait pas quoi ? Aller jusqu'au bout ? Perdre sa virginité ? Dire la vérité à son père ? Je voyais bien que l'alcool et la fatigue étaient en train d'avoir raison de ses dernières forces. Elle enfouit son visage dans le cou de mon filleul et ferma les yeux. Il la porta en haut des marches et franchit la porte de la sortie de secours.

J'étais certaine d'une chose : je ne pouvais pas laisser Caspar emmener Amber où que ce soit dans cet état sans risquer de mettre un point final à mes brèves fiançailles.

« Je vais les reconduire, dit Ben, lisant dans mes pensées.

— Je t'accompagne.

— C'est hors de question.

— Mais…

— Il n'y a pas de mais. Reste ici, profite de ta soirée. Danse avec ton fabuleux fiancé. On va la raccompagner chez vous, ne te fais pas de souci. »

Pourtant j'étais inquiète, j'avais mal aux pieds et je n'étais pas sûr d'être capable de danser ne serait-ce qu'une danse de plus.

« Je ne pourrais pas rentrer avec toi ? » fis-je à voix basse.

Ben me déposa un baiser sur le front.

« Pas dans cette vie-ci, mon amie. »

Après nous être assurés que la voie était libre, nous réussîmes à emmener Caspar et son butin endormi jusque dans la rue sous mon manteau. Ben installa Amber sur la banquette arrière d'un taxi et boucla sa ceinture. Je saisis le bras de Caspar.

« Tu me promets que tu n'as pas déchiré sa robe sous le coup de la colère ? Je comprendrais. Il arrive que les choses se passent plus vite qu'on ne le voudrait…

— Je te le jure sur ma tête, Tessa, mais je ne suis pas sûr que ça fasse une différence à l'instant présent.

— Bien sûr que si. Mais si ce n'est pas toi, alors qui a fait ça ?

— Et qui l'a traitée de pute ? ajouta Caspar d'un air à la fois peiné et déconcerté.

— Qui pourrait bien faire une chose pareille, Caspar ? »

J'attendis.

« Tu me promets que tu ne le diras à personne ?

— Caspar ! »

Il prit une grande inspiration.

« Je crois que c'est Mme Kent.

— Quoi ? Tu crois ?

— Ça paraît dingue, je sais…

— C'est absurde. Amber n'a même pas vu Bea ce soir. Elle était… »

Ma phrase resta en suspens.

« Elle est rentrée chez elle chercher les paroles de la chanson. Elle ne te l'a pas précisé parce que c'était une surprise. Il s'est passé quelque chose entre Amber et sa mère, je peux te l'assurer.

— Non, Caspar. Désolée. Elle te fait marcher. »

Il me prit le bras et m'écarta du chemin d'un troupeau de filles qui serpentait vers nous.

« Elle ne m'a rien dit. Elle ne m'en parlerait jamais de toute façon. Elle aime trop sa mère.

— Dans ce cas, qu'est-ce qui te fait croire que… »

Il m'interrompit.

« L'autre soir, quand elle a fichu le camp après l'histoire de la vidéo, elle est venue à la maison et elle a dormi là. Une de ses copines avait appelé en se faisant passer pour Bea. Maman a mordu à l'hameçon.

— Je ne veux pas savoir…

— Amber m'a dit que sa mère était sortie, et qu'elle ne voulait pas rester seule. Je l'ai crue. Elle se sentait de trop chez vous, apparemment. »

J'ignorai son commentaire lourd de sous-entendus.

« Le lendemain, je suis allé chez elle et je l'ai entendue dire à sa mère qu'elle était rentrée la veille, mais comme Mme Kent dormait sur le canapé, elle était juste montée se coucher. Je savais que ce n'était pas vrai, bien sûr. Elle était chez nous. Mme Kent n'avait pas mis le nez dehors.

— Nous pouvons donc en déduire qu'Amber n'a pas de scrupules à mentir.

— Le problème n'est pas là.

— Ça devrait pourtant être le cas, lançai-je, sentant la moutarde me monter au nez.

— Salut, poupée, lança un imbécile en costume bourré comme un coing en me lorgnant d'un œil concupiscent. Tu veux boire un coup ?

— Non, merci », répondis-je. Il avait tout l'air de vouloir me chercher des noises, mais Caspar m'enlaça.

« Réfléchis, Tessa. Mme Kent ne savait même pas si Amber était rentrée ou non. »

L'ivrogne s'éloigna d'une démarche chaloupée.

« C'est tout bonnement impossible.

— À moins que… »

Je mis les mains sur mes hanches.

« Qu'essaies-tu de me dire ?

— À moins qu'elle n'ait été trop bourrée pour s'en souvenir. »

Ben sortit la tête de la fenêtre du taxi.

« Arrêtez de jacasser vous deux. Je dois leur manquer sur la piste de danse. Au fait, comment s'appelle la baby-sitter ?

— Magda, répondis-je sans quitter Caspar des yeux – essayait-il de me duper ? Les petites sont rentrées depuis un bon bout de temps. J'appellerai pour lui dire que vous êtes en route.

— Je peux rester avec Amber, suggéra Caspar.

— Non.

— Je le dépose chez lui et je reviens, dit Ben.

— Tu penses encore que c'est moi qui ai fait le coup ? » me demanda Caspar en me regardant dans les yeux.

Je ne savais plus que penser à vrai dire.

« James t'en voudrait à mort. J'essaie de te protéger. » Il ouvrit la bouche, sur le point de protester.

« Écoute, Amber lui a dit que c'était toi, alors suis-moi sur ce coup. »

Il hocha tristement la tête.

Je le regardai tirer la portière derrière lui et poser délicatement la tête d'Amber sur son épaule. J'étais désemparée. S'agissait-il simplement d'un mélodrame d'adolescente ivre ou d'une chose dont je devrais vraiment m'inquiéter ? Je veux dire, que Bea boive, c'était une chose, elle en avait le droit le soir où elle était tranquille, mais déchirer la robe de sa fille, la traiter de pute, être dans l'incapacité de savoir si elle était rentrée à la maison ou non ? Ça ne lui ressemblait pas.

Pas à la Bea dont on m'avait parlé. C'était tout aussi invraisemblable que, disons, l'idée de Caspar forçant la main à Amber.

Ben se pencha par la fenêtre avant que le taxi démarre.

« Ah, l'amour en herbe… Tu te rappelles ? »

Ils firent un demi-tour complet et disparurent.

« Comme si c'était hier », répondis-je avant de retourner à ma fête de fiançailles.

Je dénichai James et lui expliquai que Ben ramenait Amber à la maison. Avant qu'il ait le temps de me poser des questions, mes parents nous rejoignirent.

« Te voilà, ma chérie. Nous partons, je crois. Je n'ai plus la force de danser, dit mon père.

— Magnifique soirée, Tessa, renchérit ma mère d'une voix chantante. Peter et ton père ont l'intention d'aller à la pêche ensemble. En Écosse.

— Comment ? Papa ?

— Tu connais ma devise – jamais trop tard pour se lancer dans une nouvelle aventure », dit-il.

Une devise qu'il appliquait à la lettre. Je n'arrivais plus à me souvenir si c'étaient deux ou trois diplômes qu'il avait décrochés depuis sa retraite. On le voyait rarement sans un livre à la main. Voilà que, à quatre-vingt-quatre ans, il allait découvrir la pêche. Quelle source d'inspiration !

Je souris, réconfortée par la présence de ma famille.

« Tu ne cesseras jamais de m'étonner, dis-je. Quand comptez-vous partir ?

— Dans quelques semaines, quatre ou cinq jours sur l'île de Skye. Je n'y suis jamais allé. »

Je me tournai aussitôt vers ma mère.

« Ne t'inquiète pas pour moi. Ça ira très bien, dit-elle d'un ton grave. Prenez-vous part à ces folles épopées, Honor ? »

Cette dernière venait de rejoindre notre petit groupe.

« Doux Jésus, certainement pas. Je pars faire une petite retraite de mon côté.

— Bon, eh bien, je crois que je vais aller vous chercher un taxi », dit James.

Honor se tourna vers ma mère.

« Je vais dans un camp de naturistes retrouver mes racines.

— C'est merveilleux. J'adore camper », commenta papa, qui était un peu dur d'oreille.

Je serrai les dents. Naturiste ? Bon sang, les gens étaient-ils tous aux antipodes de ce qu'ils paraissaient ?

« La faune est-elle intéressante ? » ajouta mon père.

Maman sourit à Honor.

« Sans aucun doute, j'imagine.

— Ils sont plutôt apprivoisés et tendent à rester entre eux.

— Ça fait envie, commenta ma mère.

— Vous pouvez toujours vous joindre à moi. Ça fait du bien à l'âme de tenter une nouvelle expérience.

— C'est tout à fait mon avis, observa mon père d'un ton joyeux.

— Je vais y réfléchir. Je vous appellerai. »

Mon Dieu, ils avaient échangé leurs numéros de téléphone. Nos quatre parents, toujours ensemble après un cumul de près d'un siècle de mariage. Cela donnait de l'espoir. Papa avait raison. Nous avions tous besoin d'espoir. James et moi les raccompagnâmes à l'entrée en ascenseur et nous leur dîmes au revoir en agitant la main.

« Tu ne m'avais pas dit que ta maman aimait danser toute nue.

— C'est plus calme que ça, d'après ce qu'on m'a dit.

— Me caches-tu autre chose ? demandai-je en l'observant.

— Quoi par exemple ?

— Je ne sais pas. Que ton ex aime bien boire par exemple ?

— Bea ! » Il rit. « Une alcoolo ? » Il rit de nouveau. « Elle aimait bien faire la fête à son époque, mais elle s'est assagie. Tu as déjà essayé de t'occuper d'enfants avec une gueule de bois ? »

Je secouai la tête.

« Impossible. »

Certes, mais si on ne consacrait pas tout son temps à cette tâche ? Si on était libre un week-end sur deux ? Si on renonçait à être sage, si on se retrouvait sur une pente savonneuse ? Non. Je chassai ses pensées de mon esprit. Il se passait quelque chose d'autre. Quelque chose que je n'arrivais pas à saisir. Nous retournâmes vers l'entrée du club. Au moment où James tendait la main pour ouvrir la porte, j'interrompis son geste.

« Si on s'en allait ? suggérai-je d'un ton pressant.

— Tu es sûre ?

— Tout à fait sûre.

— Rentrons dans ce cas », dit James.

Mais je n'avais pas envie de rentrer. Je voulais juste être seule avec lui.

« On pourrait peut-être aller dans ce kebab ouvert toute la nuit que nous avons déniché l'autre jour.

— C'est tout ce que j'aime : une fille intelligente nantie d'un solide appétit !

— Tu n'aurais pas une paire de tennis sur toi par hasard ? »

Il tapota ses poches.

« Tu as mal aux pieds ? »

Je hochai la tête.

« Je crois que j'ai la solution, mademoiselle King. »

Puis, sans préambule, il me souleva dans ses bras, tel un héros de cinéma, et me porta.

« Évitons d'aller dire au revoir à tout le monde.

— Oui, répondis-je en posant la tête contre sa poitrine. Évitons. »

13

Sophie Guest

Lorsque je me réveillai le lendemain matin, James avait raccompagné les filles chez leur mère et acheté de quoi préparer un petit déjeuner sur le chemin du retour. Je ne voyais pas l'intérêt de remettre la question de la robe sur le tapis. Je risquais de me retrouver dans l'impasse dans laquelle on m'avait acculée la veille au soir. Pour soulager ma conscience, j'avais promis à Caspar de ne rien dire, mais j'étais consciente d'utiliser ce serment comme bouclier. Demander à James de croire la version de mon filleul, c'était le contraindre à admettre que sa fille avait menti et que son ex-femme buvait. Il était plus facile d'accepter qu'un adolescent au sang chaud avait tenté de forcer la main à sa fille pour se voir héroïquement éconduit. Seulement, l'ado en question était Caspar et je ne le pensais pas capable d'un tel acte. Mais allez savoir ce dont un jeune puceau exubérant était capable ? Cela dit, si Caspar avait fait ce dont Amber l'accusait, elle ne l'aurait pas laissé la prendre dans ses bras, si ? En même temps… Ça ne servait à rien de ressasser tout ça. Je tournais en rond, ça ne m'avançait à rien.

Que je m'abstienne d'en parler, ça se comprenait, mais ce qui était moins clair dans mon esprit, c'était la raison pour laquelle James n'avait pas abordé la question avec moi. Nous cachions-nous mutuellement quelque chose ? Était-ce ainsi que les choses commençaient à se dégrader ? Protéger l'individu faisait-il forcément du tort au couple ? Si seulement je pouvais décrocher mon téléphone et appeler Bea, pensai-je pour la centième fois, nous pourrions tout régler en un instant. Mais je ne pouvais pas faire ça.

Le mois de mars s'écoula. Pâques approchait. Je ne vis les filles qu'une ou deux fois. Amber avait commencé à prendre des cours de théâtre le mercredi après l'école, si bien que je la voyais encore moins. J'avais l'impression qu'elle m'évitait, mais je gardai mes soupçons pour moi. Je sus par Fran qu'elle allait régulièrement chez elle, mais personne ne me parla de Caspar, alors je m'en abstins moi aussi. Je ratai un week-end avec James et les filles parce que j'avais décidé d'aller voir mes filleuls à Norwich. C'était leur deuxième anniversaire. Leur mère était mon amie Helen, décédée quand ils étaient tout petits. Il fallait absolument que j'y aille.

Quand je voyais les filles, nous faisions assaut de politesse et de bonnes manières, ce qui me rendait encore plus nerveuse. Amber était aimable, mais étrangement absente. Chaque fois que je faisais une tentative d'approche, elle me repoussait poliment. Même les deux petites semblaient plus calmes, et je craignais que nous ne soyons en train de les perdre, mais quand j'en touchais un mot à James, il dissipait mon inquiétude en m'assurant que les choses étaient tout bonnement en train de reprendre leur cours normal. Les rapports étaient beaucoup trop distants à mon goût. Je voulais trouver le moyen de franchir cette barrière de courtoisie qui s'était dressée entre nous. Et le destin m'en désigna un.

Je frappai à la porte de Linda et l'ouvris. Elle était en train d'aboyer dans son casque, mais me fit signe d'entrer d'une main crochue. Elle désigna la machine à café, puis sa tasse. Elle buvait beaucoup trop de café noir. Elle avait tellement de caféine dans le système qu'elle vibrait. Son pied battait le tambour sous la table. Je lui versai une petite dose, m'assis et attendis.

Elle se pencha en avant, déposa deux grosses pastilles de saccharine dans son kawa, qu'elle remua avec son Bic. « Écoute, tu t'es mise dans cette situation, à toi de la résoudre. J'ai besoin d'une réponse avant quatre heures. » Elle enfonça une touche et repoussa son micro à la manière d'un pilote d'avion. « Quels connards, ces Américains ! dit-elle. Que puis-je pour toi, ma poule ? T'as déjà besoin d'un bon avocat ?

— Ha ha !

— Ça viendra.

— En fait, c'est d'un service que j'ai besoin.

— Merde alors, j'ai horreur qu'on me demande ce genre de choses. Je n'ai plus de relations avec les gens de ce pensionnat, si c'est ça ton problème.

— Non, ce n'est pas ça.

— Fais-moi confiance, tu y viendras à cette idée de pensionnat. Bon, alors, qu'as-tu promis à cette petite effrontée cette fois-ci ?

— Rien. Je veux que ce soit une surprise. Projettes-tu toujours de garder le studio libre la semaine prochaine pour permettre aux Belles d'enterrer la hache de guerre ?

— Ouais. Mais je pense qu'elles reviendront plus tôt que ça, me répondit Linda, une étrange lueur dans le regard.

— Tu crois que je pourrais y emmener Amber ? Je suis seule avec les filles tout le week-end…

— Nom de Dieu !

— James part à L.A. aux frais de la princesse et c'est l'occasion rêvée pour moi de gagner la confiance d'Amber…

— L'acheter, tu veux dire.

— Non, la gagner. J'envisage un affrontement honorable, pas une victoire sournoise.

— Bécasse. Écoute, j'aimerais bien t'aider si je le pouvais, mais l'enregistrement se fait à huis clos, mon cœur. Tu sais très bien qu'elles ne savent pas chanter.

— Oh, je ne te parle pas de quand elles sont là. Je veux que ce soit Amber qui chante.

— Je ne te suis plus, là !

— Elle a écrit une chanson pour son père et j'aimerais l'enregistrer comme cadeau de mariage de la part des filles.

— T'as toujours l'intention de te marier alors ? »

Je m'abstins de répondre.

« Jure-moi que tu n'es pas en train d'essayer de me faire signer un contrat avec elle !

— Certainement pas. J'essaie de tuer le monstre, pas d'en créer un supplémentaire.

— Qu'est-ce que tu racontes ?

— Peu importe. Alors, je peux ? On paie pour la journée de toute façon.

— Si c'est d'accord avec Ca…

— Il a dit que si tu étais d'accord il était d'accord.

— Alors d'accord. Mais sache tout de même que je te trouve complètement zinzin.

— Pourquoi tu dis ça ? »

Elle tambourina le bureau avec son Bic.

« Tu verras. Dès l'instant où elle aura mis ce casque sur la tête, tu seras foutue.

— C'est juste une chanson pour son papa.

— Tu devrais aller t'allonger jusqu'à ce que cette idée t'abandonne.

— Je ne vois pas pourquoi ? Elle va adorer.

— Justement. Et elle t'adorera, toi aussi.

— Ce n'est pas pour cela que je le fais, même si ça ne me déplairait pas de ne plus être l'ennemi public n° 1.

— Tu le seras d'autant plus quand tu lui diras : "Non, désolée, je ne peux pas t'aider à faire une démo, et ne compte pas sur moi pour la confier à cette productrice de réputation internationale, faiseuse de stars, Linda Gold." Elle te détestera carrément là, et elle aura raison ce coup-ci. Non qu'il lui faille une raison, à vrai dire.

— Ton optimisme est un enchantement, ma belle.

— Je t'explique juste les choses comme elles sont. Tu veux un conseil ? » J'avais tellement envie de dire non ! « Ce sont rarement les enfants qui posent problème. Les gens disent que le divorce bousille les mômes. C'est pas vrai. C'est la meilleure chose qui puisse leur arriver dans certains cas. Tout vient des parents et de la manière dont ils s'y prennent. Il faut voir les choses dans leur globalité. » Elle se pencha vers moi. « Achèterais-tu une maison avant de procéder à un état des lieux ? »

Je feignis de ne pas comprendre.

« Le plus agaçant chez toi, Tessa King, c'est quand tu fais semblant de ne pas piger ce qu'on te dit. C'est très utile au tribunal quand tu veux mettre un opposant à cran, mais c'est super énervant quand je sais que tu sais que ce que je dis a du sens. Quand tu fais l'autruche, c'est à tes risques et périls. Fais un état des lieux, et tout de suite, avant qu'il soit trop tard. »

Je me levai.

« Je saluerai Carlos de ta part.

— Ce fils de pute grippe-sou peut me lécher les pieds. Sans moi, il bosserait pour les télécoms.

— Salut, Linda.

— Va te faire mettre. »

Je me dirigeai vers la porte en riant.

« Je redoute presque de te poser la question, mais comment sais-tu que les Belles seront de retour au studio si vite ? »

Un sourire assassin illumina le visage de ma patronne.

« Ce pauvre Danny ! Apparemment, il est incapable de garder sa queue dans son pantalon, et il se trouve que la malheureuse victime éblouie par sa célébrité avait un mini-appareil photo sur elle.

— Tu me fais peur là.

— Tu sauras tout en lisant le *Sunday People*… Les photos sont superbes.

— Linda ?

— Heureusement, les Belles avaient déjà pris la décision de ne pas laisser un homme s'interposer dans leur carrière et leur amitié. Elles se sont réconciliées, comme tu l'apprendras en exclusivité dans le *Charlotte Church Show*. » Elle sourit d'un air satisfait. « Je suis carrément géniale, même si c'est moi qui le dis. » Sur ce, elle me congédia d'un geste et prit son téléphone, prête à briser quelqu'un d'autre.

Le dimanche suivant, James et son frère participaient à un match de football de bienfaisance. Faith m'appela pour me proposer de déjeuner avec elle puisque Charlie passait la journée chez ses cousins. Je faillis refuser : j'avais prévu un bon bain chaud et quelques heures en tête à tête avec ma pierre ponce, mais maintenant que j'étais passée en mode famille, les fétichismes devaient être mis de côté au bénéfice du bien commun. Instinctivement, j'aimais bien Faith, mais sachant que Bea et elle étaient proches, ce fut avec appréhension que j'entrai dans le pub de Hammersmith Grove.

Elle était assise à une table en train de se documenter sur le scandale Danny Treadfoot. Elle me fit signe.

« C'est passionnant, dit-elle. Treadfoot affirme que c'était un coup monté, mais franchement, Danny Treadfoot ! Évidemment que cette fille a craqué pour lui ! En attendant, ils n'arrivent pas à prouver que l'argent a changé de mains. Elle n'a pas le profil de la femme-piège. »

Non, cette fichue Linda Gold est bien trop futée pour ça.

« Cela dit, je les plains, ces pauvres gamines ! Les footballeurs s'estiment en droit de faire chier tout le monde impunément. »

Ces pauvres gamines avec un disque de platine à leur actif !

« Lucy va se joindre à nous. J'espère que ça ne t'ennuie pas », ajouta Faith en pliant le journal.

Je me sentis instantanément plus détendue. J'aimais beaucoup Lucy. C'était l'un des rares membres de cette famille qui ne donnait pas l'impression d'être marié à Bea.

« Pas du tout. Au contraire.

— Il paraît que tu vas t'occuper des filles pendant que Jimmy sera en voyage.

— Tu penses que c'est de la folie ?

— C'est courageux, répondit-elle.

— Salut », lança une voix derrière moi. C'était Lucy. Elle se pencha pour m'embrasser. Sa simplicité me plaisait.

« À quand remonte le dernier match de foot de Jimmy ? Ne risque-t-il pas une crise cardiaque ?

— Il est plutôt en forme, lui répondis-je.

— C'est ce qu'on raconte, commenta Lucy en gloussant.

— Ignore-la », dit Faith.

J'écartai ma chaise pour faire de la place à Lucy. Je me sentis tout émue brusquement à la pensée que ces deux femmes allaient devenir mes belles-sœurs. Je n'avais jamais eu de sœur. J'avais envie de les apprécier. Je voulais absolument qu'elles m'apprécient.

Le serveur vint prendre notre commande. Faith, qui connaissait bien le pub où nous étions, demanda une salade du chef. Nous l'imitâmes, Lucy et moi.

« Vous voulez une assiette de frites avec, mesdames ? »

Je hochai la tête tout en haussant les épaules.

« Juste pour pomper le vin, dit Faith. Une bouteille de blanc maison, s'il vous plaît.

— Et une carafe d'eau », ajouta Lucy. Elle s'accouda à la table. « Comment ça se passe avec Amber ? Tu as déjà eu droit au lit en portefeuille ? Elle crache dans ton café ?

— Probablement.

— Allons, Lucy ! Elle n'est pas si mauvaise, lança Faith en attaquant la baguette.

— Je l'adore, mais cela ne veut pas dire que j'aurais envie d'être sa belle-mère. Elle a toujours mené Jimmy par le bout du nez. »

Faith se tourna vers moi.

« Tu n'es pas plus mal lotie avec Amber que mes autres amies qui sont devenues belles-mères. C'est toujours difficile.

— Ouais, mais Amber avait la charge exclusive de Jimmy ces quatre dernières années, et les quatre premières, c'est lui qui s'est occupé d'elle entièrement. Cela va au-delà de la relation habituelle père-fille. Ça rend Bea maboule…

— Lucy…

— Quoi ? »

Un petit silence gêné s'ensuivit.

J'y coupai court.

« James m'a raconté qu'il organisait son emploi du temps autour d'Amber quand elle était bébé. C'est touchant. »

Le serveur arriva avec les boissons, et Faith et Lucy entreprirent de servir l'eau et le vin, une opération à laquelle elles mettaient un acharnement qui ne me paraissait pas indispensable.

« Qu'est-ce que j'ai dit ? Vous ne trouvez pas ça touchant ? »

Faith évitait mon regard.

« Ça ne s'est pas tout à fait passé comme ça… »

Elle laissa sa phrase en suspens.

Je fronçai les sourcils.

« Vous voulez dire qu'ils se la renvoyaient l'un l'autre ?

— Oh non. Jimmy s'astreignait à suivre sa routine à la lettre, d'une manière quasi obsessive. Non, c'est juste qu'il ne travaillait pas.

— Ce n'est pas vrai, Faith. Il avait constamment des projets…

— En développement, coupa Faith. Voyons ! C'est *ça* qui rendait Bea maboule ! » Une fois encore, elle avait le cul entre deux chaises. « Il a fini par décrocher un boulot, évidemment. Au moment de la naissance de Maddy.

— Parce que sa pimbêche de belle-mère l'y a contraint, à force de le ridiculiser. Pauvre Jimmy, il y a laissé son âme. Un truc que Bea n'a jamais compris.

— Elle avait porté cette famille pendant sept ans, Lucy, elle avait trois gamins. Elle avait bien le droit de souffler un peu. Si Jimmy avait bougé ses fesses un peu plus tôt, elle n'aurait pas été trop éreintée pour accepter ce boulot au *Financial Times*.

— Elle n'y tenait pas. Elle avait envie de jouer les femmes au foyer.

— Lucy, tu es tellement sûre de tes choix que tu n'arrives pas à comprendre que certaines personnes puissent hésiter entre diverses options. Je sais que c'est mon cas. Quand je n'ai pas trop à faire au travail, je me sens coupable de ne pas rester à la maison auprès de Charlie, et quand le boulot est frénétique, excitant, je me sens écartelée et je m'en veux de ne pas rester tard le soir avec les autres. On ne peut pas gagner sur les deux tableaux. Bea souhaitait passer un peu de temps chez elle, mais une fois qu'on y est, on voit les choses d'un autre œil. C'est du boulot, pour commencer, et personne ne vous dit merci. Je suis sûre qu'en un sens elle regrette les coups de chaud de la salle de rédaction. Elle faisait un travail remarquable, et maintenant elle passe sa vie à couper des carottes en bâtonnets. » Faith se tourna brusquement vers moi. « Désolée, je suis sûre que tu préférerais qu'on parle d'autre chose ? »

Certainement pas. Elles me tenaient en haleine toutes les deux. J'en avais momentanément oublié qu'on parlait de mon monsieur Poivre et Sel et de sa première femme. Il était question d'un certain Jimmy et de son épouse, Bea, et en toute honnêteté, je les trouvais fascinants. Je peux facilement me poser dans un pub avec une copine et disséquer la vie d'une personne que je n'ai jamais rencontrée en étant totalement absorbée. Pas seulement ça. Faire des suggestions aussi. Nous le faisons tous les jours. Brad et Angie, Madonna et Guy. Je mourais d'envie d'en savoir plus sur Jimmy et Bea.

« La fête était géniale, reprit Faith, changeant de sujet de façon peu subtile. Le discours de ton père m'a émue. Je n'arrive pas à croire que c'est lui qui t'a mise au monde. Vous êtes manifestement très proches.

— Ça devrait te permettre de mieux comprendre la relation entre Jimmy et Amber, je suppose, intervint Lucy.

— Pas vraiment, avouai-je en toute sincérité. Elle était assez butée au départ, mais maintenant, je ne la reconnais plus.

— Je sais qu'il m'arrive de dire pis que pendre d'elle, mais elle n'est pas méchante. La puberté, ça n'a rien de marrant ! » Lucy fit la grimace.

« Tu crois que c'est ça ? demandai-je.

— Elle a quatorze ans. Y a des chances. Tu n'y es pour rien. Elle aime son père, elle a envie qu'il soit heureux. Tu le rends heureux. C'est une brave petite, au fond.

— Elles sont gentilles toutes les trois. Bea a fait du bon boulot.

— Faith ! Jimmy y a mis du sien lui aussi, tu le sais. Il n'y a pas que Bea.

— Dans le cas d'Amber, peut-être, mais les deux autres… Il était totalement absent. Tu es comme Amber, tu ne lui reconnaîtras jamais le moindre défaut.

— Tu peux parler ! Tu es tellement lucide à propos de Luke, riposta Lucy d'un ton plein de sarcasme. C'est un sale paresseux. Tu lui fais tout et en plus, tu le remercies. C'est de la folie furieuse. »

Faith se tourna de nouveau vers moi.

« Désolée. Des histoires de famille. Tu n'as pas l'habitude, probablement. »

Je n'eus pas à répondre.

« Un vrai cauchemar, soupira Lucy.

— Il y a certains avantages à être enfant unique, je suppose, commentai-je en riant.

— En réalité, on s'adore, ajouta-t-elle.

— Bien sûr, dis-je. Je n'ai pas dit ça pour…

— Ne sois pas ridicule. Je sais bien, rétorqua Lucy.

— Puis-je te poser une question personnelle ? demanda Faith en me regardant attentivement.

— Je ne promets pas de te répondre sincèrement », répliquai-je. J'avais dit ça sur le ton de la plaisanterie. Je n'arrivais pas à déterminer si ça se passait bien entre nous ou pas. Jusqu'où irait-elle dans le domaine personnel ?

« Cela t'a-t-il manqué de ne pas avoir de frères et sœurs ?

— Ouf ! J'ai cru que tu allais me demander avec combien de mecs j'ai couché.

— Des tas, j'espère. »

Je me tapotai le nez. Elle retrouva son sérieux.

« Je pensais à Charlie en fait…

— Non, ça ne m'a pas manqué. J'avais des amis à la place. En outre, Charlie a quelque chose que je n'ai jamais eu. Des cousines qui l'adorent. Les filles parlent de lui comme s'il était leur frère.

— C'est ce que dit Bea. »

Je souris, optant pour le silence bienveillant qui me paraissait s'imposer quand il était question de Bea.

« J'ai besoin de faire pipi », annonça Faith en se levant.

Elle disparut derrière le bar.

« C'était gentil à toi de dire ça, reprit Lucy. Faith aurait tellement voulu avoir un deuxième enfant. Elle a besoin qu'on la rassure en lui disant que c'est OK d'y renoncer. Ça a été vraiment dur pour elle. Pour toutes les deux.

— Toutes les deux ?

— Faith et Bea, précisa Lucy. C'est l'une des raisons pour lesquelles elles sont si proches.

— Bea avait du mal à tomber enceinte ? » Je ne comprenais plus très bien. À moins d'avoir des hallucinations, j'avais bien un trio de futures belles-filles.

« Ça a été le problème pour Faith. Celui de Bea était de les garder.

— Entre Amber et Lulu, tu veux dire ? »

Lucy fit la grimace.

« Elle a eu cinq fausses couches, la pauvre ! Jimmy la suppliait d'arrêter. Amber suffisait, mais Bea voulait une grande famille. J'ai toujours pensé qu'elle cherchait à se protéger de sa mère. En s'entourant au maximum… »

J'avalai une gorgée de vin. J'étais désolée pour Bea. Je savais ce que représentait une fausse couche. J'en avais *vu* une.

« Pauvre Bea.

— Lulu a fini par voir le jour, et le jeu en valait la chandelle en fin de compte. Moins d'un an plus tard, Maddy a pointé son nez. Dieu sait d'où elle sortait, celle-là. »

Je savais que Lulu et Maddy étaient proches en âge. J'avais fait le calcul. Lulu n'avait que quelques semaines lorsque Maddy avait été conçue. J'avais du mal à l'avaler, évidemment, puisque ça voulait dire que James et Bea avaient remis ça sacrément vite, ce qui s'accordait mal avec mes idées préconçues sur les mariages ratés, les déserts inhospitaliers et ma vision de ce pauvre James négligé. Je répugnais à imaginer une Bea jeune, svelte, bourrée d'hormones et un James fier d'être papa ressautant allégrement dans le lit conjugal sans même attendre le check-up de la sixième semaine. Je ne pensais pas aux conséquences. Je pensais à la place qui me revenait dans cette affaire.

« Cela doit faire peser d'énormes pressions sur un couple, je suppose.

— Certes, mais pas au point de rompre.

— Qu'est-ce qui a été le coup de grâce ? » demandai-je. Lucy me regarda durement. « Désolée, m'empressai-je d'ajouter avant de me raviser : C'est bien Bea qui a rompu, n'est-ce pas ?

— Oui », me répondit Lucy.

Je vis Faith surgir de la porte marquée « Toilettes ». C'était maintenant ou jamais.

« Tu penses qu'elle l'a regretté ? »

Lucy ouvrit la bouche. La referma. Puis la rouvrit.

« Je n'en sais rien. »

Le serveur apparut avec un plateau lourdement chargé.

« Génial, dit Faith qui arrivait derrière lui. Je meurs de faim.

— Une autre bouteille ? suggéra Lucy en détournant les yeux de moi.

— Pourquoi pas ? » répondis-je.

Plus nous buvions et plus j'avais des chances de recueillir des informations, et peut-être arriverais-je à remplir les pointillés, à défaut de réponses directes. Mais il ne fut plus question de Jimmy et de Bea. À dessein, à mon avis.

Le vendredi suivant, je conduisis James à l'aéroport. J'étais nerveuse bien sûr à la perspective de passer un week-end seule avec les filles, mais j'étais excitée aussi. J'essayais de l'être tout au moins. Le problème étant que James n'arrêtait pas de semer le doute dans mon esprit.

« Bon, tu es sûre que tu ne veux pas que j'appelle Bea pour organiser le week-end autrement ? » Ce n'était pas la première fois qu'il le suggérait. « Elle n'y verra pas d'inconvénient, je t'assure.

— Je pense qu'elle ne sera pas mécontente d'avoir quelques jours tranquilles avant le début des vacances.

— Elle n'y verra pas d'inconvénient, répéta-t-il.

— Non. Tout est prévu.

— Eh bien, à mon avis, tu as perdu la tête.

— Ce sont tes enfants, je te rappelle.

— Justement, s'exclama-t-il en riant.

— Ça ira très bien. De toute façon, j'ai une petite idée derrière la tête.

— Quoi donc ?

— Je ne peux pas te le dire. C'est une surprise.

— Avons-nous besoin de la permission de Bea ? » demanda-t-il.

Je sentis la moutarde me monter au nez.

« Je n'ai pas l'intention de les faire sauter en parachute.

— Si tu me permets de te donner un conseil, garde-les au calme le plus possible. Tu peux peut-être les emmener au parc, s'il ne pleut pas. En dehors de ça, DVD, puzzles, dessin. Facilite-toi la vie au maximum. »

J'avais déjà remarqué que c'était sa manière de procéder.

« Tu n'as pas peur qu'elles tournent en rond ? Elles vont se barber. Et moi avec. »

Il secoua la tête d'un air désespéré.

« Ignore ce que je te dis, à tes risques et périls, mais quoi que tu fasses, évite les musées. Ils sont bondés le week-end. C'est un cauchemar. Tout comme l'aquarium et...

— Tout ce qui est amusant. J'ai saisi.

— Ce n'est pas juste.

— Pas de problème. On va jouer à *Qui est-ce ?* Pendant vingt-quatre heures d'affilée. On va bien s'amuser.

— Je ne joue pas à *Qui est-ce ?* des heures durant. »

Ça aussi, je l'avais remarqué.

« Arrête de te faire du mouron. On va passer un super week-end entre filles. Ne t'inquiète pas…

— Le vernis à ongles n'est pas autorisé… »

Je lui flanquai une bonne tape sur la cuisse.

« Aïe. » Il me jeta un coup d'œil. « Recommence.

— Pervers !

— Bon sang, je n'ai vraiment pas envie d'y aller, dit-il en me caressant la joue. Je déteste être loin de toi. »

J'enfouis mon visage dans sa main, ce qui était un peu dangereux dans la mesure où je conduisais, et y déposai un baiser. Il gémit.

« Viens avec moi.

— Qui s'occupera des enfants ?

— Bea. Elle serait d'accord, j'en suis sûr.

— Il est temps que nous arrêtions de demander à Bea d'assurer pour nous. »

Il retira sa main.

« Qu'est-ce que j'ai dit ? demandai-je.

— C'est notre sortie, dit-il en pointant le doigt.

— Oh ! »

Je mis mon clignotant et me glissai dans la file de gauche.

« James, je n'étais pas en train de dire que tu n'assurais pas. Je voulais juste…

— Je sais. Qu'est-ce que tu veux que je te rapporte de L.A. ? »

Une bague, ce serait sympa !

« Euh… un Heath Ledger – non, disons plutôt un Owen Wilson, à emporter.

— Je verrai ce que je peux faire. »

Nous sombrâmes dans le silence tandis que je négociais la sortie d'autoroute. Une semaine cloîtrés dans le célèbre hôtel Chateau Marmont de L.A., c'était tentant. Les choses allaient toujours mieux entre nous lorsque nous étions seuls. C'était le côté facile de la vie de couple. C'était tout le reste qui rendait la chose difficile. Je lui jetai un coup d'œil à la dérobée. Mais le jeu en valait la chandelle.

« La seule chose qui compte pour moi, c'est que tu me reviennes sain et sauf.

— Ne t'inquiète pas.

— Interdiction de goûter aux spécialités locales.

— Ce n'est pas mon genre. »

C'est ce que tu dis, mais comment en être sûre ? Arrête. Linda te pollue l'esprit.

« James ?

— Oui.

— Pourquoi vous êtes-vous séparés, Bea et toi ?

— C'est une drôle de question. La plupart des gens demandent plutôt "Quel terminal ?" à ce stade.

— Quel terminal ?

— Trois

— Entendu. Bon, alors pourquoi vous êtes-vous séparés ? »

Il fronça les sourcils.

« Pourquoi t'obstines-tu à me demander ça ?

— Je veux être sûre que quelqu'un l'a expliqué à Amber.

— Elle avait dix ans, Tessa.

— Je sais, mais ne devrait-elle pas…

— Les motifs importent peu, tant que les enfants savent que ce n'est pas leur faute. »

Dans quel livre terrifiant as-tu lu ça ?

« Comment peuvent-ils le savoir, si on ne leur précise pas les motifs ? »

James tripota le bouton de volume de la radio. Je l'éteignis d'un geste impatient.

« S'il te plaît, James. Je tiens vraiment à le savoir. Pourquoi ?

— Qu'est-ce que Faith est encore allée te raconter ? demanda-t-il d'un ton soupçonneux.

— Rien. Faith n'a rien à voir là-dedans.

— Quelque chose a bien dû provoquer cet accès de curiosité malsaine. »

J'eus la sensation qu'il m'avait giflée. Je n'étais pas à l'affût de ragots. J'avais accepté d'épouser un homme dont le précédent mariage avait échoué. Bea n'avait rien d'une horrible névrosée. Tout le monde l'appréciait. Je ne pouvais pas tout lui mettre sur le dos. Il s'était passé quelque chose. À moins de comprendre, je ne saurais jamais où me situer. Par rapport à Amber. Par rapport à eux tous.

« Évitons de nous disputer avant mon départ », dit James en posant sa main sur ma cuisse. Plutôt qu'apaisant, ce geste me parut lourd. Coupable.

« On n'est pas en train de se disputer. J'essaie de te poser une question à propos d'une chose qui affecte notre avenir. Je ne vois pas pourquoi tu ne pourrais pas en parler.

— Le divorce n'a rien de drôle.

— Évidemment que non. Je n'ai jamais prétendu le contraire. Mais je pense vraiment que ça pourrait faciliter les choses entre Amber et moi si je…

— Ça va très bien avec Amber.

— Pas vraiment, James. Tu dois bien t'en rendre compte. Elle est froide, distante…

— Eh bien, ça a été dur pour elle.

— Exactement. Alors explique-moi. »

James retira sa main et la fourra sous son aisselle.

« Nous avons fait de notre mieux pour les filles, compte tenu des circonstances. Si tu avais des enfants, tu comprendrais. »

Je m'efforçais de me montrer compréhensive, mais cette remarque me mit en colère.

« Ne me sors pas ça ! Ce n'est pas juste.

— Qu'est-ce que j'ai dit ? Allons, Tessa. Recommençons à zéro. Je suis désolé.

— Tu dis juste ça parce que tu n'aimes pas le cours que la conversation est en train de prendre.

— Nom d'un chien, la partie est perdue d'avance avec toi. »

Je fis la tronche pendant cinq cents mètres. James regardait par la fenêtre.

« Pourquoi ne peut-on pas parler de ça tranquillement ? Je n'ai fait que te poser une question toute simple…

— Non. Tu m'as posé une question impossible.

— Tu ignores pourquoi vous vous êtes séparés, Bea et toi ? »

Il ne répondit pas. À la place, il secoua la tête d'un air désespéré et reporta son attention sur le paysage.

Têtu comme une mule. Comme Amber. Je comptai jusqu'à dix et fis une nouvelle tentative, déterminée à calmer le jeu au moins.

« James, je sais que c'est difficile pour toi. Je sais aussi et je trouve merveilleux que tu veuilles que tout le monde soit heureux, mais je pense qu'il y a un problème avec Amber…

— Tu devrais parler à ton filleul. Elle allait bien jusqu'à ce qu'il se pointe. Elle ouvre à peine la bouche maintenant…

— Tu l'as donc remarqué, toi aussi ?

— Évidemment que je l'ai remarqué…

— Alors pourquoi ne m'en as-tu pas parlé ?

— Eh bien, tu as des œillères dès qu'il est question de Caspar…

— Moi, des œillères !

— Il a dix-sept ans, Tessa. Amber en a quatorze. C'est elle qui a besoin de protection. Bea et moi avons juste… »

Il tapota sa poche de veste, chercha son passeport.

« Pourrais-tu aller chercher mes…

— Bea et toi avez juste quoi… »

Il se mordilla l'intérieur de la joue.

« On a pensé qu'il serait préférable qu'ils… Elle est très jeune et… regarde la tête que tu fais ! Pas étonnant que j'aie évité de te parler de tout ça.

— Bea et toi avez quoi ? »

Il prit une profonde inspiration.

« … Nous avons décidé qu'il valait mieux qu'ils cessent de se voir. »

Folle de rage, je refermai mes poings autour du volant et serrai la mâchoire.

« C'est pour ça que je me suis abstenu de t'en parler. Je ne voulais pas que tu te fâches.

— Eh bien, c'est raté. »

Il reposa sa main sur ma cuisse et reprit la parole d'un ton qui se voulait apaisant.

« Tu as raison, j'en suis sûre. C'était juste un accident, mais Amber était très secouée. Elle en a à peine parlé à Bea et n'a rien voulu me dire… »

Je n'en pouvais plus.

« Pourquoi suis-je fâchée à ton avis ?

— Admettre que Caspar est capable…

— Non, James. Je prendrais volontiers le temps de discuter de ce qui s'est passé entre eux ce soir-là. Avec toi, avec lui, avec Amber, avec Bea aussi. Si Caspar a déconné, je préférerais personnellement qu'on le sache afin de s'assurer que ça ne se reproduira jamais, avec Amber ou avec qui que ce soit d'autre. Si Caspar ne connaît pas sa force, s'il ne comprend pas quand on lui dit non, nom de Dieu, James, je veux le savoir ! Seulement voilà, Bea et toi avez décidé d'un commun accord de ne pas m'en parler. Pire que ça, vous n'avez même pas essayé de connaître le fin mot de l'histoire, et je vais te dire, non seulement je me sens comme une merde… » Les larmes étaient en train de monter et il n'était pas question que je les laisse déborder. « … mais en plus ça m'incite à me méfier de vous deux.

— Je te demande pardon. Je t'en supplie, Tessa, ne nous disputons pas une fois de plus à cause des enfants.

— Ne te méprends pas, James. Ce n'est pas à cause des enfants que nous nous disputons.

— Jamais Amber et moi nous ne… »

Je perdis le contrôle de moi-même et hurlai si fort que j'en fus choquée moi-même.

« Il n'est pas question d'Amber et de toi, là ! »

Je m'arrêtai à la barrière du parking. Je pris le ticket que la machine me cracha et regardai le bras métallique se lever. J'aurais préféré jeter James devant le terminal sans même ralentir, mais quelqu'un m'avait dit qu'il ne fallait jamais s'endormir sur une dispute. Avant de prendre un avion, c'était encore pire. James partait pour la semaine et je ne voulais pas que les choses s'enveniment.

L'atmosphère s'assombrit alors que je pilotais la voiture dans l'étroit canal en tire-bouchon. Nous montâmes en silence les étages tous bondés de véhicules volumineux, rangée après rangée, jusqu'au toit. L'espace d'un instant, j'éprouvai l'envie irrésistible d'appuyer sur le champignon et de la jouer *Thelma et Louise* en faisant un plongeon par-dessus bord. L'impact avec quelque chose de concret serait un soulagement après toutes ces incertitudes. Je m'engageai dans un emplacement libre et éteignis le moteur. Compter jusqu'à dix ne marchait pas. Je sentis la panique me déchirer les entrailles à la pensée de perdre James. J'écrasai une larme et m'obligeai à le regarder.

« Que me caches-tu ? » demandai-je.

Il secoua la tête.

« James, s'il te plaît… Comment puis-je y comprendre quoi que ce soit si je ne sais pas ce qui se passe ? Les gens ont peur de ce qu'ils ne comprennent pas. Ça les rend soupçonneux, nerveux, ça les angoisse. Si tu me caches des choses, ça ne marchera pas. »

Il pressa ses mains l'une contre l'autre.

« Cette conversation me donne l'impression d'être affreusement déloyal.

— Je suis censée devenir ta femme. N'ai-je pas droit moi aussi à un peu de loyauté ? »

Il me regarda gravement, puis hocha la tête à contrecœur.

« Elle s'est fait avorter.

— Quoi ? Caspar…

— Pas Amber. Ce n'est qu'une enfant, pour l'amour du ciel ! Bea.

— Tu veux dire que Bea s'est fait avorter ?

— Oui. Maintenant tu le sais. »

J'attendis que ça fasse tilt dans mon esprit. En vain.

« Désolée, James. Je ne comprends pas. Pourquoi s'est-elle fait avorter ? Quand ?

— Je ne peux pas croire que tu pensais que c'était Amber.

— On parlait d'elle.

— Je croyais que tu voulais savoir pourquoi on s'était séparés ? Ce qui se passait entre nous ? Eh bien tu le sais maintenant. Je parle des filles à Bea parce qu'elle est leur mère. Navré que ça te donne l'impression d'être en dehors du coup, mais tu dois lutter contre ça. Cela ne dépend pas de moi, mais de toi. Je t'ai dit des millions de fois ce que j'éprouvais à ton égard, mais ce n'est pas encore assez, hein ?

— Ce n'est pas facile de faire une confiance aveugle à quelqu'un quand on a l'impression qu'on vous maintient dans le noir », répondis-je, et dans le noir, j'y étais toujours. Des tas de femmes se font avorter. « Pourquoi est-ce que ça a mis un terme à votre mariage ?

— Rien de ce que je pourrais te dire ne changera quoi que ce soit au fait que j'ai été marié et que j'ai eu trois enfants. Ne le vois-tu pas ? »

Il avait l'air en colère.

« Je ne cherche pas à changer ça. Je veux comprendre. Il faut que je puisse comprendre. »

James garda le silence un moment. Finalement, en concentrant son attention sur un point que je ne voyais pas, il reprit la parole.

« C'était quelques années après la naissance de Maddy. La… grossesse était déjà passablement avancée. »

Il était visiblement mal à l'aise. Oh, non. Pauvre James. Pauvre Bea.

« Y avait-il un problème avec l'enfant ? » demandai-je d'une voix douce. Avait-il obligé Bea à se faire avorter contre son gré ? Était-ce ça qu'il ne voulait pas me dire ? Il l'avait forcée à…

« Non, répondit-il calmement. C'était un petit garçon parfaitement sain. »

Oh non, c'était pire que ça ! Une erreur. Un test défectueux. Un résultat incorrect…

« Seulement, il n'était pas de moi.

— Comment ?

— Le bébé n'était pas de moi », répéta-t-il.

J'étais sidérée. Parmi toutes les possibilités, les permutations possibles, jamais je n'avais mis en doute la fidélité de Bea envers James. Pourquoi ? Parce que je ne pouvais imaginer qu'on puisse lui être infidèle. En éprouver le besoin. Bea avait eu une liaison. L'ex-femme parfaite avait découché et elle s'était fait engrosser. Pauvre, pauvre James. Je me rapprochai de lui. Je vis toute une gamme d'émotions passer sur son visage. Le choc, l'incrédulité, la colère, et puis le choc, de nouveau.

« Comment l'as-tu su ?

— Ce fut un de ces incroyables concours de circonstances. Je ne devrais même pas le savoir aujourd'hui encore. Je préférerais qu'il en soit ainsi. Bea était partie avec les filles pendant les vacances. J'étais seul à la maison. Nous avons eu une inondation, une fuite, je ne me souviens plus très bien maintenant. C'est arrivé au milieu de la nuit et je ne savais pas du tout qui était notre assureur. Bea s'occupait de tout. Tu trouves probablement ça pathétique…

— C'est assez courant, j'imagine.

— J'ai dû fouiller dans son bureau. Je n'arrivais pas à mettre la main sur la police d'assurance, mais comme Bea me l'a toujours dit, je suis incapable de trouver ce qui est sous mon nez. C'est le nom qui m'a frappé. Sophie Guest. Je ne sais même pas pourquoi j'ai regardé. C'était un dossier médical, une autopsie fœtale. Il me disait en gros caractères que le fœtus de dix-huit semaines dont on avait fait l'ablation était un spécimen mâle, de sexe masculin. J'ai eu trois enfants. Je les ai vus sur un écran à douze semaines. Les ongles,

les doigts de pied, les cils. Des bébés totalement formés. À douze semaines, Tessa, ils sont parfaits. »

Je le savais. À douze semaines, le bébé de Claudia avait flotté avec bonheur dans le liquide amniotique de sa mère, en suçant son pouce. Sur une photo lunaire, noir et blanc, j'avais senti une présence que je ne pouvais ignorer. Deux semaines plus tard, j'avais vu cette même forme parfaite, inerte. Sans vie. Le minuscule cœur avait cessé de battre, inexplicablement.

« Sophie est le deuxième prénom de Bea, reprit James en se passant les mains dans les cheveux. Guest est le nom de jeune fille de sa mère. Mais ce n'est pas ça qui m'a fait tiquer. J'ai supposé qu'on s'était trompé d'adresse et que Bea prévoyait de renvoyer la lettre à l'expéditeur, un cabinet discret d'Islington. J'ai pensé que c'était très triste pour cette pauvre Sophie Guest, type sanguin O. Et puis j'ai vu la date de naissance et je n'en suis pas revenu. Sophie Guest n'était pas Sophie Guest, mais ma femme, et le garçon dont on avait procédé à l'"ablation" n'était autre que mon fils. Ce fut tout au moins ce que je crus cette nuit-là.

— Comment as-tu réagi ? »

Il soupira.

« J'ai essayé de lui pardonner. » Il regardait fixement ses genoux. « Je crois que j'étais en état de choc, en fait. Je voulais que ça soit quelqu'un d'autre. »

Je le comprenais.

« Mais elle me jura qu'elle n'avait couché avec personne d'autre. Je ne savais pas ce qu'il y avait de pire. Dans un cas comme dans l'autre, la confiance était brisée. Je n'arrivais pas à croire qu'elle s'était débarrassée de notre enfant sans m'en parler. C'était horrible. Nous avons arrêté de parler. Nous avons arrêté… enfin bref, tout était mort entre nous. Cette terrible… vérité était toujours là, présente où que nous soyons.

— Que s'est-il passé ensuite ? »

Il se redressa.

« Pour finir, Bea a mis fin à mon tourment en m'avouant que le bébé n'était pas de moi. Elle est partie peu après. Elle ne m'a jamais dit de qui était l'enfant que j'avais pleuré. »

Je ne savais pas quoi dire. Des réponses se formaient dans ma tête. Des questions. Des accusations. Des récriminations. Je passai tour à tour du choc à l'incrédulité, de la colère au choc. Mais les mots ? Ils ne voulaient pas venir. Que dire en pareille circonstance ? Je me bornai à prendre la main de James dans la mienne et à la serrer.

« La Prairie », murmura-t-il en secouant la tête. Il leva finalement les yeux vers moi, complètement abattu. « La clinique. Elle s'appelait la Prairie. C'est un si joli mot *a priori*. »

Je me penchai pour l'embrasser doucement sur les lèvres. Puis avec fougue, pour le combler d'amour. Pour qu'il cesse d'avoir mal. Je défis ma ceinture et me collai à lui, contre lui, sans cesser de l'embrasser. Je voulais qu'il s'enveloppe de ce souvenir pour quand il serait à Los Angeles. Je voulais qu'il pense à notre avenir, et non au fils qu'il avait perdu, et perdu de nouveau.

14

Eau rose

Nous nous rangeâmes devant un bâtiment insigni-
fiant des faubourgs d'Epsom et je me tournai vers le
siège passager. L'expression impassible qu'Amber
avait affichée depuis qu'elle avait pris place à l'avant
de ma Mini était à la mesure de celle de son père. Mais
ça ne m'avait guère gênée. En fait, je commençais à
la percer à jour. Cette imperturbabilité en elle-même
était révélatrice. J'en prenais note et je passais à autre
chose.

« Je sais que le trajet était un peu long et je m'en
excuse, mais tu ne vas pas tarder à te rendre compte
que ça en valait la peine. Viens. La surprise t'attend à
l'intérieur. Et rappelle-toi, pas un mot à ton père quand
il appelle. C'est une surprise pour lui aussi. »

Maddy et Lulu s'extirpèrent de la banquette arrière.
Je voyais bien qu'elles étaient tout excitées. Elles n'arrêtaient pas de regarder autour d'elles, comme si elles
s'attendaient à voir surgir les Sept Nains de derrière
un buisson. J'appuyai sur le bouton de l'Interphone, et

une fille arborant une impressionnante collection d'anneaux dans les oreilles et le nez vint nous ouvrir. Les petites la dévisagèrent ouvertement, en émoi. Amber fit mine de n'avoir rien remarqué.

« Vous devez être Tessa. Carlos vous attend. Au bout du couloir, troisième porte à gauche. » Elle se tourna vers les filles et les gratifia d'un sourire métallique. « Ces jeunes demoiselles voudraient-elles quelque chose à boire ? Un jus de fruits, du Coca, du Fanta. On a aussi des smoothies Innocent en berlingots. C'est ce que boivent les Belles.

— Les Bonne Belles ? » s'exclama Amber.

La réceptionniste hocha la tête.

« On les a eues toute la semaine. »

Ce fut des smoothies pour tout le monde.

Je vis le masque d'Amber tomber.

« Alors c'est toi qui as une belle voix », lança Miss Dents de la mer.

Amber me jeta un coup d'œil en quête d'une confirmation.

« Oui, dis-je. Mais on a deux autres voix pour le chœur. »

Maddy et Lulu regardèrent leur sœur et elles rirent toutes les trois nerveusement.

« Comment vous appelez-vous ?

— Lulu, répondit Lulu.

— Je crois que ce nom-là est déjà pris », dit la fille.

Lulu fronça les sourcils.

« Je parlais du nom de votre groupe. Une chanteuse et deux voix d'accompagnement, comme les Supremes. »

Nouveau froncement de sourcils.

« The Three Degrees.

— Elles n'étaient pas nées, dis-je.

— Eternal, alors ? »

Elles riaient maintenant, de la femme métallique surtout, parce qu'elles ne comprenaient goutte à ce qu'elle racontait.

« Bon, allons-y et tout deviendra clair dans votre esprit », dis-je.

J'avais piqué leur curiosité. Elles partirent en courant. Je frappai à la porte indiquée et la poussai. Carlos était adossé à son fauteuil, les pieds sur la table de mixage, un cigare éteint dans la bouche.

« Tessa, entre, entre donc. »

Impossible. Trois fillettes ébahies bloquaient l'entrée du studio. Une myriade de minuscules boutons et de curseurs se déployaient sous leurs yeux, un monde féerique de technologie. Au-delà se dressait une paroi en verre dévoilant une pièce qui s'apparentait à un magasin d'instruments de musique. Des guitares adossées au mur, un énorme synthétiseur, un piano, des saxophones, trois batteries…

« Désolé pour le désordre. Nous n'avons pas eu le temps de ranger depuis hier. Mais on est prêts. »

Un micro solitaire se dressait au milieu de ce capharnaüm. Amber se tourna vers moi en écarquillant les yeux.

« J'ai pensé que tu pourrais enregistrer la chanson pour ton père, dis-je en la poussant dans la pièce avec ses deux sœurs. On pourrait graver quelques CD pour le reste de la famille. Qu'en penses-tu ? »

Son sourire disait « j'adorerais », mais le pli qui se creusa entre ses sourcils témoignait de son hésitation.

« Je n'ai pas mes paroles, ni la musique.

— Pas de souci. On s'en est occupés. C'est l'air de "Can't help loving that man of mine", n'est-ce pas ? »

Elle hocha la tête.

« Eh bien, un bon ami à moi m'a fourni tes super paroles. »

Je crus l'espace d'un instant que ma tactique allait se retourner contre moi, qu'elle allait prendre la poudre d'escampette, aussi lui pris-je la main pour la garder avec moi.

« Ton père serait ravi et j'ai pensé que tes sœurs pourraient t'accompagner. »

Les petites se mirent à faire des bonds sur place. Carlos, le colosse au gros cœur, leur tendit d'énormes micros manuels. Mais Amber hésitait toujours.

« Alors, Amber, qu'en dis-tu ? Tu veux faire un disque ? demanda Carlos.

— C'était censé être une surprise », répondit-elle.

Maddy et Lulu avaient l'air inquiètes tout à coup.

« Ça sera le cas, lui assurai-je.

— Comment es-tu au courant ?

— C'est Fran qui m'en a parlé. Elle m'a dit que c'était magnifique. Et que Caspar et toi vous étiez donné un mal fou. »

Amber s'adossa au mur.

« Il devrait être là.

— Ça te plairait qu'il soit là ? » demandai-je d'une voix douce.

Son visage se plissa.

« J'ai été tellement méchante avec lui.

— Il ne m'a rien dit.

— Tu es sérieuse ? Il ne me déteste pas alors ?

— Non, Amber. Loin de là.

— Tu es sûre ? »

J'en étais passablement sûre dans la mesure où il se cachait dans la pièce voisine, attendant mon signal, impatient de faire à nouveau légitimement partie de la vie d'Amber. Je hochai la tête.

Elle regarda de nouveau le micro avec convoitise.

« On ne devrait pas faire ça sans lui.

— S'il te plaaaaaîîîîîîît, Amber, on peut le faire quand même ? supplia Lulu.

— J'adorerais, je vous le jure, mais ce n'est pas juste. Il a fait tout le gros boulot. »

Je souris.

« Et si je te disais qu'il est là ? » J'ouvris la porte donnant sur le couloir. « Caspar ! »

Stupéfaite, Amber poussa un cri de joie, puis elle plaqua la main sur sa bouche.

« Que se passe-t-il ? » demandai-je. Elle avait peur de quelque chose. Avais-je tout fait de travers ?

« Que vont dire papa et maman ?

— Ils ne sont pas ici.

— Oh, Tessa, je… » Elle avala sa salive.

« Tu n'as pas envie de le voir ?

— Si. C'est juste… J'ai dit un horrible mensonge. Je l'ai accusé d'une chose qu'il n'avait pas faite.

— La robe », soufflai-je aussi discrètement que possible. Amber jeta un regard furtif en direction de ses sœurs. Elle hocha rapidement la tête. C'était la seule chose que j'avais besoin de voir, et d'entendre. Je l'attirai contre moi et baissai encore la voix.

« Tu es une fille merveilleuse, Amber, merveilleuse. Je crois qu'on t'a tous mis trop de pression sur le dos ces derniers temps et j'en suis désolée. Il se trouve que je sais aussi que Caspar est quelqu'un de très spécial. On réglera tout le reste plus tard, ne t'inquiète pas. Je sais qu'on ne peut pas parler ici, et tu n'es pas obligée de me dire quoi que ce soit si tu n'en as pas envie, mais sache que je suis là si tu as besoin de moi. »

Elle cligna des paupières.

« Bon, fis-je en me redressant. On le fait ou non ? »

Maddy et Lulu levèrent les yeux vers leur grande sœur, comme d'habitude. Amber jeta brusquement sa veste et sourit.

« Et comment ! »

Les deux petites l'imitèrent aussitôt.

Soulagée, j'appelai de nouveau Caspar.

« Il va falloir que tu cries plus fort que ça, ma chérie, me dit Carlos. Toutes les pièces sont insonorisées.

— Si tu allais le chercher, Amber ? suggérai-je. Il est dans le studio 8. »

Elle paraissait sur le point d'exploser.

« Allez. Il est impatient de te voir. »

Elle se mordit la lèvre, puis s'élança brusquement hors de la pièce.

« L'amour en herbe, commenta Carlos. Putain de responsabilité. »

Maddy pointa son micro vers lui.

« C'est un gros mot et t'as pas le droit de le dire. Vingt pence, s'il te plaît. »

Carlos ôta ses bottes de la table.

« Pardon. Tu as tout à fait raison. »

Je souris. Carlos avait la réputation de faire pleurer les jeunes vedettes pour tirer d'elles une note convenable, et non de donner des pièces à une gamine de huit ans pour sa boîte à gros mots.

Lorsque Amber nous rejoignit avec Caspar, je remarquai avec plaisir que son menton était un peu plus rouge que lorsqu'elle était partie. Caspar n'était pas du genre velu, mais il avait tout de même quelques poils sur la figure. Oh, les joies des papouilles qui n'allaient pas plus loin !

Il passa derrière la vitre avec les filles, s'installa avec sa guitare, et je pris discrètement une photo avec mon portable dans l'intention de l'envoyer à Fran et Nick, mes complices. Il était mignon à croquer, assis là, en train d'accorder son instrument. Amber l'observait avec l'admiration que je réserve pour ma part à Eric Clapton.

J'étais consciente que Carlos faisait tout ça pour me faire plaisir, jusqu'au moment où Amber s'approcha du micro et entonna une gamme à sa demande. Elle avait une voix extraordinairement gutturale pour quelqu'un d'aussi jeune. Le bref coup d'œil qu'il me jeta à mi-course était suffisamment explicite. Elle était capable de chanter. C'était aussi simple que ça. À présent, il voulait savoir ce qu'il arriverait à tirer d'elle. De temps à autre, j'entendais un bourdonnement monter de la poche de la veste d'Amber. Je l'informai qu'elle avait plusieurs messages et un ou deux appels manqués. Elle sortit du studio pour vérifier.

« Tout va bien ? demandai-je alors qu'elle écoutait d'un air inquiet un message particulièrement long.

— Ma copine vient de se faire plaquer », me répondit-elle.

Je fis la grimace.

Son portable n'arrêtait pas de vibrer. Pour finir, elle l'éteignit.

Nous passâmes un après-midi fabuleux. En commençant par diverses versions de la chanson de Caspar et d'Amber pour James, les petites se chargeant des percussions et du chœur. Puis, nous prenant au jeu, nous dressâmes une liste des chansons préférées de James tout en mangeant des sandwichs. En quelques secondes, Carlos récupéra les paroles et la musique en ligne, de manière à ce qu'Amber puisse faire un karaoké grandiose. Puis ses sœurs se lancèrent dans une interprétation de « Do Ré Mi » à mourir de rire. Elles n'avaient pas le coffre de leur sœur, mais leurs fous rires, leurs babillages produisirent quelque chose que James chérirait à jamais, je le savais. Même Carlos, qui avait toujours un œil sur la pendule, en oublia l'heure.

Ce fut le bâillement larmoyant de Maddy qui m'incita à vérifier ma montre. Presque six heures, je n'en revenais pas.

Carlos eut droit à des bisous des trois filles et à une poignée de main virile de Caspar.

Je rembarquai ma petite troupe. Comme d'habitude, les deux petites discutaient avec enthousiasme des moments de la journée qui s'étaient imprimés dans leur mémoire, et pour une fois, Amber se joignit à elles.

« Tu te rappelles, Tessa, quand Carlos…

— Et Tessa, quand…

— Tessa, tu n'as pas trouvé Caspar génial ? »

Tessa ceci, Tessa cela… Je buvais du petit-lait. En particulier lorsque, en rabattant le siège avant de la Mini pour permettre à ses sœurs de monter, Amber me dit :

« Merci, Tessa. C'est l'un des trucs les plus phénoménaux que j'aie jamais faits de ma vie. »

En apercevant un mince filet de fumée de kérosène haut dans le ciel indigo, je pensai à James, toujours à 35 000 pieds au-dessus du niveau de la mer. Ici sur la terre, les choses avaient changé et il n'était même pas encore arrivé à Los Angeles.

« Je t'en prie, répondis-je. Bon, serrez-vous là-dedans. Il faut qu'on dépose Caspar à la gare.

— Il ne pourrait pas venir avec nous ? demanda Amber.

— Pas de place. Désolée. »

Caspar et elle essayèrent de dissimuler leur déception. Une idée me vint à l'esprit.

« Vous pourriez prendre le train tous les deux, mais vous rentrez directement à la maison depuis la gare. »

Ils m'en firent la promesse. Cela ne prenait que quarante minutes en train depuis Epsom. Ils seraient probablement de retour avant nous.

« Si vous arrivez les premiers, faites chauffer l'eau pour les pâtes. J'ai préparé une sauce bolognaise. Elle est au frigo. Il suffit de la réchauffer.

— On croirait entendre maman », dit Caspar.

Je souris.

« Je prends ça comme un compliment. »

En fait, ils n'arrivèrent pas avant nous, mais l'eau venait juste de commencer à bouillir quand j'entendis leurs voix derrière la porte d'entrée. James n'allait pas tarder à atterrir et je savais qu'il voudrait parler à ses filles dès sa descente d'avion. Maddy, Lulu et moi avions passé l'essentiel du trajet de retour à concocter une histoire plausible pour rendre compte de notre journée, ce qui signifiait que Caspar avait été éliminé du casting.

Nous écoutâmes la version non masterisée de notre CD. Carlos avait prévu d'y insuffler un peu de sa magie, mais je ne voulais pas que les filles ressemblent aux Bonnes Belles ou aux autres groupes préfabriqués qui passaient sur les ondes. Je voulais qu'on ait l'impression de trois gamines en train de s'amuser dans un studio d'enregistrement. Et c'était tout à fait ça.

Nous étions dans la cuisine sur le point de nous attaquer aux spaghettis bolo quand le téléphone sonna. Amber décrocha.

« Allô ? » Elle sourit. « C'est papa ! Salut ! Comment s'est passé ton vol ? Il fait chaud ? T'as vu des gens célèbres ? »… Oh. Elle écarta le combiné de son oreille. « Il vient de descendre de l'avion. »

Elle mit le haut-parleur et posa le combiné au milieu de la table.

« Salut, tout le monde, dit James.

— Bonjour, papa, répondirent les petites en chœur.

— Bonjour, Tessa.

— Bonjour, mon cœur. Je suis contente que tu sois arrivé sain et sauf.

— Vous me manquez toutes terriblement.

— Toi aussi, tu nous manques », répondis-je. Je parlais de moi. *Tu me manques. Rentre à la maison.*

« Alors, où êtes-vous allées aujourd'hui ?

— Au zoo.

— À l'aire de jeux.

— Au cinéma. »

Elles avaient parlé en même temps et éclatèrent de rire.

« Ouah ! Vous en avez fait des choses, dit James.

— Pas tout en même temps, précisa Maddy.

— J'espère bien que non. Ça va, Tessa ? Les petites coquines ne t'ont pas épuisée ?

— Je ne suis pas encore bonne pour la casse, merci. On a passé une super journée en fait. »

Les filles acquiescèrent bruyamment. James devait être content d'entendre leurs voix joyeuses.

« Tessa, puis-je te dire un mot hors haut-parleur ? »

Amber avait l'air inquiète. Je restai légère, bien que mon cœur se fût emballé. Je ne m'attendais pas à ça.

« Bien sûr », répondis-je d'un ton enjoué. Je pris le téléphone et me levai.

« J'ai reçu plusieurs coups de fil de Bea », m'informa James.

La vache, il venait à peine de mettre pied à terre !

« Oh ! Tout va bien ?

— Je ne sais pas. Elle m'a dit qu'elle n'avait eu aucune nouvelle de personne aujourd'hui.

— Je ne pensais pas que c'était nécessaire.

— Eh bien, les filles l'appellent généralement à un moment donné ou à un autre.

— Ah bon ! C'est que… nous n'avons pas eu une minute à nous.

— Elle a essayé le portable d'Amber, sans succès. Elle avait l'air très inquiète. »

Je repensai aux vibrations continuelles dans la poche d'Amber, aux longs messages, aux textos. À l'évidence, Bea ne me faisait pas confiance quand il s'agissait de prendre soin de ses enfants. Eh bien, si nous étions censées pointer, il fallait me le dire !

« Je ne saurais te dire ce qui faisait le plus de bruit au zoo entre les singes et les filles. On n'a rien entendu. Nous sommes toutes sur les rotules.

— Qu'est-ce que tu racontes ? Pourrais-tu lui passer un coup de fil ?

— Pourquoi ne le fais-tu pas ? rétorquai-je, estimant que c'était une évidence.

— Ça coûte la peau des fesses. Tu ne pourrais pas juste… »

Ignorant sa dernière remarque, je l'interrompis.

« Je sais qu'il est un peu tard, Maddy et Lulu ne vont pas tarder à aller se coucher. Amber et moi avons prévu de regarder un film ensemble.

— Quoi ? Flûte ! Il faut que je raccroche. J'arrive à la douane.

— D'accord. » Je brandis le téléphone. « Dites au revoir à votre père. » Les filles s'exécutèrent. Je m'en abstins. Je retournai à table et finis mes spaghettis. J'éprouvai tout à coup une envie irrépressible de boire un grand verre de vin, mais il valait mieux de ne pas me relâcher avant le couvre-feu.

« Zoo, aire de jeux, cinéma, lançai-je. Franchement, vous auriez pu accorder vos violons. Je n'arrive pas à croire que votre père vous ait crues. »

Après la distribution des yaourts, je repris le téléphone.

« Voulez-vous appeler votre maman pour lui dire bonsoir ? » suggérai-je comme si l'idée venait de me traverser l'esprit. Les plus jeunes hochèrent la tête avant de jeter un coup d'œil à Amber. Quelque chose de tacite passa entre elles, mais ignorant les voies de communication secrètes entre sœurs, je ne pus déchiffrer le code.

« Elle est probablement déjà sortie, dit Amber.

— Oh ? Bon, d'accord. » *Où ça ?* me demandai-je. *Et avec qui ?*

« Ouais. Elle sort souvent avec des amis quand on n'est pas là. » Amber ôta l'opercule de son yaourt.

« Vous pourriez laisser un message ? Ou l'appeler sur son portable si vous voulez ? Elle sera contente de vous entendre, j'en suis sûre. »

Amber remua consciencieusement son yaourt.

« On ne l'appelle pas généralement », dit-elle.

Je savais qu'elle mentait. Les petites aussi. Elles s'absorbèrent dans leurs desserts autant que leur sœur. Je voyais à l'attitude d'Amber qu'elle était tendue. Je crus comprendre pourquoi. C'était probablement plus facile de raconter des bobards à son père que de mentir à sa mère à propos de Caspar. Je me rendis compte que je l'avais mise dans une position difficile.

« Je vais arranger ça, Amber, d'accord ? »

Elle ne répondit pas.

« Je te le promets. »

Caspar la surveillait d'aussi près que moi. Elle ne quitta pas son yaourt des yeux, mais j'aurais juré que la tension qui lui crispait les épaules s'était changée en rage. Redoutant qu'elle ne fasse ricochet sur moi, je changeai de sujet.

Je fis prendre un bain rapide aux deux petites. Elles avaient téléphoné chez elles, mais Amber avait raison : Bea était sortie. Elles avaient laissé un gentil message pour lui souhaiter bonne nuit, que j'avais essayé de ne pas écouter en m'efforçant de ne pas m'émouvoir et de ne pas me sentir jalouse. J'échouai sur les trois tableaux. J'en étais consciente au moins, et je m'en voulais. Maintenant que je comprenais pourquoi le mariage de James et de Bea avait périclité, j'avais cessé de m'en inquiéter. Ce n'était pas très gentil de ma part, mais depuis que la parfaite Bea Frazier était tombée de son piédestal, je me sentais sur un pied d'égalité avec elle.

Amber et Caspar avaient passé les pubs, les bandes-annonces et les avertissements du DVD et attendaient de lancer le film quand je les rejoignis au salon. Je me servis un verre de vin et m'installai dans un fauteuil, les laissant blottis l'un contre l'autre sur le canapé. Le film qu'ils avaient loué sur le chemin du retour ne m'intéressait guère et je me serais volontiers glissée dans un bon bain, armée d'un bouquin et de mon verre, mais il n'était pas question que je les laisse sans surveillance. Je voulais pouvoir regarder James dans le blanc des yeux en lui affirmant qu'il ne s'était rien passé pendant que j'étais de garde.

Au bout de vingt minutes de film, Amber proposa de faire du thé à la menthe. Caspar mit sur pause, et pendant qu'elle était hors de la pièce, nous nous en tînmes au sujet sans risque de sa famille. Lorsque nous en arrivâmes à la question de la dernière technique perturbatrice de sa sœur, qui consistait à retenir son souffle jusqu'à ce qu'elle devienne violette, je sus que nous bavardions depuis un bon bout de temps dans la mesure où c'était un sujet qu'il préférait éviter. Nous pensâmes simultanément à la même chose. Que se passait-il encore ?

« J'y vais, dit-il.

— Non, laisse. J'y vais. »

Amber n'était pas dans la cuisine, et l'eau avait bouilli depuis longtemps. Je jetai un coup d'œil dans les toilettes du bas. Elle n'y était pas. C'est un minuscule cube sous l'escalier et j'étais sur le point de refermer la porte quand quelque chose m'arrêta. Un souvenir. Une odeur. Quelque chose. Ce fut trop fugitif pour que je puisse le saisir, mais je jetai un nouveau coup d'œil dans la petite pièce pour tâcher de le localiser. Caspar m'observait depuis le seuil du salon. Je lui fis signe d'y retourner. Amber n'était pas dans sa chambre. J'essayai la salle de bains. La porte était fermée à clé. Je frappai.

« J'arrive, s'empressa-t-elle de me répondre.

— Ça va ?

— Maman a appelé. Désolée. Continuez le film sans moi. »

Je l'aurais fait si ce n'est que je savais que son portable était en train de recharger près de la bouilloire dans la cuisine. Je l'avais vu. Et si elle avait été en train de bavarder avec sa mère, nous l'aurions entendue. Elle tira la chaîne, j'entendis l'eau du robinet couler. J'attendis. Quelques instants plus tard, la chasse d'eau se fit de nouveau entendre. Amber ne sortait toujours pas. Je finis par redescendre. En passant devant les toilettes du bas, je jetai un nouveau coup d'œil. Ce n'était pas l'odeur qui avait déclenché ce souvenir. Mais l'eau au fond de la cuvette. Elle était rose. Je savais ce que cela signifiait. C'est le cas de toute fille à partir d'un certain âge. Cela voulait dire *sang*.

« Hé, Caspar, occupe-toi du thé, tu veux ? Bea a téléphoné », criai-je au bas de l'escalier.

Son front se plissa.

« Oh, mon Dieu. Ça va, Amber ?

— Elle lui raconte sa journée. »

Je voyais bien qu'il ne me croyait pas, mais je m'en tins là. Je montai dans ma chambre. J'avais réquisitionné une étagère dans la salle d'eau attenante. J'ouvris le placard et fouillai dans mes affaires. Rien qui puisse convenir à une fillette de quatorze ans. Je retournai dans le couloir et frappai de nouveau à la porte de la salle de bains.

« Je peux entrer ? » demandai-je.

Amber émergea de la salle de bains et referma rapidement la porte derrière elle. Elle s'était changée.

« J'ai eu envie de me mettre à l'aise, dit-elle.

— Écoute, chuchotai-je, je sais que je suis sans doute la dernière personne au monde à qui tu as envie d'en parler, mais je peux t'aider. »

Elle fronça les sourcils.

« Tu as tes règles ? »

Elle eut l'air horriblement gênée, mais ne nia pas.

« Écoute, j'ai passé des mois à essayer de loger ces fichus tampons en place quand j'ai commencé à avoir mes règles. Je n'y arrivais pas. J'en pleurais à force de m'ingénier à suivre ces diagrammes incompréhensibles. Un pied sur la cuvette, mon pantalon sur les chevilles. Je me suis même cassé la figure une fois et j'ai failli tourner de l'œil. »

Je la pris par les épaules et la guidai vers sa chambre.

« Les mini-Tampax sont beaucoup plus faciles à manier au début parce que l'applicateur fait le travail à ta place. Les bonnes vieilles serviettes hygiéniques font très bien l'affaire aussi. »

Je voyais bien qu'elle s'efforçait de ravaler sa honte et de se comporter comme la grande fille qu'elle voulait être.

« Mais les boîtes sont énormes », dit-elle.

Elle avait raison. Les sacs de garnitures étaient difficiles à planquer.

« De quoi te sers-tu alors ? »

Elle regarda fixement par terre.

« De papier de toilette.

— Oh, ma chérie. Depuis combien de temps ? »

Elle déglutit.

« C'est la deuxième fois. Je ne savais pas quand ça allait recommencer. Je ne savais pas quoi faire. J'ai essayé d'acheter ce qu'il fallait, mais il y avait tellement de choix et puis il y avait des garçons dans la pharmacie…

— Ta maman aurait pu te le procurer, non ? » m'étonnai-je. Amber paraissait sur le point d'éclater en sanglots. « Tu sais quoi ? ajoutai-je à la hâte. Ça va te sembler ridicule, mais je suis encore gênée moi-même quand j'en achète. Surtout que je ne prends plus les petits modèles. Il y a toujours un homme au comptoir quand j'y vais, ça ne loupe pas ! Heureusement qu'on peut acheter en ligne maintenant, je te jure. Tu veux que je fasse une lessive ? C'est ton jean préféré. »

Ce brusque changement de direction la prit au dépourvu. Elle hocha la tête. La pauvre ! Ce genre d'accident est tellement embarrassant.

« Y en a sur le canapé ? C'est comme ça que tu le sais ? demanda-t-elle.

— Oh, mon Dieu ! Non ! Je le sais parce que je sais et, quand ça arrivera à Lulu, tu le sauras tout de suite aussi. C'est ça la solidarité féminine, ma vieille. On prend soin les unes des autres. »

Elle essuya une larme imaginaire.

« Merci, Tessa.

— Descends. Caspar a fait le thé. Je vais chez l'épicier du coin nous acheter des biscuits.

— On en a, des biscuits.

— Je sais, mais Caspar, lui, l'ignore et il n'a pas besoin de savoir pourquoi je fais mes courses à cette heure-ci.

— Oh !

— Ne t'inquiète pas. Je trouverai quelque chose. Continuez à regarder le film.

— Et toi ? demanda Amber.

— Ne te fais pas de souci pour moi.

— Je te raconterai ce qui se passe. »

Caspar ne remarqua même pas qu'Amber s'était changée, ce qui me fit sourire. En revanche, il avait une commande assez importante pour mon expédition nocturne – des boissons, des bonbons, du chocolat. Je me demande bien où il met tout ça !

J'avais oublié mes clés délibérément, pour qu'Amber soit obligée de venir m'ouvrir. Je lui remis un petit paquet. Quelques minutes plus tard, elle était de retour sur le canapé avec un plateau rempli de friandises et s'attaqua aux Maltesers. Elle me décocha un petit clin d'œil discret qui me fit chaud au cœur.

Convaincue que je pouvais les laisser seuls à présent, je fis tourner la machine, rangeai la vaisselle et préparai la table du petit déjeuner comme j'avais vu Fran le faire. Je réservai un taxi pour dix heures et demie afin qu'il remmène Caspar chez lui, avant de monter me mettre au lit. Je l'embrassai comme je le fais d'habitude, puis j'hésitai.

Amber me simplifia la situation en se levant.

« Merci pour cette super journée, dit-elle en me déposant un bisou sur la joue. Et tout. »

C'était la première fois qu'elle m'embrassait et je fus stupéfaite de constater à quel point cela me rendit heureuse. J'eus envie de la serrer dans mes bras en lui disant que tout irait bien, mais je me bornai à dire bonsoir avant de monter. Je me forçai à garder les yeux ouverts jusqu'à ce que je l'entende fermer la porte d'entrée et la verrouiller, puis monter, se brosser les dents et aller dans sa chambre. Si elle passait la nuit entière à envoyer des textos à Caspar, pas de problème. Mes ouailles étaient en sécurité au bercail. C'est tout ce qui m'importait. Je fermai les yeux et m'endormis aussi sec.

La sonnerie me fit l'effet d'une cloche lointaine me convoquant à l'église. J'étais en retard et le bas de ma robe de mariée était coincé dans les mâchoires d'une pelleteuse. Je la dégageai d'une secousse, mais je m'aperçus que je ne pouvais pas courir. « J'arrive », avais-je envie de crier, mais je ne pouvais pas parler non plus. Ça sonnait toujours.

Je me réveillai assez pour comprendre que si je ne pouvais ni courir ni parler c'était parce que je dormais. Finalement, m'extirpant de ma torpeur, je me rendis compte que j'étais au lit et que c'était le téléphone qui sonnait, et non pas le carillon de St. Clement's.

Je décrochai.

« James ?

— Tessa ma chérie. C'est maman. »

Je lorgnai ma montre en plissant les yeux, mais je n'arrivais pas à voir l'heure. La chambre était plongée dans l'obscurité, en dehors de la lueur orangée qui filtrait de part et d'autre du rideau.

« Quelle heure est-il ?

— Je ne sais pas. Tard. Tôt. » Je l'entendis prendre une profonde inspiration. « C'est le milieu de la nuit. »

Je refis brusquement surface, enfin réveillée pour de bon.

« Que se passe-t-il ?

— Je suis vraiment désolée de…

— Que se passe-t-il, maman ? Où est papa ? Il va bien ?

— Il est à la pêche. »

Bien sûr. Il était sur l'île de Skye avec Peter en train de se lier d'amitié devant des vers de terre.

« Qu'est-il arrivé ?

— Eh bien, ce qu'il y… » Elle marqua un temps d'arrêt. « … je me suis endormie devant la télé…

— Que t'arrive-t-il, maman ?

— Je me suis réveillée et, oh, bon sang, Tessa, ne panique pas, mais…

— Maman !

— Je ne vois plus. »

Je jurai en silence.

« Où es-tu ?

— Eh bien, j'ai essayé d'atteindre mon lit… »

Je retins mon souffle.

« Je suis vraiment désolée, chérie, j'ai… j'ai fait tomber tous les vases.

— Quels vases ? Est-ce que ça va ? Tu t'es coupée ?

— Non, non, non, enfin, juste un petit peu. J'ai voulu nettoyer, tu comprends, et enfin, il y a du verre cassé partout et maintenant je suis coincée.

— Laisse-moi appeler une ambulance.

— Non. Ma vie n'est pas en danger.

— Tu es entourée d'éclats de verre et tu ne vois pas.

— S'il te plaît, ma chérie, tu as la clé. Il n'y en a pas pour longtemps. Sinon, il va falloir qu'ils défoncent la porte. »

Ma mère préférerait se ronger la jambe plutôt que de se retrouver à l'hôpital avant qu'il soit temps. Même si je ne savais plus très bien ce que cela signifiait en l'occurrence. Mais c'était ma mère, et son système lui convenait. De quel droit lui retirerais-je ça ?

« Je pars tout de suite », dis-je.

Je secouai Amber pour la réveiller. Elle me regarda fixement, perdue dans son rêve.

« Je suis vraiment désolée, dis-je. Il faut que je vous raccompagne.

— Hein.

— Ma mère ne va pas bien. Il faut que j'aille l'aider.

— Ma mère ?

— Non, la mienne. » J'allumai sa lampe de chevet. Elle me dévisagea en plissant les yeux. « Je dois aller à Oxford. Tout de suite. Peux-tu m'aider à porter tes sœurs dans la voiture ?

— Je vais m'habiller », me répondit-elle, parfaitement alerte. Oh, être jeune de nouveau !

J'allai démarrer la voiture de James pour la chauffer. J'avais choisi la sienne parce qu'elle avait quatre portières. Ce serait plus facile d'y déposer les petites endormies et de les récupérer à la fin du trajet. Puis je remontai en courant chercher Maddy. Sans la réveiller, je l'installai dans la voiture, ceinture attachée, sous une couverture. Lulu se réveilla, mais je pris son oreiller et son lapin, et elle dormait de nouveau à poings fermés quand je verrouillai la porte d'entrée.

Amber et moi montâmes dans la voiture. Nous étions en route dix minutes après l'appel de maman. Je lui tendis mon portable.

« Peux-tu appeler ta mère ? dis-je. On ferait bien de la prévenir.

— Pourquoi ?

— Elle a peut-être mis le loquet à la porte.

— Il ne faut pas nous ramener à la maison.

— Je ne peux pas te laisser chez ton père te débrouiller toute seule. Tu en serais capable, je le sais, mais ton père…

— On ne pourrait pas venir avec toi ? Maman doit dormir.

— C'est pour cela qu'il faut que tu l'appelles. Pour la réveiller. Je ne peux pas vous prendre avec moi parce que je vais devoir emmener ma mère à l'hôpital.

— Qu'est-ce qu'elle a ?

— Je t'en prie, Amber, appelle Bea. »

J'entendis les sonneries qui se prolongeaient.

« Essaie le portable, lui dis-je.

— Elle est sortie, je te dis. »

Je jetai un coup d'œil à l'horloge du tableau de bord. Il était presque trois heures.

« Ça lui arrive souvent de rester dehors si tard ?

— Je n'en sais rien. On n'y est pas dans ces cas-là. »

Certes.

« Sais-tu où elle va ? »

Amber secoua la tête.

« Sais-tu avec qui elle sort ? »

Amber se borna à me regarder.

« Bon, allons voir. Elle dort peut-être tout simplement. Continue à appeler. »

J'entendis les sonneries du portable. Il était allumé au moins. Je gagnai Kentish Town. Cela ne prit que sept minutes. Je me garai devant chez Bea. Les lumières étaient allumées et j'en fus soulagée, jusqu'au moment où je vis l'expression d'Amber.

« Laisse-moi y aller d'abord », dit-elle en sortant la clé de la poche de sa veste en jean.

J'étais trop inquiète au sujet de ma propre mère pour percevoir l'anxiété qu'elle essayait de me cacher. Elle sortit de la voiture et marcha, non, courut jusqu'à la porte d'entrée. On aurait dit qu'elle s'armait de courage avant de glisser la clé dans la serrure. Après m'avoir jeté un rapide coup d'œil, elle disparut dans la maison.

Je vis sa silhouette déambuler dans le salon à travers le rideau en filet suspendu à la petite baie vitrée. Je la vis en sortir. Je vis silhouette rétrécir puis disparaître à travers les losanges en verre de la porte d'entrée. Je pianotai du bout des doigts sur le volant et regardai ma montre pour la énième fois.

Allez, allez. Ma mère est couchée par terre au milieu de bris de verre…

Je ne m'étais même pas rendu compte qu'elle était ressortie et je sursautai en la voyant devant le capot, illuminée par les phares en train de me dévisager à travers le pare-brise, les yeux écarquillés. Je sortis de la voiture et me précipitai vers elle. Il y avait quelque chose de perturbant dans la manière dont elle se tenait.

« Qu'est-ce qui se passe, Amber ?

— Maman est morte », me dit-elle.

15

Juste un !

Quand j'ouvris les yeux, un éclat de lumière blanche pure me déchira les rétines. Je les refermai aussitôt. J'avais affreusement mal à la tête. Comme si quelqu'un m'avait planté une hache dans le crâne. Tout était douillet autour de moi. J'étais en train de me faire avaler par un lit en éponge. Aucune odeur familière. Je m'obligeai à rouvrir un œil.

Je discernai peu à peu des roses sauvages qui grimpaient partout sur les murs. Une petite lucarne orientait sa loupe sur le soleil. Je refermai l'œil, m'écartai de sa ligne de mire et me retrouvai avec des météores orange explosant sur le rideau noir de ma paupière. Où étais-je, pour l'amour du ciel ?

Je me redressai lentement sur le matelas mou et regardai autour de moi. Une chambre rustique et raffinée que je n'avais jamais vue de ma vie émergea peu à peu à travers ma vision floue. Je repoussai les couvertures. Un drap, une couverture à l'ancienne, un édredon en satin rose. Je m'étais réveillée dans les années 50.

Je baissai les yeux sur mon corps replet. Non. Mon soutien-gorge et ma culotte étaient bien du Marks & Spencer, saison 1998. La seule chose que j'identifiais dans tout ça, c'était le mauvais goût dans ma bouche. L'arrière-goût de l'acide gastrique est reconnaissable entre mille.

Je marchai sur la pointe des pieds sur l'épais tapis de laine et écartai les rideaux. Du vert se déploya sous mes yeux à l'infini. Ce paysage m'était inconnu. Un pyjama ample en flanelle était posé sur un vieux fauteuil à bascule à dossier clouté et une robe de chambre à côtes élimée pendait derrière la porte en bois blanc. Mes habits ayant disparu de la circulation, je les enfilai avant de m'aventurer hors de la chambre.

Une odeur de toast montait vers moi dans l'escalier. Un bed and breakfast ? Un hôtel ? Une maison particulière ?

Je descendis une à une les marches moquettées. Les murs étaient tapissés de photos d'inconnus dans des cadres bon marché. La colère commençait à me gagner. On avait dû m'emmener quelque part contre mon gré puisque je ne savais pas où j'étais ni ce que je faisais là. Trois portes donnaient sur le couloir. L'une était entrouverte ; j'aperçus des dalles en terre cuite hexagonales usées. L'odeur de toast venait de là. La cuisine.

Je poussai un peu la porte. Une femme était assise à la table. Elle me tournait le dos. Elle portait un chignon. Je me raclai la gorge. Soudain je ne tenais plus si fermement sur mes jambes et je me rendis compte que je n'avais pas l'énergie de m'indigner. La femme se retourna. « Bonjour, maman », dit-elle. Elle avait l'air si vieille. Si fatiguée.

« Amber ? Qu'est-ce que tu fais là ? »

Ce n'était manifestement pas la question à poser : elle se détourna aussitôt.

« Je veux dire, euh… je ne m'attendais pas à te trouver là.

— Tu ne sais même pas où on est, alors s'il te plaît, arrête.

— J'estime que ce n'est pas une manière de… »

Elle se leva. Son menton tremblait.

« Je suis sérieuse, maman. Arrête tout de suite. »

Je n'ai jamais supporté de voir mes filles pleurer. Cela me faisait mal déjà quand, toutes petites, elles se fendaient la lèvre en faisant leurs premiers pas. Savoir, comme mon âme me l'indiquait à présent, que la douleur physique n'était pas la cause des larmes qu'Amber retenait à grand-peine me blessa au vif. Qu'avais-je fait ? Devais-je me mettre à genoux pour implorer son pardon ? Non.

Je sentis une nouvelle vague de colère m'envahir. Une colère qui cherchait à se déverser. Mon regard fut attiré par un placard vitré. Une bouteille de Teacher's. Un petit remontant ne me ferait pas de mal.

« Je prendrais bien une tasse de café », dis-je histoire de gagner du temps. Amber me tourna le dos pour mettre la bouilloire à chauffer. Elle semblait bizarrement à l'aise. Je jetai un nouveau coup d'œil au placard. J'avais vraiment besoin d'un petit moment tranquille.

« Sais-tu où sont mes habits ?

— Ils ont été lavés. Ils ne sont pas encore secs. »

Mince !

« Alors, où sommes-nous ? demandai-je.

— Chez M. et Mme King. Près d'Oxford. »

King ? Une camarade d'école ? Je fronçai les sourcils, mais cela accentua mon mal de tête.

« Les parents de Tessa. »

Je dévisageai ma fille.

« Oui, c'est ça. La Tessa de papa. »

Seigneur ! Le venin dans la voix de ma fille me força à m'asseoir. Cette hargne ne s'adressait pas à Tessa. Mais à moi. Incroyable que je puisse continuer à me cramponner ainsi à ma fierté. Quand on se noie, on se cramponne à n'importe quoi, même si cela impose d'entraîner avec soi la seule bouée apte à vous sauver.

« Tu ne te souviens pas, hein, maman ?

— Je te conseille de changer de ton, ma petite fille… » Je fus interrompue par un crissement de pneus sur le gravier. Amber jeta un coup d'œil par la fenêtre puis elle sortit de la pièce en courant.

Je me levai pour voir ce qui l'avait incitée à se remuer si vite. Mes petites filles étaient ceinturées à l'arrière d'une voiture bleu marine. Il y avait une femme aux cheveux gris sur le siège avant. Elle portait des lunettes noires de star. Le conducteur sortit. Ma colère s'évapora. La dernière personne au monde que j'avais envie de voir à cet instant, c'était Tessa King. J'aurais voulu fuir, mais mes mains refusaient de lâcher l'évier.

Mes adorables petites filles étaient sorties de la voiture. Je voyais la bouche de Maddy remuer sans cesse comme d'habitude et je souris. Ça me faisait mal de sourire. La hache s'enfonçait un peu plus. Tessa était censée avoir la garde de mes enfants pendant le week-end, alors qu'est-ce que je faisais là ?

Lulu ouvrit la portière de la star aux cheveux gris ; je vis Tessa s'approcher du coffre. Maddy apparut avec un sac en plastique ; Amber rejoignit Tessa et prit deux autres sacs de provisions. Elles allaient bien ensemble. Je serrai l'évier un peu plus fort.

Tessa s'approcha de la portière côté passager. Elle aida la dame à sortir de la voiture. Maddy continuait à jacasser. Elle prit la main de la dame et la guida sur le sentier. Je m'aperçus alors que la star avait une canne dans la main. Elle s'appuyait lourdement dessus. Elle ne semblait pas assez âgée pour avoir besoin d'une canne, et d'où était-elle sortie, cette canne ? Tessa leur emboîta le pas, une autre canne à la main. Je l'apercevais derrière ma pipelette de fille. Elle avait l'œil sur la femme que je supposais être Mme King, et puis, comme si elle avait senti ma présence, elle porta son attention vers la fenêtre de la cuisine, droit sur moi. Nous échangeâmes un long regard.

J'avais imaginé cette inévitable rencontre un millier de fois. Les répliques caustiques, mes filles s'attroupant autour de moi, moi mince et drôle, bien sûr, Jimmy tout près, visiblement écartelé… Ça n'était pas censé se passer comme ça. Mais elle était là, en chair et en os. Ma Némésis. L'aperçu que j'avais eu d'elle émergeant de la voiture tant de semaines auparavant ne lui rendait pas justice. Elle était plus jolie que dans mon souvenir, plus grande, comme je l'avais redouté. Allure sportive, toute en jambes, la salope ! Une fichue blonde. Si vous cherchiez mon opposé absolu, vous ne pouviez pas faire mieux que Tessa King. Jimmy s'était parfaitement bien fait comprendre. Il ne voulait plus rien avoir à faire avec moi.

Je m'écartai de l'évier d'une poussée et pris la fuite. Je ne pouvais pas l'affronter dans cet état. Elle, moins que quiconque au monde. J'étais de retour parmi les roses sauvages quand je les entendis franchir le seuil de la maison, mais je n'étais pas seule.

On frappa à la porte.

« Entrez », dis-je d'un ton aussi assuré que possible étant donné les circonstances. Je m'assis dans le lit, comme une vieille tante malade. Tessa entra avec un plateau. Je lui jetai un rapide coup d'œil. Quand elle fut là, devant moi, je constatai avec bonheur qu'elle avait l'air plus vieille que je ne le pensais. Fatiguée. Je fixai obstinément l'édredon en écoutant mon cœur battre dans ma poitrine et priai pour ne pas avoir une autre crise de panique.

« Je vous ai apporté du thé », dit-elle.

Je remarquai qu'elle avait pris une tasse pour elle, mais je ne me leurrais pas au point de m'imaginer que nous allions avoir une petite conversation bon enfant. Elle me tendit une tasse, puis elle alla s'asseoir dans le fauteuil à bascule et regarda par la fenêtre.

Eh bien, ce n'était certainement pas moi qui allais briser le silence. Le silence m'allait tout à fait bien. Finalement, elle se tourna vers moi. Elle avait la même structure osseuse que sa mère. C'était une jolie fille, il fallait bien le reconnaître.

« Je ne pensais pas qu'on se rencontrerait comme ça », dit-elle.

J'avalai une gorgée de thé avec difficulté, et du même coup, tout repentir éventuel.

« Vous vous demandez sans doute ce que vous faites ici, ajouta-t-elle.

— Je serais partie, mais vous m'avez pris mes vêtements. »

Attaque de front. Frappe, frappe, frappe, déstabilise-la. Je la vis chanceler. Mais il y avait une force intérieure chez elle à laquelle je ne m'étais pas attendue.

« Vous étiez vautrée dans une mare de vomi, Bea. J'ai pensé qu'il valait mieux les laver avant que vous voyiez les filles. Ils seront bientôt secs. »

Je relevai brusquement le menton.

« Je suis allée dîner dans un restaurant indien avec des amis hier soir. J'ai pris des crevettes au curry. Je trouvais bien qu'elles avaient un drôle de goût. »

Tessa me fixa un moment sans ciller. Puis elle se pencha en avant et me transperça du regard. Ce fut pour le moins déplaisant.

« Votre fille vous a crue morte et ma mère a perdu la vue hier soir. Je n'ai pas dormi. Vous ne pensez pas qu'on pourrait arrêter ces conneries ?

— Je suis vraiment navrée pour votre mère, mais vous n'avez pas à me parler sur ce ton. J'ai mangé de la nourriture avariée.

— En général, on est conscient quand on vomit à cause d'une intoxication alimentaire.

— J'étais éreintée, insistai-je. J'ai dû m'endormir.

— Sur le carrelage de la cuisine ? » Son ton montait. Elle avait les joues toutes rouges.

« Non. Manifestement… » L'inspiration me vint. « … à la table de la cuisine. J'étais en train de lire. Je… » Je m'enferrais de plus en plus. Que pouvais-je dire à cette femme ? Pas la vérité. Je ne m'en souvenais pas de toute façon. Et je n'y tenais pas. Pourquoi avait-il fallu que ce soit elle, plutôt que quelqu'un d'autre ? Seigneur, quelle humiliation ! Si elle voulait bien sortir de la pièce, je pourrais boire un petit verre, y voir un peu plus clair et concocter un récit qui tienne debout. Qui soit plausible en tout cas.

Tessa se prit la tête avec la main qui ne tenait pas la tasse.

« Bon, des crevettes avariées. Il n'y a rien à dire dans ce cas. »

Elle se leva, et je me demandai pourquoi je ne jubilais pas. Ha ! Je m'en suis encore tirée ! Mais même dans l'état second où je me trouvais, sous mon édredon rose, je savais qu'il n'en était rien. On ne peut pas arnaquer un arnaqueur, à moins qu'il ne soit ivre, et je ne l'étais pas assez.

Parvenue sur le seuil, Tessa se retourna et je revis cette fermeté d'acier. Elle brillait dans son regard. Ce fut alors que je me souvins qu'elle était juriste dans une compagnie de disques et non pas une imbécile d'assistante qui se plaisait à distribuer des CD gratuits, comme j'avais préféré le penser.

« Qu'est-ce que vous aviez mangé le soir où vous avez déchiré la robe bleue d'Amber en la traitant de pute ? Encore des crustacés avariés ?

— Pardon ?

— Quel mets exotique vous avait fait sombrer dans l'inconscience au point d'obliger votre fille à vous porter dans votre lit, à vous déshabiller, à vous laver, à vous border ?

— Comment osez-vous lui mettre des idées pareilles dans la tête ? Vous cherchez à la monter contre moi ou quoi ?

— Vous vous débrouillez très bien toute seule pour ça.

— Je crois que vous feriez mieux d'y aller.

— Qui réveillait Lulu et Maddy pour aller à l'école chaque matin ?

— Je ne vois pas du tout de quoi vous voulez parler.

— C'est normal. Vous étiez HS. Heureusement qu'Amber garde tous ces souvenirs pour elle. »

Elle referma la porte derrière elle d'un geste brusque.

Elle se croyait tellement intelligente de me laisser en haleine comme ça, mais elle avait mal calculé son coup. Je n'avais pas besoin de me souvenir de ce qui s'était passé pour savoir que ça avait bel et bien eu lieu. La lucidité me fournit le prétexte dont j'avais besoin. Je sortis la bouteille de Teacher's de dessous l'édredon – c'était le genre de compagnie que j'apprécie ces temps-ci –, je dévissai le bouchon et, avec une bravade et un apitoiement sur moi-même que je chérissais, je l'éclusai.

Quand je me réveillai, mon thé était froid et la journée était plus près du crépuscule que de l'aube. Tout était flou dans ma tête et je n'étais pas sûre de ce qui s'était passé, de ce que j'avais rêvé ou peut-être halluciné. Avais-je vraiment traité ma fille de pute ? Je l'adorais. Je n'aurais jamais fait une chose pareille. Pas un bruit dans la maison. Mes vêtements étaient sur le fauteuil à bascule, soigneusement pliés. Je traversai la pièce d'une démarche incertaine et m'habillai. Ma peau avait une odeur âcre. J'avais la lèvre inférieure fendue. Il fallait que je rentre chez moi, que je reprenne mes esprits.

« Y a quelqu'un ? »

La voix faisait écho à un craquement que j'avais provoqué en descendant les marches. Je me demandai où étaient mes enfants. Moi qui espérais être seule. Raté ! Je projetais d'appeler un taxi de manière à ce qu'il soit là à m'attendre quand le garde-chiourme reviendrait avec les filles. Elles se jetteraient dans mes bras et nous filerions.

« Bea ? Entrez donc. Tessa a emmené les enfants au cinéma. »

Je me laissai guider par la voix. Mme King était assise dans un fauteuil devant un feu. Éteint. Elle avait une couverture sur les genoux. Je me demandai pourquoi elle ne l'avait pas allumé si elle avait froid. En dépit des lunettes noires, j'avais des doutes sur le fait qu'elle soit aveugle.

« Tessa n'a pas voulu me laisser seule avec un feu allumé. Elle m'a dit que c'était dangereux, parce que je ne peux pas voir les étincelles. »

Sa perspicacité me décontenança. Comment savait-elle ce que je pensais ? Je réagis en l'attaquant. J'étais de méchante humeur.

« Vous êtes supposée me servir de baby-sitter, c'est ça ?

— Tessa a pensé que le Teacher's vous ferait tenir tranquille plus longtemps que moi. »

Je dus y regarder à deux fois. Le regard noir de chouette était fixé sur moi.

« Je ne vois pas de quoi vous voulez parler.

— Elle était sûre que vous réagiriez comme ça.

— Elle sait tout, celle-là ! »

La mère extralucide de Tessa éclata de rire.

« Vous n'avez pas tort à vrai dire. J'attribue ça au fait qu'elle est enfant unique. » Elle me désigna le canapé. « Pourquoi ne vous asseyez-vous pas ? Mieux encore, vous pourriez vous rendre utile en allant nous chercher à boire. »

Je relevai les yeux, pleine d'espoir.

« Pas ce genre de boisson. Amber et Tessa ont tout vidé dans l'évier. »

Je voulus scruter son visage de nouveau, mais elle était tournée vers le mur du fond. Ainsi donc, on ne mâchait pas ses mots dans la famille King. Telle mère, telle fille. Eh bien, moi aussi je pouvais jouer à ce petit jeu-là.

« Comment peut-on perdre la vue du jour au lendemain ? » demandai-je.

Le silence qui suivit ne me plut guère. J'avais désespérément envie de m'excuser, mais les mots me restaient plantés dans la gorge comme des épines. J'ignorais d'où cette méchanceté me venait.

« La sclérose en plaques. » Elle redressa sa couverture. « J'ai fait une rechute. La première depuis longtemps. » Je me sentais petite, lâche. « J'ai une lésion cérébrale assez grave. L'inflammation qui en résulte affecte le nerf optique. Si j'ai de la chance, et nous avons agi rapidement, les stéroïdes qu'ils m'ont injectés ce matin réduiront le gonflement. Le dommage ne sera pas permanent. Dans le cas contraire… » Elle ôta ses lunettes et les plia soigneusement sur ses genoux. Ses globes oculaires bougeaient furieusement, en tous sens, dans leurs orbites, cherchant une lumière invisible.

« Je m'appelle Liz, au fait.

— Bea, dis-je, inutilement.

— Asseyez-vous, Bea », dit-elle, et pour une raison inexplicable, je m'exécutai. Elle rechaussa ses lunettes noires.

Nous n'échangeâmes plus un mot. La pendule sur le manteau de la cheminée faisait tic tac bruyamment. De temps à autre, un souffle de vent s'engouffrait dans la cheminée et venait me fouetter les chevilles. Le silence entre nous n'avait rien de malaisé. En fait, il paraissait nécessaire. Le ciel s'obscurcissait. La pièce aussi. Derrière ses grosses lunettes de soleil, mon hôtesse n'en avait pas conscience. Mais je la vis frissonner.

« Pensez-vous qu'on puisse me faire confiance à moi pour allumer le feu ? demandai-je.

— Vous avez froid vous aussi ?

— Je tremble un peu, répondis-je en étant consciente que ce n'était pas la même chose.

— C'est une bonne idée. J'adore entendre les crépitements du feu. »

Je me levai et m'approchai de l'âtre sur des jambes douloureuses.

« Il devrait y avoir tout ce qu'il faut dans le panier. »
Je m'agenouillai. « Mon mari excelle dans l'art de faire
de feu, dit Liz.

— Où est-il ?

— Il est allé pêcher en Écosse. À l'île de Skye.

— C'est là que va mon beau-père.

— Je sais, me répondit Liz. Ils sont ensemble, sur
le chemin du retour maintenant. J'ai essayé de les
convaincre de rester jusqu'à la fin du week-end, mais
ils n'ont rien voulu entendre. »

Je fermai les yeux. Peter, qui avait toujours été si
gentil avec moi, allait désormais à la pêche avec le
père de Tessa et quittait sa chère rivière pour venir au
secours de sa mère.

« Les cercles se chevauchent, dit Liz. Ce serait bien
que vous fassiez partie de la zone hachurée. »

Je froissai quelques pages d'un vieil *Independent* et
les calai entre les chenets dans la cheminée. Je ne voulais pas faire simplement partie de la zone hachurée.
Je voulais faire partie du tout. Comme c'était le cas
avant que Tessa King débarque et me vole ma famille.
J'avais roulé le papier en une boule serrée et mes mains
étaient maculées d'encre noire. Je les essuyai sur mon
pantalon, mais les taches ne voulaient pas partir. Dis-
paraissez, sales taches !

« Puis-je vous aider ? » demanda Mme King. La
couverture sur ses genoux me tentait diablement.
J'avais envie d'y poser la tête et de m'entendre dire
que tout irait bien. Je me sentais vidée.

« Ma fille est très fâchée contre moi, dis-je, cédant
à la fatigue.

— Ma fille aussi est en colère contre vous.

— Pourquoi Tessa m'en veut-elle, pour l'amour du ciel ? Il y a tout lieu de penser qu'elle souhaiterait ma mort.

— C'est déjà assez difficile comme ça de devenir belle-mère, me répondit-elle simplement. Amber lui a fait vivre un enfer. Pour quelle raison à votre avis ?

— Amber et James ont toujours été très proches, dis-je en cassant une bûchette.

— Ce n'est pas le problème, pourtant, si ? » Je m'affairai avec le petit bois. « Amber est une fille intelligente, sensible aussi, très vive. Il s'est passé quelque chose qui l'a incitée à croire que votre tristesse récente est directement liée au récent bonheur de Tessa. Elle est un peu jalouse aussi, j'en suis sûre, c'est humain, et je ne doute pas qu'elle n'apprécie guère le fait que Tessa ait fait perdre la tête à son papa. Elle doit se demander où cela la relègue, c'est normal. Mais le problème n'est pas là. Cessons de prétendre que si. »

Je choisis méticuleusement les bûches. Pas trop petites pour qu'elles constituent une bonne base de chaleur, pas trop grosses de peur qu'elles ne mettent trop de temps à brûler et n'enfument la pièce. Mes origines rurales ressurgissaient. Je grattai une allumette, mis le feu aux extrémités des ligots et regardai avec satisfaction les flammes bleues lécher le bois d'allumage. Une boulette de papier prit feu et la chaleur m'incendia la figure. J'eus envie d'enfouir mon visage dans les flammes. Liz avait raison. Ce n'était pas normal. Il fallait que ça cesse.

« Ça n'est pas récent, marmonnai-je.

— Pardon ?

— Ma tristesse. Ça n'a rien de nouveau. L'alcool, c'est récent. Je peux arrêter. Ça ne fait que quelques semaines.

— En êtes-vous sûre ?

— Je voulais juste perdre un peu de poids. » Le petit bois craquait en crachant des étincelles. J'en ajoutai un peu, puis je disposai les bûches.

« L'alcool n'est-il pas ce qui fait le plus grossir ?

— Pas quand il remplace la nourriture. » J'attisai distraitement le feu. « Quelques verres de vin et je n'avais plus envie de dîner. Ensuite j'ai découvert qu'avec quelques verres supplémentaires j'arrivais à vomir. Je n'avais jamais réussi auparavant. J'avais pourtant essayé. J'ai failli boire de l'eau de Javel un jour pour évacuer cette fichue boustifaille. »

Liz tendit la main vers moi. Elle plana en l'air. Je la regardai fixement, redoutant le contact humain.

« Vous êtes boulimique ?

— C'est pire que ça. » Pourquoi est-ce que je lui racontais tout ça ? Mais maintenant que j'avais commencé, je ne pouvais plus m'arrêter. « Une boulimique ratée. Je mangeais. Je m'enfonçais les doigts dans la gorge à en avoir mal, j'avais des haut-le-cœur, mais rien ne venait. »

Sa main était toujours tendue vers moi.

J'avais les doigts enflés, des égratignures sur trois jointures dont je ne m'expliquais pas la présence. Je ne portais pas mon alliance, mais le creux à la base de l'annulaire indiquait encore l'endroit qu'elle avait encerclé pendant seize ans. Mes ongles étaient cassés, fendus. Trop de récurage sans gants. Je levai la main

428

jusqu'à ce qu'elle touche celle de Liz. Rampant à demi, en traînant les pieds sur le tapis, j'allai poser ma tête sur ses genoux.

« Je pense que ça fait trop longtemps que vous vous occupez de tout le monde, Bea, si bien que vous avez oublié comment prendre soin de vous-même. »

Je pressai mes paupières contre les motifs joyeux de sa couverture. J'avais tué un bébé. Je ne méritais pas qu'on prenne soin de moi. Quand la douleur s'en irait-elle ? Quand ce vide se comblerait-il ? La première grosse larme tomba dans le creux entre le coin de mon œil et l'arête de mon nez. Liz ne dit pas un mot. Elle me caressa les cheveux, doucement, en un geste réconfortant, et je pleurai.

Plus tard, à bout de forces, je m'aventurai dans le jardin pour ramasser de la menthe fraîche que je fis infuser dans du thé vert. Nous étions en train de le boire quand nous entendîmes la voiture. Mon cœur reprit brusquement vie. Mes enfants ! Je ne pouvais pas leur faire face tout de suite.

« Vous n'êtes pas obligée de les voir maintenant, me dit Liz. Je peux très bien leur dire que vous êtes allée vous coucher. Les petites ne sont au courant de rien de toute façon.

— Et le feu ? soulignai-je. Non, il faudra bien que je les affronte à un moment ou à un autre. Autant que ce soit maintenant, vous ne pensez pas ?

— C'est effectivement mon avis. Mais je comprendrais que vous ne vous sentiez pas prête.

— Ce ne serait pas juste vis-à-vis d'elles.

— Bea, j'ai appris il y a longtemps, à mon détriment, que faire passer sa famille en premier, les autres en premier, en dépit de la souffrance que l'on éprouve, n'est pas toujours la chose la plus saine à faire. »

Je n'étais pas sûre de comprendre. J'entendais leurs voix maintenant. Des portières claquer. Des éclats de rire.

« Il faut du temps pour guérir convenablement. Les rafistolages, ça ne suffit pas.

— Guérir ?

— De ce qui a causé tout ça.

— Seriez-vous une sorcière ? » demandai-je.

Liz sourit.

« Non. Juste une femme. Qui a besoin d'une baguette magique quand on a l'intuition ? Et Bea, s'il vous plaît, essayez de vous souvenir que Tessa n'y est pas pour grand-chose.

— Une mère protégeant son enfant ? dis-je d'un ton de regret.

— N'est-ce pas ce que nous sommes censées faire ? »

Je retournai m'asseoir sur le canapé et pris un livre pour me donner une contenance. Les mots dansaient sur la page. J'étais trop anxieuse pour aller au-devant d'elles.

Dès qu'elles me virent dans le salon, Maddy et Lulu accoururent. Amber s'attarda sur le seuil. Tessa jeta un coup d'œil dans notre direction, puis sur les braises dans la cheminée avant de disparaître dans la cuisine.

« Maman ! »

Je me levai et les serrai contre moi.

« Ça va mieux ?

— Tu n'as plus mal à la tête ?

— Au ventre, corrigea Lulu. Elle a vomi. Comme moi après l'anniversaire de Dan quand j'avais mangé toute la tête de Bob.

— Le gâteau de Bob le constructeur, expliquai-je à Liz. Ça fait des années, Lulu. Comment te souviens-tu de ces choses-là ?

— Je me souviens de tout, me rétorqua-t-elle, ce qui me fit un peu peur.

— Bonjour, Lizzie, dit Maddy. Je peux m'asseoir sur tes genoux ?

— Bien sûr.

— Comment vont tes globes oculaires ?

— Maddy ! » m'exclamai-je.

Liz leva une main.

« Ils continuent à faire des bêtises, répondit-elle.

— Je peux voir !

— Maddy ! protestai-je de nouveau.

— Ne vous inquiétez pas, Bea. D'après Maddy, je ressemble au drôle de pirate dans *Le Pirate des Caraïbes*. »

Ma fille de huit ans se tourna vers moi.

« Il a un œil en bois qui n'arrête pas de sortir. On va jouer à ça demain. Je ferai le rôle d'Elizabeth, précisa-t-elle en prenant les joues de Liz entre ses petites mains pour guigner sous les lunettes.

— C'est moi qui serai Elizabeth Swan », protesta Lulu.

Maddy bougeait la tête en essayant de suivre un des yeux vagabonds de Liz. Je trouvai cette vision pour le moins troublante, mais Maddy pouffa de rire, ce qui fit sourire Liz. Je détournai le regard.

« Et toi, Amber ? Tu serais parfaite dans le rôle du capitaine Jack Sparrow. »

Elle ne répondit pas. Je me retournai vers le seuil. Elle avait disparu.

Je parvins à préparer un souper pour les enfants. Tessa monta tenir compagnie à sa mère pendant que nous mangions dans la cuisine. En allant donner un bain aux filles, je la vis sortir d'une chambre. Elle m'aperçut et battit en retraite dans la pièce le temps que nous passions.

Je me demandai si Jimmy allait revenir. Si elle lui avait tout raconté. Je me posais une foule de questions pendant que je couchais les filles.

Tessa n'était pas la seule à m'éviter. Amber semblait s'être volatilisée elle aussi. Depuis la fenêtre de la salle de bains, je la vis sur un siège de jardin en train de parler au téléphone. Je me demandais si j'étais aussi au cœur de ses bavardages. Les ados de quatorze ans adorent les mélodrames. Mais ce n'était pas gentil de dire ça. Si vraiment Amber m'avait crue morte, comme Tessa me l'avait affirmé, je veux dire vraiment morte, pas seulement avide d'attirer l'attention, elle n'irait pas le crier sur les toits.

Un peu plus tard, une fois les deux plus jeunes endormies, je trouvai mon aînée en train d'attiser le feu. Je lui tendis une bûche et du petit bois pour ranimer les flammes. Je mourais d'envie de boire un verre, juste pour me calmer les nerfs, mais il n'y en avait plus dans la maison, et pas moyen de s'en procurer, à moins de voler une voiture. C'était aussi bien. La tentation d'oblitérer les pensées qui tourbillonnaient dans ma tête était énorme. J'avais même ouvert le réfrigérateur à plusieurs reprises, en quête de quelque chose à engloutir, mais j'avais réussi à le refermer chaque fois les mains vides. J'ignorais combien de temps je résisterais.

Quand le feu ronronna paisiblement, je servis le thé à la menthe et en tendis une tasse à Amber.

« Je te dois des excuses », dis-je.

Elle continuait à s'occuper du feu en me tournant le dos. Elle jeta un coup d'œil par-dessus son épaule, m'enveloppant de son regard noisette, me jaugeant. Ce n'était pas la première fois que je lui demandais pardon, mais jusqu'à présent, je n'avais jamais su exactement pourquoi je le faisais. Un mois plus tôt, en descendant dans la cuisine, je l'avais trouvée en train de frotter des traces de vin rouge sur les murs. J'ignorais comment ça avait pu se produire, mais je savais qu'elle n'était pas responsable. Je lui avais raconté que j'avais glissé et que j'étais trop fatiguée pour nettoyer. Comme je ne me souvenais pas de ce qui s'était passé, je m'étais dit que ce n'était pas tout à fait un mensonge. Je m'étais excusée d'avoir laissé des saletés, pas de les avoir provoquées. Elle m'avait gratifiée d'un petit sourire que j'avais choisi de considérer comme une acceptation. Ignorais-je donc les problèmes inextricables provoqués par les non-dits ? J'avais passé ma vie à avoir des conversations avec ma mère. Mais seulement dans ma tête.

« De vraies excuses, dis-je. Je suis désolée que tu m'aies trouvée dans cet état. Je suis désolée pour toutes les autres fois aussi. Je t'ai dit des choses que je ne pensais pas. »

Tisonne, tisonne, tisonne. Elle aurait voulu me faciliter les choses, mais elle ne savait pas comment s'y prendre. Il n'y avait pas de moyen facile de sortir de là.

« J'ai fait peser de lourdes responsabilités sur tes épaules. Je vais faire mon possible pour que ça cesse. »

Amber remit le tison sur son crochet. Elle se détourna du feu et serra ses genoux contre sa poitrine.

« Que savent les petites ? demandai-je.

— Je leur ai dit que tu avais attrapé un microbe.

— Autre chose ? »

Elle posa sa joue sur ses genoux.

« Je leur ai interdit de parler du mariage ou de Tessa parce que ça te faisait de la peine.

— C'est l'impression que cela devait donner, je suppose.

— Ce n'était pas ça ?

— Oui et non. Ton père et moi nous sommes séparés parce que son travail l'accaparait et que j'avais l'impression de m'occuper de tout toute seule. Nous ne faisions pas équipe. Pour m'en sortir, j'ai commencé à vivre, à penser, à agir comme si j'étais effectivement toute seule, et je présume que ce n'était pas la solution non plus. Ton père a changé. Il est merveilleux avec vous trois, et vous le voyez souvent. Il est très affectueux et nous aime tous. J'imagine… oh, je ne sais pas, Amber, c'est complexe…

— Je ne comprends pas, maman. »

Comment aurait-elle pu comprendre ? Elle n'avait que quatorze ans.

« Je crois que j'aurais aimé qu'il soit un peu plus comme ça avant. Pour moi. »

Amber garda le silence un moment. Puis elle reprit la parole.

« Le papa de Keira est mort en tombant dans l'escalier. Il s'est tapé la tête contre un radiateur et ne s'est jamais réveillé. »

Seigneur ! J'avais complètement oublié cette histoire. C'était arrivé il y avait un bout de temps. Il était alcoolique. Il buvait depuis des années. Il sentait l'alcool à plein nez.

« J'avais peur que… »

Sa voix s'étrangla.

Je me levai du canapé et m'assis par terre.

« Je te demande pardon, Amber. Ça n'arrivera plus, plus jamais. Je me ferai aider s'il le faut. »

Je la pris dans mes bras et elle pleura longtemps. Elle avait été courageuse longtemps.

Quand le feu eut fini de se consumer, nous allâmes dans la cuisine réchauffer la soupe que Tessa avait laissée pour moi. Amber me parla du studio d'enregistrement et je fis de mon mieux pour réprimer la bile qui m'envahit l'estomac. Elle m'expliqua aussi qu'elle avait commencé à avoir ses règles, ce qui me fit pleurer. Pendant toutes ces années, je m'étais efforcée d'être le genre de maman à qui un enfant pouvait tout dire, pour échouer au final. Amber l'avait dit à Tessa plutôt qu'à moi. Ça faisait un mal de chien et j'en haïssais Tessa d'autant plus.

« Il y a encore une chose dont il faut qu'on parle, maman.

— Tout ce que tu veux.

— J'ai dit à papa que c'était Caspar qui avait déchiré ma robe. Je ne sais pas pourquoi. J'avais peur et…

— Ce n'est pas grave.

— Papa le déteste maintenant. Alors j'ai vu Caspar en cachette. J'essayais juste…

— De me protéger, je sais. Je suis navrée. Amber, je ne me rappelle pas ce qui s'est passé. Peux-tu me le dire ? »

Amber secoua la tête.

« S'il te plaît ?

— … Je suis revenue à la maison pour chercher les paroles de la chanson pour papa. Je ne l'ai dit à personne parce que c'était une surprise. Tu étais… » Elle ferma les yeux « … accoudée à la table de la cuisine. Tu avais pleuré, je crois. J'ai essayé de t'embrasser et… »

Son menton tremblait.

« J'ai déchiré ta robe. »

Elle hocha la tête.

« Pourquoi ? »

Elle haussa les épaules.

« Qu'as-tu fait ensuite ?

— J'ai pris la fuite. Je n'ai pas fait la chanson. Je me suis planquée dans l'escalier de la sortie de secours, j'ai bu une bouteille de champagne et je me suis sentie vraiment, vraiment mal après. Caspar m'a fourré ses doigts dans la gorge pour me faire vomir, de peur que l'alcool ne m'empoisonne. J'ai été horrible avec lui, maman. »

436

Je l'attirai contre moi.

« Je vais me faire aider. Je ferai tout ce qu'il faut. Tu n'y es pour rien, rien de tout cela n'est ta faute. »

Elle déglutit.

« Est-ce Tessa la responsable ? »

Je lui déposai un baiser sur la tête.

« Non, mon cœur. La responsable, c'est moi. Et je vais régler le problème. »

Il n'était que neuf heures du soir, mais Amber n'en pouvait plus. Moi non plus. Nous lavâmes nos bols avant de monter. Nous ne parlâmes pas du lendemain. À chaque jour suffit sa peine. Je découvris qu'elle dormait dans la chambre de Tessa, mais que cette dernière avait disparu de la circulation. Je me brossai les dents et retournai dans mon lit tout mou, les yeux brûlants de larmes et de fatigue. Je priai pour que le sommeil vienne, mais il ne vint pas. Un petit verre m'aurait aidée. Juste un.

16

Cessez-le-feu

Personne n'aurait l'idée de vider tout le stock d'alcool d'une maison dans l'évier tout de même. M. King appréciait sûrement un petit verre de quelque chose de temps à autre, même si Mme King était au régime sec. La modération, c'était la clé. Juste un verre pour mettre fin à ces fichus tremblements.

J'entrouvris la porte de ma chambre et tendis l'oreille. La maison gémissait sous le poids du sommeil. Enhardie par le besoin, je descendis rapidement les marches en faisant de mon mieux pour qu'elles ne craquent pas, et me glissai dans la cuisine. Le placard où j'avais pris la bouteille de Teacher's était vide. Des cercles collants marquaient l'emplacement des bouteilles. L'un d'eux était de la couleur du Night Nurse. Elles n'avaient pas eu à cacher la crème de menthe. Je n'en étais pas là !

Une fouille rapide dans les placards voisins ne donna rien. Mais il y avait une réserve que je n'avais pas encore explorée. Une unique ampoule de 40 watts pendait du plafond en biais. Je tirai sur le cordon.

Des confitures et des chutneys maison affichaient fièrement leur poitrail sur l'étagère du haut. Prunes 05. Myrtilles 06. Reines-claudes 05. Chutney à la pomme et au cidre 06. Je pris un pot de confiture à la myrtille et fis tourner le verre glacé entre mes mains moites. Je distinguai les baies rondes, cueillies, bouillies et mises en bocal avec soin, attendant d'être déposées sur du pain chaud beurré. Je pressai le bocal contre mon front. J'avais envie de cette vie douce, préservée, de thés au coin du feu, et non d'une existence où je me baladais en tapinois la nuit à la recherche de bouteilles planquées, redoutant l'engrenage du premier verre, trop faible pour ne pas commencer.

Va te coucher, Bea, me dis-je. *Va te coucher. N'attends pas demain pour commencer.* Commence maintenant. Je m'apprêtais à éteindre quand je *la* vis parmi des rouleaux de papier de toilette. Je tendis le bras et m'en saisis. De l'amontillado.

J'étais en train de dévisser le bouchon quand la voix de Tessa me parvint du couloir. Je tirai sur le cordon, fermai la porte derrière moi et me laissai tomber à terre en serrant mon butin dans mes bras.

« … Attends. Je ne veux réveiller personne. »

J'entendis la porte de la cuisine se fermer et un rai de lumière s'infiltra sous la porte.

« Où étais-tu passé ? »

Pendant que son interlocuteur que je supposais être Jimmy répondait, Tessa ouvrit la porte du réfrigérateur. D'après le *glou-glou* qui suivit, j'imaginai qu'elle en extirpait le bidon de lait de deux litres et le posait sur le comptoir de la cuisine.

« Écoute, j'ai appelé ton foutu hôtel et je leur ai dit… Oui, c'était vraiment urgent… C'était le début de la soirée pour toi – où étais-tu ?… Comment ça *sorti* ? » Et puis brusquement Tessa, qui avait manifestement refoulé ses émotions jusque-là, éclata en sanglots. « Oh, James, maman a perdu la vue. Le médecin m'a prise à l'écart et il m'a dit qu'il n'y avait pas beaucoup d'espoir. »

Je faillis me trahir en geignant bruyamment à cette nouvelle, mais Tessa était dans tous ses états et n'aurait probablement rien remarqué. « Même papa et Peter ont eu mon message alors qu'ils sont au milieu de nulle part… » Je l'entendis arracher une feuille d'essuie-tout. « Elles sont ici… Toutes les trois, oui… Je n'avais pas vraiment le choix, figure-toi… » Elle se moucha. « Oui. Couchée à plat ventre par terre dans la cuisine dans une mare de vomi… Elle a eu de la chance de ne pas s'étouffer… Tu n'as pas écouté mes messages ?… Bourré, tu veux dire ! Génial. Vous faites bien la paire !… Je ne veux pas le savoir… »

J'entendis Tessa verser du lait dans une casserole puis le sifflement du gaz.

« Peu importe. Ça m'est égal. Quel avion peux-tu prendre ? »

J'entendis plusieurs placards s'ouvrir, se refermer. Je me mis à prier en essayant désespérément de me souvenir si j'avais vu du chocolat en poudre sur les étagères au-dessus de moi. « Comment ça, *tu ne peux pas* ? » La porte d'un placard claqua. « James, ton ex-femme est

440

alcoolique. Ça fait des semaines qu'Amber la couvre. Elle ne sait plus quoi faire. Bea a besoin d'aide manifestement. Il faut que je m'occupe de maman. Je n'ose même pas penser à mon boulot. Je ne peux pas faire ça, James... J'ai besoin de toi... Non. Ce sont les vacances de Pâques, tu te souviens... Non. Il n'est pas question que je les renvoie chez elle... Non ! James, tu ne m'écoutes pas. Ce n'est pas arrivé qu'une fois... Je le sais parce que Amber me l'a dit. Oh, James, je ne voulais pas t'en parler avant que tu reviennes. Je suis vraiment désolée, mais le soir de nos fiançailles, Amber est rentrée chez elle et elle a trouvé Bea ivre. S'il te plaît, James, il faut que tu m'écoutes jusqu'au bout. Elle était ivre et agressive. Bea a dit à Amber que seule une pute se mettrait sur son trente et un comme ça pour son père et elle a essayé de lui arracher la robe qu'elle portait. Amber t'a menti à propos de Caspar parce qu'elle ne voulait pas que Bea... »

La porte de la réserve s'ouvrit brusquement. Tessa fit un bond. « Merde ! » Lâcha le téléphone. Je levai les yeux vers elle et brandis les mains en signe de capitulation. Elle regarda tour à tour la confiture et le sherry, puis se pencha pour récupérer le téléphone.

« Je te rappelle », dit-elle, puis elle fronça les sourcils. « Non, James, je ne vais pas te dire ce qu'il faut faire. Débrouille-toi tout seul pour une fois. » Elle abaissa le téléphone et je crus, l'espace d'un instant, qu'elle allait me donner un coup sur la tête avec. Mais à la place, les yeux brillants de larmes retenues, elle me tendit la main. Je lui passai la confiture. Un rire infime s'échappa de sa gorge, mais elle prit le bocal et le mit de côté. Je ne bougeai plus. Elle non plus, pendant un moment. Je la vis essuyer les larmes qu'elle voulait me cacher, puis elle me tourna le dos. Elle tendit de nouveau la main. Je lui passai la bouteille de sherry à contrecœur. Puis, à mon grand étonnement, elle tendit la main une troisième fois. Pour moi. Elle tremblait légèrement.

« Vous allez choper des hémorroïdes à rester assise comme ça par terre, dit-elle.

— C'est déjà fait », répondis-je.

Sa main ressemblait à celle de sa mère. Je la pris. Elle me saisit l'avant-bras de l'autre et m'aida à me relever. En me dressant, j'aperçus la boîte de chocolat en poudre. Je la récupérai sur l'étagère.

« C'est ça que vous cherchiez.

— Ce serait peut-être mieux que du sherry, dit-elle.

— Peu importe.

— Je sais. »

L'avantage de se faire prendre la main dans le sac, c'est qu'on n'a pas besoin de se fatiguer à raconter des bobards. Je sortis de la réserve. L'éclairage de la cuisine était digne de la Gestapo.

Tessa retourna auprès du fourneau. Elle rajouta du lait dans la casserole. Une vieille casserole en métal toute défoncée avec un manche en bois tordu. Je jetai un coup d'œil à la pendule. Il était deux heures du matin passées et j'étais parfaitement réveillée.

« Est-ce vrai ce que vous avez raconté à Jimmy ou bien lui avez-vous juste dit ça pour le convaincre de revenir ? »

Elle jeta un coup d'œil par-dessus son épaule.

« Je n'aurais jamais dit des...

— Alors c'est vrai ? la coupai-je. Je l'ai traitée de putain ?

— Oui, c'est vrai. Je suis désolée. Vous n'auriez pas dû l'apprendre par moi. »

Je tirai une chaise en bois et m'assis dessus lourdement.

« Elle ne m'en a pas parlé », murmurai-je, pour moi-même essentiellement.

Tessa ne répondit pas. Ce n'était pas une chose facile à dire à sa mère. Évidemment qu'elle ne m'en avait pas parlé. Je savais ce que c'était d'avoir une mère à qui on ne pouvait pas faire confiance. Je me demandais toujours ce qui allait sortir de la bouche de la mienne. Pas parce qu'elle était ivre. Ni blessante. Jamais. C'était juste effroyablement embarrassant. Mais ce que j'avais fait à Amber était bien pire.

Pendant quelques instants, je n'entendis plus que le sifflement du gaz, le raclement de la cuillère en bois contre l'aluminium, le tic-tac de la pendule et le hululement occasionnel d'une chouette à l'affût. J'observai Tessa, l'ourlet de sa chemise de nuit tremblait. Avait-elle froid ou peur ? J'entendis la voix de Lizzie King dans ma tête. De quoi Tessa était-elle responsable au fond, dans tout ça ?

« James ne va-t-il pas revenir ? demandai-je.

— J'ai peine à croire qu'il ait fallu que je le lui demande », me répondit-elle. Elle resta là debout, le dos tourné. « Ne pourrait-il pas tout simplement... » Elle s'interrompit. Je n'étais pas sa confidente désignée.

Cela dit, n'étais-je pas la mieux placée ? Elle devait avoir un million de questions à me poser. Ça serait mon cas. C'était mon cas.

« Il se défile ? » suggérai-je.

Elle se retourna.

« Ça fait un peu bizarre de vous parler de ces choses-là.

— Je suis la personne indiquée, si vous réfléchissez.

— Peter et mon père ont remis leurs asticots dans leur boîte dès qu'ils ont eu mon message, soulignat-elle. Papa, ça se comprend, mais Peter ? Il aurait pu rester, mais il ne voulait pas en entendre parler. Vous comptez trop pour lui, les filles et vous. En revanche, James, *leur père*… » Elle se frotta les yeux. C'était sa deuxième nuit sans sommeil et je voyais bien que l'adrénaline faiblissait. Elle se détourna de nouveau avant que je ne puisse voir ses larmes.

« Asseyez-vous, dis-je. Je vais m'occuper du chocolat. »

Je voyais bien que cette idée lui répugnait. J'aurais aimé croire que c'était parce que cela lui faisait plaisir de me traiter de haut, moi l'immonde alcoolique, la minable, mais ce n'était pas ça. La situation était délicate, elle était aussi mal à l'aise que moi. C'était bizarrement tentant en même temps. J'approchai une chaise. Ses jambes la trahirent ; elle s'y laissa tomber. Je déposai des cuillerées de poudre de cacao dans les tasses et regardai le lait frémir sous sa peau. J'entendais le cerveau de Tessa vrombir, aussi décidai-je de mettre fin à sa souffrance. « Je comptais juste en boire un, dis-je. Je n'arrivais pas à dormir. » Elle me regarda longuement. Nous étions arrivées à un carrefour important. L'honnêteté face à l'imagination. Je me félicite que nous ayons choisi l'honnêteté en fin de compte – ou que Tessa l'ait fait, en tout cas.

« Je ne pense pas que ce soit vrai. C'est ce que vous vous dites, mais ce n'est pas vrai. »

Je remuai le chocolat.

« Ce n'est pas aussi grave qu'il y paraît.

— Ça semble assez terrible pourtant. Le problème, c'est que vous n'arrivez pas à vous souvenir de ces moments-là. Ou que vous choisissez de ne pas vous rappeler. Je n'arrive pas à le déterminer. »

Une amnésie sélective, peut-être ? Maintenant qu'on m'avait parlé du soir des fiançailles, des flashs éprouvants ressurgissaient dans mon esprit. J'étais incapable de me souvenir précisément de ce que j'avais dit, mais il y avait un écho suffisamment fort pour me faire honte. Je sentais encore le goût de cette colère irrationnelle. L'ennui, c'est que je ne l'avais pas trouvée irrationnelle sur le moment. Elle m'avait semblé justifiée, justifiable. Mais ce n'est pas justifiable de terroriser ses enfants ainsi. Sous aucun prétexte. La culpabilité me serrait les entrailles comme une gaine. Je comprenais tout à coup le sens de « cercle vicieux ». La culpabilité, la honte me donnaient soif.

« Je ne suis pas alcoolique, décrétai-je d'un ton plein de défi.

— Vous ne donnez pas vraiment l'impression de faire de la boisson un usage strictement récréatif.

— Allons, les alcooliques dorment dans les parcs, ils boivent de la bière à huit heures du matin et se font pipi dessus », répliquai-je en me forçant à rire.

Tessa n'était pas d'humeur à rire. Je vis qu'une fois de plus elle faisait de son mieux pour retenir ses larmes.

« Je ne suis pas James. N'attendez pas de moi que je sois votre complice. »

Entendu !

« J'ai consulté Internet, reprit-elle. Le problème n'est pas de boire un verre. C'est de ne pas arriver à s'arrêter. Et vous n'arrivez pas à vous arrêter. Il y a un million de témoignages de buveurs qui s'imaginaient que parce qu'ils vivaient dans une jolie maison, qu'ils avaient un travail stable, ils n'étaient pas à proprement parler des alcooliques. Mais ce sont des conneries. Des alcooliques qui fonctionnent, c'est le pire oxymoron qu'on puisse imaginer.

— Je fonctionne.

— Peut-être, mais le reste d'entre nous ne s'en sort pas si bien.

— Vous m'estimez responsable des problèmes que vous avez avec Amber ?

— On ne peut pas dire que vous lui ayez facilité les choses.

— Jimmy et Amber ont toujours été très proches. Vous auriez eu du mal avec ou sans… » Moi, une alcoolique ? En étais-je vraiment une ? Ça ne faisait que quelques semaines. Quelques mois peut-être. Depuis… Je posai une tasse de chocolat chaud devant Tessa. Depuis qu'il y avait eu cette… *petite bête qui monte, qui monte.*

446

« J'essayais juste de perdre du poids », dis-je en m'asseyant à côté d'elle.

Tessa souffla une petite tempête au-dessus de sa tasse.

« Drôle de régime !

— Je vous le concède, mais j'ai perdu douze kilos, alors ça ne doit pas fonctionner si mal que ça.

— Sauf votre foie, répliqua-t-elle. Et je suis sûre que vos enfants vous préféreraient consciente avec de l'embonpoint.

— Et moi, ce que je préfère, est-ce que ça compte ? »

Tessa m'observa un long moment avant de répondre.

« Je ne sais pas. Vous avez des enfants. Alors probablement pas. Bon sang, on n'a jamais dit que c'était facile. Pas plus que d'être célibataire et d'approcher de la quarantaine sans avoir d'enfants. Vous pensez que c'est ce dont je rêvais sur le plan sentimental ? De me retrouver assise là avec l'ex-femme de mon fiancé au milieu de la nuit en train de boire un cacao ?

— C'est du bon chocolat au moins, dis-je en buvant une gorgée.

— Les petits bonheurs de la vie. »

Nous échangeâmes un rapide sourire, puis restâmes assises en silence. Je savourai l'épais goût sucré dans ma bouche. L'horloge sonna trois heures.

« Pendant la Première Guerre mondiale, les troupes au front ont proclamé un mini-armistice le jour de Noël et sont sorties de leurs tranchées respectives pour disputer un match de football opposant les Allemands et les Britanniques.

— Qui a gagné ? demanda Tessa.

— Je l'ignore. Ni les uns ni les autres, je suppose. Dès le lendemain, ils recommençaient à s'entre-tuer. »

Elle me dévisagea pendant ce qui me parut une éternité, puis se remit à boire à petites gorgées.

Une ou deux minutes plus tard, elle s'approcha de la desserte, prit deux pommes dans une coupe, puis elle chercha un couteau et une planche à découper et entreprit de les découper en tranches. Elle se rassit en face de moi et m'en tendit un morceau.

« Merci, dis-je en le prenant.

— Puis-je vous poser une question ? »

J'imaginai un gros ballon plein de boue dans ses mains. Je hochai la tête, et le coup de sifflet retentit !

« Pourquoi avez-vous eu une liaison ? »

La balle me dépassa.

« Comment ?

— James me l'a dit. »

Jimmy t'a dit ce qu'il pensait savoir. Ce n'est pas la même chose.

« Je n'ai pas eu de liaison », dis-je.

Tessa leva un unique sourcil. Je soutins son regard. Je suis peut-être des tas de choses, mais pas une menteuse. Enfin, pas à ce sujet en tout cas.

« Je n'ai pas eu de liaison », déclarai-je une fois de plus, pour que ce soit bien clair.

Je devais avoir des accents de sincérité dans la voix parce qu'elle hésita. Je me demandais ce que Jimmy lui avait raconté précisément, dans quelle mesure il s'était ouvert à elle.

« Pourquoi m'aurait-il dit ça ?

— C'est compliqué, répondis-je.

— Je sais. » Elle marqua une nouvelle pause, et je sus qu'elle avait percé à jour mon noir secret.

« James m'a parlé de Sophie Guest », dit-elle.

Je me mordis violemment la lèvre. Sophie Guest. Quelle jolie manière de parler d'un avortement. Pourquoi n'avais-je pas écrit « Minnie Mouse », comme tous les gens qui se débarrassent en catimini des choses qui les gênent ? Sophie Guest était bien réelle. C'était moi. L'autre moi. Celle qui était capable de se soumettre à une telle chose sans se soucier des conséquences. Pour me laisser les affronter seule quelques semaines plus tard. Toujours seule.

« Vous a-t-il dit pourquoi ?

— Vous êtes tombée enceinte. L'enfant n'était pas de lui. »

C'était la franchise des King que j'appréciais tant. De nombreuses réponses me vinrent à l'esprit. Je n'étais pas capable d'en articuler une seule.

« Vous ne vous êtes jamais fait avorter, je présume ? »

Tessa secoua la tête.

« Eh bien, tant mieux pour vous, mais prenez garde de ne pas juger trop sévèrement avant de savoir ce que vous jugez. »

Tessa parut accepter cette remontrance sans rechigner.

« Désolée », dit-elle.

Je poussai un soupir audible.

« C'est dur de parler de ça », dis-je. « Dur » n'était pas le mot. « Torture » conviendrait mieux. J'aurais préféré avaler sept gâteaux Battenburg en entier plutôt que de formuler ce que j'avais fait.

« Une stupide aventure d'un soir ? demanda Tessa aussi gentiment que possible.

— Si seulement », répondis-je sans pouvoir me retenir.

L'attitude de Tessa changea du tout au tout. Elle eut un mouvement de recul.

« Seigneur, Bea, ne me dites pas qu'on vous a… » Elle avala sa salive « … violée ?

— Non. Bien que je regrette de ne pas avoir pensé à ça. Il serait peut-être arrivé à me pardonner dans ce cas.

— Qui ça ?

— Jimmy.

— Vous pardonner quoi ?

— D'avoir tué son fils avant qu'il soit né. »

Tessa ouvrit grands les yeux.

Voilà. Je l'avais dit.

« Le bébé était de lui. Évidemment. Je n'ai jamais couché avec personne d'autre. » Je marquai une pause. « Personne.

— Je ne comprends pas. James m'a dit…

— Il n'a pas voulu m'écouter. Il fait ça quand on essaie de lui dire quelque chose qu'il ne veut pas entendre. » Elle hocha la tête. « C'était plus facile pour lui de penser que j'avais couché avec quelqu'un d'autre et que je m'étais débarrassée du bébé plutôt que d'accepter la vérité. Il ne pouvait pas admettre que j'avais fait ce que je disais. Il a soutenu que je cachais quelque infidélité, alors à la fin, c'était plus facile pour moi de lui dire ce qu'il voulait entendre. Et de garder la vérité pour moi. »

Tessa attendait. Bouche bée. La vérité, voilà ce qu'elle voulait. La foutue vérité !

« Je vous dirais ce qui s'est passé si j'étais à même de comprendre. Mais ce n'est pas le cas. Alors soyez indulgente. Il y a longtemps que je n'ai pas parlé de tout ça. » Je regardai fixement le fond de ma tasse vide. « Qu'est-ce que je raconte ? Je n'en ai jamais parlé… »

« J'étais enceinte de Maddy quelques semaines après la naissance de Lulu. Nous étions tellement heureux que Lulu s'en soit tirée, après tous ceux que nous avions perdus, d'autant plus que sa naissance n'avait rien du carnage que cela avait été dans le cas d'Amber. Notre amour ne connaissait pas de limites. Mamelons dégoulinants, ventre mou, cheveux sales, les derniers vestiges de l'après-naissance tachant mes pantalons, rien de tout cela n'avait d'importance aux yeux de mon mari. Il m'aimait, peu lui importait que je sois en piteux état, et il avait bien l'intention de le montrer.

« On avait connu des parties de jambes en l'air plus exaltantes, mais ce furent celles qui comptèrent le plus, bizarrement. Mes règles n'étaient pas revenues, mais cela me paraissait normal. J'allaitais. Je n'étais pas censée tomber enceinte. Foutaises ! Ce ne sont que des histoires de bonne femme, trop ancrées dans les esprits. J'étais trop au bout du rouleau pour être fatiguée. Trop grosse pour prendre du poids. Trop amoureuse pour m'en soucier. Hémorroïdes, varices et hernie ne tardèrent pas à me tomber dessus. Je paniquai à la pensée de l'état de décrépitude dans lequel j'étais en train de sombrer, mais tout le monde me rassurait. Tu vas avoir un troisième bébé. Ne t'inquiète pas. À quoi t'attendais-tu ?

« Amber commença la grande école, Lulu se mit à marcher à quatre pattes et je mangeai pour survivre aux jours et aux nuits. Les kilos s'accumulèrent. Au bout de la douzième semaine de grossesse, j'en avais déjà pris douze en plus de ceux que je n'avais pas perdus après la naissance de Lulu. En dépit de ses clameurs triomphales des premiers jours, Jimmy s'éclipsait de plus en plus. J'étais bouffie, mal à l'aise, en surpoids, et les trois derniers mois, je traînais littéralement les pieds. Je suppliai les médecins de provoquer l'accouchement à trente-huit semaines, mais ils refusèrent. La seule complication à la naissance de Maddy fut la mine dépitée de Jimmy quand on lui annonça que c'était une fille. Il le nia, mais cela ne m'avait pas échappé. Quand il était à la maison, il réservait toute son attention à Amber. Elle exigeait ça de lui, et comme je n'étais pas disposée à taper du pied et à pester, elle l'emportait. Lulu ne marchait pas encore quand Maddy vit le jour, et les longues nuits interrompues commencèrent avant même d'avoir pris fin. Mais ce n'était pas tant Maddy qu'Amber qui me privait de sommeil.

« Elle mit plus de temps que je n'avais prévu à s'adapter à la grande école. Ses nuits étaient agitées, anxieuses, peuplées de rêves. Elle avait six ans, mais Jimmy la laissait dormir dans notre lit pendant que je m'endormais en allaitant Maddy dans sa chambre. Quand elle apparaissait alors que j'étais dans notre lit, je la ramenais dans le sien. Elle appelait son père à grands cris, mais Jimmy, à l'époque souffre-douleur d'un agent artistique diabolique, était de moins en moins présent. Au milieu de la nuit, Amber se mettait à me détester et je le lui rendais bien. Elle n'avait pas une très haute opinion de ses nouvelles sœurs non plus, et je partageais parfois son point de vue. Maddy ne faisait guère de bruit, mais c'était un bébé glouton, toujours affamé. Pendant près d'un an, je ne dormis guère plus de quelques heures d'affilée. J'allaitais Maddy. Lulu faisait ses dents, et j'avais le sentiment qu'Amber prenait plaisir à m'enfoncer un peu plus. Pourquoi ces choses-là sont-elles importantes ? Parce que, lorsque j'y repense, je me rends compte que je plantais les germes d'une folie restée à l'état latent jusqu'à ce que les hormones maternelles les réveillent à la faveur d'une quatrième grossesse.

« Maddy avait un an quand je me suis rendu compte que je reprenais des rondeurs suspectes. J'étais redevenue moi-même après la naissance d'Amber, mais je n'avais pas eu la possibilité de retrouver la ligne après Lulu. Quand Maddy arriva, j'avais trente kilos de trop. Mes vêtements ne m'allaient plus. Partout autour de moi, je voyais des mères qui se baladaient en jean serré et en jupe courte avec leur bébé en kangourou. Alors que moi, j'avais tout de la vieille rombière.

« J'ai tout essayé. La soupe aux choux, le régime raisins, le régime pamplemousse, la méthode Atkins, l'autre qui n'est pas Atkins avec un long nom et qui coûte une fortune. Je tenais le coup pendant quelques

453

jours, quatre, cinq tout au plus, et puis il se passait quelque chose. Amber piquait une crise, Maddy était malade, Lulu était de retour aux urgences avec une nouvelle bosse difficile à expliquer. Et Jimmy était obligé de partir de nouveau juste au moment où on commençait à se retrouver, et je me jetais sur la bouffe. Je n'avais pas conscience que c'était une compensation, parce que j'avais toujours un prétexte. Les restes des enfants étaient mon pire ennemi. Ainsi débuta une longue année de régime Yo-Yo.

« En dernier recours, je m'inscrivis secrètement à WeightWatchers. Maddy commença la maternelle ; j'avais le temps d'aller à la gym. Je ne peux pas vous dire ce qu'il a fallu pour bouger tout ce poids, mais finalement j'avais entamé un programme stable. Je me reconnaissais vaguement en me regardant dans la glace. Ce n'était pas juste le poids, c'était moi. J'étais sur le chemin du retour. Je m'étais toujours bien aimée. Cela faisait plaisir de me revoir.

« Jimmy avait dit qu'il était prêt à subir une vasectomie. Et puis il s'est dégonflé. J'étais furieuse. Après tout ce que j'avais enduré, les fausses couches, les grossesses interminables, le statut officieux de parent isolé à tous égards, il n'était même pas capable de faire cette chose toute simple pour moi. À mes yeux, cela cristallisait tout ce qui n'allait pas dans notre relation. J'avais tout fait pour lui apporter cette précieuse famille pendant qu'il faisait ce que bon lui semblait. J'attendais avec impatience qu'il revienne, mais lorsqu'il était là, l'atmosphère était plus tendue que jamais. Chacun voulait l'accaparer. Il passait un minimum de

temps avec les petites, ce qui les rendait particulièrement pleurnichardes. Il se tournait vers moi, l'air de
dire : "Qu'est-ce qui ne va pas chez elles ?" Ça m'aurait
fait moins mal de le surprendre en train de sauter la
voisine sur la table de la cuisine. Comme d'habitude,
Amber avait droit à un traitement de faveur, mais ce
n'était qu'un colmatage par rapport à ce qu'elle avait
connu, alors elle se vengeait sur moi. Pour ma part, je
n'avais que les miettes, et je ne donnais rien à Jimmy
en retour.

« Je ne m'étais pas aperçue que je n'avais pas eu
mes règles parce que j'avais une vie frénétique et que
le temps passait à toute vitesse. Et puis j'ai commencé à
me sentir patraque. Je pensais avoir attrapé la grippe et je
me mis à boire du Day Nurse pour tenir le coup. Je finis
par comprendre pourquoi le remède ne faisait pas effet.
J'étais horrifiée, au point qu'il me fallut encore trois
semaines pour trouver le courage de faire le test. Chaque
fois que j'allais aux toilettes, je vérifiais ma culotte, dans
l'espoir d'une fausse couche, mais c'est bien connu, un
emmerdement n'arrive jamais seul. Pour une fois que
je n'aurais pas été mécontente que Mère Nature agisse,
elle m'abandonnait ! Jimmy était sans arrêt en déplace-
ment – le festival de la télévision à Cannes, le festival
d'Édimbourg, à s'ennuyer à mourir, le pauvre ! Je me
sentais plus mal que jamais et je pleurais tous les jours.
Il se trouve que ma mère subvenait déjà aux besoins de
nos trois enfants. C'est toujours le cas. Un week-end,
sous prétexte que ma mère devait se faire hospitaliser,
j'ai laissé les enfants à Peter et Honor et je suis allée à la
clinique de la Prairie pour me faire avorter. »

Je regardai fixement les nœuds de la table en bois. Il fallait que j'arrête de parler pour reprendre le contrôle de ma respiration. Je donnais peut-être l'impression de raconter tout cela froidement tandis que je poursuivais mon monologue face à une Tessa silencieuse, les yeux écarquillés, mais mon cœur battait à tout rompre. C'étaient des sentiments auxquels je n'avais jamais vraiment réfléchi, des pensées que je n'avais jamais exprimées.

« Je pensais avoir choisi la meilleure option, dis-je finalement. Il s'est avéré qu'en fait c'était la pire.

« Dès que mon organisme eut évacué les hormones de la grossesse, je pris conscience de ce que j'avais fait. Et puis cette lettre arriva. Dans l'état second où j'étais, j'avais coché une case pour qu'on me tienne informée, ou pour qu'on fasse don du fœtus à la recherche médicale, je n'en sais rien. Je ne me souviens toujours pas de l'avoir fait. J'avais tué notre fils parfaitement sain. J'étais enceinte de dix-huit semaines. J'ignorais complètement que j'en étais déjà là. Le problème, c'est que je n'arrivais pas à distinguer les rondeurs de la grossesse des bourrelets. Un gouffre s'était ouvert…

« J'avais pensé qu'avoir un autre enfant me tuerait. Mais ne pas l'avoir fut comme une mort lente sous le joug de la culpabilité et de la haine de soi. L'âme de cet enfant pesait lourdement sur mes épaules et m'accompagnait partout où j'allais. La boulimie que j'avais fini par maîtriser revint comme un boomerang. En six mois, je repris ce que j'avais mis deux ans et demi à perdre. Je me rends compte maintenant que j'aurais dû prendre sur moi, mais à l'époque, les mots s'étaient logés dans ma gorge, formant un barrage, et même si j'entendais mes hurlements silencieux, pareils à d'insoutenables acouphènes, Jimmy, lui, n'entendait rien. La solitude me dévorait, mais je refusais de laisser mon mari me toucher. Je me dégoûtais et je le détestais. Comment pouvais-je faire l'amour avec lui en sachant ce que je savais ? En risquant de tomber enceinte de nouveau ? Je n'aurais jamais pu me faire avorter encore une fois, jamais, jamais, jamais, mais comment pouvais-je expliquer ça au fantôme de l'enfant que j'avais tué ? Jimmy était ferme. Il ne voulait plus d'une vasectomie et, en fin de compte, ce ne fut pas nécessaire. Nous avions cessé de nous toucher et, peu à peu, notre mariage tomba en poussière.

« Quand Jimmy m'avoua qu'il avait vu la lettre, je n'eus aucune peine à lui faire croire que l'enfant était le produit d'une stupide soirée d'ivresse.

— Et il vous a crue ? demanda Tessa, abasourdie.

— C'était plus facile pour lui de penser que j'avais couché avec quelqu'un d'autre que d'admettre que j'avais avorté sans raison d'un fœtus de dix-huit semaines.

— Mais vous n'êtes pas le genre de femme à avoir une liaison, souligna Tessa. Vous vous vouez corps et âme à votre famille.

— On peut toutes être ce genre de femme, Tessa. Si les circonstances s'y prêtent.

— N'a-t-il pas cherché à savoir qui, quand, comment ?

— Non. Jimmy n'est pas comme ça. »

Je vis Tessa se débattre avec l'invraisemblance de mon récit. Comment avais-je pu inciter mon mari à croire que je l'avais trompé alors que j'aurais pu lui avouer la vérité ? Parce que la vérité n'était pas acceptable pour la femme moderne. Je n'arrivais pas à faire face. J'avais échoué. Sur le moment, j'étais incapable de l'admettre. Alors je suis partie.

Je pris ma tête dans mes mains. J'étais à bout de forces.

Ce fut elle qui rompit le silence.

« Pourquoi avez-vous gardé la lettre ? »

Question intéressante, ma foi.

« Je ne sais pas.

— Aviez-vous envie qu'on découvre la vérité ?

— Peut-être. Si Jimmy m'avait punie, je n'aurais peut-être pas eu à continuer à le faire moi-même.

— Vous *punir*. Écoutez-vous. Vous n'aviez pas besoin d'un châtiment. Ce que vous avez vécu est horrible. » Tessa posa sa main sur la mienne. Je ne sais pas ce que j'espérais – le sourire suffisant du vainqueur, un ricanement désapprobateur, un regard morne, impitoyable ? À la place, elle pressa ma main dans la sienne. « Ce n'est pas votre faute. »

Nous échangeâmes un long regard, sa main toujours posée sur la mienne. La pendule continuait à faire tic tac. Je n'arrivais plus à parler.

« Il faut que James assume une part de responsabilité dans cette histoire. »

Je dégageai ma main.

« James… Je crois que je n'arriverai jamais à m'y faire. »

Tessa n'ajouta rien.

« Il ne sait rien, Tessa. Imaginez l'effet que cela lui ferait de l'apprendre. Vous rendez-vous compte que le sujet de l'avortement revient continuellement dans les conversations ? Les prématurés survivent de plus en plus jeunes. Certains ont à peine quelques jours de plus que… » Ma voix se brisa. « Non, il me haïrait.

— Il ne pourrait jamais vous haïr, Bea.

— J'ai tué son fils.

— Parce qu'il vous avait abandonnée en vous laissant avec trois enfants sur les bras. Pas étonnant que vous n'ayez pas pu faire face.

— Pourquoi en étais-je incapable ? C'est pathétique.

— Parce que c'est sacrément dur.

— Dans quel camp êtes-vous ? »

Elle marqua une pause.

« Je n'en sais rien. Celui de vos enfants, je suppose.

— Merci. »

Ma réponse l'avait stupéfaite, apparemment. Elle m'avait certainement étonnée moi-même.

« Et c'est la raison pour laquelle je m'apprête à vous dire quelque chose qui ne va sans doute pas vous plaire. »

Je m'armai de courage.

« Il faut à tout prix que vous arrêtiez de boire, Bea. Complètement, je veux dire.

— Oh, mon Dieu ! gémis-je. Je ne veux pas recommencer à m'empiffrer.

— Mais l'alcool est un terrible dépresseur, sans parler des changements de personnalité qu'il provoque.

— L'embonpoint aussi.

— Faites-vous aider dans ce cas. Je sais que c'est plus facile à dire qu'à faire. Je peux boire un verre et aller me coucher. Je peux aussi me saouler, bien m'amuser et puis faire abstinence pendant plusieurs jours. Je peux entamer un paquet de biscuits, en manger quatre et laisser le reste. Je n'ai pas de problème d'addiction. Dieu sait si j'en ai d'autres…

— Je vous croyais parfaite, dis-je en lui souriant.

— Je pensais que c'était vous qui l'étiez, répondit-elle. Bea, la femme impossible à imiter.

— Je vous le déconseille.

— Il y a toujours l'héroïne.

— Laissez ça pour le grand final. Je suggère une prescription médicale pour commencer.

— Bien raisonné, lança Tessa en riant. Je vous avoue qu'il y a eu des moments ces dernières semaines, quand nous avions les filles, où j'aurais donné cher pour mettre la main sur du Valium.

— Vous n'êtes pas parfaite, alors.

— Non, j'ai de gros défauts. Comme tout le monde.

— Vous avez *l'air* parfaite.

— Bea, personne ne se trouve parfait. J'ai un pif énorme.

— C'est vrai, je l'avais remarqué.

— Merci ! »

Étrange. D'être là en train de ricaner avec la femme que je croyais détester. Mais pourquoi la détester ? À moins que Jimmy n'ait changé de personnalité du tout au tout, il n'était pas du genre à être attiré par des *bimbos* sottes et arrogantes. Ce n'était pas mon cas. Et il m'avait aimée.

« Sérieusement, repris-je, quels sont vos défauts ? »
Tessa médita la chose.

« Je m'accroche aux gens et je m'approprie leur vie.

— Je ne peux qu'être d'accord avec vous, je suppose, puisque vous êtes sur le point d'épouser mon mari et de vivre avec mes enfants. »

L'atmosphère changea brusquement. C'était ma faute. Mais cela avait le mérite d'être honnête. L'honnêteté est toujours difficile à digérer, mais elle la cherchait depuis un petit bout de temps maintenant.

« Ex-mari, dit-elle lentement. J'ai cru comprendre que vous l'aviez laissé tomber. »

Je la considérai un long moment. Le moment de vérité. « Je veux le récupérer. » Un court instant, je ressentis la plus extraordinaire affinité avec cette femme assise en face de moi. Pourquoi ne voudrait-elle pas de ma vie ? Elle avait été merveilleuse, jusqu'à ce que tout se retourne contre moi. Jimmy était un homme bien. Mes filles étaient gentilles. Certes, ce n'était pas le monde idéal du Prince charmant, et la charge était plus lourde qu'elle ne l'avait probablement envisagé, mais c'était un bon plan et elle le savait. Ce fut la raison pour laquelle, cette fois-ci, sa réaction ne me surprit pas.

Elle secoua la tête.

« Ce n'est pas possible, me dit-elle. Il est trop tard.

— Vraiment ? »

Elle se mordit la lèvre, mais ne répondit pas.

Je me levai.

« Nous partirons demain matin, le plus tôt possible. »

461

Un nouveau coup de sifflet retentit et nous retournâmes dans nos tranchées. Je ne peux pas vous dire le score, mais je pense que nous approchions du match nul. En ma faveur.

En fait, Tessa s'en alla la première. Je me levai de bonne heure ; elle avait dû partir à l'aube. Lorsque je descendis, une femme du village était en train de ranger les provisions dans la cuisine. Elle avait préparé un plateau pour Liz. Par politesse, je proposai de le monter. Un adieu rapide, puis nous filerions, mes enfants et moi. Je poussai doucement la porte du pied et posai le plateau sur les genoux de Liz avant d'aller ouvrir les rideaux.

C'était une journée splendide. On aurait dit que l'été avait joué à saute-mouton avec le printemps, et je me retrouvai à contempler ce qui aurait pu être un ciel bleu de la mi-août. En me retournant, je vis Liz en train de tâtonner dans son assiette en quête d'une tranche de pêche. Elle faisait un effort courageux, mais il était évident qu'elle avait besoin d'aide.

« Prenez garde, dis-je en lui prenant le plateau après m'être assise à côté d'elle. Le thé est très chaud. »

Je piquai la fourchette dans un morceau de fruit et la lui tendis.

« Merci.

— Quand Hugh et Peter rentrent-ils ?

— Ils ont été retardés. Un problème de ferry.

— Oh, non !

— Ne vous inquiétez pas. Tessa a organisé toute une équipe pour venir veiller…

— Nous pourrions rester jusqu'à ce qu'ils arrivent.

— Ça va aller.

— Liz, je vous en prie, laissez-moi vous aider.

— Est-ce Tessa qui vous a fait cette suggestion ? demanda-t-elle d'un ton agacé.

— Voyons voir. Votre fille a-t-elle demandé à l'ex-femme de son fiancé de prendre soin de sa chère maman ? Laissez-moi réfléchir. » Je ris. « Non. Je ne pense pas que nous en soyons tout à fait là.

— Un jour peut-être. »

Elle planta sa fourchette à la recherche d'un autre morceau de fruit. Je gardai le silence.

« Regardez, j'y arrive déjà », dit-elle en brandissant triomphalement une tranche de pêche.

On frappa à la porte. Amber et Maddy entrèrent.

« Lulu dit qu'on va chez mamy, lança Amber d'un ton indigné. C'est vrai ?

— Bonjour, maman, bonjour, Liz », leur rappelai-je.

Elles marmonnèrent un vague bonjour.

« Nous allons toujours chez ma mère pendant les vacances, expliquai-je à Liz.

— On est obligées ? On s'embête là-bas. Je veux rentrer à la maison, dit Amber.

— On se demande bien pourquoi, répondis-je.

— Ce n'est pas ça, riposta-t-elle.

— Caspar pourrait peut-être venir nous rendre visite chez mamy

— Il ne lui plaira pas. Il n'est pas assez distingué.

— Elle n'aimait pas ton père pour la même raison. Cette gourde ! » Amber s'esclaffa. Un délice pour mes

463

oreilles. « Ne t'avise pas de le lui répéter, dis-je en pointant le doigt sur Maddy.

— Je suis triste de vous voir partir. Ça a été un plaisir de vous avoir toutes.

— Est-ce qu'on pourra revenir ? demanda Maddy.

— Vous serez toujours les bienvenues », répondit Liz. Elle n'était pas tournée vers moi, mais je savais à qui elle parlait. Elle ignorait pourtant les conséquences que cela pourrait avoir. Pour moi ou pour sa fille.

« Tu voudras bien m'apprendre à faire de la confiture cet été ? demanda Maddy.

— Bien sûr. Tu seras mes yeux.

— Ne soyez pas bête. Vos yeux auront cessé de rouler dans tous les sens d'ici là, répliqua Maddy.

— Tu crois ?

— Oui. Ça va déjà moins vite qu'hier. »

Liz et moi échangeâmes un sourire, même si je fus la seule de nous deux à le voir.

« Merci, docteur Maddy. À présent, où est Lulu ? Elle m'a promis de me faire la lecture avant de partir. »

Je n'en croyais pas mes oreilles.

« Vraiment ?

— Oui, répondit Liz. Toute la série de *La Petite Poule rouge*.

— Lulu ! » hurla Maddy.

Je fis la grimace.

Lulu apparut sur le seuil avec une pile de livres.

« Tu vas vraiment faire la lecture à Liz ? » demandai-je.

Elle hocha timidement la tête.

« C'est super, Lulu. »

Elle haussa les épaules.

« Elle ne m'interrompt pas quand j'essaie de finir de lire les mots, parce qu'elle ne les voit pas. »

Je ne savais plus s'il fallait rire ou pleurer.

« Il faut toujours voir le bon côté... », dit Liz.

Lulu grimpa sur le lit, et me regarda d'un air autoritaire.

« Tu peux y aller maintenant », dit-elle.

C'était drôle. Maintenant que j'en avais la possibilité, je n'en avais plus envie.

17

Tiens bon !

« La vache, tu as une gueule de déterrée ! »

Ah, les doux accents de Linda le lundi matin à la première heure ! Je me forçai à sourire.

« Il en serait de même pour toi si tu avais passé un week-end comme le mien.

— Je t'avais dit que ce n'était pas une bonne idée, le studio d'enregistrement. »

Le studio d'enregistrement ? Ça ne faisait que deux jours ? J'avais l'impression que cela remontait à des mois.

« C'était la seule chose sympa, en fait.

— Ouais ? J'ai parlé avec Carlos. Il a dit que ta petite belle-fille était une vraie perle. Il pense avoir quelques petites idées pour elle.

— C'est hors de question. Tu l'as dit toi-même.

— Un physique à la Lily Cole, la voix de Billie Holiday. Tapie à poil dans un gros morceau d'ambre, enfermée dans l'*angst* de la puberté, chantant l'art de devenir un individu à part entière quand on est entouré

466

d'automates. Les mamans arrogantes adoreront, les papas en chaleur aussi et les mômes n'en feront qu'une bouchée. Je vois ça d'ici. Énorme !

— Non, non et non.

— Penses-y tout de même.

— C'est non, Linda.

— A-t-elle un agent ? Donne-moi un chiffre indicatif.

— Nom de Dieu, Linda, t'a-t-on déjà dit que tu étais un vrai rottweiller ? »

Elle sourit fièrement.

« Merci du compliment, mademoiselle King.

— Il est hors de question que tu mettes tes sales pattes manipulatrices sur la fille de James. Si elle a encore envie de chanter à dix-huit ans, tu pourras lui parler, mais pas un jour avant cela. J'ai vu ce que tu fais aux petites jeunes et ce n'est pas beau à voir.

— Une bonne famille bien stable. Elle encaissera. »

Tu parles. Maman alcoolique. Papa autruche. Future belle-mère : l'archétype de la sorcière.

« Te racontes-tu ce genre d'histoires pour pouvoir dormir la nuit ?

— Non. Mon pharmacien, très accommodant, me donne un coup de main pour ça. » Elle ouvrit un tiroir. « Tu en veux un ou deux ?

— Non merci, répondis-je d'un ton condescendant tout en notant mentalement : *Deuxième tiroir de droite*.

— Tu y viendras.

— Ce dont j'ai besoin, en revanche, c'est de quelques jours de congé.

— Tu viens juste de commencer à travailler pour nous, ma chérie.

— Je sais, mais ma mère est malade.

— Ouais, et tes gamins ont un spectacle à l'école, un rendez-vous chez le dentiste et il faut que quelqu'un emmène cette chère vieille dame à sa chimio. Nous sommes bien à plaindre, Tessa. Les parents sont aussi exigeants que les mômes. Alors fais tourner la manivelle du tapis roulant de la vie, nom de Dieu. »

Je crus qu'elle plaisantait.

« Deux jours maxi. Jusqu'à ce que les remèdes commencent à faire effet.

— Tessa, la mère de Janet est dans une maison de vieux, le père de Tony a l'alzheimer et sa mère a eu un accident de voiture il y a quelques années, dont elle ne s'est jamais remise. Le fils de Va souffre de la maladie d'Asperger et sa mère vient d'avoir une attaque... Je pourrais évacuer le bureau comme ça, dit-elle en faisant claquer ses doigts, si tout le monde prenait deux jours rien que pour voir si les remèdes font leur effet. »

J'aurais dû lui expliquer la gravité de la situation dès le départ.

« C'est un peu plus compliqué que ça, à vrai dire. Ma mère doit aller à l'hôpital et mon père a été retenu. Il n'y a personne...

— Nous recevons McCloud et Tanner cet après-midi. Tu ne peux pas partir.

— Mais...

— Non, Tessa. Cette réunion est importante. Il faut que tu trouves quelqu'un d'autre pour l'emmener. »

Mon expression me trahit. Linda me regarda en plissant les yeux, flairant ma réaction. « Et ne songe même pas à prendre une mesure drastique, comme donner ta démission, parce que ton CV n'est pas très étoffé. Tu ne voudrais pas d'une autre déconvenue avec un patron, si ?

— Que t'est-il arrivé ?

— Que veux-tu dire ?

— Que s'est-il passé ?

— Rien.

— Pourquoi es-tu si... »

Elle arqua un sourcil.

« Méchante ? Tessa, on n'est plus dans la cour de récré, merde ! J'ai toujours été comme ça. C'est juste que tu n'as jamais eu le plaisir de t'en rendre compte par toi-même. Pas de congé. Désolée.

— Je connais assez bien les lois du travail et je sais qu'après...

— Si j'étais toi, je ne tirerais pas cette ficelle-là, chérie. Nos relations risqueraient de s'envenimer.

— C'est déjà fait. »

Sur ce, je sortis de la pièce.

Dans le couloir, je me mis à trembler. Je passai devant Matt sans m'arrêter et parvins de justesse à fermer la porte de mon bureau sur son visage perplexe avant d'éclater en sanglots. Ça ne pouvait pas être possible. J'avais dû mal choisir mon moment. Elle allait sûrement se rendre compte que c'était déraisonnable et revenir sur sa décision. On n'allait tout de même pas en rester là. Je m'assis, en colère, sous le choc, mais au bout d'un moment, j'en vins à la triste conclusion que Linda était parfaitement sérieuse. Je ne savais pas ce que c'était que cette connerie qu'elle m'avait sortie à propos de la cour de récré, parce que, pour l'heure, j'avais le sentiment qu'on ne l'avait jamais quittée.

J'avais longuement réfléchi avant d'appeler Bea, mais à la fin, j'avais décidé que je n'avais pas d'autre solution. Il y avait des gens gentils dans le village qui se seraient portés volontaires, mais j'avais besoin de quelqu'un qui soit mes yeux, mes oreilles, ma voix. Et à ce moment de ma vie, j'avais le sentiment d'avoir plus de choses en commun avec Bea qu'avec qui que ce soit au monde. Je lui demandai donc de me rendre un service que je n'avais pas le droit de lui demander et mon cœur s'emplit de gratitude quand elle accepta.

« Je suis folle de rage. J'ignore quand Peter et papa pourront avoir un bateau… » J'étais encore sous le choc de mon entrevue avec Linda.

« Ne vous inquiétez pas, je m'en occupe, me répondit calmement Bea.

— Je suis vraiment gênée de vous demander une telle faveur.

— Tessa, vous vous êtes occupée de mes enfants quand je n'en étais pas capable. Je vous dois bien ça. »

Elle se montra si gentille et si compréhensive que je parvins juste à la remercier avant que les larmes me montent de nouveau aux yeux.

« C'est l'avantage de ne pas avoir de vie, commenta-t-elle avant de rire sèchement. D'ailleurs, les filles aiment bien cette maison.

— Je pourrais donner ma démission.

— Ne faites pas ça, me répondit-elle d'un ton grave. C'est plus difficile de trouver un nouveau job quand on n'est plus sur le marché. J'avais l'intention de recommencer à travailler quand Maddy a débuté l'école. Qu'est-ce que je raconte ? Désolée. Dites-moi ce que je dois faire.

— En arrivant à l'hôpital, demandez le docteur Evans. Assurez-vous qu'ils lui ont administré l'interféron…

— Attendez une minute. Laissez-moi prendre un stylo. »

Quand elle reprit le téléphone, je lui dressai une liste de questions que, dans mon affolement, je n'avais pas eu la présence d'esprit de poser la veille. Quels nerfs, précisément, avaient court-circuité cette fois-ci ? Quelle durée devait-on prévoir pour la récupération et quand saurait-on si les dommages étaient permanents ? Maman guérirait-elle ou souffrirait-elle à jamais d'une névrite optique ? Fallait-il modifier la posologie en passant d'une fois par semaine à tous les deux, trois jours ? Quel serait le fardeau à long terme pour papa ? Était-elle brusquement passée à la phase 2 ?

« Merde, il vaudrait mieux que je sois là.

— Ne vous faites pas de souci, Tessa. Je peux me débrouiller. Je vous appellerai aussitôt après leur avoir parlé. Je comprends le fonctionnement de cette maladie maintenant. »

Elle apprenait vite.

« Vous gaspillez votre temps à faire du covoiturage, dis-je.

— Vous pensez ?

— Je suis vraiment gênée… »

— Cessez de vous excuser. Pour être tout à fait honnête avec vous, un séjour chez ma mère m'aurait incitée à coup sûr à me ruer sur une bouteille de gin. » Elle marqua un temps d'arrêt. « Des nouvelles de Jimmy ?

— Il dit qu'il ne peut pas rentrer, répondis-je. Ce n'est pas possible maintenant, mais il rentrera plus tôt que prévu. Il ratera la soirée de clôture, ce que je trouve très généreux de sa part. »

Bea eut l'intelligence de ne pas le défendre, même si je sentis qu'elle en avait envie. Je me pris à me demander si elle l'aimait plus que moi. Mais j'avais d'autres soucis en tête, aussi mis-je à l'écart cette pensée alarmante, avec toutes les autres, comme l'idée de mon père de quatre-vingt-quatre ans prenant soin de ma mère aveugle. Se rétablirait-elle cette fois-ci ? Avaient-ils les moyens de prendre une aide à plein-temps ? Non ? Et moi ? Pas sans un bon boulot. Je n'avais pas le choix… J'allais devoir faire la navette. Bea pouvait assurer l'intérim, mais pas davantage.

La réunion s'éternisa, comme toutes les réunions juridiques quand les juristes sont payés à l'heure. Je réussis à passer un coup de fil rapide à Bea pendant la pause, mais elle était à l'hôpital et son portable était coupé. Je crus devenir folle quand ils commandèrent des sandwichs. J'avais l'horrible impression que Linda savourait mon malaise. Elle n'arrêtait pas de me poser des questions pénétrantes, mais hors de propos.

Nous levâmes finalement le camp, à neuf heures moins dix. Quelqu'un suggéra d'aller boire un verre. Je pris mes jambes à mon cou tout en composant le numéro de la maison.

« Allô ?

— Maman, c'est moi. Je file à la gare maintenant. Je suis vraiment désolée…

— Ne sois pas ridicule. Rentre chez toi.

— Non. Je veux…

— Chérie, on dormira toutes d'ici à ce que tu arrives et on dormira toujours demain matin quand tu partiras.

— Mais…

— Je t'assure, Tessa. Rentre chez toi. Va te reposer. »

J'arrêtai de courir. Chez moi. Un bain. Dormir. Qu'est-ce que je ne donnerais pas… Non. Je ne pouvais pas ne pas y aller !

« Tessa, ma chérie, s'il te plaît. Je me sens beaucoup mieux. Bea a été fantastique. C'est juste une rechute, d'accord ?

— Je m'inquiète…

— Je sais. Moi aussi je m'inquiéterais à ta place. Mais je n'ai pas été trop mal pendant longtemps. Ça ira mieux dans trois semaines. Le traitement fait son effet. Je veux que tu te souviennes que c'est une sale maladie, certes, mais qu'elle laisse 85 % d'entre nous en vie. Je suis pas subitement passée à la phase 2 ou quoi que ce soit de ce genre, alors s'il te plaît, ne t'épuise pas à te traîner ici tous les jours en imaginant le pire, parce que ça ne va pas se produire. »

Ma gorge se serra. Où était passé mon riche vocabulaire au moment où j'en avais le plus besoin ?

« Papa veut te dire un mot.

— Papa ! Comment est-il rentré ?

— Ne pose pas la question. » Elle gloussa. « Fais attention, il dégage un parfum d'Évangile. Des poissons ! Non mais, franchement !

— Où est Bea ?

— Elle regarde la télé avec Peter et Amber. Elles partiront demain. Je me suis opposée à ce qu'elles s'en aillent ce soir. J'ai eu plaisir à les avoir ici. »

Je me sentais mal à l'aise, en trop et bizarrement nostalgique, plantée là sur un trottoir londonien bondé.

« Je t'aime, Tessa », dit maman.

J'éprouvai un besoin presque irrésistible de m'asseoir, n'importe où. Je n'avais plus une once d'énergie.

« Moi aussi je t'aime. Merci d'avoir toujours été la plus merveilleuse maman. »

En temps normal, elle aurait fait une remarque rigolote, caustique, à propos du fait que j'avais occulté tous les mauvais souvenirs par exemple, mais pas ce soir.

« Tu m'as facilité la tâche », me répondit-elle.

Dieu sait pourquoi, j'avais constamment les larmes aux yeux. La fatigue, probablement.

« C'est plutôt l'inverse, maman. »

Je me remis à marcher en attendant que papa prenne le téléphone.

« Bonjour, mon cœur.

— Salut, papa. Comment es-tu rentré ?

— Peter a des copains pêcheurs.

— Je croyais que la mer était trop agitée pour faire la traversée.

— C'était une vieille goélette habituée aux tempêtes. Très excitant !

— Je suis contente de ne pas l'avoir su.

— C'est pour cela que je ne t'ai rien dit.

— Maman va-t-elle vraiment mieux ?

— Elle ira mieux », me répondit-il.

Je regardai mes pieds avancer l'un après l'autre sur le chemin de halage qui menait chez moi. Il faisait déjà nuit, mais j'étais trop éreintée pour avoir peur.

« James n'est pas rentré, papa.

— Il travaille, Tessa. Lizzie n'est pas sa mère.

— Non, c'est la mienne, et ce n'est pas pour ça que je lui ai demandé de rentrer. Ses filles ont besoin d'un peu de tendresse.

— Peter et Honor vont prendre la relève maintenant. Bea a changé son programme. Elle emmène les filles chez eux pour Pâques.

— Ils ne devraient pas avoir à recoller les morceaux. Ça me met hors de moi.

— Qu'est-ce qui te met hors de toi ?

— Qu'il ne se rende pas compte qu'on a besoin de lui.

— Que penses-tu qu'il fiche là-bas, chérie, si ce n'est subvenir aux besoins de tout le monde ? Il va avoir deux familles à entretenir maintenant.

— Il n'en entretient même pas une, papa ! C'est son ex-belle-mère qui s'en charge, et je suis autonome, comme tu le sais.

— Et tu crois que ça lui plaît ? Tu crois que c'est agréable pour lui de laisser son ex-belle-mère payer pour ses enfants ? Pas étonnant qu'il trime si dur, Tessa. Il doit faire un pas de géant. Et ma fille adorée, ces pas-là demandent des efforts.

— Mais il ne l'a toujours pas fait, ripostai-je, déloyalement.

— Tu préférerais que ce soit le genre d'homme à baisser les bras ? Allons, Tessa, ne t'en prends pas à lui parce qu'il essaie de faire ce qu'il faut. Ce n'est pas juste. C'est un type bien. »

Voilà que ça me reprenait. Mes jambes s'étaient changées en pierre. J'écartai d'un geste un sachet de chips vide et m'assis sur un banc usé, après quoi, me sentant coupable, je me penchai pour ramasser le sachet avant d'aller le jeter dans une poubelle.

« J'ai peur, dis-je.

— De quoi as-tu peur ?

— Que ce qui est arrivé à Bea et James nous arrive à nous aussi. Il a une manière de se couper du monde quand les choses ne vont pas bien. Il l'a fait à Bea, il m'a fait la même chose à propos d'Amber et il recommence maintenant. C'est pour ça qu'il n'est pas revenu. Il ne veut pas affronter la situation. Il n'arrive pas à assumer ses responsabilités.

— Il n'en a pas besoin à l'heure qu'il est. Tu es là pour le faire à sa place.

— Ce ne sont pas mes enfants ! » Voilà, je l'avais dit. La vérité. Ce n'était pas mon problème. Ma mère, si. Mon père âgé. Mon travail. Oui. Mais pas une ivrogne dont les regrets personnels causaient des ravages sur trois jeunes vies. Ça, ce n'était pas mon problème.

« Le mariage consiste à faire équipe, ma chérie. Il ne pouvait pas être là, alors c'était à toi de porter le témoin pendant un moment. Tu l'as fait. Amber et Bea vont bien. Quand il rentrera, il pourra prendre la relève,

476

voir ce qui se passe de ses propres yeux, et ensemble vous déterminerez la marche à suivre vis-à-vis de vos familles respectives. Tu as un soutien pour la première fois de ta vie. Profites-en.

— J'ai essayé. Il n'a pas voulu rentrer.

— Tessa, tu crois vraiment que rester assis onze heures dans un avion est le meilleur moyen d'utiliser son temps ? Autre chose. Si tu avais été à L.A. et que ta mère avait eu besoin d'aide, penses-tu qu'il serait resté bien au chaud dans son lit sous prétexte que ce n'était pas sa mère ? »

Je n'avais pas besoin de répondre à cette question.

« Tu as raison, je sais. Alors pourquoi est-ce que je continue à éprouver ce sentiment.

— Quel sentiment ?

— Un sentiment de solitude.

— Le lui as-tu dit ?

— Non.

— Les hommes ont des tas de qualités, ma chérie, mais ils ne savent pas lire dans les pensées. Quand j'ai l'esprit un peu bouché, ta mère m'écrit des petits mots. C'est très utile. Exprime-toi.

— Et si ce sont des choses que je ne comprends pas moi-même ?

— Quoi par exemple ? »

Je levai les yeux vers les appartements luxueux de l'autre côté du fleuve.

« Comme être follement jalouse d'une gamine de quatorze ans ?

— Parle-lui.

— Et me sentir comme une épouse de deuxième choix ?

— Il serait horrifié, Tessa, il ne pourrait plus t'aimer.

— Je redoute qu'il ne s'intéresse moins à nos enfants qu'à ses filles ?

— As-tu abordé la question des enfants avec lui ?

— J'ai bien trop peur. Je prétends que ça m'est égal, mais en fait je suis terrifiée de ce qu'il dira. Il en a déjà trois. Pourrait-il recommencer ?

— Ne préfères-tu pas savoir ce qu'il en est plutôt que de vivre dans la terreur d'une issue imaginaire ?

— Je suppose que oui.

— Arrête de l'embêter pour des choses qui n'en valent pas la peine parce que tu n'as pas le courage de lui avouer ce qui te tracasse vraiment.

— Tu es bien trop futé pour un vieux schnock, dis-je en riant.

— C'est ta faute. Il ne fallait pas me faire découvrir l'université du troisième âge. Tout le monde se soucie d'avoir un cœur en bon état. J'avais bien plus peur de perdre la boule.

— Pas de risque, papa. Tu es à la fois mon conseiller d'orientation, mon conseiller financier, mon comptable et mon thérapeute.

— Tout ça pour le prix d'une pinte, gloussa-t-il. Rentre chez toi et appelle-le. Ta mère a raison. Ça ne sert à rien que tu te précipites ici. »

Papa aussi avait raison. Sur toute la ligne. Le vieillissement est une vacherie, mais il n'y a pas d'autre moyen d'acquérir la sagesse.

« Papa, repris-je en me levant, tu veux bien me parler encore un petit moment ? Le temps que je sorte de cette voie de halage glauque et que je trouve un taxi.

— Avec plaisir, ma ravissante fille. Je bouillais d'impatience de te parler de poissons… »

Il était dix heures et demie quand j'entrai dans l'appartement de Hampstead. Bien que le mien fût plus près du bureau, j'avais envie de rentrer *chez moi*, et je m'y sentais chez moi maintenant. Où James était. Ou n'était pas. Où il reviendrait. Le quartier général de notre équipe. Je me débarrassai à la hâte de ma tenue de travail, que je larguai sur un fauteuil dans notre chambre, me brossai les dents et me mis au lit. Je laissai un message sur le portable de James en lui demandant de m'appeler quand il en aurait fini avec ses réunions. Quelle que soit l'heure. Je réprimai toute accusation, toute récrimination de ma voix. Je voulais juste entendre la sienne.

En dépit de mes ruminations, je ne tardai pas à m'endormir, mais je me dressai comme un étalon quand la sonnerie du téléphone retentit.

« James ?

— Ça va ?

— Tu me manques. Rentre à la maison.

— Oh, Tessa…

— Ne t'inquiète pas. Je sais que ce n'est pas possible, mais je voulais juste te dire à quel point j'aimerais, j'aimerais que tu sois là.

— Tu sais très bien que je serais auprès de toi si je le pouvais.

— Oui, je le sais. » Je m'enveloppai dans la couette. « Je suis désolée d'être sortie de mes gonds l'autre jour.

— C'est parfaitement compréhensible.

— Tu trouves ? Je ne me l'explique même pas moi-même.

— Ce sont mes enfants. Tu as déjà assez de soucis comme ça sans avoir à t'occuper de mes filles et de Bea.

— Tu comprends vraiment alors », dis-je, un peu déconcertée. Comment se débrouillait-il pour simplifier systématiquement les choses ?

« Je ne suis pas idiot, Tessa. »

Je me cramponnai au téléphone. J'aurais donné cher pour me faufiler à l'intérieur et me propulser comme par magie le long de la ligne, au-delà de la faille au milieu de l'Atlantique, au bout de la route 66, jusque dans la chambre 1238 de l'hôtel Chateau Marmont.

« James, je peux te dire quelque chose ?

— Tout ce que tu veux.

— Tu es sûr ? Parce qu'il y a des moments où j'ai l'impression qu'il vaut mieux que je m'abstienne d'aborder certains sujets.

— Lesquels par exemple ?

— Tes filles.

— N'hésite pas, voyons ! »

Bon, pensai-je, *jette-toi à l'eau.*

« Tu accordes trop d'attention à Amber au détriment des deux autres, dis-je. Lulu a vraiment besoin d'aide pour la lecture et l'écriture, et elle n'y a pas droit. Tu ne lis jamais avec elle.

— Je n'ai pas le temps.

— Voilà que tu recommences, James !

— À quoi faire ?

— Tu me remets à ma place. Tu fais ça chaque fois que j'essaie de te parler de quelque chose qui n'est pas facile à dire.

— Ce n'est pas vrai.

— Je t'assure que si. Quand je t'ai dit qu'il y avait un problème entre Amber et moi, tu ne voulais pas en parler. Tu as refusé de reconnaître que Bea puisse avoir un problème avec l'alcool. Tu ne voulais même pas admettre que quelqu'un d'autre que Caspar avait pu déchirer la robe…

— Mais Amber m'avait dit…

— Et moi, je t'avais dit autre chose. Mais c'est elle que tu as crue ! Tu ne vois donc pas que ça me met dans une situation impossible ? Tu me donnes l'impression d'être un citoyen de deuxième zone à force de la faire passer en premier. Ça me rend jalouse, du coup, je n'ai plus confiance en moi. Or, l'insécurité peut rendre la femme la plus équilibrée parfaitement dingo. Et dangereuse. On comprend pourquoi les belles-mères sont parfois si méchantes. Nos maris ont des sentiments pour quelqu'un qui n'a pas la moitié de notre âge et qui est deux fois plus belle que nous.

— S'il te plaît, Tessa, dis-moi que tu n'es pas jalouse d'Amber ? »

Je fermai les yeux. C'était plus dur que je ne le pensais.

« Je suis désolée, mais si je te mens maintenant, je le regretterai à l'avenir. » Seigneur, on aurait cru entendre Bea ! « Je suis jalouse. Moins maintenant que je comprends d'où vient son animosité, mais j'ai peur d'être à jamais menacée par la relation que vous avez tous les deux.

— Crois-moi, répondit-il d'une voix sexy. Je t'aime d'une manière totalement différente. »

Je réussis à rire, mais ce fut un petit rire bref, superficiel. L'humour est un merveilleux élixir, mais ce n'est pas un remède miracle.

« Quelle que soit la manière dont tu nous aimes, il n'empêche qu'on est deux et que tu n'es qu'un. Sans parler des deux autres.

— Qui ça ?

— Maddy et Lulu !

— Je plaisantais, Tessa !

— Ce n'est pas le moment de plaisanter.

— Désolé. Je n'avais pas compris que l'humour était banni.

— Ne fais pas ça, James. N'essaie pas de me faire passer pour la râleuse. Je n'ai pas envie de ressembler à Bea.

— Je n'en ai pas plus envie que toi.

— En es-tu sûr ?

— J'essayais juste d'alléger un peu l'atmosphère, Tessa.

— Tu ne m'écoutes pas. Je ne veux pas que tu allèges l'atmosphère. Je veux que tu comprennes à quel point c'est important pour moi.

— D'accord. Désolé. »

Je l'entendais respirer au bout de la ligne. On avait frappé à sa porte. « Une seconde. »

Cette lutte commençait à me fatiguer, mes membres me donnaient l'impression de peser de plus en plus lourd. Je fermai les yeux. Puis j'entendis une voix de femme et ma fatigue s'évapora d'un seul coup.

« Viens, Jimbo. C'est l'heure de l'apéro.

— Je descends tout de suite. Je n'en ai pas pour longtemps. »

La porte se referma et James reprit le combiné.

« Qui était-ce ? demandai-je, bien que je me sois juré de ne pas le faire.

— Une agente du bureau de L.A.

— L'apéro ? Jimbo ?

— Je n'irai pas, m'assura-t-il. Il est plus important que nous parlions. »

Je resserrai la couette autour de moi.

« Dis-le-moi sincèrement si vraiment tu ne comprends rien à ce que je te raconte ?

— Je présume que Lucy et Faith ont dû te faire des commentaires…

— Bea aussi. »

Il soupira.

« Pas de souci. Tu peux prononcer son nom, tu sais. C'est quand tu ne le fais pas que ça me rend nerveuse.

— Oui, Bea aussi. Tout le monde me dit que je fais d'elle une princesse. Comme si c'était une mauvaise chose. N'est-ce pas ce dont rêvent toutes les petites filles ?

— Oui et non. C'est compliqué.

— J'ai trois filles. Tu ferais bien de m'expliquer.

— Les jolies robes, être adorées, adulées, tout ça, c'est très bien, mais il faut aussi que nous soyons

483

capables de retrousser nos jupons et de descendre de notre tour pour trucider nous-mêmes le dragon.

— Je ne donne pas cher du dragon face à Amber, dit James.

— Non. Il y avait un bon équilibre entre Bea et toi. Mais Bea n'est pas souvent dans les parages quand je suis là, comme tu l'as peut-être remarqué, si bien que je n'ai pour ainsi dire aucun soutien, et Amber finit par avoir systématiquement gain de cause. Je n'ai pas le droit de faire ce que Bea fait. Et je n'en ai pas envie non plus. Je ne suis pas sa mère. Il faut que tu sois plus stricte avec elle. Plus juste au moins. »

Il soupira de nouveau.

« Tu penses que je lui passe trop de choses.

— Je te dis ça pour son bien, James. Être la fille à son papa à quatre ans, pas de problème, mais à quarante ans, ça la fout mal.

— Je suis conscient de lui accorder trop d'attention, mais ça a toujours été comme ça. Je travaillais quand les deux autres sont nées, mais en toute honnêteté, ça a été un prétexte pour moins m'investir. Bon sang, c'est difficile à admettre… mais le fait est que ça devient un peu lassant au bout de la troisième. Que ce soit de la poire, de la banane ou de la courge, c'est toujours de la purée. Il n'y avait rien de palpitant à changer une couche crade de plus. J'ai passé moins de temps avec Lulu, encore moins avec Maddy, et puis je me suis senti coupable. Je vais te dire une chose, avec les enfants, on obtient ce qu'on investit, et on ne peut pas dire qu'elles m'accueillaient à bras ouverts quand je rentrais le soir, contrairement à Amber. » Il s'éclaircit la voix. « Alors naturellement… » Sa voix se brisa.

« Et Bea a essayé de t'en parler ?

— Je me suis réfugié dans mon travail. Je me débrouillais pour avoir une réunion à laquelle je ne pouvais me soustraire de manière à échapper au bain et au coucher des petites.

— Je ne pense pas que tu aies été le seul à faire ça.

— Au final, nous nous sommes montés l'un contre l'autre.

— Ça peut facilement arriver.

— Je ne veux pas que ça nous arrive, Tessa. Je t'aime trop.

— Moi aussi, je t'aime. C'est pour ça que j'ai besoin de te dire toutes ces choses-là. On ne peut pas se permettre de foirer.

— Je suis désolé, mon amour, vraiment désolé. J'aurais dû t'écouter. Je voulais juste qu'on soit tous heureux. Nous avons tant de raisons de remercier le ciel. »

J'aurais tout donné pour qu'il soit allongé près de moi. J'avais besoin de sentir sa peau contre la mienne. Mais peut-être avait-il fallu qu'un continent nous sépare pour que cette conversation puisse avoir lieu.

« Je vais régler le problème avec Amber, dit-il.

— Elle a besoin de toi plus que jamais.

— Nous réglerons le problème ensemble dans ce cas. »

Je soupirai.

« Ça me fait du bien d'entendre ça.

— Je ferai tout ce qu'il faut faire. Tout. Donne-moi la possibilité de changer. Je sais ce que ça m'en coûtera sinon. Nous ferons ça ensemble. Nous formons une équipe, non ? Je ne veux pas te perdre, Tessa King. Toi. Pas Bea. »

Un gémissement s'échappa de mes lèvres avant que je puisse le réprimer.

« Seigneur, j'aimerais tellement être au lit avec toi, dit-il.

— Pas autant que moi. `

— Je te regarderais t'endormir et, juste au moment où la vague t'emporterait, je déferais un à un les boutons de mon vieux pyjama.

— Comment sais-tu que je l'ai sur moi ?

— Tu le portes toujours quand je ne suis pas là.

— Comment le sais-tu ?

— Tu ne le remets jamais en place.

— Prise la main dans le sac !

— Chut ! Je suis en train de t'expliquer ce que je ferais si j'étais là. » Je me tus. « Je glisserais ma main sous le tissu et je parcourrais tout ton corps du bout des doigts. Tes seins d'abord, ton ventre, et puis tes hanches, et finalement, je t'écarterais les jambes. »

Je gémis de nouveau.

« Tu gémirais comme ça, mais tu serais toujours dans un demi-sommeil. »

Je mis ma main entre mes jambes en imaginant que c'était James. J'y parvins presque l'espace d'un instant.

Le lendemain après-midi, j'étais dans mon bureau en train de réprimer un bâillement quand Linda entra. Sans frapper.

« Numéro 1, bordel de merde ! s'exclama-t-elle.

— Whoua ! » Je me forçai à sourire. « Félicitations.

— On va fêter ça au pub. Tu viens ?

— Non. Je vais finir ce que j'ai à faire et prendre un train pour Oxford.

— Oxford ?

— Mes parents.

— Comment va-t-elle ?

— Ma mère ? répondis-je d'un ton glacial. Eh bien, elle n'a pas recouvré la vue, mais ça a l'air d'aller. Merci.

— Foutue maladie, la sclérose. Ma mamie a la même chose. »

Je hochai la tête d'une manière à la fois évasive et compatissante. Elle n'allait pas me récupérer si facilement. Elle s'approcha de mon bureau et prit une feuille qui n'avait rien à voir avec elle. Puis elle la reposa.

« Eh bien, si on s'en va tous, ce serait con que tu restes là à bosser toute seule. Autant que tu files. »

Sur ce, elle sortit de mon bureau. C'était tout ce à quoi j'aurais droit en guise d'excuses. Je n'étais pas bégueule, je profitai de l'occasion. J'éteignis mon ordinateur et partis en emportant mes dossiers.

Papa m'attendait sur le seuil quand le taxi me déposa. Il descendit l'allée pour m'accueillir. Il avait bonne mine. Je jetai un coup d'œil à mon reflet dans le rétroviseur latéral. J'avais les cheveux sales, le teint blême, mes habits étaient froissés et je sentais le panini de quelqu'un d'autre. Mais ça n'avait pas d'importance car papa m'aida à sortir de la voiture, me prit dans ses bras et m'étreignit un long moment.

« Bonne nouvelle, dit-il. Ta mère a récupéré un peu de vision périphérique. Elle est incroyable !

— C'est génial ! » J'éclatai en sanglots. « Désolée, dis-je en m'essuyant les yeux tout en riant. Je ne sais pas ce que j'ai en ce moment.

— Tu es fatiguée », me répondit-il judicieusement. J'étais au bout du rouleau après quatre nuits de sommeil intermittent. Pas étonnant que les jeunes mamans deviennent folles.

« Viens prendre une tasse de thé. Ta mère est dans le jardin, emmitouflée dans une couverture. As-tu réussi à avoir James au bout du fil ? »

Je le pris par le bras.

« Oui. On a parlé pendant des heures.

— Tu étais censée rester à Londres pour t'offrir une bonne nuit de sommeil.

— J'obéis aux conseils que me donne mon papa.

— Tout va bien ?

— Mieux que bien. Grâce à toi.

— Ne me remercie pas. Je ne peux que te faire des suggestions. Le reste est entre tes mains. Rejoins ta mère dans le jardin. Je vous apporte le thé.

— Tu es sûr que tu n'es pas trop fatigué, papa ?

— Moi ? Je pète la forme ! »

Maman était installée sur une chaise longue normalement réservée à la belle saison. Elle avait la tête inclinée en arrière, les yeux fermés, mais elle semblait à son aise, bien bordée sous sa couverture. Elle avait l'air tellement paisible que je répugnais à la déranger. J'allai m'asseoir à l'autre bout de la terrasse et l'observai.

Voilà ce que mes parents représentaient pour moi : une couverture me protégeant des éléments. Je fermai les yeux et prêtai l'oreille à la rengaine gutturale des tourterelles. Quelqu'un tondait la pelouse dans le village. J'entendais la radio qui filtrait par la fenêtre ouverte de la cuisine. Ces moments-là étaient précieux. J'entendis les pas de papa sur les dalles et une tasse de thé se matérialisa sous mes yeux. Je me tournai vers maman.

« Je crois qu'elle s'est assoupie, dis-je.

— La cadence de la vie est nettement plus rapide qu'autrefois. C'est un privilège de s'arrêter pour réfléchir de temps à temps, me répondit-il en s'asseyant à côté de moi.

— C'est précisément à ça que je pensais.

— C'est pour ça que j'adore la pêche. Rien que la nature et moi. Au début, j'ai cru que j'allais me barber, mais mon esprit s'est vite apaisé et mon âme s'est ouverte. J'ai regardé une notonecte glisser sur l'eau et j'ai trouvé ça fascinant. »

Je gardai le silence.

« J'ai compris alors qu'en définitive nous sommes tous responsables les uns des autres. C'était incroyablement puissant, paisible aussi. J'ai appris une importante leçon. Pas mal à quatre-vingt-quatre ans ! Si nous prenons soin de notre monde, notre monde prendra soin de nos âmes. C'est ça le bonheur. Ce que nous cherchons tous. Ça se résume à aimer.

— À espérer aussi », dis-je.

Papa me prit la main. Il sourit en hochant la tête.

« Je me sens infini, dit-il.

— Liz dit que c'est l'effet que ça fait quand on est étalé comme une étoile de mer, nu dans l'herbe à contempler le ciel. »

Maman s'était tournée vers nous, mais elle n'avait pas ouvert les yeux.

« Bonjour, maman.

— Depuis combien de temps nous écoutes-tu ? demanda mon père.

— Depuis la nuit des temps, répondit-elle d'une voix faussement spirituelle.

— Elle se fiche de moi, à mon avis », dit papa.

Il se leva et s'approcha d'elle. Il la poussa un peu, s'assit à côté d'elle, lui prit les mains et les frotta. « Tu as assez chaud ? » Elle hocha la tête.

On aurait dit qu'ils échangeaient un regard intense alors que maman avait toujours les yeux fermés. En l'observant attentivement, j'apercevais le mouvement perpétuel sous ses paupières, mais ça m'inquiétait moins qu'avant.

« Bea a appelé une ou deux fois, dit-elle.

— À jeun ?

— Chérie, répondit ma mère, me réprimandant d'un seul mot, elle a enduré beaucoup de choses. Savais-tu qu'elle avait eu cinq fausses couches entre Amber et Lulu ?

— Oui, mais ce n'est pas pour ça qu'elle boit. »

Mes parents attendaient que je leur en dise davantage. Mais j'en étais incapable.

« Méfie-toi de ce que tu avances. Aucun événement dans la vie n'est isolé. La balance est sans cesse en mouvement. Parfois, le bon et le mauvais s'équilibrent. À d'autres moments, ça bascule.

— Ça a été très dur pour nous, intervint mon père.

— Quoi donc ? demandai-je en me redressant sur mon siège.

— Hugh », dit maman d'une voix douce.

Papa lui tapota la main.

« J'ai beaucoup réfléchi, poursuivit-il. La perfection est une chose bien difficile à atteindre. Ta mère et moi avons vécu une merveilleuse histoire, mais ça n'a pas été sans difficultés.

— Il y a eu des hauts et des bas, bien sûr…

— Non, Tessa, je parle du fond du gouffre. Comme tout le monde. »

Je fus sur le point de l'interrompre, mais il m'imposa le silence.

« Quelques années après ta naissance, nous avions décidé d'avoir un autre enfant.

— Vous m'aviez dit que vous n'en aviez jamais voulu qu'un seul. »

Ma mère remit ses lunettes de soleil avant de se dresser sur son séant.

« Hugh ?

— Liz, ma chérie, Tessa a besoin qu'on gratte un peu le vernis. En guise de cadeau de mariage. »

Maman n'ajouta rien et le laissa continuer.

« Si on t'avait dit la vérité, tu aurais eu le sentiment de ne pas suffire à nous combler, et nous ne voulions pas que tu éprouves cela, pour la bonne raison que tu nous suffisais amplement. Et c'est toujours le cas aujourd'hui. Il n'empêche que nous avons essayé d'avoir un autre enfant, mais ça n'a pas marché. »

En l'espace d'une seconde, je vis mes parents partager un millier de souvenirs douloureux.

« C'est surtout pour toi que ça a été dur, Liz chérie, poursuivit mon père. Je ne voulais pas continuer à te faire subir ça.

— Tu n'y étais pour rien, dit maman.

— C'est pourtant l'impression que ça me faisait.

— Un homme peut difficilement comprendre ce qu'une femme éprouve lors d'une grossesse qui vient à terme, sans parler de celles qui échouent, souligna maman.

— Mais je ne faisais qu'aggraver les choses apparemment. C'était plus facile de filer au pub.

— Comme James, dis-je à voix basse. Il a pris ses distances vis-à-vis de Bea.

— J'étais entièrement responsable, reprit maman. Je t'ai repoussé. C'était moi qui avais le sentiment d'être un échec.

— Tu n'as jamais été un échec. Tu as toujours été si courageuse.

— Je te donnais l'impression d'être de trop.

— Peut-être bien, reconnut papa en hochant la tête, mais ce n'était pas une excuse. »

Maman leva la main pour caresser les cheveux épars de mon père.

« Qu'est-ce qui t'a poussé à rester ?

— À *rester ?* » m'exclamai-je, incapable de résister à l'envie de les interrompre.

Papa remua.

« Ne me dis pas que tu avais l'intention de nous quitter ! insistai-je, déconcertée.

— J'y ai pensé, effectivement. »

J'avais la tête qui tournait. Papa avait songé à nous quitter ?

« Comment l'as-tu su ? demanda-t-il à maman.

— Eh bien, tu aurais pu t'en aller et avoir une kyrielle d'enfants avec quelqu'un d'autre. Pas besoin d'être une lumière pour comprendre ça !

— Liz, petite sotte, je n'aurais jamais fait une chose pareille. La seule raison pour laquelle j'ai envisagé de partir, c'était parce que je croyais t'avoir perdue. »

Maman baissa la main.

« Le plus dur quand on est en froid, c'est de faire le premier pas vers l'autre. Nous avons battu en retraite tous les deux. Je m'en veux.

— Tu n'as aucune raison de t'en vouloir, ma chérie.

— Pourquoi es-tu resté ? » demandai-je en me penchant en avant. Je remarquai que maman s'était encore redressée un peu.

« Pour une raison très simple, en fait. Ta mère était allée te chercher à l'école – tu devais avoir sept ans. Vous remontiez l'allée du jardin. Tu parlais continuellement, comme d'habitude, en tirant le bras de ta mère à le lui décrocher. » Je ne pus m'empêcher de sourire. Je sentais presque la saveur de ce souvenir. « J'ai compris que ma place était là. Peut-être pas à ce moment précis, mais le temps passe, les choses changent, s'apaisent, prennent encore un nouveau tour, et je compris qu'un

493

jour je serais de nouveau à ma place auprès de vous. »
Il se tourna vers moi. « Ce n'est pas sorcier. »

Pour ma part, je trouvais cela plutôt profond.

« Je remercie tous les jours les dieux pour cet éclair
de lucidité. Quand les doutes refaisaient surface, je
me cramponnais à cet instant et ça m'aidait à passer
le cap.

— Tu as connu d'autres périodes de doute ? demandai-je.

— C'est un long voyage, Tessa. On a tous des
moments où on se pose des questions. "Est-ce bien ma
destinée ?" répondit ma mère, prenant la défense de
mon père. Il faut le savoir. Ton père a raison. L'union
parfaite n'existe pas. Bien sûr, il y a des relations qui
fonctionnent bien la plupart du temps, mais pas toutes,
et pas toujours.

— Je suis en train de le découvrir. Mais n'est-ce pas
une bonne chose de mettre la barre haute ?

— Mettre la barre haute, oui. Mais il ne faut pas
viser l'inaccessible, répondit mon père.

— James est un homme merveilleux, Tessa, ajouta
maman. Mais ne te fais pas d'illusions. L'épouser sera
la décision la plus difficile que tu prendras de ta vie. »

Papa reprit ses mains entre les siennes.

« La plus gratifiante aussi. »

Elle sourit, et dans ce sourire, je vis la jeune fille
qu'elle avait été, la femme qu'elle était devenue. Cela
avait à la fois tout et rien à voir avec moi. Papa se
pencha et l'embrassa.

« J'ai un coup de fil de boulot à passer, dis-je en me
levant.

— Ne te donne pas cette peine. On ne va pas se mettre à frétiller, dit papa.

— Frétiller ? m'exclamai-je en riant. D'où sors-tu ce mot-là ?

— C'est du jargon de pêcheur », me répondit-il.

Il avait raison. Je n'avais personne à appeler, mais je voulais les laisser seuls. Les unions parfaites n'existent peut-être pas, mais les moments parfaits, eux, si. C'en était un, et ils avaient le droit de le vivre sans moi. Je me sentais d'humeur joyeuse, bizarrement, en dépit de leurs mises en garde alarmantes. Si la perfection n'existait pas, alors la vie dépendait de ce qu'on décidait d'en faire, et avec qui. Je trouvais cela plutôt encourageant. La chose à ne pas faire, c'était abandonner son sort entre les mains d'autrui. James était-il le seul être au monde qui me fut potentiellement destiné ? Non. Il se trouvait qu'il avait surgi au moment où j'étais disposée à trouver un partenaire. Pas très romantique, mais réaliste. C'était à nous de faire naître l'amour. À James et à moi. Assise sur le banc de la fenêtre du salon, je regardai mes parents discuter et les remerciai en silence de s'être retrouvés. Je me rendais compte maintenant à quel point il était facile de se perdre.

Mon père mourut le lendemain matin. Le plus choquant fut que ce ne fut pas du tout un choc. J'étais montée leur apporter le thé sur un plateau dans leur chambre. Ils venaient de se réveiller. Je posai le plateau sur la coiffeuse et m'approchai du lit du côté de maman pour lui donner une tasse. Papa repoussa les couvertures, et dans son pyjama bleu élimé, il se leva et s'étira. Nous parlâmes de la bonne nuit que nous avions passée et je reconnus que les yeux de maman remuaient paresseusement au lieu de s'agiter frénétiquement en tous sens. Elle dit qu'elle arrivait à distinguer la clarté du soleil qui filtrait à travers le rideau.

Papa n'avait pas besoin d'un autre encouragement. Il s'approcha de la fenêtre et écarta les rideaux avec panache. « Doux Jésus ! s'exclama-t-il. Quelle magnifique journée ! Liz, ma chérie, les jonquilles pointent leur nez. » Il se tourna vers nous et nous sourit, puis il fit de nouveau face à la fenêtre. « Juste au moment où les mois d'hiver commencent à nous peser, Mère Nature nous envoie des fleurs jaune vif pour nous rappeler que nous devons tenir bon, que l'été arrive, que tout ira bien. »

Je m'apprêtais à le rejoindre quand il recula rapidement de deux pas. Il ne fit aucun bruit, s'assit tout simplement sur le lit en posant une main sur le vieux matelas, l'autre main sur son cœur. Je vis une lueur mystérieuse passer dans ses yeux, puis il bascula en arrière. Ses paupières clignèrent, puis se fermèrent.

Le médecin m'expliqua que la « lueur » que j'avais vue correspondait à une dilatation rapide des pupilles, courante dans le cas d'une crise cardiaque foudroyante, comme cela avait été le cas, mais je savais qu'il s'agissait d'autre chose. Son âme était revenue à l'univers, à l'insecte qu'il avait regardé glisser sur la rivière, mais en chemin, elle avait transité par moi. J'aime à penser qu'elle était en partie restée là.

Ma mère fut d'un calme exceptionnel. Elle prononça son nom une fois. Il ne répondit pas, aussi s'abstint-elle de le répéter. D'après le creux dans le matelas, elle trouva sa tête, reposant à quelques centimètres de sa cuisse gauche, et posa la main sur son front. Elle la laissa là, le caressant à l'occasion tandis que, assise de l'autre côté, je tenais la main de papa. Comment avons-nous su qu'il n'aurait servi à rien de nous jeter sur le téléphone en poussant des hauts cris, de pratiquer la respiration artificielle, de lui faire du bouche-à-bouche, je ne peux l'expliquer, mais le fait est que nous ne fîmes rien de tout ça. Plus tard, le médecin nous confirma que rien n'aurait pu ramener papa à la vie après cette attaque. Nous le savions. Je l'avais vu partir et maman l'avait senti.

Au bout d'un moment, je lui soulevai les jambes et le fis pivoter sur le lit. Maman posa sa tête sur un oreiller. Ce fut facile. Il était mort comme il avait vécu, en se souciant du bien-être des femmes proches de son cœur. Je n'eus qu'à redresser les draps et les couvertures. Alors seulement, nous parlâmes.

« Il faut que nous mangions quelque chose, dit maman. La journée va être longue. »

Elle refusa de me laisser l'aider à s'habiller, ce que je pris comme une demande tacite de les laisser seuls. Je descendis et préparai un petit déjeuner qui aurait fait la fierté de tout Britannique.

Dehors, les premières jonquilles hochaient gentiment la tête à mon adresse.

Je leur rendis leur salut. *Tiens le coup, Tessa. Tout ira bien.*

18

Pour le meilleur et pour le pire

Après le petit déjeuner, je passai à la vitesse supérieure. Je téléphonai au médecin, au pasteur, au patron du pub. Le dispositif de la vente pyramidale dans toute sa splendeur ! Une demi-heure plus tard, les bras chargés de plats et de gerbes de fleurs sauvages, des dames commencèrent à sonner à la porte. J'envoyai des textos à mes amis proches qui avaient particulièrement aimé mon père. Les fleurs de Ben arrivèrent les premières, au moment où le raz-de-marée de la bureaucratie mortuaire menaçait de m'engloutir. Des jonquilles précoces. *Tiens le coup, tout ira bien.* Leur couleur et leur doux parfum me permirent de tenir bon le reste de la matinée. Il y avait un petit mot : « *Je peux être là dans une heure si tu veux.* »

J'avais essayé à plusieurs reprises de joindre James, mais son portable était coupé. Il dormait à poings fermés à Los Angeles. À quoi bon le réveiller ? J'aurais aimé qu'il soit là pourtant.

Je remontai au premier pour porter une tasse de tisane à maman. Je frappai à la porte de la chambre et entrai. Elle était assise dans le fauteuil près de la fenêtre, face au lit. Papa était toujours allongé là, inerte, mais je vérifiai quand même. Ma mère avait tiré les rideaux du côté sud. La brise les faisait voltiger. Il faisait frais dans la pièce obscurcie. Mon côté macabre l'aurait qualifiée de réfrigérée, mais je faisais de mon mieux pour museler cette voix. Un album photo était posé sur les genoux de maman. « Heureusement je les connais par cœur, dit-elle. Je revoyais mes préférées. »

Je posai la tasse de camomille près d'elle, le temps qu'elle refroidisse un peu.

« Ce n'est pas facile de te demander ça, maman, mais le pasteur veut savoir si papa doit être enterré ou incinéré.

— Incinéré, me répondit-elle instantanément. Je le garderai dans un pot à confiture. »

Peut-être ne faisait-elle pas face à la situation aussi bien que je l'avais pensé ?

« Ne me regarde pas comme ça, ma chérie. Nous avons pris cette décision ensemble, ton père et moi. Il n'a pas précisé le réceptacle, bien sûr, mais il adorait mes confitures, alors je pense que c'est un bon choix, pas toi ? »

J'espérais ne pas être obligée de répondre. Ce fut le cas.

« Il faudra le garder jusqu'à ce que je m'en aille à mon tour, enchaîna-t-elle. À ce moment-là, et je suis navrée d'avoir à te demander ça, on aimerait bien être dispersés ensemble quelque part. Au pied de jeunes arbres fruitiers par exemple. » Hors de question. Je n'allais pas faire de la confiture avec mes parents, tout de même. « Je me doutais que cette idée ne te plairait pas beaucoup, mais nous adorons notre verger. »

Je me rapprochai d'elle.

« Tu me vois là ?

— Non.

— Alors, tu es bizarre », dis-je.

Elle sourit.

« Ma chère enfant, j'ai toujours su ce que tu pensais. D'après le silence qui régnait dans la maison, j'arrivais à déterminer si tu faisais consciencieusement ton travail ou des bêtises. »

En entendant une voiture se garer dehors, je me demandai distraitement qui d'autre avait envoyé des fleurs. Incroyable la vitesse à laquelle les nouvelles se répandent.

« Est-ce que ça va, Tessa ? demanda maman.

— Je n'arrive pas à croire ce qui se passe, j'en ai peur. »

J'étais bien consciente que le corps de mon père gisait à quelques mètres de moi, mais il occupait une telle place dans ma vie que le mot « mort » ne pouvait décemment pas figurer dans la même phrase que son nom.

« J'ai appelé au bureau pour leur dire que je ne viendrais pas, mais je ne suis pas parvenue à leur dire pourquoi.

— Ça va prendre un moment avant que tu l'acceptes.

— Je n'ai pas envie de l'accepter.

— Je sais. »

On frappa fort à la porte d'entrée.

« Es-tu prête à recevoir d'autres visites ? » demandai-je. Des gens avaient défilé toute la matinée. J'ignorais que mes parents avaient autant d'amis dans la région.

« Je vais peut-être me reposer un peu en fait.

— Bonne idée. Le pasteur doit venir tout à l'heure pour parler de la cérémonie. »

Je dévalai l'escalier, m'attendant à accueillir une autre dame du village apportant un ragoût. Ce fut en voyant James debout sur les dalles près du racloir à bottes que je sus sans l'ombre d'un doute que mon père était mort. Il lâcha son sac de voyage, ouvrit grands les bras et je m'abattis contre sa poitrine.

« Papa est mort, marmonnai-je.

— Je sais », murmura-t-il dans mes cheveux. Il m'embrassa sur la tête. « Je sais. »

Je restai blottie contre lui, à écouter son cœur, à sentir ses bras forts autour de moi.

« Je ne comprends pas, je pensais que tu comptais rester à L.A. jusqu'à la fin, dis-je.

— La minute où j'ai raccroché après t'avoir parlé, j'ai changé d'avis. Je n'ai pas besoin de jouer au golf pour prouver que je sais faire mon boulot. Une voix impérieuse dans ma tête me disait de monter dans le premier avion. J'ai une idée assez précise de la personne à laquelle elle appartenait maintenant.

— Je suis tellement contente que tu sois revenu. J'ai essayé de te joindre, mais ton téléphone était éteint. J'ai pensé que tu donnais.

— J'étais dans les airs. J'ai eu le dernier vol de justesse.

— Tu dois être épuisé. Oh, James, je suis si heureuse que tu sois là.

— Je suis désolé qu'il m'ait fallu autant de temps pour rentrer.

— Comment as-tu su… pour papa ?

— C'est Bea qui me l'a dit. »

Je m'attendais à ce que le monstre se mette à gronder, mais constatai, alors que je prenais la main de James pour l'entraîner à l'intérieur, qu'il n'en fit rien. Bea avait appelé pour prendre des nouvelles de maman. J'avais décroché. Elle avait été surprise de me trouver là, je lui avais expliqué pourquoi.

« Amber m'a téléphoné en larmes. J'ai d'abord pensé qu'il était de nouveau arrivé quelque chose avec Bea, mais elle était bouleversée à la pensée que je n'avais plus de papa. Ça l'a vraiment mise sens dessus dessous. James, tu comptes plus que tout au monde pour elle. »

Il m'attira contre lui.

« Nous devons parler de tout un tas de choses, mais pour le moment, mon seul souci, c'est toi. »

Je tentai de dire quelque chose, mais il posa un doigt sur mes lèvres.

« Je n'ai pensé qu'à toi pendant tout le voyage. Je veux que tu saches que je suis là pour toi. Je ferai le thé, je te ferai couler un bain, je te laisserai tranquille, je te serrerai dans mes bras. Je t'aime, Tessa. Je ne veux pas te perdre. »

Je frissonnai.

« Viens ici, ma beauté. Tu es frigorifiée. C'est probablement le choc.

— Il avait quatre-vingt-quatre ans », dis-je. Ce n'était pas un choc.

« Je sais, mais il paraissait si robuste, si… fiable.

— J'avais commencé à remarquer certaines choses, des petites choses. Sa main tremblait, il était fatigué, il s'était un peu ratatiné. Je sais que cela peut paraître insensible, mais en un sens, je suis contente pour lui. Tu trouves ça bizarre ? »

James secoua la tête, mais je n'étais pas si sûre.

« Pas d'incontinence, pas de sénilité. Il n'aura pas à veiller sur maman… »

Il m'étreignit de nouveau.

« Chut. »

Je n'avais pas vraiment envie de me taire. J'avais envie de lui confier toutes les pensées qui m'avaient envahi l'esprit depuis que papa s'était effondré sur le lit, mais ce n'était pas facile avec le visage pressé contre sa veste.

« Où est Liz ? »

Je m'écartai de lui.

« En haut avec papa. »

Il me considéra d'un drôle d'air.

Je reconnaissais cette expression. J'avais regardé maman de la même manière.

« Il reste à la maison jusqu'à demain. Sur l'ordre de maman. Il a l'air très paisible.

— Je suis tellement content d'être là, dit James en me serrant de nouveau dans ses bras. Je ne te laisserai jamais partir. »

Debout sur la pointe des pieds dans mes chaussettes, je trouvai ses lèvres, y posai les miennes et restai là à respirer son odeur. J'avais perdu un important allié, mais – et ça, je n'avais pas encore compris pourquoi –, je me sentais plus forte que jamais.

Nous déjeunâmes tardivement tous les trois d'une assiette de fromage accompagné de cornichons à la cuisine. Le chagrin n'était pas censé vous donner une faim de loup. Nous bûmes un vin rouge doux en coupant des morceaux de cheddar à même la motte que mes parents avaient l'habitude d'acheter à la laiterie voisine. Je portai un toast à papa avant d'enfourner un oignon au vinaigre.

« Je voudrais remercier votre père, dit maman à James. Cette petite expédition à l'île de Skye n'aurait pas pu se produire à un meilleur moment.

— Je… C'est extrêmement gentil de votre part de dire ça, mais…

— Mais rien du tout. Je suis sincère. Ce voyage lui a semble-t-il permis de mettre de l'ordre dans les leçons que la vie lui a données. C'est quelque chose !

— J'ai pensé que si vous aviez eu une rechute c'était parce qu'il n'était pas là auprès de vous. Tessa s'était fait du souci dès le départ.

— Tessa s'inquiète trop. Notre principal défi va consister à gérer son anxiété maintenant que je vais me retrouver seule à la maison.

— Absolument, dit James, visiblement soulagé de ne pas avoir à assumer d'aucune manière l'absence de mon père quelques jours avant sa mort, qui avait volé à mes parents de précieux derniers moments ensemble.

— Faux, lançai-je, parce que ça n'arrivera pas.

— Vraiment ? riposta ma mère, et sa détermination était tangible dans sa voix.

— Ce n'est pas si compliqué de faire la navette. On se concentre mieux au travail quand on sait qu'on a un train à prendre. »

Maman grignota une tranche de concombre que j'avais coupée pour elle.

— Ils t'ont bien accordé quelques jours de congé, souligna James.

— Pas indéfiniment, répondis-je.

— J'ai de très bons amis dans le village », expliqua maman à James. Enfin, dans sa direction. Je savais à qui elle s'adressait en réalité. À moi. Je savais aussi ce que cela signifiait. Du balai, Tessa ! Je n'ai pas besoin d'une garde-malade. « Bon, je me sens un peu lasse. Je vais monter faire une petite sieste. Veux-tu me réveiller quand le pasteur viendra ?

— Bien sûr.

— Devrais-je monter un plateau à ton père ? dit-elle, puis elle posa la main sur l'épaule de James en riant. Je plaisantais. »

Je secouai la tête.

« Arrête de secouer la tête, Tessa.

— Comment sais-tu que je secoue la tête ?

— Je te l'ai dit. Je connais ta manière de penser.

— Moi aussi. Et tu ne te débarrasseras pas de moi si facilement. Comment vas-tu faire toutes ces choses que papa faisait pour toi ?

— Seigneur, ce que tu peux être têtue ! s'exclamat-elle en agitant un doigt dans ma direction.

— On se demande bien d'où je tiens ça, répliquai-je.

— Bonne sieste », lança James d'un ton enjoué.

J'attendis qu'elle soit partie, avant de me tourner vers lui, un peu agacée.

« Il va falloir que tu me soutiennes dans cette affaire, dis-je.

— Évidemment que je te soutiendrai. À quel propos ? »

Exprime-toi, avait dit papa. Je poussai mon assiette de côté et me levai.

« Ça te dirait d'aller te promener.

— Avec plaisir. Ça fait des jours que je n'ai pas marché hormis dans un aéroport. »

Je glissai mon bras sous le sien.

« Viens. On débarrassera en rentrant. Il y a un endroit que je voudrais te montrer. »

Au bout du village, une piste cavalière se hissait le long d'une crête. Un autre sentier plongeait dans une gorge rocheuse, ignoré par la plupart des gens du coin car il était assez traître. Je pris la main de James et nous naviguâmes entre les racines et le fouillis de ronces jusqu'au lit du ruisseau. On se serait cru dans une grotte : l'air semblait différent, les rayons de soleil qui réussissaient à percer le dais de branches enchevêtrées au-dessus de nos têtes dansaient sur les galets mouillés. On pouvait marcher des heures dans l'eau – ou jusqu'à ce qu'on ait les pieds gelés.

« C'est le meilleur moment de l'année pour venir ici, dis-je. Les orties enferment ce site l'été et on ne peut plus passer. Mes parents ont bien fait de partir de Londres. Je suis sûre que le sursis prolongé de maman est lié à cette existence bucolique. Au début, j'ai pensé qu'ils avaient perdu la tête, mais c'est étonnant comme on peut s'occuper à la campagne.

— Tu étais sérieuse quand tu parlais de faire la navette ? demanda James.

— Elle ne peut pas vivre seule dans l'état où elle est. »

Il haussa les épaules.

« Combien de temps ses yeux resteront comme ça, à ton avis ?

— Ils ont dit trois semaines, mais un événement comme celui-là pourrait retarder toute amélioration. Peu m'importe ce que disent les médecins, le stress est un facteur clé.

— Elle semble incroyablement calme. »

Je m'arrêtai de marcher.

« C'est préoccupant, tu ne trouves pas ?

— Je ne sais pas. Tu as dit toi-même que tu t'y attendais, d'une certaine manière.

— C'est vrai, mais ça fait longtemps que j'ai un vieux papa. Je n'ai pas perdu mon conjoint. Maman a vécu avec papa depuis l'âge de vingt ans. Toute son existence tournait autour de lui. Il y a une différence, je pense. »

James se rapprocha de moi. L'eau glacée faisait pression contre mes bottes en s'enroulant autour de mes chevilles.

« Évidemment. Il est évident aussi qu'il faut que tu l'aies à l'œil. Pardon, le mot est mal choisi, que tu veilles sur elle jusqu'à ce que sa vue s'améliore. »

Il ne me comprenait toujours pas. Je me remis en marche.

« Et après, James ? Elle a la sclérose en plaques à vie, même si la maladie se cache. Le stress est néfaste, une activité excessive aussi. Elle s'imagine peut-être qu'elle peut continuer toute seule, mais papa se chargeait d'une grande part des tâches quotidiennes incontournables. Elle s'occupait des choses sédentaires, il faisait tout le reste. Ce ne sera pas facile pour elle de se mettre à genoux pour allumer un feu. J'ai peur qu'elle ne décline rapidement quand elle prendra la mesure de tout ça.

— Elle dit que tu te fais trop de soucis.

— Certainement pas. » *Exprime-toi.* « Je ne peux pas la laisser toute seule, James, je t'assure. »

Je savais qu'il était en train d'interpréter mentalement mes paroles. Il n'y avait que deux solutions. Soit je déménageais dans l'Oxfordshire. Soit ma mère venait vivre à Londres avec… Une seconde, nous n'avions que trois chambres. J'ai trois enfants qui logent régulièrement à la maison. Nous serons obligés de prendre un appartement plus grand, avec un petit logement indépendant de préférence. Ce genre de bien n'est pas bon marché, ce qui signifie qu'il nous faudra changer de quartier, d'école, nous éloigner des filles… Il se tourna vers moi. J'attendis.

« Ta mère doit avoir le droit de décider ce qu'elle veut faire, dit-il.

— Chaque fois qu'il y a une rechute, on rebondit un peu moins haut. C'est progressif, si bien qu'un simple observateur ne s'en rend pas forcément compte. C'est ce qui s'est passé avec ses jambes, du coup elle a besoin d'une canne en permanence. Ça arrivera aussi avec ses yeux. Ce que je veux dire, c'est que je ne suis pas certaine qu'on puisse la laisser décider.

— C'est une femme très indépendante.

— Je n'ai pas dit que ça serait facile. » Je posai la main sur la joue de James. Ce que j'avais pris pour une nature merveilleusement positive était en fait un refus de voir le mauvais côté des choses. C'était louable, dans certaines circonstances, mais la vie nous jouait parfois de vilains tours, et faire l'autruche dans ce cas n'était pas seulement médiocre, c'était se montrer complice. Et c'était exactement l'attitude qu'il avait adoptée lorsque Bea avait commencé à prendre du poids.

« Tu t'imagines que je dis juste ça parce que la maladie de ta mère me pose un problème ?

— Non. » *Oui. N'était-ce pas* précisément *ce que tu étais en train de te dire ?*

« Mais si ! »

Ce fut à mon tour de me dérober.

« Ce qui m'inquiète, c'est que nous fonctionnons à la perfection dans une bulle, toi et moi, James, à la perfection, mais regarde ce qui se passe quand elle éclate. On se dispute. C'est terrible. Ma mère compte autant pour moi que tes enfants pour toi. Il faut qu'on trouve de la place pour tout le monde. Y compris moi. Je ne suis pas comme Bea. Je ne me contenterai pas d'être la cinquième roue du carrosse en te remerciant avec effusion quand tu te souviendras de mon anniversaire.

— Ça ne s'est jamais passé comme ça. Tout ce que j'ai fait, je l'ai fait pour elle. » Il était piqué au vif. « Désolé.

— Pas de souci. Mais si tu dis vrai, comment se fait-il que ça n'ait pas marché entre vous ? »

Il se passa la main dans les cheveux.

« La seule chose qu'elle voulait, c'était se libérer de la mainmise financière de sa mère. La seule chose qui la mettait hors d'elle, c'était le snobisme de sa mère. J'ai trimé comme une bête pour lui rendre sa liberté, pour m'entendre reprocher de ne jamais être là.

— Tu m'as dit toi-même que tu t'arrangeais pour être là au minimum.

— Je ne pense pas que l'on puisse jeter la pierre à un homme qui ne se précipite pas à la maison tous les soirs pour l'heure du bain des bébés après une journée atroce de plus au bureau, répliqua-t-il d'un ton courroucé. On n'est pas des saints. On a besoin de souffler nous aussi, tu sais. Et quand tout ce à quoi on a droit, c'est un accueil glacial, c'est encore plus dur. Si je te dis ces choses-là à propos de ta mère, ce n'est pas parce que ça ne m'arrange pas qu'elle soit malade. S'il s'agissait de mes parents, nous aurions exactement la même conversation. C'est à elle que je pense. C'est une femme véritablement indépendante. Et la dernière chose qu'elle souhaite, à mon avis, c'est que tu renonces à ta vie pour t'occuper d'elle. Ne la materne pas. Demande-lui ce qu'elle veut faire.

— Mais…

— Il n'y a pas de mais. Ce n'est pas parce que je ne suis pas toujours d'accord avec toi que je suis un branleur égoïste et borné qui rêve de se la couler douce.

— Je suis désolée, dis-je en me dressant sur la pointe des pieds pour l'embrasser. Tu as raison, ajoutai-je avant qu'il ait le temps de m'interrompre.

Pardonne-moi. Maman a besoin de notre soutien et non pas que je prenne des décisions pour elle.

— Écoute, Tessa, j'admets que j'ai eu vite fait d'abandonner mes responsabilités quelquefois, mais il t'arrive à toi de t'y cramponner trop longtemps. Il est plus facile d'élever des enfants quand on ne se préoccupe pas de tous les petits détails. Je n'ai jamais remarqué si mes filles allaient à l'école avec des chaussettes qui ne vont pas ensemble. Je ne te parle même pas de la couleur, mais des motifs. Et si cela fait naître un sourire supérieur chez toi, alors tu as peut-être raison, on va probablement dans la mauvaise direction. Je suis navré, mais ce genre de broutille me passe par-dessus la tête. »

Je posai la main sur mon cœur.

« Je promets de ne pas faire d'histoires pour des chaussettes désassorties.

— Merci. » Il m'attira à lui. « Il y a autre chose que je voudrais que tu fasses pour moi. »

Je pensais qu'il allait suggérer quelque chose de cochon, et mes reins commençaient à se cambrer sous son regard. Mais il me surprit.

« Il faut que tu aies envie d'être heureuse », dit-il.

Il y a des moments où dire « je t'aime » ne suffit pas. Je le serrai contre moi et l'embrassai sur la bouche. Ses lèvres s'entrouvrirent, sa langue était chaude contre mes lèvres froides. J'en voulais plus. Plus de chaleur. Plus de douceur. Plus d'intimité aussi. Les feuilles étaient restées là où elles étaient tombées l'hiver dernier, préservées par l'air frais, immobiles sous les arbres. Le soleil printanier avait séché les couches supérieures et, lorsque je m'allongeai, elles formaient un tapis doux sous mon dos. James se mit sur moi. J'entendais les feuilles craquer et se briser sous mon poids. Je glissai mes doigts dans ses splendides cheveux poivre et sel et pressai son visage contre le mien.

J'ouvris les yeux et regardai le ciel limpide à travers les silhouettes noires de milliers de branches. Le paradis ! pensai-je. Il faisait trop froid pour s'étendre nus par terre telles des étoiles de mer, mais j'étais à peu près certaine de connaître un moyen tout aussi efficace d'avoir la sensation d'être infinis. Je défis la ceinture de James sans cesser de l'embrasser. D'après ce que je sentis, le froid n'allait pas le décourager. Je soulevai les hanches et nous fîmes glisser mon jean et mon slip. Pas très loin, juste assez. Nous bougeâmes à peine quand il me pénétra. Impossible. Nos vêtements empêchaient tout mouvement d'envergure. Je gémis tandis que je me remplissais de lui, d'amour, de désir. Je me cambrai et me balançai contre lui, des mouvements lents, infinis. Nous effaçâmes la tristesse et nous perdîmes dans l'incroyable force que l'on éprouve lorsque l'on regarde dans les yeux un être que l'on aime et qui vous aime en retour.

L'histoire d'amour de mes parents avait commencé sur la berge d'une rivière. La nôtre aussi désormais. Mais cette fois-ci, ce serait une vraie relation. Avec des hauts et des bas, des précipices et des sommets, et d'une manière ou d'une autre, nous trouverions le matériel nécessaire pour nous sortir des failles et redescendre sains et saufs des pics. Je frémis de la tête aux pieds en poussant un cri. Nous restâmes là, pantelants, au milieu des feuilles mortes. James me caressa les cheveux et continua à me regarder dans les yeux, et je songeai que j'avais de la chance de connaître cette sensation. Énormément de chance.

Le prochain homme que j'embrassai fut le pasteur. Assez embarrassant, je l'avoue. Il était là quand nous regagnâmes la maison. Je lui tendis la main, mais avant que j'aie le temps de dire ouf, il m'avait serrée dans ses bras et embrassée. James s'éclipsa discrètement, un sourire coquin aux lèvres, en nous annonçant qu'il allait prendre un bain. Lorsque le vicaire le regarda d'un air intrigué, quatre heures de l'après-midi étant une heure quelque peu incongrue pour faire ses ablutions, il répondit calmement : « Je descends de l'avion » en faisant un clin d'œil. Charmant.

J'aidai maman à descendre, l'installai devant la cheminée, puis j'allai à la cuisine préparer l'incontournable thé. Les pasteurs doivent être faits de thé. Je me demandai s'il n'aurait pas préféré un sherry.

Je portai le plateau dans le salon et distribuai les tasses. Ils étaient en pleine conversation à propos du remplacement du bedeau, et c'est ainsi que j'appris avec stupéfaction que mon père s'était proposé pour ce poste. Je ne l'avais jamais considéré comme un homme profondément chrétien – respectueux de Dieu, des puissances supérieures éventuelles, certainement, mais un disciple du Christ ? J'avais des doutes là-dessus.

Remarquant ma confusion, le pasteur se tourna vers moi. Je résolus de développer mon point de vue.

« Papa et moi avons toujours pensé que la religion organisée faisait plus de mal que de bien. »

L'homme en soutane accepta gracieusement mon argument, avant de l'anéantir :

« Je pense que votre père en est venu à penser que les *hommes* étaient la source du mal, pas les religions auxquelles ils adhèrent. »

Les affirmations les plus simples sont souvent celles qui donnent le plus à penser.

« Vous voulez dire que papa était un membre assidu de votre congrégation ?

— Je ne m'attribue pas personnellement sa "conversion" dans la mesure où je suis à peu près certain que s'il y avait eu un temple hindou dans le village c'est là qu'il serait allé, répondit le pasteur. Ce qui l'intéressait, c'étaient les gens qui fréquentaient notre lieu de culte. Il était particulièrement doué pour parler aux femmes. Je présume que vous y êtes pour beaucoup.

— Il a fait des études de psychologie, soulignai-je. Il se prenait pour Jung.

— Il organisait des petits déjeuners paroissiaux. » Maman rit. « Il faisait même des gâteaux. »

Je fronçai les sourcils.

« Pour qui ?

— Les dames de la paroisse. »

Cela expliquait l'armée de ragoûts qui couvrait la table de la cuisine.

« Je pense que votre père a sauvé davantage de femmes qu'un millier de mes sermons auraient pu le faire.

— Sauver de quoi ? demandai-je.

— Eh bien, les pertes cruelles sont fréquentes à cette étape de la vie. Votre père savait réconforter les gens et ne jugeait jamais personne. Elles lui confiaient leurs secrets, qu'elles avaient parfois portés en elles des années… Ça faisait plaisir à voir.

— Reste-t-il du thé dans la théière ? » demanda maman.

Il en restait des litres. Je lui en servis un peu. J'adorais cette image de papa épaulant des femmes.

« Quel genre de secrets ? demandai-je, faisant preuve d'une parfaite indiscrétion.

— Eh bien, il y a eu cette femme d'une cinquantaine d'années qui a totalement perdu les pédales au décès de son père. Votre papa a réussi à lui faire comprendre que ce n'était pas tant sa mort à lui qu'elle déplorait que celle de son bébé.

— Avez-vous faim ? Je suis sûre que Tessa pourrait nous dénicher des biscuits. J'ai un petit creux.

— Il avait une sorte de sixième sens avec les femmes.

— J'aimerais bien que ce soit le cas de tous les hommes, dis-je.

— Ce serait difficile de suivre son exemple, ça ne fait aucun doute, mais votre jeune ami semble prêt à relever le défi. »

Je souris. Mon jeune ami. Je suppose qu'il était jeune comparé à ce pasteur septuagénaire.

« Qu'est-il arrivé à la femme qui pleurait son bébé ?

— Nous avons dit une messe pour l'enfant qu'elle avait perdu. Ça l'a beaucoup aidée.

— J'ai une amie qui a fait une fausse couche. Ça a été terrible pour elle. Elle aussi, elle a enterré sa fille.

— Il s'agissait d'un avortement en fait, dans le cas de cette dame, mais la sensation de perte était similaire, j'imagine. Les dates restent présentes à l'esprit. Elle ne s'en était jamais remise, la pauvre !

— Oh !

— Si on rajoutait une bûche dans le feu ? » suggéra maman.

Le pasteur hocha la tête.

« Je m'efforce de ne pas juger les gens, mais je ne peux pas m'en empêcher, j'en ai peur. Comprenez-moi bien, je ne m'oppose pas à cette pratique par principe religieux, et j'estime que toutes les femmes ont le droit de choisir, mais être consciente qu'éliminer un fœtus de ses entrailles n'est pas une forme de contraception en soi fait partie de ce droit. Les incidences sont considérables parfois, et à long terme.

— Nous essayions juste d'aider des gens isolés », intervint maman.

Je voyais bien qu'elle s'ingéniait à mettre un terme à la conversation, mais le pasteur n'en avait pas tout à fait fini :

« Dans certains cas, un avortement enlève deux vies, dit-il.

— Je suis désolée, Tessa. J'ai terriblement soif. Tu veux bien aller faire chauffer un peu d'eau ? »

Ignorant maman, je fixai le pasteur.

« Comment fait-on pour les aider à se sentir mieux ?

— On leur pardonne. Les femmes ont beaucoup de mal à se pardonner elles-mêmes. »

J'attendis que l'eau frémisse dans la bouilloire. Le plancher grinça au-dessus de ma tête, et l'espace d'une seconde, je pensai que papa avait fini sa sieste, mais le souvenir de lui s'effondrant sur le lit coupa court à cette idée. Se pouvait-il qu'il soit mort ce matin seulement ? Je me frottai le visage en étouffant un bâillement. La mort est épuisante. Le plancher craqua de nouveau. Il en avait toujours été ainsi dans cette maison, qu'il y ait quelqu'un à l'étage ou pas. Maman entra dans la cuisine et referma la porte derrière elle.

« Ça va, Tessa ?

— Je crois que oui.

— Personne n'a dit que c'était forcément mal de se faire avorter, tu sais. Au contraire. Être un enfant non désiré est un joug très difficile à secouer. La situation est différente pour chacun.

— D'accord.

— Personne ne juge personne.

— D'accord, maman.

— Je ne veux pas que tu t'imagines que le pasteur te faisait des reproches.

— Des reproches, à *moi* ? » Soudain, je compris – les interruptions ineptes de ma mère. « Oh, maman, je ne me suis jamais fait avorter. Pas parce que j'ai toujours été raisonnable. Ce n'est pas le cas. J'ai eu de la chance, voilà tout.

— Oh, je pensais… Eh bien, l'année dernière, lorsque tu étais toute chose et que tu ne voulais pas me dire ce qui te rongeait, et puis tout à l'heure, pendant que tu parlais au pasteur, je t'ai trouvée un peu agitée…

— Non, maman, ce n'était pas ça. Je m'étais mise dans le pétrin avec Ben. Je te raconterai ça un jour, mais pas aujourd'hui. À l'époque, j'étais venue me réfugier ici pour me remettre les idées en place, pas parce que j'étais enceinte. »

Je ne m'étais pas fait avorter en secret. Bea, si, et elle ne se l'était jamais pardonné. J'entendis de nouveau craquer le plancher.

« Maman, si je sais quelque chose à propos de Bea qui serait susceptible de changer ce que James éprouve à son égard, devrais-je le lui dire ?

— Pour le meilleur et pour le pire ? »

Dans la richesse ou la pauvreté. La maladie ou la santé. Jusqu'à ce que la mort nous sépare.

« Je ne sais pas », répondis-je.

Qu'aurait dit papa en pareilles circonstances ?

Ne préférerais-tu pas savoir plutôt que de vivre dans la peur d'une issue imaginaire ?

« Être le gardien de secrets est un rôle éreintant, ma chérie. En outre, ce n'est pas juste de te faire porter un tel fardeau. C'est déjà assez difficile comme ça de devenir une épouse, sans parler de devenir une belle-mère. Tu connais Bea maintenant. Elle n'est pas plus la redoutable ex-femme que tu n'es la méchante marâtre. Elle a vécu des moments pénibles, elle a fait de mauvais choix, mais c'est fondamentalement une bonne personne. Vous n'êtes pas si différentes l'une de l'autre, alors peut-être la question à se poser est-elle : qu'aimerais-tu qu'elle fasse si vos rôles étaient inversés ? Garder ton secret ou le dire ?

— Les secrets ne le sont-ils pas pour une raison ?

— Pas forcément une bonne raison. »

Je la serrai dans mes bras.

« Tu crois que tu vas tenir le coup sans papa.

— Je ne sais pas, me répondit-elle. Mais quoi qu'il arrive, je ne suis pas à ta charge. Je ne veux pas de toi ici. Je t'aime trop pour ça.

— Mais, maman…

— Il n'y a pas de mais. On trouvera un autre moyen.

— C'est ce que James m'a dit.

— Enfin quelqu'un qui n'a pas peur de te tenir tête. »

Les genoux de James émergeaient des bulles, ainsi que son torse. Il était trop grand pour la baignoire.

« Salut, beauté, me lança-t-il.

— Salut. » Je fermai la porte derrière moi. « Il faut que je te parle.

— Assieds-toi », dit-il en me désignant le siège des toilettes.

Je me frottai les yeux avec les poings.

« Qu'est-ce qu'il y a ? Qu'est-ce qui ne va pas ? » demanda-t-il en se redressant.

Je pouvais me lancer dans toutes sortes de préambules, l'entourer d'une multitude d'airbags, rien n'atténuerait le coup que je m'apprêtais à lui asséner.

« Bea n'a pas eu de liaison. »

Il inclina la tête de côté.

« Pourquoi parlons-nous d'elle de nouveau. ?

— Elle ne t'a jamais été infidèle, James. Elle n'a jamais cessé de t'aimer et ne s'est jamais jetée dans les bras d'un autre. Elle s'est juste retrouvée dans une grande confusion pendant un moment. Je suis à peu près certaine qu'elle a souffert d'une dépression postnatale prolongée, mais va savoir ! »

Il me dévisagea en plissant les yeux.

« Une liaison, une aventure d'un soir, quelle différence est-ce que ça fait ? Je l'ai perdue bien avant qu'elle se fasse avorter… »

Il ferma les yeux une seconde, se frictionna le front.

Les femmes ne sont pas les seules à concocter des scénarios qui ne se sont jamais réalisés et ont très peu de chances de se concrétiser. James avait dû se torturer avec des images de sa femme avec un autre homme, mais il n'avait jamais imaginé que l'enfant pouvait être le sien.

« Ce que j'essaie de te faire comprendre, c'est qu'elle n'a jamais couché avec un autre homme. Jamais. Il n'y a eu que toi. »

Mes paroles flottèrent dans la salle de bains avant de fondre sur lui.

Il les digéra. Immobile, pendant un instant. Puis il releva les yeux pour s'assurer que c'était bien moi, que j'avais effectivement prononcé ces mots, pour tenter d'en comprendre le sens. Il lut sur mon visage la confirmation qu'il cherchait à éluder.

« Pas possible, dit-il.

— Je suis désolée, murmurai-je. Ça la tue depuis.

— Comment le sais-tu ?

— Propos de femmes.

— Faith ? Elle le savait et elle ne m'a…

— Non, James. C'est Bea qui me l'a dit. Ici même. La nuit où je l'ai surprise en train d'essayer de chouraver le sherry.

— Quoi ? »

Je n'avais pas eu le temps de lui relater cet épisode. Il s'était passé tellement de choses.

« Tu m'as toujours dit que ta femme t'avait quitté parce qu'elle ne t'aimait plus. Je ne pense pas que ce soit vrai. Mais il faut que tu l'entendes de sa bouche.

— Pourquoi me racontes-tu ça maintenant ? »

Je le regardai, assis dans son bain, serrant ses genoux contre lui, ses cheveux relevés de son front haut.

« Parce que je t'aime. »

Ses traits se plissèrent. Je me levai.

« Je te laisse un moment », dis-je, et je refermai la porte derrière moi.

James était habillé, rasé de près et sentait le citron vert quand il entra dans le salon. Je posai le livre que je faisais semblant de lire.

« Merci, me dit-il. Ça n'a pas dû être facile. »

Il écarta une poussière imaginaire de son nez.

« C'est étonnant comme une petite information peut expliquer tant de chaos.

— Il faut que tu ailles la voir, dis-je.

— Et toi ?

— Tu ne peux rien faire de plus ici.

— Mais Tessa… »

Faites qu'il ne me supplie pas de le laisser rester. J'aurais cédé trop aisément. Aujourd'hui, j'avais encore le sentiment d'avoir le soutien de mon père. Demain, ce ne serait peut-être plus le cas. Je m'efforçais de faire ce qu'il convenait de faire. Mais ce n'était pas facile.

« Tu rends sa mère responsable de son problème de boulimie et d'alcoolisme, dis-je. Je ne suis pas sûre que tu aies raison. Il faut qu'elle aille mieux pour tout le monde, et elle n'y arrivera pas sans ton pardon. »

James avala sa salive. Il était peut-être trop tôt pour lui demander de pardonner. Je tendis le bras pour lui prendre la main. En voyant frémir le muscle de sa mâchoire, je la serrai plus fort.

« Ai-je été un si mauvais mari ? »

Je ne tentai même pas de répondre.

« Je suis bien consciente que tu as envie de rester ici auprès de moi, mais je pense vraiment que tu devrais aller la voir. »

J'avais une boule dans la gorge.

« Ton papa t'a appris à pourfendre le dragon, n'est-ce pas ?

— Oui, répondis-je. J'ai eu beaucoup de chance.

— Tu es une femme étonnante, Tessa King.

— Moi ?

— Oui.

— Dans ce cas, reviens-moi.

— Entendu. »

Je l'accompagnai à la porte. Pendant que nous nous embrassions, je sentis la tristesse m'envahir.

Il me serra fort dans ses bras en posant son menton sur ma tête.

« Un jour, nous rirons de tout ça, dit-il.

— Je l'espère bien.

— Je t'assure.

— Va-t'en avant que je me mette à pleurer.

— Trop tard », dit-il en essuyant une larme. Il prit mon visage en coupe et m'embrassa de nouveau. « Je t'aime tellement.

— Je sais », répondis-je tristement. Je savais aussi que James avait toujours aimé Bea. En d'autres temps. Mais j'avais ouvert en grand la porte sur le passé et maintenant ces temps-là revenaient à l'assaut. M'aimer ne serait peut-être pas suffisant.

Maman me rejoignit tandis que j'agitais la main pour dire au revoir à James.

« Je sais que c'est un cliché, mais parfois il faut aimer suffisamment les gens pour les laisser partir. »

Je posai la tête sur son épaule.

« Et espérer qu'ils vous aiment assez pour revenir ?

— Oui.

— Le risque est grand.

— C'est le cas de la plupart des choses pour lesquelles il vaut la peine de se battre. »

Ce fut à ce moment-là que les larmes vinrent. Des larmes pour papa, pour ma mère, pour James et Bea, pour le fils qu'ils auraient pu avoir, et pour moi. Et quand j'en eus fini, je m'assis pour attendre.

19

Retour

Je passai trois fois devant le bar avant de trouver le courage de me garer. Quand ce fut chose faite, je restai assise au volant et comptai jusqu'à 10. Mon record est de 170. Mais cela ne paraît pas aussi désespéré par dizaines.

Mon cœur interrompit son cri de guerre et retrouva des palpitations régulières. Je glissai deux pièces d'une livre dans le parcmètre. Je ne me voyais pas rester là plus d'une heure. Mes talons claquèrent sur les pavés. Quelques semaines seulement s'étaient écoulées depuis que je les avais vues pour la dernière fois, mais j'avais fait du chemin. Je me demandais si elles s'en rendraient compte. Le souhaitais-je ? Je baissai les yeux sur mes chaussures. Les talons étaient révélateurs. J'avais pris la peine d'en mettre ; ma démarche mal assurée passe-rait peut-être.

« Bea. On est là. » Carmen se leva pour m'accueillir. « Que veux-tu boire ?

— Je vais aller au comptoir. Je vous rapporte quelque chose ? »

Elle me serra dans ses bras.

« Mon Dieu, tu as rétréci !

— Whoua, Bea ! renchérit Angie. Tu as perdu une tonne de poids !

— Vous croyez ?

— Allez, tu dois bien le savoir », lança Lee, notre reine du fitness.

Dans le tumulte de ces derniers jours, j'avais oublié de me peser.

« J'ai jeté ma balance. Ça me rendait folle. »

Reste près de la vérité et tu t'en tireras peut-être avec quelques mensonges.

« En tout cas, tu es superbe. Félicitations, dit Carmen. Assieds-toi, Bea, c'est ma tournée. Que veux-tu ? »

Je jetai un coup d'œil anxieux autour de la table. Lee avait un verre de vin devant elle, Angie, une vodka-tonic. Holly aussi. Carmen buvait du champagne. Je pris une profonde inspiration.

« Une limonade au citron vert, s'il te plaît.

— Avec un petit verre pour faire descendre ? s'enquit Carmen en souriant.

— Je conduis.

— Un petit verre ne te fera pas de mal », dit-elle.

Je ne répondis rien.

« Je vais en prendre un autre. J'ai attendu ce moment toute la journée, dit Angie.

— Je ne sais pas qui a eu l'idée de cette petite réunion, mais c'est génial. On rate le dîner, l'heure du bain

525

et on se tire du boulot de bonne heure en prime, dit Holly. On gagna sur toute la ligne.

— Tu es sûre que tu ne veux pas boire quelque chose d'un peu plus consistant ? demanda Carmen en se dirigeant à reculons vers le bar.

— Certaine.

— Pas étonnant que tu aies perdu autant de poids. C'est le problème avec mon régime. Je ne tiens pas le coup sans un verre à la fin de la journée, dit Angie. En toute franchise, je préfère sauter le repas.

— Moi aussi, renchérit Holly. Je t'envie cette volonté de fer. »

Je souris poliment.

« Alors, comment ça se passe pour vous toutes ?

— Super, dit Lee. Ça fait plaisir d'avoir les enfants à la maison.

— Vraiment plaisir, insista Holly.

— Je trouve les vacances un peu pénibles en général, dit Angie, mais ils ont tellement de copains maintenant, ça les gêne moins apparemment que je sois au travail toute la journée. Nous partons en Sardaigne la deuxième semaine, alors ils sont un peu plus cool que d'habitude avec moi. Et toi, Bea ?

— Les filles sont chez les parents de Jimmy en ce moment. J'avais besoin d'un peu de temps pour régler un certain nombre de choses.

— Comme quoi ?

— Oh, tu sais, la maison… »

Je me creusai la cervelle. En vain. Elles hochèrent la tête d'un air compatissant, mais je ne sais pas trop pourquoi. Je tenais des propos totalement incohérents. Alors je comblais le vide.

« Jimmy va se marier.

— Quoi ?

— Merde ! Carmen, reviens ! hurla Angie. Jimmy va se marier. »

Carmen réapparut avec un plateau de verres.

« Je ne le crois pas ! Quand ça ?

— Quel âge a-t-elle ?

— Depuis combien de temps la connaît-il ? »

Je levai les deux mains. Carmen s'assit et distribua les boissons.

« Et toi, ça va ? »

Je hochai la tête.

Elles échangèrent des coups d'œil.

« Est-elle enceinte ? »

Je ris au souvenir de ma propre réaction quand Jimmy m'avait annoncé la nouvelle. Les mêmes hypothèses. Les mêmes préjugés. Toutes les secondes épouses entrent-elles ainsi dans l'antre du lion ?

« En fait, elle est assez spectaculaire, dis-je. Honnêtement. »

Ma remarque fut mal interprétée. Il ne m'était pas venu à l'esprit qu'elle puisse paraître sarcastique.

« Tout en lolos, en fesses bien moulées…

— Carmen ! » Lee lui flanqua un coup de coude.

« Pardon.

— Non, je suis sincère. C'est une fille intelligente, jolie, perspicace, généreuse.

— Jimmy a toujours eu bon goût, dit Angie en m'effleurant l'épaule. Seulement je pensais qu'il ne s'était jamais remis de votre rupture.

— Il te suivait partout comme un petit chiot, confirma Holly.

— On a toujours trouvé un peu injuste que ton ex t'accorde plus d'attention que nos maris nous en accordent à nous, intervint Lee.

— Parle pour toi ! Le mien est aux petits soins avec moi », assura Carmen.

Nous nous bouchâmes les oreilles. Carmen avait tendance à se perdre dans les détails.

« On comprend que tu fasses un régime maintenant. Pour tout te dire, on commençait à se faire du souci pour toi, dit Angie.

— Ah bon !

— Tu n'étais plus vraiment toi-même récemment. »

Ce « toi-même » faisait-il référence à la maman qui était de toutes les sorties scolaires et souffrait en silence, ou à l'être que j'avais été avant cela ? La femme drôle, sexy, heureuse que j'étais avant qu'élever mes enfants me mange toute crue ? La première, bien sûr. Elles n'avaient jamais connu l'autre. Pour elles, j'étais celle qui récupérait leur progéniture à la dernière minute quand elles étaient retenues à leur travail et que leurs nounous avaient autre chose à faire. Celle qui trimbalait leurs enfants d'un anniversaire à l'autre pour la bonne raison que je n'avais rien de mieux à faire. Celle sur qui on pouvait compter pour organiser les promenades, les pique-niques, les spectacles, les journées sportives, les kermesses… Ce n'était peut-être pas si mal de ne plus être cette femme-là.

« Hé, Bea, ça n'a pas l'air d'aller ! »

Carmen se pencha vers moi et me prit la main.

Je me rendis compte que j'avais les joues humides.

« Pardon.

— Pour l'amour du ciel, ne t'excuse pas ! »

J'essuyai la prochaine larme, mais d'autres suivirent inopinément ! Je ris bêtement. L'autodérision ne suffirait pas à compenser le fait que je pleurais comme une Madeleine dans un bar à cinq heures et demie de l'après-midi.

« Laisse-moi te commander un bon verre, suggéra Angie.

— Non ! » criai-je. Elles se figèrent. « Oh, et puis flûte ! Je suis désolée, vous allez croire que je suis en pleine dépression. » C'était censé être drôle, mais ça ne l'était pas. Je chassai une larme qui roulait rapidement sur ma joue. « Eh bien, oui, j'adorerais boire un verre. J'en rêve encore plus que Carmen rêve du dernier sac Balenciaga. Mais je ne peux pas. Parce que, quand je commence, je ne peux plus m'arrêter. »

Je regardai les femmes que j'avais appelées mes amies me dévisager la bouche ouverte. *Vous avez bien entendu. J'ai un problème d'alcool.* Moi qui les considérais comme des bouées de sauvetage. C'était juste une bande de femmes qui se trouvaient avoir des enfants du même âge que les miens dans la même école. Elles ne me connaissaient pas. Ce n'était pas leur faute. Que leur avais-je révélé de moi au fond ? Rien, à part ce besoin impérieux de me plier en quatre. Elles avaient profité de moi, bien sûr, mais je les avais laissées faire. *Si je vous donne un coup de main, peut-être me demanderez-vous de rester.*

Lee fut la première à réagir. Elle me prit la main.

« Oh, Bea, ma pauvre !

— Régime d'enfer… Café noir et alcool. »

Elle regardait fixement ma main, qu'elle frottait doucement du bout du pouce.

« C'est con, hein ?

— Pas plus que de se bousiller les intestins en se bourrant de laxatifs », répondit-elle.

Je cillai des paupières, perplexe.

« Toi ? Tu es tellement saine, en forme.

— C'est peut-être l'impression que ça donne, mais si je mange un œuf, je suis bonne pour un lavement maison. J'ai foutu mes intestins en l'air. C'est pour ça que je fais tellement attention à ce que je mange. Crois-moi, le café noir et l'alcool, je comprends. J'étais à la fac aux États-Unis à l'époque et je n'avais pas un sou. Les laxatifs, c'était moins cher.

— Il faut voir les choses du bon côté, souligna Angie. Le foie se reconstitue.

— Mes intestins seront toujours aussi congestionnés que l'échangeur d'autoroute de Birmingham.

— Tu as fait une blague anglaise, Lee ! lança Holly en lui tapant dans le dos.

— Du Midlands, en plus !

— Que comptes-tu faire ? reprit Angie en se tournant vers moi. Réduire ta consommation ? »

Je secouai la tête.

« Arrêter complètement. Je ne me borne pas à tomber dans les vapes au bout de quelques verres de trop. Je deviens colérique, méchante, et cette pauvre Amber en fait les frais. Je ne peux pas prendre ce risque. Elle en a assez bavé.

— Oh, ma chérie, dit Carmen, pourquoi ne pas nous en avoir parlé ?

— Ce n'est pas facile à dire, hein ? dit Lee, répondant pour moi.

— Quand est-ce que ça a commencé ? demanda Angie.

— Bonne question, dis-je. Il y a longtemps, si ce n'est qu'au début ce n'était pas l'alcool. »

Quatre visages s'assombrirent sous mes yeux.

« Je mangeais. Je me bâfrais. Rien de tel qu'une bonne dose de sucre raffiné pour vous aider à passer une nuit de solitude. »

Holly secoua la tête.

« Moi qui pensais que tu étais incroyablement bien dans ta peau.

— Désolée de te décevoir.

— Tu plaisantes ? C'est un soulagement au contraire.

— Eh oui ! À côté de Superwoman, on se sent toutes complètement nulles.

— Superwoman ! Moi ! Je te ferais remarquer que c'est toi qui as un job d'enfer, qui élèves trois enfants, qui as encore un mari et qui te débrouilles quand même, Dieu sait comment, pour assister à tous les concerts de l'école.

— J'ai une jumelle secrète, dit Angie. Elle s'appelle Fatigue chronique. Mon mari la surnomme La Râleuse pour faire plus court.

— C'est bizarre quand on y pense, enchaîna Holly. Il m'est arrivé d'envier ta situation, ton temps libre un week-end sur deux. La liberté que tu as d'élever tes enfants sans interférence.

— Ni soutien, soulignai-je.

— Enlève tes lunettes roses, ma poule ! C'est le cas de nous toutes, intervint Carmen. Bien sûr, les hommes se pointent pour le bisou du soir et une petite histoire, si on a de la chance, mais le gros du boulot, c'est nous qui l'abattons.

— C'est vrai, renchérit Angie. Rob et moi, nous travaillons tous les deux, mais en rentrant le soir, je m'occupe du dîner, des devoirs, du bain, du coucher. Lui se prend une bière et s'installe devant la télé. Je me charge des courses, des vacances, des week-ends, des sorties… De tout ! Ça me rend dingue !

— Et un beau jour, ils commencent à rentrer tard…, ajouta Carmen en reprenant son verre, et on se demande si tout ça, ça n'a pas compté pour du beurre ? »

Un long silence s'ensuivit.

« Ton mari est un type bien, protesta Lee. Vous êtes si heureux tous les deux. »

Je vis l'incrédulité passer sur le visage de Carmen.

« C'est ce que je croyais. » Elle marqua une pause. « Oh, et puis merde ! Il y a une jeune femme à son boulot… Je pense qu'il ne s'est encore rien passé, mais je ne sais pas. Je n'ai même pas de preuve qu'elle lui plaît. » Elle plaqua ses doigts contre son plexus solaire.

« Sauf là. Ça fait mal. Il s'éloigne de moi et je ne peux rien faire pour l'en empêcher.

— Oh, Carmen ! Ça va s'arranger. Il faut juste que tu t'accroches, dit Holly. On passe toutes par des moments difficiles. Alex et moi avons consulté un psy après la naissance de notre troisième enfant. Je lui en voulais tellement !

— Et alors ?

— On est toujours ensemble.

— Parle-lui, suggérai-je.

— Je me sens tellement bête. Je déteste ce sentiment d'insécurité.

— C'est dur. Arrange-toi pour qu'il prenne conscience de ce qu'il met en péril, dis-je. Fais-lui comprendre que tu as besoin de lui. Je ne suis pas la seule Superwoman à cette table. Nous le sommes toutes – on feint de pouvoir tout encaisser. Aborde le sujet franchement. Je ne vois pas d'autre solution. On dit que les hommes ont besoin de sentir qu'on a besoin d'eux, comme si c'était quelque chose de pathétique. Mais alors, dites-moi, pourquoi nous serait-il interdit à nous d'avoir besoin d'un homme ? Pourquoi ? N'est-ce pas ça une relation ? Un partenariat ? Tu veux un conseil, partez en vacances. Sur-le-champ. Rien que tous les deux. Il t'aime. Si quelqu'un lui fait tourner la tête, remets-la-lui dans l'axe.

— Pardonne-moi, Bea. Mon intention n'était pas de monopoliser la conversation.

— Angie a raison, dit Lee. Ça soulage d'entendre que ton couple soi-disant parfait est exactement comme les autres.

— Et puis merde ! lança Holly. Pendant qu'on y est, il faut que je vous dise que ma fille aînée et moi n'avons pas échangé un mot aimable depuis le début de l'année. Elle me déteste.

— Mais tu as dit que vous passiez d'excellentes vacances, m'étonnai-je.

— J'ai menti, riposta-t-elle d'un ton sans appel. C'est l'enfer. »

En définitive, je m'attardai plus d'une heure en en oubliant le parcmètre, ce qui me valut une contredanse. Mais ça n'avait pas d'importance car, pour la modique somme de cinquante livres, j'avais découvert quelque chose d'inestimable. Ces femmes étaient fabuleuses et j'avais de la chance de pouvoir les compter parmi mes amies. Je proposai de raccompagner Lee et Carmen chez elles. Ce n'était pas sur mon chemin, mais elles acceptèrent toutes les deux. Elles se servaient de moi, mais qu'est-ce que ça pouvait bien faire ? Une petite faiblesse pouvait vous mener loin. Du coup, nous avions l'impression d'être plus fortes individuellement, et une équipe solide est ce dont on a besoin lorsqu'on se sent fragile et peu sûr de soi. Nous parlâmes de la fille de Holly, du béguin du mari de Carmen, imaginé ou pas, puis, histoire d'alléger l'atmosphère, nous disséquâmes les intestins paresseux de Lee. Nous partageâmes nos insécurités, si bien qu'en fin de compte nous avions le sentiment d'être davantage en sécurité.

Je déposai Lee en premier. Elle sortit de la voiture, puis tapa à la vitre. « Blague à part, dit-elle, ça m'a pris un sacré bout de temps avant d'arrêter les laxatifs.

J'ai échoué d'innombrables fois avant d'y arriver... Tu penseras sans doute que c'est trop américain, mais une thérapie, ça aide. » Elle tendit le bras pour me prendre le mien. « J'essaie juste de te dire que si tu replonges tu as intérêt à nous le dire, Bea !

— Et si tu mets la main sur un comprimé de Senokot ?

— Je te le dirai.

— Marché conclu. »

Carmen et moi agitâmes la main et nous nous enfilâmes de nouveau dans la circulation.

« Ça faisait des siècles que je ne m'étais pas sentie aussi bien, maintenant que j'ai fait la causette avec vous pendant deux heures, dit-elle.

— Je peux en dire autant.

— J'ai failli devenir maboule avec cette histoire de fille au bureau.

— Rien d'étonnant.

— Et si tu venais un moment à la maison ? Je crois que j'ai de la piña colada sans alcool. On n'aura qu'à faire semblant, et si tu veux, tu pourras m'expliquer ce qui t'a rendue boulimique.

— C'est toute une histoire.

— Ne t'inquiète pas, ma biche, me répondit-elle en souriant. C'est dans mon propre intérêt. J'en ai une bien bonne à te raconter à mon sujet. »

Je lui jetai un rapide coup d'œil avant de regarder fixement à travers le pare-brise. Pour la première fois depuis des années, je voyais la route devant moi. Ce fut alors que je compris qu'une spirale va dans les deux sens.

En rentrant à la maison, j'appelai Honor pour lui dire que je viendrais chercher les filles le lendemain. Amber était chez Caspar. Je l'attendais d'une minute à l'autre. J'étais capable de manger une bonne soupe tout en restant sobre et en savourant ma propre compagnie, mais ce n'était pas vraiment ça ma vie. Ça n'avait rien de réel. Il fallait que je me bagarre avec Lulu et sa lecture en restant sobre… C'était ça le test ! Il fallait qu'on puisse me parler de robes de demoiselles d'honneur sans que je me jette sur le premier paquet de biscuits venu. Que je voie un petit garçon dans le parc sans avoir envie d'avaler une lame de rasoir. Cela m'aidait de savoir que j'avais des amies que je pouvais appeler, mais Lee avait peut-être raison. Il serait sans doute préférable que je me fasse aider. Je songeai à chercher le numéro des Alcooliques anonymes dans les Pages jaunes, puis je décidai de lancer une machine d'abord.

J'avais rassemblé le contenu du panier de linge sale quand on frappa à la porte d'entrée. « Tu as ta clé ! » hurlai-je. Je descendis avec un assortiment d'habits sales dans les bras et jetai un coup d'œil à travers la vitre avant d'ouvrir la porte à la volée.

« Jimmy ! Qu'est-ce que tu fais là ?

— Bonjour, Bea.

— Les filles ne sont pas ici.

— En fait, c'est toi que je suis venu voir, dit-il. Je peux te donner un coup de main ? »

Il tendit les bras pour prendre une partie de mon fardeau, mais cette manœuvre déséquilibra la masse critique et les habits sales se dispersèrent à mes pieds.

« Désolé. Je te donne encore plus de travail, comme d'habitude. »

Nous nous accroupîmes tous les deux. Mon genou toucha le sien. Il était tout près de moi. Je rassemblai à la hâte maillots de corps, chaussettes, chemisiers, pantalons, me sentant nerveuse tout à coup.

« J'ai bien peur de ne rien avoir à te proposer, à part une tisane.

— C'est parfait. »

Nous nous rendîmes dans la cuisine, moi devant, Jimmy sur mes talons, comme nous l'avions fait tant de fois auparavant. Sur son territoire, il me laissait toujours passer en premier. Pourquoi avais-je refusé de voir qu'il s'était toujours efforcé de me mettre en avant ?

Je me creusai la cervelle pour essayer de déterminer la raison de sa présence.

« Je pensais que tu étais chez Liz avec Tessa, dis-je en fourrant le linge sale dans la machine sans me préoccuper des couleurs.

— J'y étais, me répondit-il en tirant une chaise en pin pour s'asseoir.

— Oh ! » Je remplis la bouilloire d'eau du robinet. « Comment s'en sortent-elles ?

— C'est un peu tôt pour le dire. Tessa s'inquiète surtout de savoir où Liz va vivre maintenant. Elle veut être auprès d'elle.

— À la campagne ? » Je fermai le robinet.

Jimmy haussa les épaules.

« Tu vas aller vivre à la campagne, Jimmy ? C'est ce que tu es venu m'annoncer ? »

Je sentis la panique s'insinuer dans ma voix. Je ne voulais pas être un parent plus isolé que je ne l'étais déjà. Il me faisait souvent faux bond et c'était vrai qu'il me compliquait parfois la tâche, mais les filles savaient qu'il n'était pas loin si elles avaient besoin de lui. Il faisait partie intégrante de leurs vies ; ce n'était pas juste un visiteur. Je n'avais aucune envie qu'il en devienne un.

« Parce que ça nous concerne, nous *aussi*.

— J'en suis parfaitement conscient, Bea. Je ne sais pas par où commencer. Pourrais-tu t'asseoir, s'il te plaît ? »

Je m'aperçus que j'étais en train de secouer une bouilloire pleine en l'air. Je la branchai et l'allumai avant de m'asseoir.

« Qu'est-ce qu'il y a ? Que se passe-t-il à la fin ? »

Jimmy me prit la main. Il la tint doucement dans la sienne, son pouce reposant entre les jointures de mon index et de mon majeur. Il ferma les yeux.

S'il te plaît, ne me dis pas que tu es mourant. S'il te plaît, s'il te plaît. Pour l'amour du ciel, ne me dis pas ça !

« Tessa m'a expliqué pour le bébé. »

J'écartai brutalement ma main, rebutée par ce contact humain, tendre. Il la reprit, avec fermeté, et la garda.

« Ce n'est pas grave, dit-il. Tu n'as rien fait de mal.

— Bien sûr que non ! persiflai-je. Il n'y a rien de mal à tuer un enfant parfaitement sain parce qu'on ne peut pas supporter l'idée de prendre quelques kilos de plus. Eh bien, je les ai pris quand même ces kilos, du coup il est mort pour rien. »

Je n'aurais pas été étonnée qu'il me gifle. J'avais lâché ces mots avec ces accents rageurs et sarcastiques que j'avais entendus tant de fois résonner dans la voix d'Amber en m'offusquant de leur laideur. Je tentai de me libérer une fois de plus, mais Jimmy se cramponna à ma main. J'étais sous le choc. Je croyais me sentir mieux, mais la colère pernicieuse n'était pas allée bien loin.

« Je me suis mal fait comprendre. Ce que je voulais dire, c'est que tu n'as rien fait de mal étant donné les circonstances. Je ne suis pas étonné que la pensée d'une nouvelle naissance t'ait fait perdre pied. Tu avais raison, c'était trop. Nous n'avions pas les moyens d'avoir un autre enfant, et si j'avais été un peu plus attentif, nous serions probablement arrivés à cette conclusion ensemble. C'est moi qui étais dans l'erreur, Bea. Pas toi.

— Jamais tu n'aurais suggéré qu'on s'en débarrasse. » Il était trop fragile pour ça.

« Tu te trompes, Bea. Avec un enfant supplémentaire, nous aurions été encore plus dépendants de ta fichue mère, ce qui m'a toujours fait horreur. Je crois bien qu'en un sens je te blâmais pour ça.

— Moi ? Ça me faisait encore plus horreur qu'à toi.

— Je sais. Mais tu as eu le courage de mettre ta fierté et ton ego de côté pour faire ce qui était le mieux pour nos enfants, alors que tu savais pertinemment qu'on ne cesserait jamais de te le faire payer. »

Il se leva et s'approcha de la bouilloire.

J'avais complètement oublié la tisane que je lui avais proposée. Je le laissai prendre la relève.

« Fort de mon orgueil meurtri, je me suis donné des grands airs en me persuadant que mon travail était plus important que le tien, plus exigeant et représentait un plus grand sacrifice, reprit-il en fourrant des sachets de tisane dans les tasses. Si je valais la moitié de ce que tu vaux, j'aurais suggéré de rester à la maison pendant que tu retournais au boulot. On aurait peut-être eu une chance alors. Tu te rappelles la proposition du *Financial Times* ? »

J'avais fait de mon mieux pour l'oublier.

« Je savais exactement ce que je faisais en plus. C'est moi qui t'ai poussée à cette extrémité. » Il reposa la bouilloire sans avoir versé l'eau. Quand il se retourna pour me faire face, il avait les yeux pleins de larmes. « Si quelqu'un a du sang sur les mains, c'est moi. »

Je me levai et m'approchai de lui.

« Non, Jimmy, dis-je en l'enlaçant. Non. »

Il s'abandonna à mon étreinte, mais s'obstina néanmoins.

« Tu m'as toujours protégé, n'est-ce pas ? Mais c'est moi le responsable, pas toi. » J'entendais les battements de son cœur. En cadence avec le mien. Il me caressait les cheveux.

« Pas étonnant que tu m'aies détesté, chuchota-t-il.

— Je ne t'ai jamais détesté.

— Mais si. » Il explora mon visage des yeux. « Tu n'arrivais même plus à me regarder. Je comprends pourquoi maintenant. J'ai tellement honte de t'avoir reléguée dans une telle solitude.

— Je m'y suis enfoncée moi-même. Malgré tout l'amour que tu avais pour moi, je trouvais que ce

540

n'était jamais assez. Je ne méritais pas qu'on m'aime après ce que j'avais fait.

— C'est ce que dirait ta mère et ce n'est pas vrai. Tu es aimée, par tous les gens qui te connaissent. Ce qui est dommage, c'est que tu ne t'en rendes pas compte. »

J'avais envie de rester blottie là à écouter à jamais les battements rassurants de son cœur. Peut-être pourrait-il battre pour nous deux. Parce que le mien était bel et bien brisé.

« On dit que le fœtus ressent peut-être la douleur… » Ma voix s'étrangla. J'éclatai en sanglots.

« Oh, ma chérie, personne ne le sait…

— Mais j'ai lu…

— Ça ne serait pas autorisé si c'était le cas.

— Certains veulent changer la loi.

— Qui ça ? Le *Daily Mail* ? Les fanatiques religieux ? Les néoconservateurs ? Nous ne voulions pas quatre enfants. Ce que je regrette, ce n'est pas que nous n'ayons pas eu cet enfant, mais que nous n'ayons pas pris cette décision instantanément, en t'épargnant tant de souffrances inutiles. C'est moi qui suis coupable. Tu n'as rien fait de mal.

— Je te demande pardon de ne pas te l'avoir dit.

— Je suis anéanti à la pensée de t'en avoir empêchée. J'aimerais changer tellement de choses, si c'était possible.

— Moi aussi », répondis-je.

Nous restâmes un long moment agrippés l'un à l'autre contre les placards bon marché de la cuisine.

La joue contre sa poitrine, ses bras autour de moi, je me sentais en sécurité.

« Je n'ai su qu'après que c'était un garçon, dis-je.

— Qu'est-ce que ça aurait changé ?

— Tu as toujours rêvé d'avoir un garçon.

— J'ai cessé de vouloir un garçon à la seconde où le médecin m'a tendu Maddy. Nos filles sont de parfaites pourfendeuses de dragons en puissance, cela grâce à toi essentiellement, dans la mesure où j'ai joué un rôle négligeable.

— Des pourfendeuses de dragons ?

— Je t'expliquerai une autre fois.

— Tu as joué un rôle vital, Jimmy. Nom d'un chien, pourquoi crois-tu que je me sens si coupable de t'avoir quitté ? Au-delà de tout le reste, tu es la première et la plus importante relation que nos filles auront avec un homme. Je m'occuperais volontiers de tout le repassage si tu voulais bien prendre la main de Lulu en lui disant qu'elle est super intelligente et examiner les dessins de Maddy d'aussi près que si c'étaient des Van Gogh. Et je ferais cuire de bon gré un million de bâtonnets de poisson pané si tu t'engageais à passer du temps avec elles en évitant cette étrange combinaison qui consiste à les gâter tout en les négligeant en même temps. »

Il m'écarta de lui.

« Je ne le ferai plus jamais.

— Je ne dis pas que c'est facile d'être papa à temps partiel. C'est probablement l'une des choses les plus difficiles qui soient. Je comprends que tu aies envie de les gâter quand tu ne les as pas vues depuis des

542

jours, mais je suis absolument certaine qu'elles préféreraient que tu joues au pendu avec elles plutôt que de les emmener dans quelque lieu excitant.

— C'est à peu de chose près ce que Tessa m'a dit. » Tessa. La bulle éclata et j'écartai mes bras de la taille de mon ex-mari. Je versai l'eau sur les sachets de tisane en souffrance et retournai m'asseoir à la table de la cuisine.

« Je me suis posé des questions à propos des uniformes qui revenaient propres le dimanche soir.

— Tessa.

— Sait-elle que tu es ici ? » demandai-je. Je ne cherchais pas à créer des problèmes. C'était juste que je ne tenais vraiment pas à ce que Jimmy agisse dans son dos après tout ce qu'elle avait fait pour moi. Je voulais gagner, mais je tenais à ce que la bataille soit équitable. Jimmy me regarda. N'est-ce pas curieux qu'on puisse crier parfois dans sa tête contre son partenaire sans qu'il ressente le moindre tremblement, tandis que, à d'autres moments, au plus infime bruissement d'une pensée apparaît un bandeau sur son front vous envoyant un message : « Je te reçois cinq sur cinq » ?

« Je vois », dis-je. L'idée de cette visite venait forcément d'elle. « Elle ne t'a pas jetée dehors, dis-moi ?

— Non, elle a fait ça en douceur. Elle m'a demandé de régler le problème une fois pour toutes. Je suis tombé amoureux d'elle, Bea, mais grâce à elle, j'ai pris conscience que si je ne change pas nous prendrons le même chemin, elle et moi. Je n'aurais pas pu être plus amoureux de toi, pourtant, les choses sont allées de travers et ça me fiche la trouille. J'ai réfléchi à tout ce qu'elle m'a dit, à propos de ma manière de faire l'autruche, de décrocher, de prendre la moindre critique comme une attaque personnelle, de refuser de voir que je favorise Amber, et de faire le strict minimum avec les deux plus jeunes tout en espérant des applaudissements chaque fois, je le reconnais. » Il porta son attention sur le jardin. « On a fait une grande promenade et on a longuement parlé de tout ça. » Il ferma les yeux un court instant, se souvenant de quelque chose dont j'étais exclue. « J'ai juré de changer. Et je vais le faire. Dès aujourd'hui. »

Je me félicitai qu'il ait détourné le regard parce que je ne voulais pas qu'il lise ma souffrance sur mon visage. Il n'avait pas réussi à opérer ces changements pour moi. C'était pourtant tout ce que je lui avais jamais demandé. Il allait falloir que je sois très courageuse maintenant. Et pendant longtemps encore.

« Tessa s'inquiète de la manière dont nous gérons les enfants, elle et moi, je le sais. C'est la seule raison pour laquelle nous nous disputons quelquefois. »

J'avalai ma salive avec peine. On en arrivait au sujet que je redoutais le plus.

« Et Tessa, veut-elle des enfants ? Elle doit en avoir envie.

— Je suis à peu près certain que oui.

— Vous n'en avez jamais parlé ? » demandai-je, surprise.

Jimmy se retourna vers moi. Il secoua la tête.

« Tu ne seras pas étonnée d'apprendre que je me suis arrangé pour éluder la question.

— Et toi, en veux-tu d'autres ? » demandai-je.

J'attendis sa réponse. Une minute.

« Je ne peux pas dire que j'en meurs d'envie, non.

— Le lui as-tu dit ?

— Je crois qu'elle a peur de me poser la question.

— Jimmy !

— Je sais. » Il se passa la main dans les cheveux. « J'apprécie l'étape où nous en sommes maintenant avec les filles. Soyons honnêtes, les années de la petite enfance n'étaient pas franchement hilarantes, si ? Ai-je envie d'y revenir, à mon âge ?

— Tu adorais quand Amber était bébé », insistai-je, prenant la défense de nos enfants, de Tessa.

Jimmy hocha la tête.

« Certes, mais à l'époque je n'avais pas la moindre idée de ce qui m'attendait. Nous étions jeunes, je ne travaillais pas, et puis je la connaissais si bien.

— Il faut les connaître toutes.

— Je n'ai pas pu le faire. Physiquement.

— Tu n'as pas besoin d'être là physiquement, Jimmy. Il faut l'être mentalement. C'est ce que je m'efforce de te faire comprendre. Il faut *vouloir* être là, ou bien Tessa a raison, ça recommencera. Jimmy, tu dois le lui dire ou tu la perdras de toute façon.

— Comment veux-tu que je lui dise : "Écoute, je suis ravi d'avoir des enfants, mais, désolé, ça ne t'ennuierait pas de ne pas en avoir ?" »

Je posai les mains sur la table, avide de l'inciter à voir clair.

« Elle n'en veut peut-être pas. Tu extrapoles, si ça se trouve.

— Tu connais beaucoup de femmes proches de la quarantaine qui n'ont pas envie d'être maman ?

— Je ne sais pas. À la fin de la trentaine, on en sait peut-être assez pour se rendre compte que ça ne se résume pas à des guili-guili et à des gazouillis. Elle a déjà assez d'enfants dans sa vie, entre Cora, Caspar et les autres. Quoi qu'il en soit, il faut que tu lui dises les choses franchement.

— C'était dur, n'est-ce pas, d'avoir des enfants si rapprochés ? dit-il.

— Mon périnée n'a plus jamais été le même », répondis-je.

Jimmy rit, mais quelques secondes plus tard, il avait retrouvé son sérieux.

« C'est drôle de vous parler à toutes les deux. Vous n'arrêtez pas de vous défendre l'une l'autre alors que je m'attendais exactement à l'inverse.

— Que veux-tu dire ?

— Tessa m'a dit que si je pouvais changer pour elle je devrais être prêt à changer aussi pour la mère de mes enfants. Pour tout te dire, Bea, je suis là à cause d'elle. » Il me prit la main. « Mais je suis content d'être venu. »

Je le regardai en cillant, incapable de jauger les profondeurs sous moi. Tessa lui avait-elle précisé que je voulais le récupérer ? Ou fallait-il que je m'en charge ? On pouvait imaginer qu'il était juste en train d'éclaircir la situation pour pouvoir retourner auprès d'elle en lui disant : « Mission accomplie. » À moins qu'il n'en eût assez de nous tous et qu'il n'aspirât à une vie de célibataire. Les femmes étaient compliquées, cela ne faisait aucun doute, et il en avait un paquet dans sa vie.

« Que cherches-tu à me dire exactement ? » demandai-je.

Le moment des devinettes était passé.

Il se frotta la figure.

« Je refuse de me tromper une deuxième fois, Bea. Je ne veux pas bousiller ta vie, celle de Tessa ou, que Dieu me vienne en aide, celle des filles. Je n'ai pas envie de foutre la mienne en l'air non plus. Je ne veux pas regretter ce que j'ai fait ou ce que je n'ai pas fait. Ni réparer quelque chose que j'aurais dû laisser tranquille ni renoncer à quelque chose que j'aurais dû réparer. Rien de tout ça n'est la faute de Tessa ni des filles. La responsabilité nous en incombe et c'est à nous de régler le problème. »

Je perçus un vacillement. Se pourrait-il qu'il m'aime encore ? Si je pouvais me servir des enfants, de notre histoire, en guise d'hameçons pour le récupérer. Mais la personne qui me l'avait ramené ? Que lui devais-je ?

« Tu sais qu'elle t'aime énormément, n'est-ce pas ? bredouillai-je avant d'avoir le temps de me raviser.

— Oui, je le sais. Ça m'a fait mal de la quitter, Bea. Ça fait mal de la voir s'évertuer à faire ce qu'il faut. C'est un foutu cauchemar, mais j'ai toujours dit à Tessa que je t'aimais, que tu m'avais quitté et que ça m'avait brisé le cœur. »

Il posa la main à plat sur sa poitrine.

« Je suis incapable de la regarder dans les yeux maintenant et de lui dire que je ne t'ai jamais aimée. »

J'attendis qu'il me relègue dans le passé. Mais il n'en fit rien. Il resta juste là, la main sur le cœur, à fouiller mon visage des yeux. Ma gorge se serra. Je sentais venir les larmes. En avais-je encore ?

« Je regrette profondément de t'avoir quitté, Jimmy. Je m'en veux tellement de t'avoir enlevé les enfants.

— Ne pleure pas, Bea, s'il te plaît. » Il s'approcha de moi et s'agenouilla à mes pieds. « D'une manière étrange, c'est sans doute ce qui pouvait arriver de mieux. »

J'essuyai mes larmes avec mes paumes.

« Notre divorce m'a rendu nos enfants. Parce que tu n'étais plus là pour tout faire, j'ai dû me concentrer sur eux. Je les connais vraiment bien maintenant, et je vais te dire une chose, un week-end sur deux, c'est loin de me suffire. Tessa pense peut-être que je fais le strict minimum avec les deux petites, mais on s'amuse bien ensemble. On se fait rire. Seigneur, leurs vies vont à toute vitesse ! Je passe tout un week-end à parler d'une certaine copine avec Maddy et, deux semaines plus tard, il est question d'une tout autre fille. Tessa a probablement raison à propos de Lulu. Ça ne lui ferait pas de mal de voir un orthophoniste. »

Je m'essuyai le nez sur ma manche.

« En fait, je pense avoir trouvé l'origine du problème, dis-je. À cause de quelque chose qu'elle a dit à Liz. Lulu est nettement moins rapide que ses deux aînées. Qu'Amber en particulier. Parce que je suis toujours seule avec elles, elle doit continuellement se presser. Ce n'est pas comme si tu préparais le repas pendant que je m'occupe de la lecture. Elle fait des erreurs parce qu'elle essaie de travailler à mon rythme, alors que c'est moi qui devrais m'adapter au sien. Et pas seulement pour ses devoirs. C'est valable aussi pour la marche, le vélo, le jeu… Elle évolue dans une orbite plus lente, la tête dans les nuages. Il faut que je lui consacre plus de temps, ou au moins que je la laisse fonctionner à sa cadence.

— Plus de "je", s'il te plaît. On est deux dans cette affaire. Ce sont nos enfants, notre responsabilité à tous les deux, que nous vivions ensemble, ou pas. »

Que nous vivions ensemble. Ou pas.

Il me prit de nouveau les mains.

« Je me suis obligé à t'oublier. Je me disais que ma femme était morte. J'ai appris à vivre avec une femme qui lui ressemblait, qui avait la même voix qu'elle, mais qui n'était pas elle parce qu'elle ne m'aimait plus. »

J'aurais voulu lui dire que je n'avais jamais cessé de l'aimer. Mais c'était faux. Je ne l'avais pas toujours aimé. Pendant une longue période, je ne l'appréciais même plus. Je n'étais plus amoureuse de lui. Et puis j'étais retombée amoureuse de lui. Encore plus qu'avant. Seulement, à ce stade, le mal était fait. Je me mordis la lèvre, avide de me faire mal autant que je lui avais fait mal. Je sentis le goût du sang. Mais la souffrance n'avait rien à voir.

« Alors, la question que je te pose est la suivante : es-tu vraiment de retour parmi les vivants, Bea ? »

Je regardai fixement ses mains avant de plonger mon regard dans le sien.

« Si c'était le cas, reviendrais-tu à la maison ? »

Jimmy se mordit l'intérieur de la joue.

En entendant la clé dans la serrure, je dégageai ma main.

« Amber ! » m'exclamai-je. Jimmy se releva. Merde ! Je jetai un coup d'œil dans l'entrée et vis notre fille larguer son manteau par terre au pied de l'escalier.

« Salut, maman !

— Tu as une visite », dis-je, avec le sentiment d'avoir été prise en flagrant délit.

Elle fronça les sourcils.

« Papa.

— Papa », cria-t-elle en s'élançant dans le couloir. Elle se jeta dans les bras de son père et entreprit de le bombarder de questions, une foule de questions. « Quand es-tu rentré ? As-tu trouvé le gloss Juicy Fruit ? As-tu vu Tessa ? Comment va Liz ? » Sans attendre ses réponses, elle l'embrassa sur la joue. « J'ai tellement de choses à te dire. D'abord, ajouta-t-elle en rougissant, j'ai un petit ami. »

Jimmy fit mine d'être surpris.

« Tu le savais ?

— Eh bien, c'est mon petit doigt qui me l'a dit. »

Amber sourit, puis elle me regarda en faisant les gros yeux.

« C'est Tessa. Elle ne sait pas tenir sa langue. » Elle continua à jacasser gaiement, puis soudain, elle s'interrompit et leva les yeux vers son père d'un air grave. « Il va falloir qu'on veille sur elle et Liz maintenant. Tessa aime bien faire comme si elle était forte tout le temps, mais c'est faux. Personne ne l'est. Hein, c'est vrai, maman ? »

Jimmy et moi échangeâmes un regard. Le divorce lui avait rendu ses enfants, mais je devais ce cadeau des plus précieux à Tessa. Tout comme Jimmy, je ne voulais pas rater le coche cette fois-ci. Peut-on revenir d'entre les morts ? Ou cela requérait-il un peu d'exorcisme ? Le retour était-il aussi dangereux que le départ l'avait été ? Combien de fois pouvais-je demander à

550

mes enfants de s'adapter ? Étais-je prête à faire payer mes erreurs à quelqu'un d'autre ? Pourrions-nous vivre avec un tel poids sur la conscience ? Si on y parvenait, nous serions plus heureux que jamais. Enfin, moi en tout cas. Amber bâilla.

« Tu veux bien venir me dire bonsoir, maman ? »

Je n'en revenais pas. Amber, si avide d'être une grande personne, me demandait de venir la border comme un enfant. Peut-être avait-elle vu d'un peu trop près le monde des adultes ces derniers temps, au point d'apprécier l'insouciance de ses jeunes années.

« Bien sûr, ma chérie », dis-je en lui prenant la main. Elle embrassa son père et m'entraîna hors de la pièce.

« J'ai quelque chose à te dire », chuchota-t-elle, un sourire jusqu'aux oreilles.

Je lui rendis son sourire. Elle n'avait rien besoin de me dire. Ma fille avait été embrassée. Pour de bon. C'était la raison pour laquelle elle voulait que je vienne lui dire bonsoir. Pour pouvoir me le dire. Pas à Jimmy. Ni à Tessa. Ce soir, c'était moi qu'elle voulait. Sa maman. Ces occasions se feraient rares. Elle grandissait vite. Je l'enlaçai et la serrai contre moi. Elle gloussa. Il fallait que je fasse attention. Savoir quand c'était mon tour et ne pas le rater, parce que l'enfance n'arrive pas deux fois. Je me tournai vers Jimmy. Il nous observait. La vie non plus n'arrive pas deux fois. Mais l'amour ? Les maris ? Les chances ? Nous avions encore des tas de choses à nous dire.

« Tu veux bien rester un peu ? articulai-je.

— Avec plaisir. »

20

Infini

« Tu as bien fait, dit ma mère en me caressant les cheveux, comme elle le faisait déjà depuis vingt minutes.

— Alors pourquoi est-ce que je me sens aussi mal ?

— Tu seras récompensée plus tard.

— Quand ça ?

— Quand saint Pierre t'ouvrira la porte du paradis. »

J'ouvris les yeux pour m'assurer qu'elle souriait, puis les refermai.

« Tu as un drôle de sens de l'humour.

— Ton père est toujours en haut dans notre lit. Je ne peux pas faire autrement.

— Alors quand serai-je récompensée ? J'ai presque quarante ans… Tu connais les statistiques. Plus de chances de se faire tuer par un terroriste et tout le tintouin.

— Des bêtises tout ça. C'est une conspiration de la gent masculine pour nous contraindre à nous conformer à leur loi et à leur être à jamais reconnaissantes. Tu aurais tort d'empêcher un homme de voir ses enfants rien que pour inverser les statistiques. Et les biens mal acquis ne pèsent pas lourd. Tu trouverais le moyen de tout gâcher sans même t'en rendre compte.

— Que va-t-il faire à ton avis ? demandai-je à ma sorcière de mère, la sagesse faite femme.

— Ce qu'il faut faire.

— À savoir ?

— Je n'en sais rien. »

Je finis par me redresser.

« Voilà que ton troisième œil te lâche maintenant ? »

Maman garda le silence un moment.

« Tu veux que je te dise ce que je crois ?

— Dis-moi.

— Il est possible qu'en fait tu reportes le chagrin que te cause la mort de ton père sur James. C'est plus facile d'avoir de la peine pour un homme qui risque de revenir que pour celui qui ne reviendra jamais. Je pense que tu as eu raison d'agir ainsi, dans la mesure où savoir la vérité à propos de cet avortement alors que James l'ignorait aurait été un fardeau trop lourd à porter. Cela dit, entre lui en parler et le repousser, il y a de la marge. Tu as le droit de l'aimer toi aussi, tu sais. Ce n'est pas comme si tu avais brisé leur ménage. Ils ont fait ça tout seuls, et à l'époque où tu l'as rencontré, il était célibataire. Tu es habilitée à réclamer ton dû.

— Mais nous n'avons pas d'enfants, et les enfants ont besoin de leurs deux parents. N'est-ce pas ce qu'on nous dit tous les jours aux nouvelles ?

— Dans un monde parfait, peut-être, oui, les enfants ont besoin de deux parents, mais pas nécessairement en même temps. Amber, Lulu et Maddy auront sans doute de la chance. Si Bea arrive à se ressaisir, il se peut qu'elles aient plus que deux parents. Elles auront deux familles, chacune leur apportant des choses distinctes. L'une où elles auront un peu plus d'espace, l'autre leur fournissant des limites sécurisantes, l'une un peu plus d'indépendance, l'autre davantage d'unité. Le meilleur des deux mondes. Dès lors que personne ne tombe entre les deux chaises, si l'on peut dire, c'est un assez bon système à mon avis. Le divorce est parfois la meilleure solution pour un enfant. Pour ma part, en tout cas, je suis très fière de la manière dont tu as trouvé ta place dans cette affaire. Songe que tu seras peut-être cette perle rare. » Maman marqua un temps d'arrêt avant d'ajouter : « Une bonne belle-mère. »

À cet instant, je ne pensais pas qu'on m'en donnerait l'occasion.

« Je doute qu'il revienne, maman », dis-je.

En étant parfaitement honnête avec moi-même, je devais reconnaître que j'étais encore un peu choquée qu'il ait filé. Je pensais qu'il s'en serait tenu à son parti pris inattaquable : le passé était le passé et l'avenir nous appartenait. Mais il semblait que le seau ait fui tout du long et, en le brandissant maintenant devant la lumière, je voyais les fêlures infimes dont je m'étais laissée aller à ignorer l'existence.

C'est lorsque j'étais descendue en catimini au milieu de la nuit chez James pour me forcer à regarder la vidéo de leur mariage que je m'étais aperçue pour la première fois que j'avais les deux pieds dans une flaque. Il y a mariage et mariage. Dans certains cas, on sait que le couple possède cet ingrédient secret qui est la clé de la réussite conjugale, d'autres où l'on sent un vide depuis le départ. J'aurais bien aimé être présente aux noces de Jimmy et Bea. Une fête magnifique, manifestement. Je me serais enivrée à mort, j'aurais dansé comme une folle sur l'air de « Come on Eileen », et j'aurais fini par peloter un des serveurs. La seule chose bizarre dans cette vidéo, c'était que je ne reconnaissais pour ainsi dire personne. En dehors de la famille. Je n'avais pas rencontré un seul de leurs amis.

« Quoi qu'il arrive, Tessa, tu as déjà prouvé que tu ferais une bonne belle-mère et qu'ils auraient de la chance de t'avoir, tous autant qu'ils sont, Bea presque plus que les filles. »

Un discours de maman. Je la remerciai en silence de son soutien inconditionnel, même si j'étais à peu près certaine que si quelqu'un allait se battre pour défendre mon petit territoire en mon absence ce ne serait pas Bea. Elle voulait récupérer Jimmy, pas seulement pour elle, pour les enfants aussi, et la force de l'amour maternel n'était-elle pas considérable ? N'en avais-je pas bénéficié toute ma vie ? Bea en était venue à m'apprécier malgré elle, mais ça ne voulait pas dire qu'elle abandonnerait la partie.

Je me levai du canapé en soupirant.

« Comment te sens-tu ? demandai-je.

— Pas mal vu les circonstances. »

Je comprenais ce qu'elle voulait dire.

« Cela dit, je ne suis pas tout à fait sûre qu'il nous ait déjà quittées », ajouta-t-elle.

Je comprenais ça aussi.

Le lendemain matin, j'étais en train de faire du café dans l'espoir de me réveiller après une nouvelle nuit sans sommeil quand j'entendis klaxonner dehors. Mon cœur fit un bond dans ma poitrine. Mais ce n'était pas James. C'était mon vieil ami Ben et sa femme Sasha. Je posai mon attirail et sortis.

Ben m'enlaça.

« On a pensé que tu aurais peut-être envie de viennoiseries convenables », me dit-il.

Sasha me tendit un sac de chez Paul, la boulangerie française.

« Bande de citadins snobinards ! » lançai-je.

Il fit mine de frémir en respirant l'air rural polluant ses poumons. Sasha approcha et me prit le bras.

« Comment vas-tu ?

— Nettement mieux depuis que vous êtes là.

— Et ta maman ?

— Venez la voir. Elle a été fabuleuse. Comme toujours.

— Et sa vue ? demanda Ben.

— Difficile à dire, mais il semble que ça s'améliore lentement. Ses globes oculaires remuent un peu… Ne soyez pas impressionnés. Elle est encore au lit, mais elle sera ravie de vous voir. Papa est là aussi.

— Hein ?

— Elle a dit qu'elle n'était pas prête à passer la nuit toute seule. »

Sasha et Ben échangèrent un regard.

« Il n'aura pas ronflé au moins », commenta Sasha, qui raffolait de passer une nuit de temps en temps sans les pets et les ronflements de son époux à côté d'elle. Il m'était arrivé de dormir dans le même lit que Ben, en tout bien tout honneur naturellement, et je savais qu'il avait la capacité d'élever les couettes. Même les lourdes !

« Plus maintenant, ça, c'est sûr. »

Macabre, je sais, mais nous pouffâmes de rire.

« Ne vous inquiétez pas pour ce qui est de papa. Vous vous y ferez vite.

— Combien de temps compte-t-elle le garder ici ?

— Les gars des pompes funèbres devraient arriver d'une minute à l'autre.

— Ça ne me gêne pas. Ce n'est pas là-haut que je le revois en esprit, mais dans le salon, devant le feu.

— Il passait son temps à l'attiser, dit Ben, qui connaissait mieux mes parents que les siens. Tu crois que ça l'embêterait que je monte ?

— Elle serait contente de te voir, même si tu allais lui parler pendant qu'elle prend son bain. » Je lui pressai le bras. « Je vous apporte du café.

— Je vais te donner un coup de main », me dit Sasha.

Ben monta, frappa doucement à la porte et l'ouvrit.

« Bonjour, Lizzie, l'entendis-je dire.

— Ben, s'exclama ma mère. Quel ange ! Merci d'être venu. »

Je souris à Sasha. Maman n'avait pas besoin de voir Ben : elle aurait reconnu sa voix entre mille. Notre « famille » était venue la soutenir et j'étais sûre désormais que nous nous en tirerions. Plus on est nombreux, mieux c'est, que ce soit via les liens du sang, de l'eau ou de quelque chose entre les deux.

Ben et Sasha passèrent la nuit à la maison. Leur présence fut un don du ciel pour moi parce qu'elle nous empêchait, maman et moi, de sombrer dans de longues et accablantes discussions à propos de l'avenir. À la place, nous plongeâmes dans les souvenirs d'un passé auquel Sasha fit mine de s'intéresser, Dieu la bénisse ! La fois où papa avait décidé de construire un poulailler… Quand nous étions partis en excursion tous les deux, sacs au dos… La fois où il m'avait emmenée à l'école en tenue de scout… Etc. J'en arrivais même à oublier de tendre l'oreille à l'affût de la sonnerie du téléphone. Un bref instant en tout cas.

Laissant maman faire sa sieste, l'après-midi venu, nous allâmes nous promener sur la piste cavalière. Je pris la route du haut, pour ne pas voir la lumière danser sur l'eau, préférant la laisser seule avec le souvenir de ce qui s'était passé entre James et moi. Je devais l'aimer, pensai-je, si j'avais en moi la force de risquer de le perdre. Bien évidemment, je racontai à Ben et à Sasha tout ce qui s'était passé. Ils gardèrent le silence presque tout le temps pendant que je leur relatai l'échec de son premier mariage, l'effondrement de Bea après son avortement et les faux motifs qui les avaient incités à divorcer.

« Personne ne vous dit à quel point c'est dur, commenta Sasha.

— Papa l'a fait, juste avant de mourir. Il voulait que je sache précisément à quel point.

— Mais si on le savait, personne ne se marierait, souligna Ben. Il t'a peut-être fait un peu trop peur.

— J'ai toujours eu peur », répondis-je. Grâce à mes amis, j'avais bénéficié d'un bon panorama sur ce qu'était la vie de l'autre côté de la barrière, et je savais que, pour atteindre une rose, il fallait contourner les épines.

« C'est un peu comme la démocratie, dit Ben. Ce n'est pas la solution idéale, loin de là, mais c'est préférable aux autres options. Et jusqu'à ce que quelqu'un découvre autre chose…

— Je ne serais pas mécontente de vivre dans une communauté de femmes, dit Sasha.

— J'ai toujours fantasmé de te voir en tenue de bonne sœur, répliqua Ben.

— Je ne te parle pas d'abstinence. Les hommes auraient des droits de visite, précisa Sasha, mais une fois leur besogne accomplie, on les renverrait et on passerait toutes une bonne nuit. »

Ben n'avait pas du tout l'air offusqué à la perspective d'être renvoyé. Il se mit à siffloter « Climb every mountain ». Sasha lui flanqua un coup de coude. Il lui prit la main et y déposa un baiser. Ça faisait plaisir à voir. Et cela me rendit triste et heureuse à la fois. Je m'en étais approchée de si près, et puis ça m'avait échappé inexplicablement. Eh bien, pensai-je stoïquement, ce serait d'autant plus facile de prendre soin de maman si je n'avais pas besoin de me justifier auprès de ma moitié, qui, en dépit des meilleures intentions du monde, aurait forcément mal supporté ce fardeau.

Et si trois personnes, ça fait déjà du monde, que dire de six ? Sept en incluant l'ex. Je pensai à Amber, à Lulu, à Maddy et je me rendis compte qu'elles me manquaient. Cela faisait beaucoup de bagages, mais maintenant que je risquais de les perdre, je me sentais dépouillée sans elles. Je me demandais comment Bea s'en sortait et regrettais de ne pouvoir lui passer un coup de fil pour voir comment elle allait. James me manquait. La souffrance était indescriptible. Je ressentais un vide – plus qu'un vide, parce qu'il s'étendait au-delà des limites de mon être et semblait engloutir tout le reste. Papa aussi me manquait, mais ce n'était pas la même chose. Maman avait tort là-dessus parce que, en tout état de cause, je savais que mon papa m'appartenait. Vivant ou mort, il m'aimait. Je ne pouvais pas en dire autant de James. J'étais consciente de ce qu'il pensait éprouver, mais le paysage avait changé. Je l'avais modifié moi-même.

À un moment donné dans la nuit – j'évitai de regarder ma montre parce que je ne voulais pas savoir que, une fois de plus, j'avais à peine fermé l'œil –, je descendis dans la cuisine boire quelque chose de chaud. Pendant que je buvais à petites gorgées ma camomille brûlante, j'entendis des pas dans l'escalier. La porte s'ouvrit et Ben apparut sur le seuil. Il était tout ébouriffé, et il avait l'air d'avoir à peu près neuf ans avec ses yeux bouffis.

« J'ai pensé que tu avais peut-être du mal à dormir, dit-il.

— Je me sens abrutie toute la journée, mais dès que je m'allonge, ma cervelle passe à la vitesse supérieure. J'aurais bien pris un whisky, mais nous avons tout vidé dans l'évier quand Bea était là, et je n'ai pas eu le temps de reconstituer le stock. J'ai trouvé du Night Nurse, mais il est périmé depuis sept ans. »

Ben se servit un verre de lait puis s'assit en face de moi. Il but une gorgée, dessinant une moustache blanche sur sa lèvre supérieure. Il avait l'air d'avoir six ans maintenant.

« Ça a l'air d'aller bien entre Sasha et toi.

— Ça va bien, répondit-il. Pour le moment.

— La voie de l'amour authentique et tout le tralala.

— La voie de l'amour, quel qu'il soit. »

Je crus qu'il allait développer, ce qu'il finit par faire.

« Sasha veut adopter un enfant. Deux, en fait. Des frère et sœur.

— Eh bé ! »

Sasha et Ben avaient toujours semblé tenir à leur vie de couple sans enfants.

« Elle étudie la question depuis quelque temps, et puis elle est tombée sur une petite fille qui l'a marquée. Elle a un petit frère, si bien qu'il faut prendre le lot.

— Tu n'as pas l'air convaincu, dis-je.

— Je suis terrifié, pour toutes les raisons qui faisaient que je ne voulais pas d'enfant moi-même. Qu'est-ce que je sais sur le rôle d'un parent ?

— Que savons-nous, tous autant que nous sommes ?

— Tu as eu un bon exemple sous les yeux, au moins. »

Je ne pouvais pas le nier.

« C'est peut-être pour ça que tu as parlé de Bea à James. Tu as l'image d'une famille parfaite dans la tête et tout ce qui n'est pas à la hauteur de ça n'est qu'un compromis à tes yeux.

— C'est exactement ce que papa m'a dit. Je cherche la perfection, mais la perfection n'existe pas.

— Non, ça n'existe pas. Et sache que tu aurais fait une merveilleuse belle-mère.

— Merci. » Nous gardâmes le silence un moment. « Un festin nocturne, ça te dirait ?

— Pas qu'un peu. »

Je me levai pour aller explorer le frigo. Je dénichai du jambon, du fromage, un bocal de cornichons et un autre de petits oignons. J'allai chercher un sachet de crackers dans la réserve – revoyant un court instant Bea par terre sur le sol en pierre, la bouteille de sherry dans la main –, et je le posai devant Ben. À cet instant, j'entendis des pas dans l'escalier.

« Sasha ? dis-je.

— En général, elle dort comme un mort, dit Ben… Désolé. »

Je levai la main. La porte de la cuisine s'ouvrit et je fus surprise de voir ma mère.

« Maman, ça va ?

— J'ai faim, me répondit-elle.

— Eh bien, tu arrives à point nommé. »

Je tirai une chaise pour elle et me retrouvai rapidement en train de couper de petits morceaux de fromage et de jambon pour confectionner des mini-sandwichs avec les crackers afin que maman puisse manger toute seule.

« Qu'étiez-vous en train de comploter tous les deux ? demanda-t-elle.

— J'étais en train d'expliquer à Tess que nous envisageons d'adopter deux enfants.

— Excellente idée, dit maman.

— Et le travail de Sasha ? demandai-je, restant sur mes gardes.

— Elle mettra les bouchées doubles, comme toutes les mamans qui travaillent, et je serai obligé d'arrêter de penser à moi, ce qui, soit dit en passant, commence à me fatiguer.

— Pas possible », fit une voix venant du seuil. Sasha était apparue, vêtue d'un des tee-shirts de Ben et d'une de ses paires de chaussettes. Elle était drôlement sexy. Ben l'installa sur son genou et lui donna un cracker à grignoter.

« Il s'en passe des choses, dis-je à Sasha.

— Tu n'es pas foutu de garder un secret, s'exclama-t-elle en assénant un coup de coude à son mari.

— Allons, Sasha ! Il est question de Liz et de Tess là. Elles font partie de la famille. Et puis de toute façon, ça les concerne.

— Ah bon ?

— Eh bien, qui d'autre vois-tu comme marraine ? Et comme ma mère ne fait qu'aboyer, j'attends de Liz qu'elle joue les mamys.

— Avec plaisir, répondit ma mère.

— Moi aussi, confirmai-je.

— Une mamy marraine, ça existe ? demanda ma mère.

— Ça devrait, répondit Ben. Vous seriez parfaite. »

Nous restâmes tous les quatre assis dans la cuisine, à manger et à bavarder jusqu'à ce que l'aube s'infiltrant par la fenêtre nous somme de retourner nous coucher. Je dormis tard le dimanche matin et me réveillai en meilleure forme. La première chose que je fis fut de vérifier mon portable, mais James n'avait pas appelé. Il avait des tas de choses à régler avec Bea, mais j'aurais apprécié un petit coucou.

Je me levai et ouvris les rideaux. Je me mentais à moi-même, bien sûr. Voulais-je savoir où je me situais sur l'oscillographe Bea-Tessa ? Absolument pas, dans la mesure où je suspectais maintenant qu'il avait toujours penché en sa faveur.

Curieusement, je n'en concevais aucune amertume : je savais au fond de mon cœur que James ne s'en était pas rendu compte non plus. Comme il me l'avait dit, il s'était efforcé de l'oublier, il avait fait de son mieux, mais comment oublier l'amour de sa vie ? Peut-on jamais effacer de son esprit quelqu'un que l'on a aimé ? Je doutais que ce fût possible. J'estimais que si vraiment on avait tenu à quelqu'un ce quelqu'un aurait toujours une petite place dans notre cœur. Je m'habillai et descendis. Après tout, n'aimerais-je pas toujours Ben un tout petit peu plus que je ne le devrais ? À mesure que les heures passaient, je ressentis un vide croissant dans la maison. Non que papa fût complètement parti encore, mais je sentais sa présence se dissiper. Il nous quittait en douceur. En contemplant les jonquilles par la fenêtre de la cuisine pendant que je faisais chauffer de l'eau en prévision d'une autre tasse de thé, je le remerciai de la force qu'il s'était débrouillé pour laisser derrière lui.

Il faisait délicieusement bon le matin de l'incinération de papa. Nous aurions pu nous habiller comme pour le mariage estival britannique idéal. Je me garai devant le crématorium en brique rouge, tapi dans un jardin paysager orné de toute une variété de primevères. Maman sortit de la voiture, remonta les lunettes Gucci prêtées par Sasha sur l'arête de son nez et me prit le bras. Nous nous dirigeâmes vers le bâtiment.

Les gens étaient déjà arrivés. Fran et Caspar étaient venus, ce qui dépassait de loin leurs attributions. Je reconnus certains villageois. Puis ces dames des petits déjeuners paroissiaux se levèrent l'une après l'autre pour venir expliquer à maman qui elles étaient, au cas où elle ne reconnaîtrait pas leur voix. Il y avait des gars du pub, de vieux amis qui avaient fait des kilomètres pour être avec nous, ainsi qu'une poignée d'anciens collègues de papa.

En les voyant tous, je me sentis fière de lui. Je savais que j'avais eu de la chance. Certains de mes amis avaient perdu leur père d'une attaque ou d'une crise cardiaque quand il n'avait qu'une soixantaine d'années. Papa avait survécu plus de dix ans à la plupart de ses amis, si bien que je n'avais pas le cœur lourd quand je pris ma place. Je me sentais plutôt bénie des dieux.

Et puis j'aperçus Peter, Honor et les trois filles. Mon cœur cessa de battre une seconde avant de me percer un trou dans les côtes.

« Qu'est-ce qu'il y a ? » demanda maman, sentant que je me crispais. Je n'eus pas le temps de répondre avant que Maddy n'échappe à Honor, s'élance dans l'allée centrale et se jette dans mes bras. C'est à ce moment-là que la boule se logea dans ma gorge.

« Tu as pleuré, me dit-elle.

— Juste un petit peu, répondis-je.

— Bonjour, Maddy, dit maman.

— Je peux m'asseoir sur tes genoux ? demanda-t-elle.

— Je ne pense pas que…

— Avec plaisir », dit maman avant de s'asseoir pour permettre à la petite fille pleine de vivacité d'en faire autant. Elle se hissa sur ses genoux, souleva ses lunettes, les rabaissa en hochant la tête et l'embrassa sur la joue. Fichue boule dans la gorge !

Honor approcha pour récupérer sa petite-fille, mais je levai la main pour lui faire signe que tout allait bien. Maddy pouvait rester là. Aussi retourna-t-elle s'asseoir. Je m'en félicitai. Je n'avais pas envie de lui parler et d'apprendre ici, maintenant, ce que je savais déjà. Que James ne viendrait pas. Point final. Amber m'envoya un baiser, puis elle alla s'asseoir avec Caspar et Fran. Je regardai fixement le cercueil de papa. *Reste avec moi, papa*, suppliai-je, *juste encore un petit moment.*

Arriva une femme que je ne connaissais pas. Elle passa à côté de nous et déposa une couronne de jon-quilles au pied de l'estrade où papa gisait. Elle me fit un petit signe, puis elle alla s'asseoir, seule. Je compris qui c'était. La femme qui avait appris à se pardonner. Celle qu'il avait aidée à s'aider elle-même. Et cela me donna de la force. *Merci, papa*, pensai-je, et je sentis que la boule dans ma gorge se réduisait. Un tout petit peu.

Le pasteur dit des choses gentilles. Je lus un passage de *Moby Dick* en me sentant étrangement loin de ce qui se passait. Comment auraient-ils pu faire autrement ? Bea n'aurait pas pu venir seule avec les filles. Cela aurait eu une portée bien trop grande. Si James s'était déplacé, j'aurais accordé trop d'importance à sa présence, et il aurait dû me laisser tomber d'encore plus haut. En tout état de cause, ils n'auraient pu venir ensemble, mais ils avaient tenu à être représentés, manifestement. Mes parents avaient influé sur leurs vies, et ils avaient voulu leur rendre hommage. C'est pour cette raison qu'ils avaient dépêché Honor, Peter et les filles. C'est ce que j'aurais fait moi-même en pareilles circonstances.

Papa quitta le monde par une trappe électronique. Une sortie rapide pour une vie aussi longue. Maman et moi envisagions un service religieux joyeux quand elle aurait recouvré un peu la vue, estimant que c'était ce que papa aurait préféré, même si c'était un peu superficiel, bien sûr. « Les Pêcheurs de perles » retentirent grâce au système sonore *surround*, probablement pour éviter qu'on n'entende les flammes s'élever jusqu'à la température requise pour réduire mon père à un tas de cendres susceptible de rentrer dans un pot de confiture. Je le regardai partir, son cercueil en tout cas, et je compris que l'homme qu'il avait été n'était pas à l'intérieur.

On nous fit sortir rapidement après ça. Je remarquai que des gens surgissaient discrètement de portes dérobées pour rassembler nos fleurs et les remplacer par le lot suivant. Une fascination morbide m'incita à m'attarder un peu plus longtemps que je n'aurais dû le faire, et pendant que les porteurs de bouquets silencieux achevaient de déposer une création en œillets qui disait « À Grand-maman », prestissimo, un autre cercueil émergea de la soute. Ce n'était pas tout à fait le même que celui de papa, mais il n'était pas très différent non plus. La porte par laquelle j'étais entrée s'ouvrit au moment où celle par laquelle je sortis se ferma. Quelle avait été la formule de Linda ? « Le foutu tapis roulant de la vie. » Je l'avais sous les yeux. Au lieu d'être déçue par le manque d'apparat, je me sentis à l'aise face à l'efficacité banale de cette chaîne de fabrication. Henry Ford aurait été fier de voir ça. Et surtout, papa aurait apprécié cette efficacité.

Je pénétrai dans le « jardin des roses », dont le nom évoquait une splendeur digne de la Maison-Blanche, bien qu'il fût loin d'être à la hauteur, et me retrouvai entourée des amis de papa. Je n'arrivais pas à approcher maman. J'avais peur qu'elle ne se fatigue trop, mais un si grand nombre de gens voulaient lui parler que cela me paraissait grossier de l'emmener. De temps à autre, j'apercevais les filles qui couraient dans le jardin. Et puis je le vis. James. Il était là. Mon cœur perça un autre trou dans ma cage thoracique. Je m'étais si bien débrouillée pour me convaincre que tout était fini entre nous que j'aurais été moins surprise de voir papa. Il m'avait choisie ; je jubilais. J'avais envie de courir vers lui, de lui sauter au cou, de nouer les jambes autour de sa taille et de rester cramponnée à lui pour toujours, mais des tas de gens auraient sans doute trouvé ce comportement inapproprié en pareilles circonstances. En outre, il était à l'autre bout du jardin, en train de contempler le paysage, et il ne m'avait pas vue.

Je sentis deux petites mains se glisser dans les miennes. Lulu et Maddy se tenaient de part et d'autre de moi.

« Vous êtes encore là. Je suis si heureuse de vous voir, dis-je, ce qui les fit rire.

— Tant mieux, s'exclama Maddy. Parce qu'on veut que tu sois heureuse.

— Maddy ! s'exclama Lulu. Tu la fais pleurer.

— Non, mon chou, m'empressai-je de répondre, c'est juste que je suis tellement contente que vous soyez tous venus.

— Tu vois ? dit Maddy.

— Quand votre père est-il arrivé ? demandai-je.

— Il n'est pas là. Il est à la maison avec maman », répondit Lulu.

Je me retins de froncer les sourcils. Lulu se trompait souvent, tout le temps en fait. Elle disait des choses qu'elle ne comprenait pas ou qu'elle n'avait pas bien saisies. Je jetai un coup d'œil dans la direction de James attendant que je lui saute au cou. Mais il était parti. Je parcourus des yeux la foule, qui s'était clairsemée – à un certain moment, les gens se lassaient de contempler des couronnes et étaient prêts à boire un verre –, mais je ne le vis nulle part. Puis j'aperçus un homme de grande taille aux cheveux poivre et sel qui s'éloignait aux côtés d'une vieille dame.

Mon monde s'effondra. Évidemment, ce n'était pas James que j'avais vu en train de contempler le paysage. Jamais il ne se serait tenu à l'écart de ses filles, quelles que soient les circonstances. À cet instant, je compris que j'avais continué à espérer qu'il me reviendrait, que mon acceptation sereine de la situation n'était pas du courage, mais du déni.

Je baissai les yeux sur les petites mains que je serrais dans les miennes et sentis mes yeux me brûler. Il ne fallait pas que je pleure. Je ne devais pas pleurer, pas pleurer, pas...

« Ça va ? » demanda Ben, brusquement à côté de moi.

Dans l'impossibilité de parler, je secouai la tête.

« Viens avec moi, dit-il en adressant un sourire rassurant aux fillettes. On se retrouve à la maison pour les gâteaux, d'accord ? »

Je n'osai pas baisser les yeux.

« Il choisit bien son moment, celui-là », dit Ben en désignant le pasteur qui s'approchait de nous avec... Je plissai les yeux. Ce n'était pas... Ça ne pouvait pas être... Il avait bel et bien un foutu pot de confiture dans la main. Si mon cœur n'avait pas été en train de se briser, j'aurais peut-être éclaté de rire.

« On va le prendre », dit Ben en s'emparant des cendres de papa avant de m'entraîner au fond du jardin, loin des spectateurs. Il me fourra le pot dans la main. Il était tiède.

« Tu peux pleurer maintenant », dit-il.

Je ne me fis pas prier.

On aurait dit que quelqu'un m'avait ouvert la mâchoire de force, étiré le gosier, flanqué son poing dans ma gorge et extirpé l'âme. Je serrai mon père contre moi et Ben me serra contre lui. De temps à autre, mes sanglots s'interrompaient, et je portais mon regard au-delà des buissons, des rosiers, plus loin sur la route qui apportait les morts.

« Ton père a eu de la veine, tu sais, Tessa. Peu de gens ont la chance de quitter la vie d'une manière aussi indolore, après une existence aussi remplie, avec les gens qu'ils aiment le plus au monde auprès d'eux.

— Ce n'est pas lui que je pleure, avouai-je, me sentant encore plus mal parce que c'était vrai, même si ses restes reposaient sur mes genoux. C'est à cause de James. Il ne va pas revenir.

— Tu en étais déjà à peu près sûre dimanche.

— Je faisais semblant. Je ne sais ce qu'est vraiment l'amour, si ça existe, mais je sentais, je sentais au fond de moi que nous avions quelque chose... oh, je ne sais pas.

— Continue, Tess.

— C'est difficile de te dire ça à toi.

— Pourquoi ? »

Il me fallut un bon moment pour répondre. Ben attendit patiemment.

« Parce que j'ai cru que c'était toi, je suppose. Il s'est avéré que je me trompais, alors qu'est-ce que j'en sais, nom d'un chien ? Je suis une douce rêveuse. Je me cramponne à ce qui se présente à moi et je m'arrange pour que ça cadre avec mes idéaux.

— Je ne pense pas que ce soit vrai, Tess.

— Tu m'accordes trop de crédit. Je me suis jetée à ton cou et j'ai failli ficher en l'air ton couple qui, toutes choses considérées, est plutôt un bon couple. »

Ben détacha mes doigts du pot de confiture et les garda dans sa main.

« Je ne suis pas sûr que l'on puisse résumer les choses ainsi. Je ne sais même pas si ce serait souhaitable. Il me semble que l'on peut aimer plus d'une personne, pas tout à fait de la même façon quand même. Tout ce que je t'ai dit, je le pensais et je le pense toujours. À bien des égards, nous allons très bien ensemble, mais personne n'est parfait et je ne tiens pas à ce que mes défauts te deviennent trop familiers. Sasha et moi, on se débrouille. Notre relation s'améliore bon an mal an, parce qu'on finit par mieux se connaître. C'est le travail de toute une vie et ce n'est pas toujours drôle, mais c'est bien, c'est gratifiant et je l'aime. Toi et moi, on a déjà toute une vie commune derrière nous. Je préférerais la garder en sécurité en pensant de temps en temps à ce que j'en ferais si un univers parallèle devait s'ouvrir un jour. »

Je reniflai bruyamment.

« Tu me fais toujours du bien, dis-je.

— Ce ne serait pas le cas si j'étais ton mari. »

Il avait raison, bien sûr.

« Bon, explique-moi ce que tu ressens pour James. »

En m'adossant au banc, je sentis une plaque en cuivre commémorant une autre âme partie plus tôt me refroidir l'omoplate.

« J'avais envie de devenir meilleure pour lui. Je voulais qu'il soit fier de moi. Je voulais aimer ses enfants.

Je voulais faire ressortir ce qu'il y a de meilleur chez lui. Il me donnait envie de placer la barre plus haut. De grandir. Je me sens stable avec lui, équilibrée. J'ai l'impression que ça colle, tu vois, que tout colle. Et puis je dois reconnaître qu'il embrasse bien.

— Voilà, c'est mieux, dit Ben.

— Quoi ?

— Tu souris.

— Ce n'était pas parfait, comment serait-ce possible avec tout ce bagage à gérer, mais j'étais impatiente de relever le défi. Pour nous deux. » Je posai la tête sur l'épaule de Ben. Il me fit un bisou sur le front. « Il est retourné auprès de Bea maintenant, ce qui était la chose à faire pour lui, une petite partie de moi le sait, mais une partie plus importante de mon être est totalement ravagée à l'idée que nous n'ayons pas eu le temps de savoir si ça aurait pu marcher entre nous. » Je fis rouler le pot de confiture entre mes mains. « Parce que je pense que ça aurait pu sacrément bien marcher, et ça me fout les boules. »

Ben me pressa les épaules.

« On avait du potentiel, dis-je en imitant l'accent d'un privé américain.

— Tu en as toujours.

— Pas avec James en tout cas.

— Mais tu en as toujours, Tess. En pagaille. Ne l'oublie pas. »

Ce n'était pas l'impression que j'avais. J'avais plutôt la sensation d'être de retour sur le tas de scories, avec toutes les autres marchandises rejetées, marquées « défectueux ». Personne ne voulait de moi. Pas

suffisamment en tout cas. Ce qui revenait au même.
J'avais été battue par une ex-épouse obèse, alcoolique,
même si je voulais bien admettre que j'en étais venue à
beaucoup l'apprécier. Cela résumait la situation, en fait.
J'avais réussi à faire tout ce chemin pour me retrouver
à la case départ. J'étais assez vieille pour savoir que
je pouvais me débrouiller toute seule. Je ne m'effon-
drerais pas, je finirais par reprendre du poil de la bête,
mais il ne faisait aucun doute que la vie était un tantinet
plus facile quand on avait quelqu'un près de soi. Cela
apportait son lot de complications, évidemment, mais
tout de même, on se sentait mieux à deux.

« J'aimerais emmener papa au pub boire une dernière pinte avant de rentrer à la maison. Tu veux bien
m'accompagner ?

— Avec plaisir. »

Nous nous levâmes.

« Tu sais quoi, Ben ? Vous devriez vraiment adopter ces enfants. Vous ne leur demanderez jamais d'être
les enfants parfaits que vous auriez pu avoir, pour la
bonne raison que vous ne les avez pas désirés. De ce
fait, ils ne pourront jamais vous décevoir. Tu feras un
merveilleux père.

— Eh bien, dit Ben en me prenant papa des mains,
je sais sur qui prendre modèle au moins. »

Maman ne paraissait pas troublée le moins du monde
par le fait que je me sois enfuie avec papa. Elle m'étreignit simplement à mon retour et puis nous fûmes à nouveau séparées. Je ne pus atteindre la cuisine. Les gens
m'approchaient – j'en connaissais certains, d'autres

pas – pour me dire chacun à sa manière quel grand homme mon père avait été. Maddy et Lulu jouaient au Scrabble. Avec de nouvelles règles. Quand c'était au tour de Maddy de jouer, Lulu piochait ses lettres ; quand c'était celui de Lulu, Maddy se replongeait dans son livre. Amber était dehors avec Caspar. Chaque fois que je jetais un coup d'œil par la fenêtre, ils s'embrassaient à bouche que veux-tu. Cela me fit sourire. Un vieil homme était peut-être mort, mais il ne fallait pas perdre de temps. Fran, miraculeuse comme toujours, assumait le rôle d'hôtesse, secondée par Honor, laissant maman et moi nous concentrer sur des fragments d'une vie dont nous ne connaissions pas encore tout.

Quatre tasses de thé et tout un tas de bavardages plus tard, j'étais épuisée. Notre service funèbre discret, organisé à la hâte, ne ressemblait en rien à ce que nous avions imaginé. Des gens du village ne cessaient de passer en apportant des sandwichs, des bouteilles de vin, des fleurs, des mots gentils, mais j'avais juste envie d'être seule maintenant. Avec ma famille proche qui, bizarrement, semblait inclure Peter, Honor, Amber, Lulu et Maddy.

Ben et Sasha s'en allèrent peu après le dernier convive. Étonnant ce don qu'ils avaient d'arriver et de partir au moment opportun. Maman monta s'allonger seule sur son lit. Fran ramena Caspar et les filles à Londres. Elle avait l'habitude de véhiculer des enfants et ne voulait pas que Peter et Honor fassent le trajet supplémentaire alors qu'elle pouvait facilement les déposer sur son chemin. Amber et Caspar n'allaient pas s'en plaindre.

Les filles vinrent m'embrasser et Amber me donna un livre audio que Bea avait tenu à offrir à maman. Il y avait une carte écrite de sa main. Ça faisait bizarre de la tenir. Je me demandai quand je reverrais les filles. Je m'étais tellement rapprochée d'elles ces derniers temps, et maintenant j'avais perdu tout droit sur elles. Cela me fut presque insupportable de leur dire au revoir. Je voyais mon avenir s'en aller, avec son cortège de complications. J'aurais fait une bonne belle-mère. Je n'avais jamais souffert de ne pas avoir d'enfants, mais ce fut le cas à cet instant. Peter et Honor, qui n'avaient pas soufflé mot à propos de James et Bea, me demandèrent s'ils pouvaient monter dans la chambre de maman lui porter le livre.

Je me retrouvai seule dans le salon. Pour la première fois depuis que je m'étais réveillée, je regardai ma montre. Il n'était que quatre heures de l'après-midi, mais j'avais l'impression qu'il était minuit. À bout de forces, je me laissai tomber dans le fauteuil de papa. Quand j'entendis tapoter au carreau de la fenêtre, je me demandai depuis combien de temps j'étais assise là. Le bruit s'infiltra à travers mon état semi-méditatif. J'avais envie de l'ignorer. Nous n'avions plus de place pour les fleurs et je n'avais plus rien à dire. On frappa de nouveau. Je me forçai à me redresser et à me retourner.

« James ? »

Il sourit à travers la vitre.

Je me levai pour aller ouvrir. Mon esprit me jouait-il encore des tours ?

« Bonjour, Tessa.

— Qu'est-ce que tu fais là ?

— J'ai besoin de te parler. »

J'appuyai ma tête contre le chambranle.

« Pas maintenant, James. La journée a été rude.

— S'il te plaît, dit-il en me tendant la main, juste un instant. »

Je sortis. Le soleil de l'après-midi était encore chaud. J'inspirai l'air limpide et me sentis un peu ravigotée.

« Les filles viennent de partir.

— Je sais. Je voulais te parler seul à seul.

— Tes parents sont encore là. C'était gentil à eux de venir.

— Je regrette de ne pas avoir été là. »

Moi aussi. Plus que tu ne le sauras jamais.

« Ça aurait été difficile. »

Nous nous éloignâmes de la maison, le long du sentier, en laissant le village derrière nous.

« Il faut que je te dise ce qui s'est passé. »

Des jonquilles sauvages jaillissaient le long du bas-côté. J'espérais qu'elles me donneraient du courage.

« Ça ne pouvait pas attendre ?

— Non », dit James.

Nous avions atteint le tourniquet qui donnait accès à la piste cavalière. Sur pilote automatique, je l'escaladai et sautai dans le pré. La terre solide sous mes pieds me ramena à la raison. Je ne voulais pas marcher sur la piste cavalière, ni en haut ni en bas. C'était trop douloureux. James enjamba la barrière derrière moi et se mit à marcher. Puis, prenant conscience que j'étais toujours adossée au poteau, il revint sur ses pas.

« Je suis désolé de ne pas être arrivé à temps pour l'enterrement. J'aurais dû être là.

— Où étais-tu ? demandai-je, à mon corps défendant.

— Avec Bea. »

Je ne savais pas trop comment j'étais censée réagir. C'était trop tôt pour me réjouir pour eux. Je n'étais pas surhumaine.

« Nous avions des tas de choses à nous dire.

— Dommage que vous n'ayez pas réussi à faire ça quand vous étiez mariés. »

Auquel cas tu n'aurais pas été libre pour me briser le cœur.

« Tu as raison. »

Ça me faisait une belle jambe ! N'avais-je pas été assez bonne ? Je l'avais renvoyé chez son ex, et maintenant je voulais juste qu'on me laisse tranquille.

« L'alcool n'est que la dernière manifestation des problèmes de Bea », dit-il.

Sans déconner ! Les trente kilos de trop ne t'ont pas mis la puce à l'oreille ?

« La picole a remplacé la nourriture, la nourriture le travail… »

Je commençais à être fâchée et, surtout, bouleversée. Ne lui avais-je pas dit tout ça moi-même ? Ce n'était pas le moment de parler de Bea. Je venais de faire incinérer mon père ! *Je t'ai laissé partir. Ne me demande pas de te remonter le moral à propos du choix que tu as fait. Pas un jour comme aujourd'hui !*

« Nous n'aurions pas dû laisser tous nos amis s'éloigner. On a besoin des copains quand les choses deviennent difficiles. »

Je ne te le fais pas dire. Pour l'heure, j'avais besoin des miens.

« Excuse-moi, James. Il faut que je rentre. »

Je fis volte-face pour enjamber le tourniquet dans l'autre sens. Il me saisit le bras.

« Attends.

— Non.

— S'il te plaît, Tessa. Je n'ai pas fini. »

Il fit glisser sa main le long de mon bras. Je frissonnai. Je ne voulais pas entendre ce qu'il avait à dire. Je ne voulais pas savoir que Bea et lui avaient beaucoup de retard à rattraper, un couple à remettre sur pied, une famille à reconstituer. J'avais envie de le plaquer à terre pour qu'il soit de nouveau à moi. Fichue libido ! Traître cœur ! J'étais bonne, mais pas à ce point-là. Il me tenait toujours la main. Je regardai ses doigts puissants enserrer les miens et une douleur me transperça de part en part.

« J'aime Bea… »

J'arrachai ma main de force.

« S'il te plaît…, suppliai-je en me hissant péniblement au-dessus du tourniquet. Je ne suis pas aussi courageuse que tu le penses. Enfin si. Mais non. Seigneur, je dis n'importe quoi. Il faut que j'y aille avant de faire quelque chose dont je ne serais pas fière. Je ne peux pas couper le lien comme ça…

— Il n'est pas question de couper quoi que ce soit. Laisse-moi finir.

— Mais tu l'aimes.

— Oui, mais je ne suis plus amoureux d'elle. »

Il recula dans l'herbe.

« Tu ne l'es plus ?

— Non. Je l'ai été. Profondément. Il m'a fallu long-temps pour m'en remettre, mais j'y suis arrivé. Je ne veux plus jamais, jamais revivre ça. »

Il me regardait intensément. L'espace d'un instant, je crus qu'il allait suggérer un truc tordu à trois, mais c'était pire que ça.

« Oh, mon Dieu, ne me dis pas ! Tu as besoin d'être seul. Sale branleur, que les mecs aillent se faire foutre, je ne sais même pas pourquoi j'ai…

— Tais-toi, Tessa. » Il plaqua sa main sur ma bouche. « Je ne veux pas être seul et je ne veux pas me remarier avec Bea. Je suis amoureux de toi. Je suis sûr qu'on fera des milliers d'erreurs nous aussi, mais je te promets, si tu veux bien de moi, que je ne referai pas les mêmes. Que nous ayons des enfants ou pas. »

J'écartai sa main.

« Tu veux encore des enfants ?

— Seulement avec toi. Et cette fois-ci, je mettrai mes mains dans le cambouis.

— Oh, James… » Je me jetai à son cou, mais il me maintint à l'écart de lui.

« Attends. »

Il se baissa et posa un genou sur une ortie de prin-temps particulièrement vigoureuse.

« Aïe ! »

Je ris, nerveusement. En fait, ce fut plutôt une sorte de coassement étranglé. James enfouit sa main dans la poche de sa veste et en sortit un coffret Cartier rouge. J'aspirai une grande goulée d'air.

« Tu as fait des courses.

— Je ne voulais pas rater le coche encore une fois. »

Il me tendit le coffret en scrutant mon visage.

« Tessa King, je t'aime absolument, complètement, de tout mon être. Voudrais-tu s'il te plaît, s'il te plaît, s'il te plaît, m'épouser ? Pour la vie. »

Il n'y eut pas de pause cette fois-ci. Il n'eut même pas le temps d'ouvrir le coffret.

« Whoua ! » dis-je en atterrissant sur la même ortie. Fort heureusement, James savait exactement comment faire passer la douleur.

« Ça veut dire oui ? »

Je lui rendis son baiser et souris.

« Évidemment que c'est oui. »

Je courus au premier annoncer la nouvelle à maman et lui montrer ma magnifique, parfaite bague d'éternité. D'éternité, pas de fiançailles. Je trouvais ça bien. Je n'étais pas fiancée. J'étais engagée. Pour la vie. Je fis irruption dans la pièce, sans frapper, mais maman n'était pas là.

« En bas », cria James.

Je dévalai l'escalier, sautai au cou de James, l'embrassai, puis je fonçai dans la cuisine. Il me fallut prendre appui contre le mur une seconde. Peter était installé à la table, le journal ouvert devant lui, un verre de vin rouge à la main. Comme papa. Je battis des paupières.

« Désolé, dit-il. J'en avais assez du thé. La bouteille était ouverte.

— Ce n'est pas ça. Vous m'avez fait penser à papa.

— Pardon.

— Ne vous excusez pas. C'était agréable. » Je me ressaisis vite. « Oubliez le thé. Ouvrons une bouteille de champagne.

— De champagne ? » s'étonna Peter.

Je lui brandis ma main gauche sous le nez. Peter renversa sa chaise en se levant dans sa hâte de nous féliciter.

« Je ne pourrais pas être plus heureux. Je suis sérieux. Je ne pourrais pas être plus heureux. »

En regardant le père et le fils échanger une accolade, je me réjouis à la pensée que papa ait connu Peter. Et vice versa. Peter me comprendrait plus facilement. Il n'y avait pas de champagne dans notre maison à l'épreuve de Bea, alors James et Peter proposèrent d'aller en chercher chez le caviste du coin. Il fallait fêter ça, aujourd'hui plus que jamais.

« Ne devrions-nous pas faire revenir les filles ? demandai-je.

— Non, répondit James. Nous leur dirons demain. Ce soir, c'est juste toi et moi. »

Je hochai la tête.

« Où sont passées Honor et maman ?

— Elles ont décidé de prendre l'air avant que nous rentrions, dit Peter. Allons, mon fils. Allons-y avant que les cris hystériques commencent.

— Oh, je ne pousse pas de cris hystériques », dis-je, à deux doigts de démentir ce que je venais de dire.

James s'approcha de moi et posa sa main sur mon cœur.

« Ton père aurait été content, dit-il.

— Il l'est.

— Je t'aime, Tessa King.

— Moi aussi je t'aime, James Kent.

— Non, mais franchement, dit Peter. On va juste au coin de la rue. »

Nous gloussâmes bêtement, puis plus bêtement encore de nos rires bêtes. Pour finir, je poussai James dehors.

Je m'attendais à trouver maman et Honor installées sur la terrasse en train de profiter des derniers rayons de soleil. Mais elles n'étaient pas là.

« Maman ! Y a quelqu'un ? »

J'avançai dans le jardin où papa avait passé tant de temps. Je fis la révérence aux jonquilles. Elles me rendirent la pareille. « Maman ! » criai-je un peu plus fort. Elles n'avaient pas pu aller bien loin.

« Par ici, fit une voix.

— Où ça ?

— De l'autre côté du verger. »

Au-delà du jardin, il y avait une petite prairie sauvage. Enfin, on disait « sauvage », mais elle avait été apprivoisée. Mes parents y avaient semé des graines de fleurs sauvages et s'étaient donné du mal pour dompter les mauvaises herbes. C'était une magnifique frontière entre leur jardin et le reste du paysage. Pas de haie de troènes chez papa et maman !

« Où ça ?

— Ici.

— Je ne vous vois pas. »

Tout à coup, une main surgit des hautes herbes et me fit signe.

« Maman ! Est-ce que ça va ? » Je paniquai. Était-elle tombée ? Où était passée Honor ? Étaient-ce des sanglots que j'entendais ? Je courus dans l'herbe en contournant les arbres et faillis enfoncer le sternum de ma future belle-mère.

« Nom de Dieu ! m'exclamai-je.

— Bonjour, chérie », dit maman, comme si c'était parfaitement normal de se mettre à poil et de s'allonger dans l'herbe, bras et jambes écartés. Elles ricanaient.

« Qu'est-ce que vous faites ?

— On dit au revoir, répondit maman, et ça fait un bien fou.

— Vous n'avez pas froid ?

— L'adrénaline fait son effet. Je me sens invincible.

— Pourquoi ne vous joignez-vous pas à nous ? » suggéra Honor.

Je jetai un coup d'œil en direction de la maison.

« Ne vous inquiétez pas, personne ne peut nous voir. »

Elles avaient vraiment l'air à leur aise, étalées là de tout leur long, nues comme des vers. Sans réfléchir un instant de plus, je me débarrassai de mes habits de deuil en expédiant mes bottes noires dans les fourrés. Maman avait raison. Je sentis une montée d'adréna-line m'envahir. Avec Honor à ma droite et ma mère à ma gauche, je complétais le cercle. Instinctivement, je tendis les doigts et nous nous tînmes par la main.

« Jolie bague », commenta Honor en soulevant un peu la tête de l'herbe.

Je souris en regardant les nuages d'un rose profond. Elles avaient vraiment raison. Ça faisait un bien fou.

« Est-ce qu'elle brille ? demanda maman.

— Si elle brille ! » répondit Honor en retournant sa main dans la mienne. Je souriais trop pour parler. Elles me serrèrent toutes les deux les mains.

« On a entendu la voiture, dit maman.

— Bienvenue dans la famille, dit Honor.

— Idem », répondis-je.

Notre cercle sombra dans le silence, et tout comme mon père l'avait décrit, je sentis mon pouls se ralentir, mon esprit s'apaiser et mon âme s'ouvrir à l'univers.

« Alors, ma chérie, comment te sens-tu ? » demanda maman.

Le sol était moelleux sous moi, l'air me déposait de doux baisers sur la peau, le ciel s'élevait jusqu'à mon père et redescendait vers moi. Je fermai les yeux.

« Infinie », répondis-je.

Épilogue

J'étais entourée d'éclats de rire, mais je ne fis même pas semblant de m'y joindre. J'avais envie d'installer une de mes belles-filles sur mes genoux et de la serrer très fort, mais j'avais appris à ne pas le faire. À neuf ans, même la plus jeune se considérait comme trop vieille pour des manifestations publiques d'affection. Quand on était seules à la maison, pas de problème, mais ce n'était pas dans ces moments-là que j'avais besoin de son soutien. Lorsqu'une main se posa sur mon épaule, un sourire se dessina automatiquement sur mes lèvres.

« Merci beaucoup de tout ce que vous avez fait pour ce concert, dit la femme en baissant les yeux sur moi.

— J'ai été ravie de pouvoir vous aider, répondis-je.

— C'était fabuleusement généreux de votre part. »

Maddy rayonnait. Si sa maîtresse disait que j'étais fabuleuse, je devais avoir fait les choses bien. Je vis la femme jeter un coup d'œil au siège vide à côté de celui de Maddy.

« Elle va venir », dis-je.

La maîtresse me gratifia d'un sourire chaleureux et prit sa place. Je me tournai vers James.

« Elle n'est pas en avance, dis-moi ? chuchotai-je. Je devrais peut-être appeler, non ?

— Elle va venir. Elle ne manquerait ça pour rien au monde », me répondit-il.

Les lumières baissèrent et un murmure exalté s'éleva parmi les parents, les frères et sœurs et les autres spectateurs avant de se dissiper. Maddy se retourna en même temps que moi pour jeter un coup d'œil au fond de la salle.

« Maman ! » lança-t-elle d'une voix stridente en bondissant de son siège. Je suivis Bea des yeux tandis qu'elle s'acheminait avec aisance le long de l'allée étroite. Il avait fallu un an, mais les derniers kilos récalcitrants s'en étaient allés. Elle était superbe. Je me décalai d'une place pour qu'elle puisse s'asseoir à côté de Maddy, mais Maddy bougea aussi, si bien qu'elle allait se retrouver entre nous.

Bea s'arrêta pour échanger deux mots avec une amie.

« Assieds-toi ! chuchota James d'une voix crispée. Ça va commencer. »

Elle m'envoya un baiser en passant et prit sa place.

« Désolée, dit-elle. La réunion a duré plus longtemps que prévu. »

James posa un doigt sur ses lèvres en désignant la scène. Les épais rideaux en velours vert s'écartèrent pour révéler un unique projecteur sur la scène. Là, au milieu d'une mare de lumière brillante se tenait Lulu. Je jetai un rapide coup d'œil au programme.

Lulu Kent devait lire un poème de sa composition. Sans un tremblement dans la voix, ni marmonnement ni pause, elle entreprit de réciter les vers qu'elle avait écrits pour le concours annuel de poésie de l'école. La gagnante devait ouvrir le spectacle. Et elle était là notre gagnante !

Je vis Maddy, Bea, Jimmy et, au-delà, Amber articuler en silence chaque mot en synchronisation parfaite, et une vague de chaleur m'envahit.

Pendant l'entracte, Amber et Maddy filèrent à la recherche de leur star de sœur. Les parents n'étant pas admis dans les coulisses, nous nous frayâmes un chemin jusqu'au bar. J'écoutai Bea et James se congratuler sur les progrès de Lulu.

« Qui aurait pensé ça d'elle ? » dit une femme.

Bea me surprit en train d'espionner et me fit un clin d'œil.

« Magnifique poème ! L'a-t-elle vraiment écrit toute seule ? » demanda une autre.

Je la foudroyai du regard. Bea éclata de rire.

« De *a* à *z*, dit James. Nous ne savions même pas qu'elle s'était présentée à ce concours, jusqu'à ce qu'elle l'emporte. »

La femme pinça les lèvres, manifestement dubitative.

« Approchons-nous du bar, dit Bea.

— Qui vérifie s'il y a du poison cette fois-ci ? demanda James.

— Il n'y a que du poison, dis-je. Du demi-sec. J'ai vérifié en arrivant.

— Ne vous inquiétez pas, dit Bea. J'ai des amies haut placées. »

Nous nous dirigeâmes vers la table à tréteaux sur le côté de la salle. Carmen était là, son superbe décolleté en pleine vue, en train de servir avec panache. En nous voyant approcher, elle tendit le bras sous le comptoir et en sortit une bouteille d'eau pétillante à la fleur de sureau.

« Les autres ont probablement besoin de quelque chose d'un peu plus fort, dit Bea.

— Ne t'inquiète pas, répondit Carmen en replongeant sous la nappe. J'ai mis un bon pinot noir de côté. »

Elle remplit généreusement deux gobelets en plastique blanc qu'elle tendit à James et à moi.

« Le look barmaid te va très bien, dit James.

— Appelle-moi Daisy, et tape-moi sur les fesses, riposta Carmen en riant. Je vais vous dire un truc. Si je n'arrive pas à avoir ma pension alimentaire, je serai peut-être obligée de faire ça à plein-temps.

— Il ne va pas te faire ce coup-là, lança Bea.

— Cette peau de vache lui coûte cher. Elle a un sac Mulberry flambant neuf. » Carmen agita la main d'un geste désinvolte. « Peu importe ! »

Carmen était gentille avec moi, mais j'avais le sentiment qu'elle se retenait d'accepter pleinement ma présence par mesure de solidarité envers le club des Premières Épouses. Je comprenais pourquoi et je lui savais gré de son amabilité. Je soupçonnais que Bea avait mis la pression.

J'avais été nettement moins bien accueillie par d'autres mamans aux portes de l'école les quelques fois où Bea avait été retardée par son travail et où nous avions mobilisé notre équipe de choc. Au cours de l'année qui s'était écoulée depuis le décès de mon père, nous étions toutes les deux devenues des mamans travaillant à mi-temps. Bea avait repris contact avec sa demoiselle d'honneur, Suzie. Suzie avait lancé une affaire fructueuse avec son mari, mais à la mort de ce dernier, tout s'était effondré. Bea et elle étaient en train de la reconstruire ensemble. En partenariat. Elle travaillait vingt heures par semaine pendant que les filles étaient à l'école ; je m'acquittais de mes devoirs de belle-mère vingt heures par semaine. Le reste du temps, j'étais juriste et épouse. Quoique, pas dans cet ordre-là.

« Vous avez eu droit aux "éloges" habituels ? demanda Carmen à Bea.

— Une femme qui m'aime bien, c'est ce que je pensais en tout cas, a pratiquement accusé Lulu de plagiat.

— Tu as perdu la moitié de ton poids, ma chérie ! Plus personne ne t'aime, et quand je dis personne... Pas même moi. »

Carmen décapsula une bouteille de jus d'orange longue conservation bon marché.

« Il faut dire que le changement chez Lulu est impressionnant, souligna-t-elle.

— C'est Tessa qui a mis le doigt sur le problème, dit Bea. J'avoue que la dyslexie ne m'était jamais venue à l'esprit.

— N'importe quoi ! protestai-je. C'est maman et toi qui avez découvert le pot aux roses.

— Pas du tout. C'est toi. »

Carmen leva son verre en mon honneur.

« Peu importe. C'est un bonheur de voir ça en tout cas.

— Madame Kent ! » lança une voix dans la foule. Je me retournai. Bea en fit autant.

Une femme dont le visage ne me disait rien agitait la main dans notre direction.

« C'est à toi que ça s'adresse, dis-je.

— Je te file cinquante livres si tu t'en occupes, me répondit Bea.

— Que veut-elle ? demandai-je d'un ton méfiant.

— Des chouchous pour l'école, dit Bea.

— C'est hors de question, intervint Carmen en posant une bouteille sans ménagement. Ton époque chouchou est révolue.

— À qui le dis-tu ! »

James s'interposa.

« Mademoiselle Peterson, dit-il. Comment allez-vous ? » Je remarquai que Mlle Peterson rectifia sa chevelure indisciplinée avant de serrer la main que mon mari lui tendait. « Je voudrais vous parler d'une idée que j'ai eue pour inciter les pères à s'impliquer davantage dans l'école. Le portail peut être un endroit intimidant pour nous autres papas.

— Sûrement pas pour vous, monsieur Kent. »

Bea et moi fîmes furtivement un pas en arrière.

« Une sortie papas/filles. On prend tous un jour de congé, sans exception. »

Mlle Peterson tapa dans ses mains de ravissement.

« Oh, monsieur Kent, vous êtes merveilleux ! »

J'évitai le regard de Bea parce que je savais qu'elle était en train de pouffer de rire dans son gobelet en plastique.

« Viens, dit-elle en me prenant le bras. Je crois qu'on a besoin de nous. »

Trois têtes rousses avaient surgi dans l'espace entre les deux rideaux et des mains s'agitaient frénétiquement. Je suivis Bea en me souriant à moi-même. Bea avait raison. On avait besoin de nous. De nous deux.

Remerciements

Il y a beaucoup de gens que je voudrais remercier pour ce livre, dont quelques-uns sans lesquels je n'aurais jamais pu l'écrire. Cependant, comme j'estime préférable de ne pas citer de noms, ces remerciements risquent de sembler un peu restreints. Cela ne veut pas dire que vous n'êtes pas dans mes pensées. Vous l'êtes. Je pense que le mariage est l'un des rares sujets tabous qui restent, et ce n'est pas facile d'en parler. Aussi, ma gratitude va à ces êtres qui ont été assez courageux ou assez ivres pour partager leurs peurs, leurs doutes, leurs ennuis, leurs joies, leurs dépendances, leurs infidélités, leurs frustrations et leurs fantasmes avec moi. Vous vous reconnaîtrez pour la plupart ; ce ne sera pas le cas de ceux que j'ai accostés dans les cafés, les bars, les bus, les toilettes pour dames, mais je vous remercie tout autant.

Je peux cependant citer quelques noms ; Gaby, je ne pense pas que j'aurais survécu à cette année sans toi. À deux reprises, tu m'as passé les clés de chez toi, m'offrant un lieu pour travailler. Tu as nourri mes enfants, commandé des provisions pour moi et tu m'as fait continuellement rire alors que j'avais envie de hurler. Ta maman serait rudement fière de toi. Je le suis. Priya, j'aimerais que tu habites plus près. Je préférerais que tu ne sois pas mon expert sur la sclérose en plaques ; j'aimerais arriver à faire fonctionner Skype. Tes conseils m'ont été très précieux. Et Cathy, pour un millier de petites choses, notamment la fois où tu m'as ramassée à la petite cuillère et expédiée en France. Ouvre la bouteille de rosé, je sens une chanson venir…

À mes sœurs, comme toujours, pour leur compréhension inhérente. En toute honnêteté, je donnerais cher pour que vous rentriez toutes les deux au pays. À mes parents : nous avons appelé notre fille Ruby en l'honneur de votre trente-cinquième anniversaire de mariage. C'est une joie de vous voir tous les deux si heureux. Vous êtes un merveilleux exemple pour nous inciter à nous cramponner au mât. Merci d'être des grands-parents aussi incroyables. À Electra, une fois de plus, pour ses mains robustes et ses paroles sages. À Marion, pour sa magie. À Eugenie pour les super transactions. J'ai du mal à croire que tu m'aies supportée si longtemps ! À la merveilleuse Harrie, pour son savoir ! À Leah pour sa patience. À Merla, pour à peu près tout le reste. Je me sens privilégiée d'avoir des femmes aussi remarquables auprès de moi.

Merci à tout le personnel de chez *Christophe*. Comment aurais-je fait sans votre café, vos gâteaux et votre Wi-Fi ? Si j'ai fini, c'est uniquement parce que vous m'avez offert un endroit où me cacher.

Je dois énormément à T.G. Teoh et à l'extraordinaire équipe à St. Mary's, qui m'a tirée d'affaire. Merci. Surtout à Chrissie, la chef de clinique, que j'ai oublié de remercier la première fois. Je vous suis reconnaissante à tous pour votre calme. Je savais que je ne pouvais pas être en de meilleures mains.

Évidemment, je dois tout à la bande de Headline. Vous êtes vraiment fantastiques.

Pour finir, et à jamais, à Adam. C'est passé ! C'est dur, nom d'un chien, mais le jeu en vaut la chandelle. À certains moments, je me demande comment on sera à la fin de la journée, même si je sais, en mon for intérieur, que nous nous en sortirons. Et ce qui me fait peur alors, c'est que le restant de nos jours ne suffira jamais.

Composition et mise en pages réalisées
par IND - 39100 Brevans

Achevé d'imprimer par GGP Media GmbH, Pößneck
en Octobre 2010
pour le compte de France Loisirs,
Paris

N° d'éditeur : 61634
Dépôt légal : août 2010

Imprimé en Allemagne